广东改革开放30年研究丛书

广东省哲学社会科学“十一五”规划2007年度规划特别委托项目

敢为人先

—— 广东改革开放30年研究总论

蒋 斌 梁桂全 主编

廣東省出版集團
广东人民出版社
·广州·

图书在版编目（CIP）数据

敢为人先：广东改革开放30年研究总论/蒋斌，梁桂全主编．—广州：广东人民出版社，2008.11
（广东改革开放30年研究丛书）
ISBN 978-7-218-05995-2

Ⅰ.敢…　Ⅱ.①蒋…②梁…　Ⅲ.改革开放—研究—广东省—1978～2008　Ⅳ.D619.65

中国版本图书馆CIP数据核字（2008）第180542号

出 版 人	金炳亮
责任编辑	郑　雪
装帧设计	张力平　陈小丹
责任技编	周　杰
出版发行	广东人民出版社
印　　刷	佛山市浩文彩色印刷有限公司
开　　本	787毫米×960毫米　1/16
印　　张	28.75
插　　页	1
字　　数	415千
版　　次	2008年11月第1版　2008年11月第1次印刷
书　　号	ISBN 978-7-218-05995-2
定　　价	58.00元

如果发现印装质量问题，影响阅读，请与出版社（020-83795749）联系调换。

【出版社网址：http://www.gdpph.com　　电子邮箱：sales@gdpph.com
图书营销中心：020-37579695　37579604】

总　序

汪　洋

中国的改革开放走过了30年的伟大历程。广东是中国改革开放的先行地区，在改革开放和现代化建设中一直走在全国前列，充分发挥了“试验田”、“窗口”和“示范区”作用。在纪念中国改革开放30周年之际，认真研究总结广东改革开放的成就和经验，有助于深化人们对改革开放重要意义的认识，对于全省人民深入贯彻落实科学发展观，继续解放思想，坚持改革开放，促进经济社会又好又快发展，夺取全面建设小康社会的新胜利，加快推进社会主义现代化，具有深远的历史意义和重大的现实意义。

第一，研究广东改革开放，要系统总结广东改革开放30年的伟大成就，进一步坚定深化改革、扩大开放的信心和决心。

30年来，广东历届省委、省政府团结带领全省人民，高举中国特色社会主义伟大旗帜，发扬敢为天下先的精神和“杀出一条血路”的勇气，解放思想，实事求是，与时俱进，开拓创新，推动经济社会发展取得了举世瞩目的巨大成就。

实现了从一个经济比较落后的农业省份向全国第一经济大省的历史性跨越。1978—2007年，全省GDP总量增长41倍，人均生产总值翻了四番，经济总量先后超过了亚洲“四小龙”中的新加坡、香港和台湾地区，已处于世界中等收入国家水平。目前，全省经济总量约占全国的1/8，源于广东的财政总收入约占全国的1/7，进出口总额占全国的近30%。

实现了从计划经济体制向社会主义市场经济体制的历史性转变。30年来，广东人民以改革创新精神推动着改革开放的伟大实践，率先创办经济特区，率先引进“三来一补”、海外的先进技术设备和管理经验及创办“三资”企业，率先进行价格改革，率先改革投资体制，率先进行金融体制改革，率先实行土地有偿转让，率先实行产权制度改革，等等，在建立和完善社会主义市场经济体制方面走在全国前列。同时，政治、文化和社会等领域的改革也取得了重大进展。

实现了从封闭半封闭向全方位开放的历史性转变。积极加强对外往来和友好合作，努力推进与港澳地区和内地省市区的区域经济合作，大力实施“走出去”战略，形成了多层次、多形式、多功能的全方位对外开放新格局。对外贸易不断扩大，1978—2007年，广东进出口总额增长近400倍，约占全国的30%；到2007年底，累计实际利用外资达到1945亿美元，约占全国的1/5；全省经核准的非金融类境外企业已超过1800家，业务遍及90多个国家和地区。

实现了从温饱向宽裕型小康迈进的历史性跨越。改革开放30年是人民群众得到最多实惠的时期。1978—2007

年，全省城镇居民人均可支配收入、农民人均纯收入分别增加了43倍和29倍，居民消费结构优化，公共服务明显增加，人民生活水平总体达到小康，珠三角地区率先达到宽裕型小康。经济快速发展提供了越来越多的就业岗位，大量的外来务工人员在广东安居乐业。社会保障体系加快向城乡居民覆盖，保障能力不断增强。教育、文化、卫生、体育等各项事业迅速发展。

30年来，广东充分利用毗邻港澳的地理优势，大力推进粤港澳合作，对香港、澳门顺利回归祖国并保持繁荣稳定发挥了重要的促进作用，为彰显“一国两制”伟大构想的成功实践作出了积极贡献。作为中国先发展起来的区域之一，广东十分注重推动国家区域发展总体战略的实施，努力帮助和带动中西部地区发展，为促进全国共同发展、共同富裕发挥了重要作用。

广东的实践雄辩地证明，改革开放符合党心民心、顺应历史潮流，方向和道路是完全正确的。只要坚定不移地推进改革开放，广东就一定能继续书写科学发展的奇迹，中国特色社会主义道路就一定会越走越宽广。

第二，研究广东改革开放，要深入概括广东改革开放30年的宝贵经验，进一步开创改革开放和社会主义现代化建设新局面。

广东作为全国改革开放的试验区，每前进一步都离不开党中央的亲切关怀和正确领导，都是坚定不移学习实践中国特色社会主义理论、坚定不移贯彻党的路线方针政策的结果。1992年春，邓小平同志视察南方发表重要谈话，要求广东“力争用二十年的时间赶上亚洲‘四小龙’”。2000年春，江泽民同志视察广东，提出了“三个代表”重要思想，要求广东“增创新优势，更上一层楼，率先基本实现社会主义现代化”。2003年春，胡锦涛总书记视察广东，提出了科学发展观的思想，要求广东抓住机遇，加快发展、率先发展、协调发展，在全面建设小康社会、加快推进社会主义现代化进程中更好地发挥排头兵作用。广东时刻牢记中央的重托，始终坚持以邓小平理论、“三个代表”重要思想为指导，深入贯彻落实科学发展观，坚定不移地用党的创新理论武装头脑、指导实践、推动工作，结合广东实际创造性地贯彻落实中央的路线、方针、政策，努力为全国的改革开放探索道路、积累经验、做出贡献。

坚持以解放思想引领改革开放，不断冲破不合时宜的观念束缚。我们深刻认识到解放思想是正确行动的先导，是扫除思想障碍、引领发展的“法宝”，是推动改革开放的强大动力。我们坚持一切从实际出发，求真务实，求新思变，积极将解放思想形成的共识，转化为政策、措施、制度和法规，把解放思想贯穿于改革开放和社会主义现代化建设的全过程。

坚持以经济建设为中心，推动经济社会又好又快发展。我们深刻认识到发展对于全面建设小康社会、加快推进社会主义现代化，具有决定性意义。我们坚持把发展作为党执政兴国的第一要务，牢牢扭住经济建设这个中心，坚持聚精会神搞建设、一心一意谋发展，不断解放和发展社会生产力。着力把握发展规律、创新发展理念、转变发展方式、破解发展难题，不断提高发展质量和效益，推动经济社会又好又快发展，为率先基本实现社会主义现代化打下坚实基础。

坚持以人为本，激发和保护人民群众的积极性和创造

性。我们深刻认识到全心全意为人民服务是党的根本宗旨，党的一切奋斗和工作都是为了造福人民。我们始终把实现好、维护好、发展好最广大人民的根本利益作为党和国家一切工作的出发点和落脚点，尊重人民主体地位，发挥人民首创精神，保障人民各项权益，走共同富裕道路，促进人的全面发展，做到发展为了人民、发展依靠人民、发展成果由人民共享。

坚持全面协调可持续发展，积极构建社会主义和谐社会。我们深刻认识到社会和谐是中国特色社会主义的本质属性，科学发展与社会和谐是内在统一的，没有科学发展就没有社会和谐，没有社会和谐也难以实现科学发展。我们按照民主法治、公平正义、诚信友爱、充满活力、安定有序、人与自然和谐相处的总要求和共同建设、共同享有的原则，着力解决人民最关心、最直接、最现实的利益问题，努力形成全体人民各尽其能、各得其所而又和谐相处的局面，为发展提供良好社会环境。

坚持统筹兼顾，以世界眼光谋划广东的发展。我们深刻认识到统筹兼顾是在新的历史条件下保证中国特色社会主义事业顺利推进的根本方法。我们统筹城乡发展、区域发展、经济社会发展、人与自然和谐发展、国内发展和对外开放，统筹个人利益和集体利益、局部利益和整体利益、当前利益和长远利益，充分调动各方面积极性。着力把握国内国际两个大局，树立世界眼光，加强战略思维，善于从国际形势发展变化中把握发展机遇、应对风险挑战，营造良好国际环境。

坚持加强和改进党的自身建设，充分发挥党的领导核心作用。我们深刻认识到做好各项工作关键在党。我们坚

持党要管党、从严治党，以提高执政能力和保持先进性为重点，贯彻为民、务实、清廉的要求，抓理想塑灵魂，抓班子带队伍，抓基层打基础，抓作风反腐败，全面加强党的自身建设，充分发挥领导核心作用，不断提高各级党组织的凝聚力、创造力和战斗力，为促进改革发展稳定提供坚强政治保证。

这些经验，既是广东历届省委、省政府带领全省干部群众锐意进取、开拓创新取得的宝贵精神财富，又是广东继续开创改革开放新局面必须坚持的重要原则。

第三，研究广东改革开放，要继续解放思想、坚持改革开放，努力争当实践科学发展观的排头兵。

改革开放是广东的魂。广东靠改革开放起步，也靠改革开放起飞；广东靠改革开放赢得今天，也必须靠改革开放开创未来。经过30年的快速发展，广东已经站在新的历史起点之上，改革开放面临着新机遇、新挑战和新任务。我们要继承和发扬改革开放初期敢为人先的精神和气魄，继续解放思想，坚持改革开放，努力争当实践科学发展观的排头兵，把广东建设成为提升我国国际竞争力的主力省，探索科学发展模式的试验区，发展中国特色社会主义的先行地。

一是继续解放思想，坚定不移地走在实践科学发展的前列。解放思想永无止境。要按照科学发展观的要求，打破阻碍科学发展的思维定势，加快转变发展方式，着力提高自主创新能力，积极建设现代产业体系，切实增强可持续发展能力，使速度、结构、效益相协调，人口、资源、环境相协调，消费、投资、出口相协调，城乡、区域发展相协调，促进经济社会又好又快发展。

二是不断深化改革，坚定不移地走在构建有利于科学发展体制机制的前列。以行政管理体制改革、财政和投融资改革、要素市场体系建设等为重点，统筹经济和社会事业改革，加快建立完善的市场经济体制机制，形成市场配置资源、企业自主发展、政府科学调控的良好格局。建立健全科学发展的综合考核体制，把贯彻落实科学发展观的目标要求转化为可考核的客观指标。

三是继续扩大开放，坚定不移地走在提高区域国际竞争力的前列。要树立全局和世界眼光，抢抓经济全球化和区域经济一体化的发展新机遇，加快构建粤港澳紧密合作区，加强与美国、日本、欧盟等发达国家和地区以及与东盟等新兴经济体的合作，加快完善内外联动、互利双赢、安全高效的开放型经济体系，不断扩大开放领域，优化开放结构，提高开放水平，增创广东国际竞争新优势。

四是着力改善民生，坚定不移地走在构建社会主义和谐社会的前列。要坚持民生为重，稳步实施城乡居民收入倍增计划，加快完善覆盖城乡惠及全民的社会保障网，切实解决住房、医疗、教育和食品安全等突出民生问题，使全体人民学有所教、劳有所得、病有所医、老有所养、住有所居，努力实现好、维护好、发展好最广大人民群众的根本利益，推进和谐广东建设。

五是以改革创新精神全面推进党的建设新的伟大工程，坚定不移地走在加强和改进党的建设的前列。要把党的执政能力建设和先进性建设作为主线，坚持党要管党、从严治党，以坚定理想信念为重点加强思想建设，以造就高素质党员、干部队伍为重点加强组织建设，以保持党同人民群众的血肉联系为重点加强作风建设，以健全民主集中制为重点加强制度建设，以完善惩治和预防腐败体系为重点加强反腐倡廉建设，使党始终成为领导改革开放和社会主义现代化建设的坚强核心。

广东有辉煌的过去、美好的现在，一定会有灿烂的未来。这次出版的《广东改革开放30年研究丛书》，对广东改革开放30年巨大成就、实践经验和未来前进方向等问题进行了系统总结和深入研究，内容涵盖经济、政治、文化、法律、城市、农村、科技、教育、社会、党建等10个方面，为全面深入研究广东改革开放做了大量有益工作，迈出了重要一步。在隆重纪念改革开放30周年之际，希望全社会高度重视广东改革开放问题的研究，希望有更多的专家学者和实际工作者积极投身到广东改革开放问题研究中去，进一步把广东改革开放的伟大意义、巨大成就、成功经验和前进方向总结好、阐述好、宣传好，为推动广东现代化建设迈上新台阶，开辟广东更加美好的未来作出更大的贡献！

（作者系中共中央政治局委员、广东省委书记）

目　录

导　论 / 1

第一章　先行一步 / 13

一、广东改革开放先行一步的历史背景 / 13

（一）中国现代化的探索 / 14

（二）广东改革开放先行一步的优势 / 28

二、广东改革开放30年的实践历程 / 33

（一）突破计划经济体制的束缚 / 33

（二）建立市场经济体系的探索 / 38

（三）实践科学发展观的排头兵 / 42

三、广东改革开放先行一步的意义和贡献 / 48

第二章　率先开放 / 56

一、创办特区，大胆探索对外开放 / 56

（一）经济特区的率先创办与发展 / 57

（二）实施“特殊政策，灵活措施” / 60

（三）“对外更加开放，对内更加搞活，对下更加放权” / 63

（四）从实际出发，形式多样，广泛利用外资 / 63

（五）制订规划，提高技术引进水平 / 65

（六）积极探索外贸体制改革路子 / 66

（七）开展对外承包工程和劳务合作 / 68

（八）落实华侨政策，调动港澳同胞和海外华侨建设家乡的积极性／69
二、对外更加开放，形成全方位对外开放新格局／70
（一）放宽利用外资政策，大力发展外向型经济／70
（二）大力改革外贸体制／71
（三）进一步改善投资环境／76
（四）积极开展海外投资业务／78
（五）扩大开放范围，形成全方位对外开放新格局／78
三、实施外向带动战略，增创开放新优势／79
（一）推动口岸管理体制改革，提升特区整体素质，增创特区新优势／80
（二）实施外向带动战略，加速市场国际化／81
（三）合理、积极、有效利用外资／83
（四）加强粤港经济合作，为香港的平稳过渡和繁荣稳定发挥独特作用／86
四、“引进来”与“走出去”双向并举，建立高水平的开放型经济／87
（一）积极做好加入世贸组织的应对工作，增创加入世贸组织的先发优势／88
（二）积极拓展对外贸易增长空间，千方百计扩大出口／90
（三）实施“引进来”与“走出去”双向并举，加快“走出去”的步伐／92
（四）加强粤港澳台经济合作，提高合作水平／95
五、深入贯彻落实科学发展观，全面提高开放型经济水平／98
（一）树立世界眼光，实施经济国际化战略／99
（二）进一步提高引进外资的质量和水平／99
（三）转变外贸增长方式／101

（四）推进内源型经济国际化／103
（五）提升粤港澳合作水平，建设粤港澳紧密合作区／103

第三章 深化改革／106
一、构建市场经济新体制／106
（一）导入市场机制推动广东体制改革／106
（二）全面推动价格改革／112
（三）培育和完善市场体系／116
二、所有制与产权改革／125
（一）所有制结构调整与非公有制经济发展／125
（二）农村股份合作制改革／128
（三）国有企业及产权制度改革／131
（四）分配制度改革／137
三、改革与完善宏观调控／143
（一）建立与市场经济相适应的宏观调控体制／144
（二）改革与完善财税调控体制／150
（三）建立和完善社会保障制度／154

第四章 依法治省／160
一、地方立法的实践与探索／160
（一）广东地方立法的发展历程／160
（二）广东经济特区立法的发展历程／164
（三）地方立法的主要经验和启示／168
二、地方政府法制建设的实践与探索／172
（一）广东地方政府法制建设发展概况／172
（二）广东地方政府行政立法工作／176
（三）广东行政执法责任制建设／180
（四）广东行政救济制度建设／183
（五）广东地方政府职能的转变／186
三、公安司法体制改革的实践与探索／190

（一）广东公安机关加大执法力度，提高执法质量／190
（二）广东检察机关完善检察机制，促进肃贪倡廉／193
（三）广东审判机关健全审判机制，确保司法公正／197
（四）广东司法行政机关创新管理方式，服务经济大局／200

第五章　人文广东／206

一、坚持服务大局，形成推动改革发展的强大精神动力／206
（一）不断解放思想、转变观念，为改革开放鸣锣开道／207
（二）坚持正确价值观导向，引领整合多样化社会思潮／211
（三）弘扬培育广东人文精神，构成率先发展的力量源泉／215
（四）增强信息化时代的宣传舆论引导力，为改革发展稳定大局保驾护航／218

二、坚持以人为本，全面提高人的现代文明素质／221
（一）用科学理论武装人，提高人的思想水平／221
（二）构建多层次道德建设体系，培育现代公民／224
（三）推进公共文化服务体系建设，让群众共享文化发展成果／227
（四）深化体制改革，壮大文化产业，满足群众精神文化需求／229
（五）优先发展教育，实现人民大众受教育权利／231

三、坚持人民为主体，广泛开展群众性精神文明创建活动 / 233
(一) 吸引群众参与，从解决群众最关心的问题入手 / 233
(二) 尊重群众的首创，及时总结推广先进典型 / 236
(三) 抓好各种载体，充分调动群众创建积极性 / 238
(四) 引入竞争机制，使群众性文明创建充满活力 / 239
四、坚持统筹兼顾，妥善处理精神文明建设中的重大关系 / 240
(一) 坚持社会主义方向与发展市场经济相结合 / 240
(二) 继承中华传统文化与借鉴外国优秀文明成果相并重 / 242
(三) 兼顾思想教育与法制力量，确保形成扬善抑恶的良好风气 / 244
(四) 既依靠群众又加强领导，完善科学规范的运行保障机制 / 245

第六章 绿色广东 / 248
一、广东生态文明建设发展历程 / 248
(一) 改革开放30年历史回顾 / 248
(二) 生态环境面临的问题及原因 / 253
二、发展绿色经济，转变增长方式 / 258
(一) 广东发展绿色经济的重大意义 / 258
(二) 与环境相协调的经济发展调整 / 259
三、营造绿色环境，改善环境质量 / 263
(一) 环境保护内涵的演变 / 263
(二) 营造绿色环境的主要做法 / 264

四、培育环境文化，构建绿色文明／269
（一）创建绿色学校、绿色社区／269
（二）创建生态示范区／273
（三）做好环境保护规划，加强环境法制建设／275

第七章　科学发展／278
一、转变经济发展方式，全面转入科学发展轨道／278
（一）大力发展社会主义商品经济，实现经济总量大跃升／278
（二）探索建立社会主义市场经济，实现综合竞争力质的飞跃／281
（三）转变经济增长方式，全面迈向科学发展道路／283
二、蓬勃发展的产业经济／287
（一）广东产业发展历程及成就／287
（二）工业建设成就显著／297
（三）现代服务业发展迅猛／303
三、充满活力和竞争力的现代城市经济／309
（一）基础设施建设突飞猛进／309
（二）城市建设日新月异／313
四、富裕安康的社会主义新农村／319
（一）广东农村发展历程及成就／319
（二）广东社会主义新农村建设实践／322
（三）广东农村建设存在的问题及未来发展思路／325
五、协调发展的区域经济和区域合作／328
（一）区域经济全面腾飞／328
（二）区域经济协调发展与区域经济合作／331

第八章　和谐广东／341
一、社会建设彰显改革新貌／341

（一）社会建设的新风貌 / 342
（二）民生建设的新进展 / 344
（三）建设和谐广东的新成效 / 348
二、社会建设成效显著 / 360
（一）扩大就业 / 361
（二）健全社保体系 / 364
（三）维护社会安定 / 366
（四）实施教育强省战略 / 369
（五）深化分配制度改革 / 372
（六）建立基本医疗卫生制度 / 374
（七）建立充满志愿精神的公民社会 / 375
三、社会建设的重要经验 / 377
（一）高度关注民生 / 377
（二）立足省情择善而从 / 380
（三）政府主导与调动社会各界积极参与相结合 / 381
（四）进一步解放思想，落实科学发展观 / 381

第九章 固本强基 / 384
一、在解放思想中加强党的思想建设 / 384
（一）以思想解放谋发展 / 385
（二）创办广东学习论坛 / 391
（三）开展“三有一好”教育 / 395
二、在巩固基础中加强党的组织建设 / 398
（一）健全农村党建运行机制 / 399
（二）创新国企党建管理方式 / 403
（三）社区党建搭建服务平台 / 406
（四）拓宽“两新组织”党建领域 / 411
三、在对外开放中加强党风廉政建设 / 415
（一）探索关注民生的党群关系 / 416
（二）以机关党建带动作风建设 / 418

（三）形成广东特色的惩防体系／421
四、在改革实践中加强党的制度建设／425
（一）创新干部选拔任用机制／425
（二）探索党代会常任制试点／429
（三）积极推进党内民主建设／432

参考文献／435

后　　记／439

导　论

30 年前，中国共产党召开了具有划时代历史意义的十一届三中全会，拉开了改革开放的序幕，中国人民毅然决然地踏上了改革开放的历史征程，在新的历史条件下进行了一场伟大的革命。斗转星移，春来秋去，30 年时光转瞬即逝。30 年来，中国人民以一往无前的进取精神和波澜壮阔的创新实践，坚定不移地推进改革开放和建设中国特色社会主义，开创了中国现代化建设新时期。

沐浴着党的十一届三中全会春风的广东人民，始终牢记小平同志的重托，肩负着为改革开放先行探路的重任，发扬敢为天下先的精神，在不断排除“左”的思想干扰中进一步解放思想，勇于开拓，大胆探索，披荆斩棘，在南粤大地掀开了开放—改革—发展的大幕，率先创办了经济特区、进行社会主义商品经济改革，先行一步，杀出了一条改革开放的新路，在中国改革开放浩然大潮中引领风骚。

30 年的改革实践，广东充分发挥了体制改革“探路者”的作用。在价格流通体制方面，1980 年起，广东在全国率先开放部分农副产品价格，实行“调放结合，以放为主，放中有管，分步推进”，打破统购包销格局，在全国最早结束“票证经济”。在企业管理体制方面，1979 年起率先在全国推广推行以“包”产为主要内容的各种盈亏包干责任制，给企业“松绑”。在财政投资体制方面，1981年起率先实行“递增包干”体制，扩大地方自主权；率先按照市场经济的原则，实行“以桥养桥”、“以路养路”、“以电养电”、“以电信养电信”等多种筹集资金的形式，形成了“谁投资，谁受益”的集资办事、有偿使用的投资机制。在要素市场方面，率先发展证券市场、保险市场、信用市场，积极探索专业银行企业化的改革路子，形成了以国家专业银行为主体，其他金融机构为补充的多层次、多元化金融体系；最早实行劳动合同制与用工双向选择制度，形成了城乡劳动力流动新机制；率先以拍卖的方式出让国有土地的使用权，实行土地商品化。在所有制和产权改革方面，率先发展私营、个体等非公有制经济；顺德在全国率先对公有企业进行了产权改革；南海进行了土地股份合作制的探索。总之，从率先实行价格闯关，率先进行冲破计划经济体制的一系列改革，到大力发展土地、技术、劳动力、资本等各类要素市场，推进产权改革，建立现代企业制度等一系列以建立社会主义市场经济体制为目标的日益全面深刻的改革；从经济领域的改革到行政管理体制、政治体制、社会保障体制以及科技、教育、文化、卫生等综合配套改革的整体推进，广东始终坚持党的十一届三中全会以来的路线、方针、政策不动摇，率先冲破了一道道旧体制的篱笆，探索出了一个个体现社会发展规律的新机制、新办法。

30年的开放实践，广东发挥毗邻港澳的区位优势，从发展珠江三角洲地区与香港“前店后厂”的合作模式起步，实行“两头在外，大进大出，参与国际经济大循环”的方针，发挥了对外开放重要的“窗口”作用。广东率先创办深圳、珠海、汕头三个经济特区，开创了社会主义国家兴办经济特区的先河，进而形成了经济特区、沿海开放城市、沿海经济开放区和

山区多层次、多形式、多功能的全方位对外开放新格局；率先引进“三来一补”企业，积极引进外资和国外先进技术、管理，发展外向型经济；率先进行外贸体制改革，扩大外贸主体，下放外贸经营权，实行外贸承包责任制；全面实施外向带动战略，加速市场国际化，做大做强外源型经济；大力实施“走出去”战略，实行经济国际化战略，多层次、宽领域、深层次参与国际分工与合作；优化开放结构，提高开放质量，完善内外联动、互利共赢、安全高效的开放型经济体系，形成经济全球化条件下参与国际经济合作和竞争新优势；深化粤港澳合作，为港澳的平稳过渡和繁荣稳定发挥独特作用。广东对外开放先行一步，取得了举世瞩目的成就。对外贸易总量从1978年的15.92亿美元增长到2007年的6340.49亿美元，其中出口从13.88亿美元增长到3692.5亿美元；从1986年起，广东外贸出口已连续21年位居全国首位，2007年对外贸易总量和外贸出口分别占全国的29.17%和30.32%。利用外资几乎从零开始，到2007年年底累计批准外商直接投资项目13.77万个，合同外资额3234.79亿美元，实际利用外资1944.91亿美元，占全国实际利用外资总量的四成以上。对外直接投资方面至2007年，在90多个国家和地区设立的非金融类企业达到1804家。广东成为我国外贸大省、利用外资大省和经济开放度最高的省份。

沿着30年改革开放的航道，广东不断更新发展观念，转变发展方式，努力争当科学发展的排头兵。为推动经济增长从量的扩张向质的提高转变，广东紧紧抓住产业结构调整这条主线，推动现代服务业和先进制造业“双轮驱动”，构建现代产业体系。为提高自主创新能力，2005年广东在全国第一个提出省级创新战略，至2007年，广东区域创新能力连续多年居全国第三，科技进步对经济增长贡献率超过50%，发明专利申请

量占总申请量比例达到26.1%，连续3年稳居全国第一。为促进城乡区域协调发展，大力发展县域经济，实施“腾笼换鸟、造林引凤”，促进产业和劳动力“双转移”，2007年，广东山区及东西两翼地级市与珠三角地区合作共建产业转移工业园24个，实现产值约65亿元。在社会建设领域，广东在全国率先建立了面向全社会的统一的社会保险体系，城镇职工参加基本养老、医疗、失业、工伤保险人数，社保基金累计结余，全省农民工参加医疗和工伤保险人数，均居全国首位；率先探索完善住房保障制度的新路子，为城镇住房特困户提供廉租房；率先实现农村最低生活保障制度，率先全面实施农村免费义务教育，实施“智力扶贫工程”，每年资助名额达到1.2万名；率先创新农村合作医疗方式，在欠发达地区每个行政村设立一个卫生站；率先创立“零就业家庭”就业援助制度，首创退役士兵免费职业技能培训；2003年以来，广东省财政每年投入过百亿元用于支持全民安居、扩大与促进就业、农民减负增收、教育扶贫、济困助残、外来员工合法权益保护、全民安康、治污保洁、农村饮水、城乡防灾减灾“十项民心工程”建设。在文化建设领域，率先引入流行文化，率先进行报业转型，广东报业不管是在产业经营还是承担社会责任方面，都引领全国。在政治建设领域，广东蛇口工业区1983年就实行民主直选领导班子；产生了人大代表质询政府官员等“广东人大现象”。在生态建设领域，广东单位GDP能耗和单位工业增加值能耗全国最低，是最“经济”的经济大省。

作为改革开放的先行者，广东抢抓机遇，加快发展，率先发展，创造了举世瞩目的“广东奇迹”，成为中国最具竞争活力的区域之一和世界著名的制造业基地，因而也成为改革开放最大的受益者。1978—2007年，广东经济平均年增长速度达到13.8%，GDP总量由185亿元增加到30673亿元，增长了41

倍，占全国的1/8，从1985年起GDP总量已经连续23年稳居全国第一位。其中，2001年广东GDP首次突破万亿元大关，用了23年；到2005年突破第二个万亿元大关，只用了4年；到2007年突破第三个万亿元大关，仅仅用了2年。广东人均GDP也由1978年的247美元增长到2007年的4080美元，翻了四番，已经处于世界中等发达国家水平。到2007年，广东财政总收入达到7750亿元，约占全国的1/7，连续17年居全国第一；城镇居民人均可支配收入达到17699元，比1978年增长了42倍，农村居民人均纯收入达到5624元，增长了28倍。从1992年邓小平提出广东力争20年赶上亚洲“四小龙”算起，广东的经济规模用了6年时间追上了新加坡，用了11年赶上香港，用了15年又超越了台湾，全省总体实现小康，珠江三角洲已率先步入宽裕型小康。在物质文明取得巨大成就的同时，广东人民在精神文明、政治文明、社会和谐和生态文明方面也焕然一新。在2008年汶川大地震期间，广东人民心系灾区，充分发扬志愿精神，无私援助，捐款捐物高达56亿元，这是当代广东人精神和社会文明的一个缩影。一个初步繁荣、富裕、文明、和谐的广东已在中国南方崛起！

总体而言，广东的改革开放和全国一样具有循序渐进的特点，从“摸着石头过河”到更加理性自觉，从注重“破”到更加注重“立”，从单项突破到综合配套，从外围战到攻坚战，从个点先试到全面铺开。广东率先深化改革、扩大开放，为开拓中国特色社会主义道路探索了自己的实践方式，具有鲜明的自身特点。

在路径选择方面，从一开始就比较明确经济体制改革的市场取向，这是广东改革开放先行一步的基本特征。建立社会主义市场经济，是我国经济体制改革的根本方向。早在1979年，邓小平就指出：“社会主义也可以搞市场经济。……这是社会主义利用这种方法来发展社会生产力。”① 但实际上，在“市场”的问题上，我国长期存在着扑朔迷离、反反复复的情况。广东建立和健全市场体系起步较早，经济特区建立伊始，就明确规定“以市场调节为主”，在全国率先引入市场机制，进行以市场为突破口的改革。20世纪80年代，广东省委把中央给予广东的特殊政策和灵活措施具体化为“三个更加”，即“对外更加开放，对内更加搞活，对下更加放权”。这一改革思路，主要目标就是变过去的高度集中的产品经济模式为有计划的商品经济，逐步放开和调整价格，搞活流通，建立和培育社会主义市场体系。1984年，广东省委提出要围绕推进以市场为取向的改革，做到“八个破除”，包括破除把发展社会主义商品经济看成是“资本主义”的固定观念。1988年，广东省政府提出，要以创建现代企业制度和理顺价格、完善市场体系为重点，深化综合改革实验，力争在5年内基本建立起新经济体制框架和商品经济新秩序。这一时期，广东改革开放呈现出“放得开，搞得活，上得快”的特点。1992年邓小平视察南方后，广东更加明确社会主义市场经济体制的改革方向，全面推进和深化经济体制改革。因而，广东改革开放30年的轨迹，是从放权让利，打破高度集中统一的计划经济体制开始，经历了从计划调节为主慢慢转向市场调节为主，计划经济与市场经济并行，再逐步由社会主义市场经济取代计划经济的过程。

在改革、开放、发展的关系方面，广东结合本省的特点，以开放促改革、以开放促发展，将对外开放置于先导地位。第一，开放带来了广东加快发展的紧迫感。率先对外开放使广东先于全国其他省市看到我国与外部世界的发展差距，率先感受到了由这种差距引发的强烈震撼和危机意识，率先认识到学习、利用世界先进经验的必要性和紧迫性，这种冲击成为广东

① 《邓小平文选》第2卷，人民出版社1994年版，第236页。

上下改革传统体制的强大动力和坚强信念。第二，开放使广东率先明确了经济改革的方向。在对外开放初期，经济特区的创办、外向型经济的发展使市场机制较早切入到广东的经济运行体系中，经济活动呈现出计划经济所不能比拟的灵活性和高效率，人们在对比两种体制中对市场经济的认同程度越来越高，为广东30年的“市场取向”改革提供了主体动力，使广东从一开始不那么自觉的市场仿效转变为比较自觉的市场导向，市场在配置资源方面走在全国前列。引进外资、发展外贸要求在经济体制和经济运行机制上与国际市场接轨，按国际惯例办事，这都推动了广东经济体制改革和法制建设以及市场观念的形成与发展。经济全球化以及中国加入WTO以后，对外开放则对广东经济体制改革推动作用更为凸显，成为推进改革的巨大外部力量。第三，开放使广东获得了改革和发展的经验和方法。国门的开启，让广东率先吸收、借鉴了西方发达国家和地区对现代市场经济的许多管理办法、发展高新技术及其产业的经验。广东的改革在20世纪90年代以前之所以能在全国先走一步，经济特区作为对外开放窗口的同时，还成为全国经济体制改革的试验区、先行点，都同广东对外开放的先行一步密不可分。

在思想方法方面，务实是广东人在改革开放中呈现的最为鲜明的性格和气质。这种务实，实质是坚持以实践来检验新观念、新举措，统一思想认识。第一，坚决防“左”。如1981年，有人对改革开放提出了“缓改革，抑需求，重调整，舍发展”十二字意见，对此广东只是在调整上做了“文章”。1982年，伴随宏观经济调控，“左”的思想开始回流，有人甚至公开或变相地反对改革，对此广东省委明确提出要实现“特殊政策真特殊，灵活措施真灵活，先走一步真先走”；打击经济领域的犯罪活动坚定不移，对外开放和对内搞活经济坚定不移；

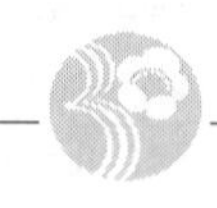

排污不排外，变通不变相。第二，“只做不说”，不争论。面对各种误解和非难，特别是姓“资”姓“社”的争论，广东没有陷入空洞的争论，不随意给在改革中出现的新生事物贴上姓什么的标记，而是始终坚信发展才是硬道理，“不管东西南北风，抓紧发展经济不放松”，只要是看准了的，只要是符合“三个有利于”的，坚决地试，大胆地闯。这种不争论，不是不让大家去研究和讨论问题，而“是为了争取时间。一争论就复杂了，把时间都争掉了，什么也干不成”①。正因此，当全国还流行空洞的政治口号时，深圳经济特区则发出了“时间就是金钱，效率就是生命”这一务实的宣言。第三，“遇到绿灯大胆走，遇到红灯绕道走”，讲求变通。广东在政治上和总的政策上，始终和中央保持一致，不违背，但在具体操作过程中，因地、因时、因情况制宜，用足用好用活中央的政策。特别在改革开放之初，国家和地方的很多政策、规定脱离实际，要想迈出改革开放的脚步，必须善于变通。因此，广东省委领导人总结了许多生动的经验、鲜明的观点。如根据中央的“对外开放，对内放宽，对下放权”，提出三个“更放”（对外更加开放，对内更加放宽，对下更加放权）；提出允许“变通”，不许“变相”，“排污不排外”等等符合实际需要的口号。

在发展阶段方面，广东改革开放经历了两个差异较大的发展阶段，甚至在某种程度上经历了两场改革开放。第一个阶段是1992年党的十四大召开以前，广东一马当先，带动全国，改革推动发展。这一时期，广东敢闯敢试，勇于“杀出一条血路”，在思想解放、体制创新等方面走在全国的前面，创造了许多对全国影响巨大的第一，形成了改革开放全国看广东的局面。1992年党的十四大以后，全国万马奔腾，百舸争流，广东不再一枝独秀，虽然发展的步伐依然很快，成就依然很大，但

① 《邓小平文选》第3卷，人民出版社1993年版，第374页。

从全国的视野看，与前一阶段相比，敢闯敢冒的锐气减退，先行一步的举措不明显，规定动作多，自选动作少，技术层面的机制革新多，深层次制度创新少，乃至出现全国推动广东，发展“淹没”改革的局面。这两个格局的转变，大体呈现出前15年和后15年的时间划分。这两个15年，广东从“一无所有”，“无所顾忌”，政策体制优势明显，改革动力十足，转变为利益格局错综复杂，容易患得患失，求稳怕乱，政策体制优势渐消，改革动力衰减；从落后的边陲省份，对全国大局影响甚微，便于探索试点，转变为全国经济大省，世界关注的焦点，不敢“轻举妄动”。这种转变，是广东改革开放30年历史逻辑演变的显著特征。

2008年7月，温家宝总理考察广东时，系统总结了广东改革开放和现代化建设实践积累的五条弥足珍贵的经验：一是以解放思想引领改革开放，坚持“不争论，大胆地试，大胆地闯”，不断冲破不合时宜的观念束缚，不断消除阻碍生产力发展的体制障碍。二是坚持从实际出发。始终立足社会主义初级阶段的基本国情，注重结合本地实际和不同发展阶段特点，提出发展思路、推进各项改革。三是坚持发挥中央、地方两个积极性。既服从全局利益，认真执行中央的方针政策，又发挥自身优势，积极探索实践，尊重群众的首创精神。四是坚持改革和开放相互推动。通过深化改革，为开放提供动力和良好环境，在对外开放中，为改革提供新的思路和借鉴。五是坚持把改革开放的力度、发展的速度与社会可承受的程度统一起来，在稳定中推进改革开放、加快发展，以发展促进稳定。这五条经验，是党的十七大总结的我国改革开放“十个结合”的宝贵经验的具体体现，是广东改革开放取得巨大成就的根本原因。这五条经验之所以能在广东开花结果，离不开广东改革开放30年所具有的天时、地利、人和。

天时之一：世界产业转移尤其是香港的产业转移，为广东经济起飞乃至成为世界制造基地带来了难得的历史契机。20世纪七八十年代后，全球产业结构进入了以信息技术为核心的，以新技术广泛应用为特征的结构调整期，出现了劳动密集型产业和一般技术密集型产业向发展中国家和欠发达地区转移的趋势。已经成为亚洲“四小龙”之一的香港，劳动力、土地、费用等生产要素成本也日益上升，生产服务系统和生产制造系统开始分离，制造业大规模向外转移。广东产业的快速发展，正是从“三来一补”起步，相当长一个时期产品处在产业链的低端环节，产业形成以接受香港的产业转移和利用港资为主，广东的经济也就在与香港“前店后厂”的合作中实现腾飞。20世纪90年代后，广东又逐渐承接了世界信息技术产业中装配加工业和部分重工业的转移，形成了目前的经济发展格局。

天时之二：中央赋予广东特殊政策，让广东在实现经济相对自由方面赢得了历史先机。广东的发展离不开中央的支持，特别是中央赋予广东的先走一步的“特权”。改革开放初，中央批准广东、福建两省实行“特殊政策、灵活措施、先走一步”，在财政、外贸、计划物价、劳动工资、物资、商业、企业管理诸多方面给广东特殊政策和优惠措施，这是全国其他地方所没有的。中央的放权松绑，使广东的体制在较长时期内较其他省市更为灵活自由，促使广东变成了一个相对更为自由的经济体。这一“自由”，让广东于外能够更早更好地吸引外资和国内其他地区的资源要素，于内能够更早更充分地激活市场这一“看不见的手”，释放民众的创造活力。邓小平1984年就深刻地指出“深圳的建设速度相当快……深圳的蛇口工业区更快，原因是给了他们一点权力”①。

地利之一：偏于一隅带来的务实重商传统。从历史上看，

① 《邓小平文选》第3卷，人民出版社1993年版，第51页。

广东偏于一隅，属南蛮之地，远离封建政治中心，重政治轻经济、重农轻商的传统在岭南地区的影响相对较弱，广东人也很少受玄谈风气的浸染，不尚空谈，不争香与臭，讲究经世致用，形成了疏远理论贴近现实的社会心理和价值取向。这种实干、务实的精神，加上经商的传统使广东人商品意识浓厚，容易走在经济发展的前头。

地利之二：地处沿海带来的地理人文优势。广东濒临南海，远通域外，为海上丝绸之路的发源地，海洋文化和开放意识浓厚，乐于接受新思想、新观点、新事物，敢饮“头啖汤”，近代以来一直开风气之先，新潮的生活方式、流行文化、时尚服饰等大都是从广东流行到内地的。特别是，这一地理优势带来了广东得天独厚的人缘优势，即毗邻港澳，华侨众多（2000多万海外华侨华人，居全国之首），因而广东长期成为港澳同胞和华侨直接投资内地的首选地。

人和之一：勇于开拓、敢于担当的干部群体。广东改革开放事业之所以能克服各种艰难险阻，奋勇前进，离不开一大批开明、开放、开拓，有信念、有魄力、有勇气的领导干部。习仲勋是向中央建议设立经济特区的第一人，时任省委第一书记的他提出要在广东全省实行特殊政策，并主动要求中央向广东放权，和时任省委第二书记的杨尚昆一起，为广东改革开放迈出了扎实的第一步。吴南生主动请缨去汕头办特区，为此坚定地说：“让我去汕头搞实验，要杀头，就杀我好了。”尤其是任仲夷，无私无畏，在上世纪80年代广东改革开放最为艰难的关键时期，不惜冒丢乌纱帽的危险坚决顶住那些否定改革开放的逆流，带领全省人民“冒死挺进”。袁庚为了蛇口工业区的改革理想，做事不“做官”，主动改革干部任命制度，坚决推辞升任深圳市长。此外，叶选平、林若、梁灵光、梁湘、梁广大等一大批富有拓荒精神的改革闯将以及其他富有实干精神的

基层干部，为广东改革开放伟业披荆斩棘，热忱奉献。

人和之二：敢于创业、不畏艰辛的广大民众。广东人民是广东改革开放事业的建设主体，30年来，广东人民不畏艰辛，奋发图强，做第一个吃螃蟹的人，做前人没有做过的事；敢踏浪扬帆，闯前人没有闯过的路，以自己的聪明才智开创了广东历史新的一页。尤其是一大批开拓进取、勇于创新的企业家，以敢为天下先的精神，积极投身改革，搏击商海，创造了“珠江水、广东粮、岭南衣、粤家电”，以及“IT簇群、汽车基地”等。另一方面，改革开放以来，大量内地人口抢滩登陆广东，把自己的大好年华奉献给了广东改革开放。像中山、顺德、南海等地，外来人口与本地人口在数量上至少持平，而以深圳、东莞为代表的特区城市和新兴城市，外来人口远远超过了本地人口，成为城市发展与建设的主力军。这种大规模的人口流动，不仅极大地推动了广东的经济社会发展，同时也给广东带来了巨大的精神支撑力和推动力，使广东获得了新生的朝气蓬勃的精神气象，特别是2000多万默默无闻的外来工，干的是最苦、最脏、最累的活，同样为广东的发展作出了不可磨灭的贡献。

回望改革开放30年，广东发展取得了举世瞩目的伟大成就。但是，站在新的历史起点上，以“排头兵”标准审视，广东在改革开放的道路上还面临着诸多困难和问题，如经济发展较快，但发展不够全面，社会事业发展和社会管理相对滞后；经济总量大，但发展方式仍然粗放，经济结构不够优化和自主创新能力不强；城乡区域发展有了新的进步，但发展不够协调，发展不平衡状况有待改善；资源环境保护得到加强，但可持续发展的压力较大，资源和环境的约束依然趋紧；经济增长速度较快，但民生问题仍然突出，城乡居民的生活品质有待提升。这就要求广东必须进一步解放思想，深化改革，扩大开放，争当实践科学发展观的排头兵。

第一章
先行一步

自从中共十一届三中全会开启了中国改革开放的进程，在计划经济向市场经济的转型中，在中国特色社会主义道路的探索中，广东先行一步，扮演了重要的角色。透视广东在改革开放进程中的首创，对于理解中国改革开放的逻辑，明确下一步改革的路向，极其重要。广东是中国改革开放的试验区和先行者，中国改革开放是100多年来中国人民追求国家和民族的经济、社会、文化和政治现代化道路的延续和拓展，2007年底掀起的新一轮思想解放运动是改革开放的深入，这是我们观察广东改革开放30年实践的基本出发点。

一、广东改革开放先行一步的历史背景

始于1978年的中国的改革开放是中国现代化进程的一个重要组成部分，广东的改革开放是中国改革开放关键的部分和环节。因此，必须在中国近代100多年来的历史脉络中，才能理解中国改革开放的背景，必须在"二战"结束以来国际环境的演变中，才能感悟中国改革开放的历程。

（一）中国现代化的探索

中国艰难曲折的现代化道路，始于鸦片战争之后。尽管历经朝代兴替，中华民族五千年农业文明的辉煌，在世界的东方，维系了一个占全球四分之一人口的国力最为强盛和历史最为悠久的封建王朝。直到19世纪早期，中国经济仍然是一个以极其分散的农业部门为特征，佃农和自耕农为基础，以农村集市和市镇网为支持的经济。①

而这一时期，世界经济的发展因为工业革命而出现了翻天覆地的变化。18世纪世界在三个层面开始了现代化。第一个层面是技术的现代化。1765年，瓦特蒸汽机的诞生，为工业提供新的动力，成为工业革命的标志。第二个层面是经济组织的现代化。新的工业动力推动了以分工为核心的生产组织形式的变革，实现了生产的工业规模化。第三个层面是经济体制的现代化。1776年，亚当·斯密的《国富论》所启迪的自由竞争思想，开创了新的生产与分配的市场经济秩序。这些起源于英国的新的技术、新的经济组织形式、新的经济体制推动了资本主义的快速发展。从18世纪末开始，短短几十年的时间，英国的各个行业相继实行了工厂化。英国打败拿破仑，被历史学家称为是市场经济的胜利。1840年前后，英国大机器生产已基本取代了工场手工业，完成了产业革命。比利时、法国、美国、德国、俄国等地的产业革命也在19世纪内完成。在19世纪60年代末进入产业革命时期的日本，到20世纪初也基本上完成了产业革命。19世纪上半期，工业革命后的英国，工人的生产率平均提高了20倍，工业生产占世界生产总额的47%，商品出口占世界的21%。欧洲18世纪中叶开始的这一场工业革命，即资本主义的机器大生产代替以手工技术为基础的工场手工业的革命，不仅迅速提高了社会生产力，而且引起了社会关系和国际关系

① 汪熙、魏斐德：《中国现代化问题——一个多方位的历史探索》，复旦大学出版社1994年版，第77页。

的巨大变化。一方面，在缺乏利益和权力制衡机制之下，新生产方式的资本与劳动，催生了压迫者与被压迫者，在一国之内形成了资产阶级和无产阶级两大阶级的对立。另一方面，西欧和美国资本主义工业的迅速发展，驱使资本主义国家在世界范围内夺取原料产地和销售市场，从而在国际上推行殖民主义，形成了压迫民族与被压迫民族的对立。

17 世纪后半期和 18 世纪，正是中国封建社会的鼎盛时期，康熙、雍正、乾隆三朝创下 134 年盛世。然而，这一时期的开疆拓土耗费极大，盛世之下中国人口在一个世纪中增长了三倍，最终导致清王朝在 19 世纪的衰落。[①] 中国几千年来建立于农耕社会之上的封建体制，是分散的私人土地所有制，高度中央集权的皇权政治，半自给自足的小农经济。这一封建体制的稳定，依靠儒家文化维护，这一经济体系的运转，对国际贸易和全球市场没有需求。因此，为了抵制日益强大的西方资本主义社会的文化对衰落中的封建体制的影响，以维持社会的稳定，自 1757 年起，清政府采取了一口通商的闭关锁国政策，规定中外贸易限于广州口岸。

由于工业品难以在中国自给自足的自然经济中获得广泛的销路，中国出口的茶、丝，远远超过英国输入的工业品，鸦片贸易被英国等西方国家用以平衡中国贸易逆差，通过走私大量贩运到中国。中国白银大量外流，国民健康受到极大摧残。1838 年末，林则徐受命禁烟。1840 年 6 月，英国东方远征军到达中国广东海面，第一次鸦片战争爆发。1842 年 8 月，清政府与英军签订了中国近代史上第一个不平等条约——《南京条约》。自 1840 年到 1860 年 20 年间，中国经历了两次鸦片战争，清政府与帝国主义列强签订了一系列丧权辱国的不平等条约。

洋务运动是中国第一次现代化的努力，主要动力在于强国以抵抗外侮。两次鸦片战争，清政府意识到与西方技术的差距，以及国

① 汪熙、魏斐德：《中国现代化问题——一个多方位的历史探索》，复旦大学出版社 1994 年版，第 7 页。

家面临的威胁。19世纪60年代至90年代，洋务派在全国各地掀起了“师夷长技以自犟”的改良运动。购买西方机器，聘请西方技师，兴办近代军事工业，推行新式教育，传播西方科技文化。1895年，北洋水师在中日甲午战争中全军覆没，是洋务运动失败的标志。

维新运动是洋务运动失败后在制度层面追求现代化的尝试。洋务运动的指导思想，是中学为体，西学为用。但是，封建社会秩序无法支持资本主义生产方式。因此，一部分民族资产阶级的代表人物，感到了制度层面的不足，主张在中国不仅要学习西方的技艺，而且要学习西方的政治制度。在康有为、梁启超为代表的维新派的改良主义的推动下，1898年6月11日，光绪皇帝颁布了“明定国是”的诏书，宣布变法。维新运动企图通过自上而下的改革建立君主立宪制，发展资本主义。但由于变法是一个毫无实权的皇帝颁布的，变法诏令大都成为一纸空文。9月21日慈禧太后发动政变，光绪皇帝被囚禁，变法经历103天后终归失败。

辛亥革命是在制度改良失败后的暴力革命。以孙中山为首的资产阶级革命派，以民族、民权、民生为纲领，以武装起义推翻清王朝为首要目标。1911年10月10日，辛亥革命在武昌爆发。1912年1月1日中华民国临时政府在南京正式成立，1912年2月12日，清帝宣布退位，清王朝灭亡。1912年3月，临时参议院通过了《中华民国临时约法》，建立资产阶级共和国，结束了统治中国两千多年的封建君主专制制度。3月10日，代表封建官僚势力的袁世凯就任第二任临时大总统。1913年3月袁世凯刺杀国会选举获胜的宋教仁，以武力镇压南方7省的反袁斗争。辛亥革命彻底失败，以袁世凯为代表的封建军阀统治得以确立。

辛亥革命的夭折，使中国的先进知识分子认识到，要从根本上改造中国，必须有思想的觉醒和文化的启蒙，唤起人民大众。以陈独秀为代表的先进知识分子，在思想文化领域掀起了一场以民主和科学为旗帜，向传统的封建思想、道德、文化宣战，唤醒大众的新文化运动。1919年5月4日下午，北京大学等13所大中专学校学

生3000余人，汇集到天安门广场，提出“外争主权，内除国贼”等口号，反对在巴黎和会上北京政府屈服于帝国主义列强的压力，准备在丧权辱国的合约上签字。北京学生的爱国行动得到全国的响应，工人罢工的浪潮扩展到全国20多个省的100多个城市。中国工人阶级开始登上政治舞台。

五四运动后，围绕改造社会的中心议题，掀起新思想的浪潮，推动了大众的觉醒和马克思主义在中国广泛传播。在俄国十月革命胜利的影响下，1921年7月，中国共产党成立。中共二大确立了党的最低纲领是反帝反封建的民主革命，党的最高纲领是铲除私有财产制度，实现共产主义的社会。在中国共产党的领导下的以工农为主体的新民主主义革命，走农村包围城市，武装夺取政权的道路。经过28年艰苦卓绝的斗争，取得了抗日战争和国内革命战争的胜利。中华人民共和国成立，标志着以推翻帝国主义、封建主义和官僚资本主义的统治为目标的新民主主义革命的胜利，实现了中华民族的独立和人民的解放。

从1840年开始的中国现代化道路，经历了以洋务运动为标志的追求器物层面的现代化，以维新变法的制度改良和以辛亥革命的制度革命为标志的追求制度层面的现代化，以及以五四运动为标志的追求文化层面的现代化。以五四运动为转折点，从以资产阶级为主要力量的革命转到以工农为主要力量的革命。中国共产党所领导的以工农联盟为基础的新民主主义革命，推翻了帝国主义、封建主义和官僚资本主义的统治，实现了新民主主义的社会制度和民族独立。以新中国成立为标志，中国人民第一次获得经济现代化的基本的制度条件和平等独立的国际地位。100年来中国现代化的道路，最明显的特色在于，中国是在特别的国情基础和特别的历史环境上开始的现代化。

特别的国情基础在于，中国辉煌的农业文明造就了强大的封建经济和封建文化，这种以自给自足为特征的封建经济和以等级伦理为核心的封建文化，抑制了中国资产阶级的成长空间；另一方面，与西方国家的封建分权政治结构不同，中国的封建制度是中央集权

的政治结构，因此，民族资产阶级缺乏成长的体制基础，从而使中国资产阶级非常弱小，没有力量推翻封建主义。而在向西方学习的现代化过程中，洋务运动所催生的官办、官督商办、官商合办的企业，形成了官僚资本主义，而非市场经济的资本主义。

特别的历史环境在于，中国的现代化是在不平等的国际环境下开始的。19世纪下半叶与20世纪上半叶的100年间，资本主义世界正处于对内实行阶级压迫，对外实行殖民主义时期，资本主义国家以不平等条约下的经济贸易，掠夺经济落后国家的自然资源和人力资源，甚至于以武力瓜分世界。

在这一国情基础下，以资产阶级为主体的反封建革命，包括维新变法、辛亥革命终归失败；唯有工农为主体的革命，才有力量推翻封建主义。在这一历史环境下，争取民族独立是现代化的基本条件和首要任务。因此，以中国共产党领导的、以工农联盟为基础的、以推翻封建主义、帝国主义和官僚资本主义的统治为目标的新民主主义革命，是中国在以革命为主要特征的现代化阶段的历史选择。新民主主义革命的胜利，新中国的成立，开始了以经济建设和社会建设为特征的现代化征程。

特别的国情基础和特别的历史环境，决定了中国现代化的历史路径。对历史路径的依赖，决定了引导中国经济社会发展方向的深层机制，决定了新中国成立后中国现代化的走向，决定了新中国的三个重要的社会特征：

第一，经济体制上的公有制和计划经济。以工农阶级为革命主体的特殊性，决定了革命胜利后革命成果的共享方式。以资产阶级为主体的革命，决定了革命的结果是建立分权的政治体制和以私有产权为基础的自由竞争的市场经济体制。工农革命胜利后，农民阶级打倒地主分田地，实现耕者有其田是必然的要求；而工人阶级，不可能分资产，因为这样企业便不复存在（除非实行股份制，但没有制度基础），因此，动力最大、阻力最小的方式是资产国有而实现公有制，资产国有的必然选择是计划经济。

第二，意识形态上的控制引导。农民阶级是革命的主体，但革

命主体的文化意识与革命任务不相适应。强化意识形态以适应发展任务的需要，决定了必然在意识形态上采用集权主义，推行以个人崇拜为主要方式的具有明确方向的意识形态的控制引导，而不可能放任意识形态的多元化。

第三，组织上的民主集中制。枪杆子打出的政权以及战争威胁下的发展环境，必然导致军事文化的延续。民主集中制这一在战争年代被证明有效的与军事组织相适应的组织原则，与公有制和计划经济的经济体制相适应，得以发扬光大。

新中国在1949年开始的经济现代化道路，正是这一历史路径的必然走向；而1978年开始的改革开放，也是这一历史路径的必然逻辑。

1949年3月召开的中共七届二中全会提出的建国方略是，实行新民主主义的社会制度，实现从农业国到工业国的转变，为将来走向社会主义奠定物质基础。在中共七届二中全会上的报告中，毛泽东明确指出，新民主主义国家的国营经济是社会主义性质的，合作社经济是半社会主义性质的，加上私人资本主义经济、个体经济和国家资本主义经济，这五种经济成分，构成了新民主主义国家的经济形态。按照当时的估计，新民主主义社会将会长期存在。但是，到1956年的短短几年之间，新中国就完成了社会主义改造，这是建国之初意想不到的。历史的线索表明，工商业的社会主义改造进程，是生产力发展的自然过程，是经济效益的必然选择，而非强制的结果。

新中国成立之初，美国出于其反共的全球战略，敌视新中国。在经济封锁和朝鲜战争的环境下，新中国开始了经济建设。新中国面对自身经济落后的局面和帝国主义的军事威胁，必然把资金、技术密集的重工业作为自己优先发展的产业，以期在较短时间内实现国家工业化。通过国家的统一计划来配置资金、物资、技术、人才等发展重工业所必需的资源，是必然的选择。事实上，第一个五年计划中，国家对工业部门的支出占经济事业和文化教育事业的比重达40.9%，重工业的基本建设投资占工业基

本建设投资高达75.9%。

新中国成立初期，加强国家对经济的控制力是社会各界的共识，《中国人民政治协商会议共同纲领》第28条规定，“凡属有关国家经济命脉和足以操纵国民生计的事业，均应由国家统一经营”。1951年1月，为抵制通胀，打击投机，政务院颁布《关于统购棉纱的决定》，对棉纱、棉布实行统购。1953年10月，为应对粮食供应出现紧张的形势，中共中央做出《关于实行粮食的计划收购与计划供应的决议》，对粮食实行统购统销。到1954年，国家对粮食、棉花、油料等农产品以及其他重要农产品实行统一收购和供应，以统购统销为核心的集权式粮食流通体系基本确立。

这一系列的应对措施，促使建国初期国营企业快速发展，到1952年，国营工业产值在全国现代工业总产值中的比重由1949年的34.7%上升到56%，国营商业零售额占全国零售额的比重由14.9%上升到42.6%，批发商业的营业额占全国批发商业营业额的60%，工业总产值在全国工农业总产值的比重从1949年的30%上升到41.5%，重工业的比重由1949年的26.4%上升到35.5%。

另一方面，新民主主义革命胜利后，工人阶级与资本家阶级的矛盾，成为私营企业发展的根本性障碍。特别是经过“五反”运动后，劳资关系紧张，在私营企业内部，资本家已不敢管理，而工人也不服从其管理（资本家不能解雇工人）。新中国建立初期，劳资关系紧张普遍造成私营企业效率降低的现象，私营企业的效率普遍低于国营企业。在这种情况下，私营企业通过公私合营，一是可以消除企业内部的劳资矛盾；二是在原料、信贷、市场方面因纳入国家计划而享受与国营企业同等待遇；三是能够通过国家注入资金解决资金不足。因此，整体上看，由于私营企业实际已经难以生存，公私合营是政府与私营企业的共同选择。按照建国前的设想，新民主主义建设时期要有10年以上。但是，自1953年开始，加快了社会主义改造步伐，到1956年，社会主义改造完成。

农业的社会主义改造却与工商业的社会主义改造情景迥异。

农业的土地改革是非常成功的。旧中国占农村人口不到10%

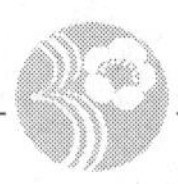

的地主和富农占有农村70%～80%的土地。第一届全国人民政治协商会议通过的《中国人民政治协商会议共同纲领》明确提出有步骤地将封建的土地所有制改变为农民的土地所有。土地改革在新中国成立前已在解放区开展。到1952年底，除少数民族聚居区外，全国的土地改革基本完成。新中国成立初期的这场以农民土地私有化为核心的改革，极大调动了农民的生产积极性，解放了农业生产力，1952年与1949年相比，中国粮食总产量增长46.1%，棉花总产量增产193.6%。①

但是，农业的合作化却显得不那么顺利。新中国的经济建设以工业现代化为核心，中国农村经济制度安排是从属于工业现代化的。1952年后农业合作化不断加快，原因在于：第一，通过合作解决生产资料的短缺；第二，避免农村中的两极分化；第三，有组织的农民有利于粮食征购。但是，与工商业社会主义改造不同的是，1952年后的农业合作化的进程，却是在政策的推动下，在冒进与调整的波动中前行。直至1955年10月，中共中央七届六中全会召开，批判了对合作社实行坚决紧缩的方针，通过了《关于农业合作化问题的决议》。1956年底，全国基本实现农业生产合作社的高级化。

1956年9月，中共八大提出，社会主义制度在我国已经基本建立起来，国内主要矛盾已经不再是工人阶级和资产阶级的矛盾，而是人民对于经济文化迅速发展的需要同当前经济文化不能满足人民需要状况之间的矛盾。党和人民的主要任务是集中力量发展生产力，把我国尽快地从落后的农业国变为先进的工业国。

当新中国完成了社会主义改造，全力投入经济现代化的建设时，却遭遇了“大跃进”与人民公社化运动的重大挫折。“大跃进”使国民经济各部门比例严重失调，国家财政严重不平衡。人民公社一大二公，一平二调和大锅饭，农民生产积极性下降。1959

① 剧锦文:《中国经济路径与政策（1949—1999）》，社会科学文献出版社2001年版，第44页。

年起，农业生产连续三年减产，1960年农业生产总值比1957年减少22.8%，比1952年减少3.6%。粮食产量1960年比1957年减少26.3%，棉花产量下降35.2%，油料下降53.7%，生猪存栏数下降43.6%。市场供应紧张，人民生活困难。刘少奇在七千人大会上称之为三分天灾、七分人祸。①

1961—1965年对国民经济进行了调整。1961年1月，中共八届九中全会根据中国当时经济工作中出现的严重不平衡问题，决定从1961年起，在两三年内实行调整、巩固、充实、提高的方针。1961年1月，中共中央正式做出《关于调整管理体制的若干暂行规定》，② 规定提出，经济管理的大权应当集中到中央、中央局和省（市、自治区）委三级，最近两三年内，应当更多地集中到中央和中央局。1958年以来，各省、市、自治区和中央各部下放给专、县、公社和企业的人权、财权、商权和工权，放得不适当的，一律收回，等等。针对"大跃进"时期实施的以地方分权为主的经济体制进行了调整，使经济体制中心回到以中央集权和行政性计划管理为特征的计划经济模式。在农业方面，调整人民公社的所有制和分配关系，减少粮食征购，提高粮食农副产品征购价格。1962年2月，中央发出了《关于改变农村人民公社基本核算单位问题的指示》，决定农村人民公社一般以生产队为基本核算单位，实行以生产队为基础的三级所有制。1962年底，经济形势好转，农业生产开始回升，工业内部关系及国民经济部门之间比例关系得到调整，工业生产大踏步后退和退够的目标基本实现。

1960年11月中共中央发出《关于农村人民公社当前政策问题的紧急指示信》，恢复家庭自留地和副业生产。1961年4月，安徽省为恢复生产渡过难关，率先推行包产到田的责任制并取得明显成效。在1961—1962年，一些地区重新恢复了在1957年和1959年

① 虞和平：《中国现代化历程》，江苏人民出版社2001年版，第1057页。

② 剧锦文：《中国经济路径与政策（1949—1999）》，社会科学文献出版社2001年版，第165页。

尝试并有效的多种形式的包产到户，取得了较好的成果。这次大规模包产到户从一出现就有争论。刘少奇、邓小平、陈云、邓子恢等支持包产到户，毛泽东在经济困难时虽然允许安徽试行，但没有明确表示支持，更没有在全国推广之意。当经济恢复后，在1962年8月召开的中央工作会议和中共八届十中全会上，毛泽东一再强调阶级斗争和资本主义复辟的危险性，对包产到户提出批评。会后包产到户被取消。从1961年到1965年，国民经济经过5年调整，取得巨大成功。与1957年相比，1965年工农业总产值增长59%，农业增长10%，工业增长98%，国民经济中各种结构和相互比例实现了较为协调的态势。①

“大跃进”与人民公社化运动是我国计划经济体制遇到的第一次挑战。在社会主义改造结束后，中国经济发展的体制模式的探索，集中在两个方向，一是在工业上的行政性分权，即在中央与地方之间的经济决策权的分配。在计划经济体制下，决策权集中于中央，地方缺乏积极性，但决策权下放到地方，计划体制难以实施，造成经济发展失调。因此，中央与地方之间经济决策权的放与收，与之相应的经济发展格局的发展与调整，成为经济发展过程中的周期性特征。二是在农业上，集体化还是个体化，在不断地摇摆，农业减产，生活困难，就实行包产到户，农业形势好了，就推进集体化。

工业上行政分权的问题，是计划经济的体制之内的调整，是公有制基础上的调整。但在农业上的集体化还是个体化问题，则是实行公有制还是私有制的问题，是共同富裕还是两极分化的问题。农业上的摇摆，在当时的观念中，是走社会主义道路还是资本主义道路的问题。因此，新中国前30年的政治冲突的焦点，基本上集中在农业的集体化还是包产到户上。

经济发展的模式之争，贯穿新中国的历程。最大的冲突，在于

① 剧锦文：《中国经济路径与政策（1949—1999）》，社会科学文献出版社2001年版，第185页。

农业的生产方式。冲突的实质在于人民公社为形式的生产方式与农村的生产力现状不相适应。是改变生产关系以促进经济发展，还是维持生产关系而抑制经济发展，是两种发展思路的根本区别。改变生产关系，被认为是复辟资本主义，而维持生产关系，被认为是走社会主义道路。人民公社共产风的失败，以及其后的调整和反思，使下列两个问题显得突出：一是农民的思想观念与人民公社制度不适应，包产到户更受农民欢迎，在经济上也更有优势，因此，从传统观念看，农村经济存在资本主义复辟的可能性；要坚持人民公社制度，必须改造农民的思想，进行思想文化上的革命。二是在中央领导层，存在一条走资本主义道路的路线和一批支持资本主义的政府官员；只有以阶级斗争为纲，才能在发展经济中坚持社会主义道路。这就是为什么在中共八大6年之后重提阶级斗争的原因。1962年9月中共八届十中全会断言，在整个社会主义历史阶段中，资产阶级都将存在，并有资本主义复辟的危险性。1966年5月，一场以"斗私批修"、"打倒资本主义道路当权派"为核心任务的"文化大革命"爆发。生产关系与生产力的不适应，被认为是思想文化意识不适应。维持生产关系的障碍，一是思想文化观念，一是党内持有改革生产关系观念的领导人。"文化大革命"试图以群众运动来清除维持生产关系的障碍。虽然这一运动在初期，借助于理想的热情得以展开，但是，这一运动破坏了社会秩序和经济秩序，使中国陷入混乱。

1976年10月，"文化大革命"结束。但是，当时的中央试图维持"文化大革命"的理论、路线、方针、政策。1977年2月7日，《人民日报》、《红旗》杂志、《解放军报》两报一刊联合发表了题为《学好文件抓住纲》的文章，提出"凡是毛主席作出的决策，我们都坚决维护，凡是毛主席的指示，我们都始终不渝地遵循"。

1976年12月中共中央召开第二次农业学大寨会议，提出1980年实现农业机械化。1977年8月，中共十一大提出20世纪内实现四个现代化的新时期总任务。1977—1978年两年中，由于基本建设投资过多，农业、轻工业、重工业比例严重失调。1978年，在

工农业总产值中，农轻重中的比重，从1976年的30.4：30.7：38.9，变为27.8：31.1：41.1，与1976年相比，粮食进口增加2.7倍，棉花进口增长1.7倍，砂糖进口增加1.3倍。1978年，全国人均消费粮食195.5公斤、食油1.6公斤，低于1949年的204.5公斤和1.7公斤的水平。人均住宅面积也低于解放初期水平。[①] 农副产品供应紧张，人民要求改善生活的压力也很大。建国以来优先发展重工业的经济发展战略难以为继，计划经济模式困难重重。1979年4月，中央工作会议提出“调整、改革、整顿、提高”的八字方针。计划体制的弊端已经到了非解决不可的地步。

这一时期，国际环境发生了根本的变化。在资本主义国家内部，工人阶级地位提高，中产阶级队伍逐渐成为社会的主流。工人阶级地位提高的重要原因，是工人运动的胜利推动了劳资协商机制的完善，例如，美国1935年通过《国家劳工关系法》，赋予工人有组织工会的权利，制止资方在劳资冲突或者工会组织过程中使用“不公正的做法”，根据该法案美国政府设立了“国家劳工关系委员会”，专门处理工会与资方的关系。“二战”后，发达资本主义国家在不同程度上实行了以国家干预、福利政策、大众民主为主要内容的体制调整，以“从摇篮到坟墓”为覆盖面的社会保障制度普遍确立；技术革命推动了工业经济向知识经济的转变，导致发达国家中产阶级的崛起。这是一批有文化修养、专业技能、社会声望和丰厚收入的领取薪酬的专业人员。到70年代，其比重占西方社会的20%～25%。

在国际，民族解放运动取得了胜利，推动了国际新秩序的建立。“二战”后形成的以联合国为核心的国家之间平等协商机制、以世界银行和货币基金组织为核心的国家之间经济合作机制、以关贸总协定为核心的国家之间贸易协调机制日益成熟。1950年代中后期至1960年代，民族解放运动不断高涨，出现了世界性的反帝国主义和殖民主义浪潮。1955年召开了亚非会议，1961年召开了

---

① 参见虞和平：《中国现代化历程》，江苏人民出版社2001年版，第1099页。

不结盟国家和政府首脑会议第一次会议，1964 年 77 国集团成立。1970 年代，第三世界国家的民族解放和独立运动，在促进南南合作，维护发展中国家利益，推动南北对话，建立国际经济新秩序等方面发挥了重要作用。1974 年 4 月，联合国大会举行第六届特别会议，通过了 77 国集团起草的《关于建立新的国际经济秩序的宣言》和《行动纲领》。

中国与世界的关系也发生了根本的变化，70 年代后期的国际环境与建国初期完全不同。新中国成立后，以美国为首的西方国家对中国实行经济封锁，随后是朝鲜战争，在 60 年代，中苏关系恶化和社会主义阵营的瓦解，基本上处于军事对抗的国际环境之中。到 70 年代前，西方大国中只有法国与中国建立外交关系。中国必须优先发展重工业，以增强国防力量，必须把现代化建立在自力更生的基点上。1971 年 10 月，第二十六届联合国大会通过决议，恢复中华人民共和国在联合国的合法地位。1972 年 2 月，美国总统尼克松访华，双方在上海发表《中美联合公报》。中美关系的缓和直接推动了中国与西方国家关系的改善。1972 年 9 月，日本首相访华，中日签署建立外交关系的联合声明，实现了中日邦交正常化。到 70 年代末，中国同所有的西方大国、发达国家建立了外交关系。

从 20 世纪 60 年代开始，世界经济出现了重要的变化。经过战后 20 余年的高速经济增长，到 70 年代，英、法、德、意、日等主要资本主义国家在美国之后，相继完成工业化，进入“后工业化”时代。从 20 世纪 50 年代开始的以航天技术、通讯技术和计算机技术为代表的新技术革命蓬勃展开，一方面推动了发达国家产业结构的升级，一方面为全球生产体系提供了坚实的技术基础。发达国家经济结构发生重大变化，高新技术产业和服务业迅速发展，一些劳动密集型传统制造业，高物耗、高能耗、高污染产业日益衰落。一些大型跨国企业组织开始寻求海外加工基地，一般制造业从发达国家向发展中国家和地区转移。60 年代中期以后，东亚、拉美崛起了一批新兴工业化国家和地区。亚洲的韩国、新加坡和我国香港、

台湾地区先后利用西方发达国家向发展中国家转移劳动密集型产业的机会，推行出口导向型战略，吸引外地资本和技术，利用本地的劳动力优势重点发展劳动密集型加工产业，国民生产总值以年均10%左右的增长速度高速增长，迅速走上工业化道路，在短时间内实现了经济的腾飞，引起世界的关注，被称为“70年代的经济奇迹”。在亚洲“四小龙”崛起的背后，是70年代以来的新一轮经济全球化的形成与发展。这是一种新的先进生产方式，能够在全球的先进技术水平上利用全球的资源，因此，极大促进了生产力水平的提高。其缺陷仅仅在于，缺乏公平的机制分配这些由于经济效率的提高而创造出来的财富。参与全球经济体系的制度基础，是市场经济。因此，计划体制向市场经济体制的改革，实际上是对新的生产方式的适应。历史正在重演，就像当年马克思在《共产党宣言》中所描述的，“它迫使一切民族——如果它们不想灭亡的话——采用资产阶级的生产方式”。经济的全球化迫使一切民族，采用市场经济方式，参与到全球经济体系中去。这一点在中国改革开放10年后，东欧计划经济体制向市场经济体制的转轨得到证明。

20世纪70年代，正是国际上以生产要素和商品的自由流动为特征的各种经济特区蓬勃发展之际。在亚洲，新加坡从1961年开始兴建的裕廊工业区，菲律宾1969年建立的巴丹出口加工区和巴里韦莱斯自由贸易区，台湾1971年和1972年先后建成的楠梓、台中两个出口加工区，韩国1973年设立的马山和里里两个出口加工区等等，这些经济特区充当着与全球生产体系接轨的角色，成为带动经济发展的“火车头”。

1978年5月11日，《光明日报》以“本报特约评论员”名义公开发表《实践是检验真理的唯一标准》，5月12日，《人民日报》、《解放军报》转载，一场思想大解放运动在全国展开。1978年12月13日，邓小平在中央工作会议闭幕式上做了《解放思想，实事求是，团结一致向前看》的重要讲话。

1978年12月18日，中国共产党十一届三中全会在北京召开。全会讨论和重新确立了党的思想路线，停止使用“以阶级斗争为

纲”这个不适用于社会主义社会的口号，做出把工作重点转移到社会主义现代化建设上来和实行改革开放等一系列重大决策。

中共十一届三中全会开启了中国改革开放的新时代。改革开放的最根本的动力，是人们对改善生活的迫切要求，这也是发展经济成为改革开放第一阶段的主线的原因。改革以解放和发展社会生产力为目的，以解放和发展社会生产力为实践检验的标准。社会主义改造完成以后，中国共产党对于社会主义经济建设模式的20多年的探索，终于得出了正确结果，中国的社会主义建设有了正确的方向。

（二）广东改革开放先行一步的优势

在中国改革开放的序幕拉开之际，中央为什么赋予广东先行一步的使命，广东为什么能够成功的先行一步？

1. 毗邻香港。

香港是一个自由港，实行自由贸易政策和金融开放政策，拥有完备的法律体制、低税率的简明税制、高效的资讯流通、公平开放的竞争、便利的营商环境，以及发达的金融网络、通信网络和航运网络。上世纪60年代和70年代，香港本地生产总值分别以13.6%和19.3%的年均增长率高速发展，与台湾、韩国、新加坡共称为亚洲“四小龙”。香港制造业从50年代开始崛起，到1980年前后，有10多种轻工产品出口居世界首位，香港所控制的订单承接、产品设计、原材料组织、产品质量监控和出口管理等环节，辐射东南亚，成为国际性出口加工营运管理中心。在70年代，香港的出口商品有70%以上输往北美和欧洲，对美国、联邦德国和英国三国的出口占全港出口总值的55%。70年代中期后，东南亚新兴经济地区外向型加工业崛起，香港的劳动密集型制造业由于资源使用成本较高，其低成本优势受到挑战而逐步外迁。70年代以后，香港的金融、保险、地产、商业服务等新兴服务行业显著增长，到1981年，产值比重已超过制造业与传统服务业。70年代末期，香港作为国际性出口加工营运中心、国际性贸易中心、国际性金融中

心和国际性航运中心，在亚太地区和世界上占有重要地位。

借鉴“四小龙”实行出口导向战略的成功发展经验，建立出口基地，引进资金、技术、管理，以及国家所需要的外汇，是当时国家经济发展迫切需要解决的问题。香港是我国连接世界的桥头堡，因此，毗邻香港的广东，具有不可替代的优势。80年代后，香港资本利用广东开放的优势，率先把企业内迁到珠三角地区，先后兴办“三来一补”和“三资”企业，逐步形成了以广东为加工制造基地、港澳为购销和与管理中心的产业一体化的跨地域分工格局，建立了“前店后厂”的合作生产方式。来自香港的投资是推动广东经济增长的主要力量。截至2007年底，全省实有港资企业43256户、投资总额1968.98亿美元、注册资本1172.28亿美元，分别占广东省全部外商投资企业的64.77%、56.14%和57.44%。

广东有深圳、珠海、汕头三个经济特区，连同福建厦门特区、海南特区，全国五个经济特区中，属深圳经济特区最为成功。究其原因，得益于香港的产业转移极为关键。深圳经济特区由于承接了以香港为主的产业转移，得以融入国际产业体系。融入国际产业体系带来两个方面的重要作用：一是在经济体制上必须与国际接轨，从而推动了经济体制的市场化改革；二是促进了经济的增长。因为引进了外来投资，使特区的资源，包括土地、劳动力等得以在国际的生产水平上利用，同时国际市场提供了市场空间，而不会在经济发展的起步期受到国内市场的制约。可以这样说，正是香港，成就了珠三角，成就了广东。

2. 华侨众多。

改革开放前，中国与世界特别是西方国家基本处于隔离状态。因此，改革开放初期，由于对中国不了解，西方国家难以形成对中国的规模性的投资。而华侨则不同，由于血缘关系以及民间往来，对内地状况较为了解。在产业投资上，基于文化认同和人脉联系，有利于增加互信，实现投资合作。广大华侨心怀祖国，情系桑梓，捐资兴办学校、设立医院、修桥铺路，有利于改善经济发展的环境。因此，华侨是改革开放之初扩大国际交往，吸引外来投资的重

要因素。

广东是著名侨乡，20世纪80年代中期，祖籍广东的华侨、华人约2000万人，占全国华侨、华人总数的70%；港澳居民中，有90%左右祖籍广东。1950年至1978年广东侨汇收入38.76亿美元，是国家的主要外汇收入。1978年到1990年底，广东省接受华侨和港澳同胞的捐赠折合人民币达49亿多元，新建、扩建大中小学7716间，新建、扩建医院卫生院870多间，修筑桥梁2663座、公路7793公里；全省实际利用外资达124亿美元，其中80%是华侨、港澳同胞的资金。据商务部统计，自改革开放开始的1978年到2005年年底，我国累计实际利用外商直接投资共6224亿美元，其中多达4170亿美元，占全部外商投资的67%，是由华商或华商主导的企业投资的。实际上，华侨在改革开放中不仅是投资的主要力量，也是新思想、新观念、新文化在广东乃至中国传播的主要媒介，使广东较早形成了市场观念、效率观念和现代的经营管理理念。华侨还在搭建沟通国际的商业网络和文化网络，促进西方对中国的了解和推动中国与世界的交流上发挥了重要的作用。

3. 计划经济薄弱。

中国的计划经济体系主要以工业体系为载体。改革开放前，广东地处海防前线，缺少国家投资，经济社会发展十分缓慢，是一个以农业为主的落后的边陲省份。1978年广东地区生产总值仅为185.85亿元，占全国的5.1%。广东工业经济落后，工业总产值206.56亿元，占全国工业总产值的4.9%；工业增加值76.12亿元，占全国4.7%。广东工业缺少投资，规模以上工业固定资产原价111.42亿元，仅占全国3.2%；工业企业固定资产净值66.83亿元，仅占全国的3%。改革开放前广东工业经济的落后，表明广东的计划经济体系较为薄弱。

中国改革开放面临的一个挑战，就是如何在改革中保持社会的稳定。计划经济体系薄弱，有利于减少改革的阻力，减少改革对社会的冲击，降低改革的风险。因此，广东计划经济体系较为薄弱，成为广东得以先行一步的优势。回顾中国改革开放的历程，我们看

到，在改革开放初期，农村的家庭联产承包责任制的成功，乡镇企业的异军突起，都是计划经济最为薄弱的地方。事实上，广东经济的成功，更多的是来源于体制外经济的发展，例如乡镇企业、“三资”企业、民营企业的发展。

4．领导勇于改革。

中国改革开放可以分为三个具有明显特征的阶段：以经济发展为主线、以市场体制建设为主线、以科学发展为主线。第一阶段的改革，以发展经济、改善民生为目标。改革的内容有两个层面，一是领导层面的放权，二是大众层面的制度创新。对于领导层面，放权的大小，需要承担政治风险。领导层面的改革动力，来自于各级领导人追求国家现代化的革命理想主义精神。当时的很多各级政府的领导人仍然保持战争年代的理想与信仰，以及从战争年代到计划经济时代形成的集体主义精神和革命精神。广东历任主政者勇于改革、敢于担当，是广东改革开放激流中的中流砥柱。

广东改革开放的每一个重要关口，都可以找到主政者搏击中流的印记：

1979 年 4 月，省委第一书记习仲勋、省委书记王全国在中央工作会议发言和向中央政治局常委汇报时强调“希望中央给点权，让广东先走一步”；6 月，广东省委向中共中央、国务院报送《关于发挥广东优越条件，扩大对外贸易，加快经济发展的报告》，提出实行新体制和试办出口特区的要求；1979 年 9 月，习仲勋在“贯彻中央 50 号文件问题”上谈到：中央决定对广东实行特殊政策，灵活措施，这一方面是省委向中央“要权”要来的。

1982 年，广东省内一些地方出现了严重的走私现象，有人把这归咎于广东的改革开放政策。省委第一书记任仲夷，先后代表省委提出了“改革开放坚定不移，打击经济犯罪坚定不移”和“对外更加开放，对内更加放宽，对下更加放权”的正确方针；1982 年 5 月，任仲夷在接受《世界经济导报》记者采访时，提出了著名的“排污不排外”观点。

1984 年，广东省委明确提出用足用活中央给予的特殊政策和灵活措施的三条方针：政策规定有许多条，为了办成于国于民都有利的事情，要积极找出对办事有利的政策根据，去扶持，去帮助，而不应找根据去卡；政策规定本身允许灵活的，则应从有利于生产和搞活经济的方面理解，灵活执行，而不是相反；对于国于民确实有利的事，如果从现有文件找不到根据，可以试点，在试点中允许突破现有规定，并及时总结经验。

5. 群众思想开放。

计划经济向市场经济的转变，关键是大众价值观的转变。因此，广东人民开放的思想和文化，是广东改革得以先行一步的根基。大众层面的改革动力，来自提高生活水平和追求财富的欲望。广东远离政治中心，与港澳紧密相连，政治束缚较少，思想较为开放。因此，在宽松的政策环境下，广东人的价值观首先产生转变。广东与港澳血脉相连，改革开放之前，珠三角一带偷渡香港的行为较为普遍。改革开放初期，港澳亲友回乡带来电器、衣物等等的同时，也带来了港澳的价值观、市场观、生意观。因此，广东在思想文化上，受港澳意识形态影响较大，比内地更早接受市场经济观念，从而导致广东的市场经济思想、市场经济文化发育较早，发展较为成熟。很多事件都表明了广东人价值观念的这种转变，最为典型的是1986年至1988年间，广东流行的“灯论”，即“绿灯亮了大步走，碰见红灯绕道走，没有灯就摸黑走”。这些都表明当时广东人民市场意识较强，开拓创新精神较强。广东民众的这种市场意识和开拓精神，与中国市场化改革的方向一致，在广东高层领导的支持下，在先富起来的愿望驱动下，使广东在改革开放初期，能够以大改革推动大发展，创造了经济发展的世界奇迹。

1978年到1992年中国改革的主要特征是放权，这是自下而上的改革，大众是最主要的改革力量。在这一改革阶段中，广东拥有上述五个方面的明显的优势，因此能在全国先行一步。1992年后，随着改革任务的变化，改革的动力机制也发生了变化。第二阶段改革的主线是市场经济体制的建立，其实质是对大众行为的规范，对市场行为的规范。因此，这一阶段的改革是一个从上到下的过程，

改革的主体是政府，改革的动力，主要来自地方政府之间的竞争。分税制的改革，构建了地方政府竞争的动力机制。例如，激励了地方政府为吸引生产要素在本地区的集聚，在地方环境建设和经济政策方面的创新和改革。2002 年后的第三阶段改革以落实科学发展观为主线，其主要内容是转变经济发展方式以及构建和谐社会。由于这些改革涉及利益格局的调整，因此，这一阶段的改革，其动力应在大众，包括社会各个阶层。但是，由于缺乏一个大众和各阶层利益表达的机制和利益协调的机制，大众的利益诉求难以成为政府改革的压力。因此，改革只能是自上而下由政府主导。但是，与改革初期不同的是，总体上社会在精神层面已经世俗化。因此，从利益动机看，政府推动改革的动力不足。从这一角度看，在中国 90 年代中期后的改革中，由于改革的动力机制的变化，广东先行一步的优势逐渐减弱，而广东改革在全国的地位逐渐下降，也是必然的结果。

二、广东改革开放 30 年的实践历程

广东作为改革开放的试验区，在中国改革开放的进程中，做出了重要贡献。广东的实践，为中国的改革开放开拓了道路；广东的探索，为中国的改革开放探明了方向。广东的改革开放实践，是在两个层面上展开的。一是广东政府领导的开拓，二是广东人民大众的创新。中国改革开放首先是一个制度的变革，广东高层以其开放的思路，敢于担当的精神，杀开一条血路的勇气，为广东的先行一步创造了政策条件和制度基础。中国的改革开放取得成功的关键要素在于体制外经济的发展，广东人民以其开拓务实的精神，制度创新的探索，创造了经济增长的世界奇迹，推动了中国融入世界，推动了中国的现代化。

（一）突破计划经济体制的束缚

我国改革开放的第一阶段，是以经济发展为主线的阶段。这一

阶段从十一届三中全会开始，以1984年10月中国共产党十二届三中全会通过的《中共中央关于经济体制改革的决定》为标志。改革开放首先需要解决的问题，一是经济上的危机，人民生活陷入贫困，温饱成为迫切解决的问题；二是政治上的危机，在战后西方世界一片繁荣、“四小龙”快速崛起的背景下，社会主义社会的存在理由在哪里？这两个危机，解决的唯一途径是发展经济。要解决的主要矛盾是民生需求与经济发展水平的矛盾。解决这一矛盾，首先遇到的问题是以什么模式发展经济，这是1956年社会主义改造完成后，我党一直在探索的问题。中国的改革开放从农村起步，到以国有企业的放权让利为主体的改革，均以体制内的改革为主。广东改革开放的逻辑有所不同，广东依靠中央的特殊政策和灵活措施，从特区的建设起步，以放松传统体制下的监管为政策条件，形成了以体制外的发展为主、以外向为主的发展模式。在这一阶段，广东改革以特区的体制和经济的建设为突破口，推动了一场确立市场经济价值观的思想解放运动，推动了社会的价值观转型。在特区体制与外向经济发展模式的引领下，在价值观转型的支撑下，珠三角创造了被称为“珠江模式”的经济发展模式，创造了经济发展的奇迹。在这一过程中，市场体系与基础设施的支撑至关紧要，以地方政府为主体的制度创新，在市场体系和基础建设上，发挥了重要的作用。

1. 创办经济特区，建立改革开放的试验区和国际接轨的平台。

广东省委受香港、台湾以及国外的出口加工区和自由贸易区的成功经验的启发，在1979年4月的中央工作会议上，向中央提出在深圳、珠海、汕头建立出口加工区。创办经济特区，是广东在改革开放中最重要的一步。经济特区使广东在中国的改革开放中，扮演了试验区的角色，承担了先行一步的责任。中国的改革始于农村，而广东的改革则始于创办特区。创办特区的重要目的是与国际接轨，特区是广东外向型经济特征的基因。

与国际接轨的市场经济是引进外来企业投资的制度基础，因此，以深圳为代表的经济特区，在建立之初，即借鉴国外先进经

验，进行了一系列以适应市场经济提高经济效益为目标的探索性体制改革试验。改革的主要内容包括基建管理、干部制度、用工制度、工资制度、住房制度以及生活资料和生产资料的管理体制等方面。深圳办特区4年，GDP超过了前30年的总和。1984年春节期间专程赴广东视察的邓小平挥毫题词："深圳的发展和经验证明，我们建立经济特区的政策是正确的"、"珠海特区好"、"把经济特区办得更快些，更好些"。特区的成功推动了中国的开放，1984年4月，沿海14个港口城市全面对外开放。1988年成立的海南省，在诞生之日即被宣告成为经济特区。此后的20年，先是出现了上海浦东，而后连连出现了过渡试验区、经济技术开发区、高新技术园区、加工出口区等效仿经济特区运行体制的"经济特区"。深圳特区以"三资"企业的形式，承接香港的产业转移，进而融入国际产业体系，形成出口导向的经济发展模式。此后不到10年，这一模式扩展到珠三角、广东省乃至全中国。

深圳经济特区是全国经济体制改革的"试验田"。在单项改革方面，率先推行的有国有土地使用权转让、建设工程招标、设立保税区、开辟证券市场、创办外汇调剂中心、改革政府审批制度等；在综合配套改革方面，建立了多种经济成分共同发展的所有制体系、国有资产运营体系、宏观调控体系、市场体系、社会保障体系。这些改革的探索，均大获成功，进而在全国推广。

2．转变价值观念，建立市场经济文化。

20世纪80年代的改革开放是一个自下而上的过程。从计划体制向市场经济转变，关键是人民大众的价值观念的转变。计划经济体制的经济发展动力来源于集体利益和国家利益，需要集体主义价值观支撑。我国一直以来强调的集体主义价值观，特别是"文化大革命"时期强调的"狠斗私字一闪念"，反对个人主义思想，旨在维护计划经济体系的文化价值观基础。而市场经济体制的人文思想是以社会个体充分发展为目标的思想伦理体系。计划经济向市场经济转轨，需要价值观的转轨。70年代末到80年代初，珠三角与港澳民间来往密切，与港澳亲友携带回乡的电气、衣物一起，带回

了港澳的商业文化。珠三角从上到下迅速接受了港澳的行为评价标准、人际关系交往原则。因此，珠三角是大众价值观最早向市场经济转型的地区。1980年，“恭喜发财”在广东的主要报刊上讨论。1982年年初，“时间就是金钱，效率就是生命”的标语牌，出现在深圳蛇口的工地上。1984年1月，邓小平视察蛇口时肯定了这个口号。可以说，中国走向市场经济是从这句口号开始的。1984年，中国出现了下海经商潮。以集体为中心的价值观向以个人为中心的价值观转变，摧毁了公有制的价值观基础，催生了市场经济。但80年代的这一价值观转变，可谓矫枉过正，由于未能形成对自利的道德约束，未能形成与市场经济相适应的商业伦理，其所留下的隐患导致了广东90年代末的信用危机。

3. 充分解放生产力，催生珠江模式。

20世纪80年代中期，沿海地区经济蓬勃发展，在体制内的改革与体制外的发展的交织下，地区经济发展各有特点。其时三大模式成为我国工业化的典范：以乡镇企业为主导的苏南模式，以家庭企业为主导的温州模式，而珠江模式声势最为浩大，力量最为雄厚。珠江模式是东莞、顺德、南海、中山经济发展模式的总称。珠江模式的最重要的特点是多样化，东莞以外资企业为主导，顺德以乡镇企业为主导，南海以私营企业为主导，中山以国有企业为主导。苏南是强政府引导下的经济发展模式，以乡镇企业为主体；温州则是弱政府下的经济发展模式，以家庭企业为主体；而珠江模式的经济主体包括“三资”企业、乡镇企业、民营企业、国有企业。广东政府与民间的沟通合作形成了强大的发展经济的力量，使所有的力量都能得到充分的发展，充分地解放生产力。正是这一特点，使广东能够在以后的发展中，稳坐全国经济发展的第一位。珠江模式的形成，表明了广东的改革更为深入，广东的市场化程度更高，广东改革所释放的力量更为广泛。

4. 率先放开物价，成功推进价格市场化。

物价体系是市场经济最重要的部分。计划经济体制中，我国物价几乎长期不变。由于城市的主要食品和基本消费品实行配给制，

实行生产资料的价格管制的国企部门非常庞大，价格改革关系千家万户，可谓牵一发动全身。因此，物价改革是我国经济体制改革中最困难、风险最大的一个环节。广东成功的物价改革为国家提供了宝贵的经验。其中以广州的塘鱼价格的放开最为典型，影响最大。1980年前后，广州居民每人每月只能配给两角钱鱼票。1981年夏天，广州市政府做出决定：全市每年只供应30万担牌价塘鱼，其余价格由市场决定。价格放开之初，鱼价从2元涨到8元。这一改革极大调动了农民养鱼的积极性，广州市郊一年新增3000亩鱼塘，同时，湛江、海南以及湖南、湖北、广西的水产，纷纷涌入广州市场。到1982年，广州集贸市场的塘鱼上市量，已由1979年的19万担增至49万担。1985年，鱼价回落到3.6元的水平。全国18个大中城市，广州人吃鱼最多，鱼价最平。广东的物价改革从1978年开始，当年8月，广东物价改革以广州为试点，放开部分蔬菜价格。到1987年除粮、油等6个品种外，其他农副产品价格全部放开。广东成功地实现了由计划经济走向市场经济的价格闯关。到1992年4月，随着居民购粮取消凭证供应，原城镇每户居民多达65种购物票证的时代宣告结束，广东80%以上的生产资料和97%以上的生活消费资料价格放开。

5. 创新投资模式，化解基础设施建设难题。

广东经济的活跃和高速发展，凸现了基础产业发展的滞后，尤其是公路交通。计划经济时期，基础设施的投资主要依靠政府计划拨款，投资渠道单一，投资力度有限。基础设施发展了才能推动经济发展，经济发展了政府财政才能增加，但是广东发展之初，政府没有能力满足公共实施投资的需要。如何解开这个经济发展的死结？广东改革了高度集中的计划投资体制，引入市场机制，实行“集资办事，有偿使用”的投资体制改革办法，解决了阻碍经济发展的基础设施建设问题。基础设施投资模式的改革起源于解决广州至珠海公路四大渡口“改渡为桥”的建设资金问题，广东省政府批准，由省交通部门向澳门南联公司贷款1.5亿港元，建设四座大桥，建成后收取过桥费偿还本息。1984年广珠公路四座大桥竣工通车，从1987年到1996年，广东集资建设了6000多座桥。1985年广东首创征收电力建设费的方式，对省电网用户实施每千瓦时电量征收1分钱电力建设费，筹资发展电力。此后，“以路养路”、“以桥养桥”、“以水养水”、“以电养电”等举措，逐步取得成效，并在全省铺开。1985年3月27日，广东省人民政府正式批准深圳特区电力开发公司与香港合和电力（中国）有限公司举行合作兴建和管理沙角电厂B厂合同，这是中国改革开放初期第一个BOT（建设、经营、转让）模式的中外合作经营的能源项目。1986年12月，广东第一条高速公路——广州至佛山高速公路正式动工，1989年8月建成通车。1987年1月25日，国内第一条利用自筹资金进行双线建设的铁路——广州至深圳铁路全线铺通并运行。广东以“谁投资，谁受益”的模式，逐步形成了多元化多渠道集资体制，兴建了一大批交通、能源、通信设施，彻底改变了广东原来基础设施落后制约经济发展的状况，并为全国交通建设事业乃至基础设施建设事业的发展开拓出一条崭新的道路。广东的探索，拉开了我国基础设施投融资体制市场化改革的大幕，影响之深远，至今犹存。

（二）建立市场经济体系的探索

我国改革的第二阶段以市场经济体制建设为主线。从1992年开始，以1993年11月党的十四届三中全会《中共中央关于建立社会主义市场经济体制若干问题的决定》为标志。这一阶段改革解决的主要矛盾是市场的公平竞争问题。经过10多年的改革，计划经济体系支离破碎，市场经济体系框架未成。国有企业改革的承包制中一对一的谈判，导致竞争的不公平；企业负盈不负亏、短期行为、过度投资等行为倾向，造成了1988年宏观经济过热、经济秩序混乱、通货膨胀不断加速的局面。经过1989年到1991年的治理整顿，虽然控制了通货膨胀，但是，财政收支没有好转，企业经营状况恶化。价格体系双轨制所导致的腐败，也引起了社会的不满，市场经济秩序亟待规范。与此同时，在经济生活中出现了建国以来第一次的供大于求的市场格局。以放为主线的改革取得了成功，中

国告别了“短缺经济”时代，也为经济秩序的规范提供了有利的时机。这一阶段改革的关键环节包括企业体制改革、市场体制改革、财税体制改革和政府转型。与第一阶段不同，这一阶段是一个建立市场秩序、规范市场行为的过程，是一个从上到下的过程。在这一阶段，广东率先对改革的核心问题——产权改革进行了成功探索，广东在广信破产案的处理中，为我国经济改革中政企分开、确立市场经济规则迈出了关键的一步；在体系先行的深圳经济特区，对政府职能转变的探索，为我国建立市场体系提供了成功经验。

1. 顺德首试企业改制，为产权改革创造成功经验。

顺德经济的发展模式是“以集体经济为主，以工业企业为主，以骨干企业为主”，其最大的特点是以政府担保骨干企业向银行借贷，实现快速规模化扩张。这一模式创造了一系列国内名牌产品，如美的空调、容声冰箱、万家乐热水器等，推动了工业的高速发展。从 1978 年到 1993 年转制，顺德在这 10 年中，其工业增长速度达到 24.4%。但是，由于企业的公有体制特征，造成了“厂长负盈，企业负亏，银行负贷，政府负债”。10 多年来，无论政府或企业负责人，都把“上项目”放在第一位，造成盲目投资，重复投资。集体企业监管制度不健全，结果是厂外有厂，账外有账，集体资产流失严重。1993 年 6 月 7 日，顺德市委、市政府以讨论稿的方式下发了《关于转换企业机制，发展混合型经济的试行办法》，核心内容就是要创建一个“产权明晰、贴身经营、利益共享、风险共担的充满活力的企业发展模式”，以及“要建立以股份制为主要形式的多种经济成分并存的混合经济格局”。1993 年 8 月广东省委决定让顺德市试行以企业改革为中心的综合性全面改革。

顺德的企业产权制度改革，通过对国有和乡镇集体所有企业实行多种形式的改造，实现政企分开。到 1995 年底，顺德市、镇两级 1001 户企业全部转制完毕。产权改革后，市、镇两级企业中，公有资产的比重由 90% 下降为 62.4%，外商和民营资本的比例从改革前的 10% 上升为改革后的 37.4%，国有产权从大部分的竞争性领域里退出，重点转向基础产业和高新技术产业。顺德“抓住一批，放开一批，发展一批”，将基础产业和高新技术产业改组为政府全资或控股企业，交由公有资产管理委员会下辖的投资公司经营；大多数企业则通过合作、转让、租赁、承包、拍卖等形式放开经营。产权制度是市场经济的基础，产权改革是企业改革的核心问题。顺德在全国率先对国有企业和集体企业进行了产权改革，在资产评估环节、资产交易环节采取的公开、公平和公正的做法，以及所创造的多种形式的所有制改造，以闻名全国的“顺德模式”，为中国的产权改革提供了成功的经验和有益的启示。

2. 成功处理广东国投破产案和粤海重组问题，重新确立政府与国企关系。

广东国投破产案的成功处理，使中国改革跨出了迈向市场经济的关键的一步，其意义远远超出广东的范围，远远超出金融的领域。广东国投破产案被称为“中国第一破产案”，涉及世界上130家著名银行。广东国投于1980年7月经省政府批准成立，属企业法人；1983年，被中国人民银行批准为非银行金融机构，并享有外汇经营权；1989年，被国家主管机关确定为全国对外借款窗口；80年代末期，发展成为以金融和实业投资为主的企业集团。1998年10月6日，因受亚洲金融危机冲击及自身管理严重混乱、严重资不抵债问题的影响，中国人民银行宣布对广东国投实施为期三个月的行政关闭清算。1999年1月11日，经中国人民银行批准，广东省政府同意，广东国投作为债务人向广东高院申请破产。1999年1月16日，广东国投宣布破产。广东国投估计负债243.36亿元，估计亏损166.47亿元，三次分配债权清偿率共计12.52%。几乎同时，广东省政府决定依照国际惯例和香港的法律重组粤海公司。粤海公司于1980年在香港注册成立，由广东省政府全资拥有，是广东省在境外创办的第一家“窗口公司”。广东省政府于1998年10月26日宣布对粤海公司及另外三家关联企业集团重组，参与重组的债务近60亿美元，涉及遍布10多个国家和地区企业500多家，债权银行200多家，债券持有者300多家，贸易债权人超过1000家。2000年12月重组成功，平均削债率达42.78%。广东省

政府在中央政府的支持下，历时两年，经过广东国投破产、粤海重组和关闭近千家中小金融机构三个阶段，化解了弥漫全省的支付危机。广东国投破产案与粤海重组产生了强大的冲击波，让人们重新认识政府和国有企业的关系，其意义在于确立了市场经济的规则。这一案例向国际和国内宣告，政府支持国有企业并保证其能够完全履行合同义务的责任不复存在，从而划清了政府与企业的边界，使中国的市场经济改革迈出了关键的一步。对于加速政企分开的经济体制改革，对于中国改革的深入，起了难以估量的作用。

3. 深圳率先转变政府职能，引领行政改革方向。

政府职能转变是中国在 1992 年后以建立市场经济体系为主线的第二阶段改革的重要内容。深圳经济特区作为中国改革开放的试验区，如何适应外来投资，如何与国际接轨，要求特区率先进行政府体制改革，实现政府职能转型。深圳市政府在第一次 1981 年、第二次 1984 年的改革，实际上已经在按照发展外向型经济的要求，以转变政府职能为目标进行。深圳撤并按行业、产品门类设置的 10 多个政府管理机构和 20 多个行政单位，还给企业自主权。1986 年，深圳从初期的来料加工、“三来一补”发展到提高经济效益、提升产业结构的阶段。适应这一变化，1986 年和 1988 年深圳先后进行了两次改革，主要是减少行政管理层次，减少中间环节，简化办事手续，理顺政府与企业、政府与党委的关系。1991 年至 1994 年的第五次改革的重点是转变政府职能，目标是通过政府职能的重新定位和转变，政府机构的科学定编定员，弱化微观干预，强化宏观调控，以适应市场经济的要求。与这些改革相配套，深圳进行了行政审批制度的改革、政府采购制度的改革、政府预算制度的改革、行政事业性收费和罚没收入收支两条线的改革、行政综合执法制度的改革、公务员考试录用监督制度的改革、工程招标投标制度的建立、经营性土地使用权出让招标投标制度的建立等八大制度改革。1997 年深圳率先在全国进行行政审批制度改革，在国内引起了广泛关注。1994 年颁布《深圳市依法治市方案》，1999 年提出政府机构和行政行为实现九个法定化的目标，政府行为法治化程度走在全国的前列。在中国改革开放过程中，经济特区的政府体制改革一直走在全国的前面，为内地的改革提供了成功的经验和启示。

（三）实践科学发展观的排头兵

中国改革开放的第三阶段以实现科学发展为主线，其主要内容是转变经济发展方式以及构建和谐社会。这一阶段应从2002年开始，其标志是2003年10月十六届三中全会《中共中央关于完善社会主义市场经济体制若干问题的决定》。经过20多年的改革，中国的经济取得了极大的成功。进入新世纪，在经济改革基本取得成功，将向更深层次的改革深入之际，中国的改革面临两个核心问题，一是如何改变粗放的经济发展方式，二是如何共享发展的成果。经济结构不合理、经济整体竞争力不强、社会分配不公、农民收入增长缓慢、就业矛盾突出、资源环境压力加大、城乡差距和贫富差距的持续扩大、公共产品供给不足和失衡等等，成为改革亟待解决的问题。这些问题归根结蒂是如何发展的问题。在广东，问题更为突出。在经济发展方面，经济发展先行一步，使广东转变经济发展方式的任务更为严峻。随着全国改革开放深化，特别是我国加入世界贸易组织后，广东政策优势、地缘优势、先行优势等原有优势逐步弱化。而经过20多年的发展，随着生活水平的提高，企业经营的综合成本的逐步上升，改革开放初期形成的依托低成本的土地、环境和劳动力的产业，遭遇发展瓶颈；广东通过承接港澳台和国外产业转移所形成的处于全球产业链低端的低附加值加工贸易产业，成为广东经济转型的包袱。土地告急、资源短缺、人口超负、环境透支，成为珠三角地区普遍的困难，过去的经济发展方式难以为继。区域发展不平衡，内源型、外源型经济发展不协调，资源与发展需求矛盾，生态环境形势严峻、经济增长方式粗放、地区的国际竞争力不强，是广东发展面临的困境。在社会发展方面，广东经济发展水平更高，因此，社会矛盾更为尖锐。2002年5月，中共广东省第九次代表大会提出实施外向带动战略、科教兴粤战略、可持续发展战略、区域协调发展战略的发展新思路。2003年，出台

了《关于加快民营经济发展的决定》，以及12个配套政策，鼓励和支持民营企业的发展，从制度层面，建立不同所有制平等竞争的政策环境，改变内源经济与外源经济发展不平衡的局面。2006年，广东“十一五”规划进一步提出实施经济国际化、自主创新、区域协调发展、绿色广东四大战略，突出了广东经济转型的战略趋向。在这一阶段的改革探索中，在应对经济发展的挑战中，广东以自主创新为核心战略，推动经济发展方式转变；在抗击“非典”灾害中，广东的成功经验对中国的社会管理体制改革产生深远的影响；在社会保障体系方面，向建立全民保障迈进。这些是广东在这一阶段改革的亮点。

1. 以提高自主创新能力为核心，推动经济发展方式转变。

2005年11月，广东省委、省政府出台了《中共广东省委、广东省人民政府关于提高自主创新能力提升产业竞争力的决定》，首次明确提出自主创新战略是广东发展的重大战略。这也是全国第一个省级创新战略。《决定》认为广东要增创新优势、实现新发展，根本出路在于提高自主创新能力。提高自主创新能力，是广东发展后劲之所在，核心竞争力之所依，前途命运之所系。抓住了自主创新，就抓住了广东发展的关键，就抓住了广东发展的根本，就抓住了广东发展的未来。2006年制定并实施《广东省促进自主创新若干政策》和《广东省产业技术自主创新“十一五”专项规划》，提出建设创新型广东。在这一背景下，各地政府都制定了落实省委、省政府关于提高自主创新能力的一系列文件精神的配套政策。深圳提出自主创新“1+.”政策框架，以自主创新一号文件的20个配套政策的形式，出台了一系列鼓励创新的重大措施，形成了相对完善的鼓励自主创新的政策体系，创造我国第一个“以市场为导向、以企业为主体”的自主创新模式。全省地方财政科技拨款从2001年的40.77亿元增加到2006年的95亿元，研究与发展经费从2001年的134.23亿元增加到2006年的300亿元。广东关键的发明专利申请量于2003年超过上海，2005年超过北京，跃居全国第一。2006年，广东申请国际专利1722件，占国内总量的44%；全省高新技术产品产值15548亿元，是5年前的3.3倍；高新技术产品出口超过1020亿美元，是4年前的2.1倍，继续位居全国第一。科技进步对经济贡献率由5年前的45%增加到2007年的50%。

2. 解决民生问题，率先迈入全民社会保障新时代。

2007年9月，广东省委、省政府《关于解决社会保障若干问题的意见》正式下发，分别就被征地农民、无医保保障的城镇居民、困难企业退休人员、企业退休人员、农垦企业职工、华侨农场职工等各类群体的社保问题，提出了具体的政策措施和解决办法，基本覆盖了社会保障的主要方面，破解了被征地农民、困难企业退休人员等困难群体的保障难题，奠定了广东城乡社会保障体系的基础，率先实现全民全面的社会保障。2002年以来，广东基本建立了覆盖城乡劳动者的积极就业政策体系、多层次的职业培训体系、与本省经济社会发展相适应的社会保障体系、劳动者合法权益保护体系。广东在全国率先实现农村最低生活保障制度。2007年，广东企业养老保险参保人数、失业保险参保人数、医疗保险参保人数、工伤保险参保人数、社会保险基金结余额、农民工参加医疗保险人数、农民工参加工伤保险人数等七项指标全国第一，城镇登记失业率在全国各省区中最低，吸纳流动就业人员数居全国之首。广东作为经济发展全国先行的省份，率先对建立与经济发展水平相适应的社会保障制度做出了探索，在建立全民全面的社会保障制度做出了突破。

3. 创造危机管理经验，促进我国社会管理体制改革。

2003年春天，一场传染性非典型肺炎疫情袭击全球。广东省15个市先后发生传染性非典型肺炎疫情，全省累计报告病例1512例，治愈出院1454例，创下了96.2%的高治愈率。广东首当其冲，却在世界各个国家和地区中，创造了最好的成绩，得到了卫生部和世界卫生组织的高度评价。在疫情的袭击下，全国各地气氛紧张，唯独广东群众反应平静，保持了社会大局的稳定，保证了国民经济持续快速健康发展。广东经受了“非典”的考验，在危机管理中创造了经验：

第一，依靠专家科学决策。在社会管理层面，面对危机，省委、省领导广泛听取专家意见，作出不停课、不停产、不停市、不停止办公的决定。在专业管理层面，卫生部门充分发挥专家的作用，建立和完善一整套高效、科学的临床救治方案、预防控制的有效措施、流行病学调查和病原学检测方式方法。

第二，保证信息及时公开。广州市政府新闻办公室及时召开新闻发布会，省政府新闻办公室和省卫生厅召开记者见面会，向社会详细公布"非典"疫情和预防知识。

第三，以人为本。广东政府所采取的行动透析出来的以生命为重的信息，是凝聚人心的关键，是政府权威和公信力的基石。

重视依靠专家力量应对不同类型的公共危机是各国普遍采取的成功经验。现代社会建立于现代技术之上，因此，处理公共突发事件，必须依靠专业技术，只有这样才能在最短的时间内将事件的危害降到最低限度。政府的权威是解决危机的关键，只有信息公开，才能使政府取信于民。现代信息渠道很多，及时发布真实信息，才能避免信息真空，阻遏虚假信息流行。而一切以人民利益为重，则是政府权威和公信力的基石。广东抗击"非典"的成功，使广东在突发事件中依靠专家科学决策、保证信息及时公开和以人为本的经验，成为全国的共识，并对中国的社会管理改革产生深远的影响。

4. 掀起新一轮思想解放运动，落实科学发展观。

2007 年底，广东率先掀起新一轮思想解放运动。2007 年 12 月 1 日，汪洋在就任中共广东省委书记的大会上提出："广东要继续走在全国的前列，首先必须走在思想解放的前列，走在改革开放的前列。"2007 年 12 月 25 日，在中共广东省委十届二次全会第一次全体会议上，汪洋作了题为《继续解放思想，坚持改革开放，努力争当实践科学发展观的排头兵》的讲话，指出广东面临的挑战，提出广东应该成为实践科学发展观的排头兵，以当年改革开放初期"杀开一条血路"的气魄，努力在实践科学发展观上闯出一条新路。2007 年 12 月底召开的省委十届二次全会，广东省委发出《继续解放思想，坚持改革开放，努力争当实践科学发展观的排头兵》通知，明确提出了全省解放思想学习讨论活动的学习宣传、讨论调研、决策部署三个阶段的主要任务。2008年3月，全省解放思想学习讨论活动进入讨论调研阶段，由省领导牵头开展了12个专题调研，形成了多项调研成果，各地级以上市共组织撰写调研报告372份。

2008年6月19日，中共广东省委、广东省人民政府发表《关于争当实践科学发展观排头兵的决定》。提出广东推动科学发展要重点解决的六个突出问题：树立世界眼光，提升国际竞争力；大力优化产业结构，构建现代产业体系；实施提升珠三角带动东西北战略，构建区域城乡互动协调发展新格局；以打造宜居城乡为载体，建设美好家园；以增加城乡居民收入为重点，全面提升民生质量；全面提高公民素质，提升文化软实力。提出落实科学发展观的保障措施：一是扩大公民有序政治参与，发展社会主义民主政治。强调要大力加强社会主义民主，全面推进依法治省，进一步深化体制改革，提高社会管理水平，营造促进科学发展的制度环境。二是加强领导，落实推动科学发展的组织保障。强调要加强党的建设，打造一支善于科学发展的高素质干部人才队伍，建立落实科学发展观的评价指标体系和考核办法，发挥典型示范作用，探索符合各地实际的科学发展新路。

以解放思想为实现科学发展的突破口，广东先行一步。为什么要继续解放思想？解放思想是为了发展。当发展遇到制度的障碍时，就需要解放思想，从而变革制度。思想解放的实质，是扩大行动的选择范围，扩大人类文明成果的借鉴范围。为什么我们的思想往往成为制度变革的障碍？根源于一个核心问题：如何正确理解马克思主义。

“文化大革命”结束后，发展经济改善民生的要求强烈。但是，1977年和1978年的经济发展状况证明了，不改变原有体制，经济就难以发展。改变体制的思想障碍在于“两个凡是”。1978年5月开始的以真理标准的讨论为内容的第一次思想解放运动，要解

决的问题，是要搞清楚什么是马克思主义、怎样坚持和发展马克思主义，什么是毛泽东思想、怎样坚持和发展毛泽东思想。第一次思想解放运动在思想领域确立了以实践为检验真理的标准。

20 世纪 90 年代初，中国的改革开放遇到了来自“左”和右两个方面错误思潮的夹击，有些人认为改革开放是引进和发展资本主义。中国改革又到了一个关键时刻，邓小平发表了一系列重要讲话，以 1992 年邓小平南方谈话为标志的第二次思想解放运动，对中国政治乃至于整个中国社会的发展产生了极大的影响。邓小平的南方谈话确立了改革以解放生产力为标准，从而解决了姓“社”还是姓“资”的问题、计划经济与市场经济的关系问题。随着姓“社”姓“资”问题的解决，我国所有制结构发生巨大变动，私有制经济得到迅速发展，理论界和媒体掀起“公”、“私”之争，改革又到了体制创新的关键时刻。1997 年，江泽民发表讲话，强调高举邓小平理论旗帜和坚持社会主义初级阶段理论，为“公”、“私”定论。江泽民讲话的实质是坚持邓小平关于解放生产力的标准。第二次思想解放运动，为经济领域的改革确立了解放生产力的标准。旗帜鲜明的向改革者昭示，无论什么体制，有利于解放生产力就是好体制。

进入 21 世纪以来，我国经济社会发展面临新的挑战，贫富差别显著拉大，社会管理严重滞后，民生问题比较突出，粗放型发展没有根本转变，环境污染生态破坏比较严重。落实科学发展观、构建和谐社会是应对这些挑战的根本途径。保障科学发展观的落实，构建和谐社会，要求改革的重心从经济领域转向社会领域和政治领域。面对新的改革挑战，胡锦涛在十七大报告中号召我们继续解放思想，坚持改革开放，吹响了第三次思想解放的号角。第一次思想解放运动在思想领域的突破上确立了以实践为检验真理的标准；第二次思想解放运动在经济领域的改革上确立了解放生产力的标准；第三次思想解放运动需要解决的问题，是在政治领域的改革上确立一个标准。广东先行一步，在改革开放 30 年之际，开始了新一轮思想解放运动，在继续改革的道路上，做出了新突破。

三、广东改革开放先行一步的意义和贡献

中国的改革开放过程，是一个渐进改革的进程。这一过程有两个特点：第一个是策略上，摸着石头过河，实事求是，根据实践的发展变化逐步展开改革进程；第二个是形式上，实行双轨制。广东在这一渐进的改革过程中，扮演了重要的角色，发挥了重要的作用。因此，只有从这一视角，才能理解广东先行一步的意义，以及广东对中国改革开放的贡献。

1. 中国改革开放的回顾。

中国1978年以来的30年改革开放，是中国自1840年以来现代化进程的继续。30年的改革，核心是经济体制的改革。改革经济体制的最初目的是发展经济，改善民生。

中国的计划经济体制，是中国现代化在特别的国情基础与特别的历史环境下，历史发展的必然过程。特别的国情基础在于，中国以自给自足为特征的封建经济、以等级伦理为核心的封建文化、以中央集权为特征的封建政治，使中国的资产阶级缺乏成长空间，没有力量推翻封建主义。中国特别的历史环境在于，中国的现代化是在不平等的国际环境下进行的，争取民族独立是现代化的基本条件和首要任务。只有中国共产党领导的以工农联盟为主体的革命，才能推翻帝国主义、封建主义和官僚资本主义的压迫，开辟中国现代化的道路。农民革命成功的必然结果，是实现耕者有其田；工人革命成功的必然结果，是实现生产资料公有制和计划经济。

新中国的工业国有化过程与计划体制的建立过程，是一个解放生产力的过程。私人工商业由于劳资关系而缺乏竞争力，效率低于国营企业，而最终在短时间内国有化。计划经济与工业化启动阶段的生产力水平相适应，因此，工业国有化与计划经济推动了新中国工业的高速增长。但是，农业生产合作化与农业的耕作方式不相适应，因此，抑制了农业的发展。改革开放之前，中国农业的经济体制一直在合作与单干之间进退徘徊。

计划经济以国家意志为主导，偏重国家利益而忽视民生经济；民生经济以短缺的压力为生产的动力，难以满足民生需求。“文化大革命”的混乱进一步加剧了民生的困难。因此，“文化大革命”结束后，因为改善民生的迫切需求，导致了对压抑民生经济发展的经济体制进行改革。

因民生的迫切要求而改革，经济体制改革的第一阶段以发展经济改善民生为主线，是必然的结果。第一阶段改革的主要特征是放权。放松管制后，改革首先在经济制度本来就不稳定的农村发生，当中央肯定了家庭联产承包责任制，一年之内就完成了农村的体制转型。城市体制的改革在三个层面展开：在政府层面取消一些管理权限，下放一些管理权限；在市场层面推行计划内与计划外的价格双轨制，逐步放开物价；在企业层面，在体制内提高国有企业经营自主权和激励强度，而体制外的乡镇企业、“三资”企业、私营企业迅速发展。

以放为主的改革使经济得到高速增长，民生得到极大改善，此时公平竞争成为经济发展的障碍与社会矛盾的焦点。建立市场经济体制成为迫切的需求，这是改革的第二个阶段的目标。这一阶段，在市场层面，基本取消价格管制，建立了市场化的价格体系，以法律规范了各种市场主体的行为。在企业层面，推行国有企业的产权改革。面对非公有经济的竞争，国有企业由于产权缺陷缺乏竞争力。效率的竞争使国有资产的私有化更加容易。甚至流行一种冰棍理论——国有资产如果不尽快私有化，就会像阳光下的冰棍一样消融。与建国初期国有化过程相似，只不过这一次倒了一个个，小型国有企业在短短的几年内全面私有化。适应经济的市场化，政府实行了以职能转变为核心的改革。

在计划经济体制改革的过程中，经济功能由政府转向企业，社会功能由企业转向政府。计划经济时代国有企业是社会福利的主要提供者，社会福利制度在中国的计划经济时代极为公平。随着市场化改革的深入，国有企业的这一功能转移到政府和市场。关系养老保险、失业保险、医疗、住房、教育的社会福利制度和社会保障体系在市场化改革的过程中逐步形成。社会政策的本质是资源、地位及权力的分配。随着经济发展水平的提高，人们更加关注经济增长的成果如何分配，社会福利制度与政府的社会政策的公平性成为社会矛盾的焦点。以公平正义为主要诉求的社会管理体制重建成为改革的第三个阶段的主要任务。这一阶段的另一个重要任务是自改革开放以来所形成的粗放型经济发展方式的转型，环境生态破坏严重，资源及土地消耗巨大，过去的经济发展方式已难以为继。这两个任务要解决的问题本质上是如何发展的问题。当前，以贯彻科学发展观为主题的改革正在深入发展。

我国发展面临的问题，是在当前体制下形成的问题，因此，贯彻落实科学发展观，对中国的改革提出了新的要求。科学发展观，第一要义是发展，核心是以人为本，基本要求是全面可协调发展，根本方法是统筹兼顾。要落实科学发展观，必须进行制度改革和制度建设。无论是以人为本、协调发展，还是统筹兼顾，都涉及体制改革问题。落实科学发展观，中国的改革面临巨大的挑战。

上述对中国改革的简要回顾，展示了中国改革的逻辑。中国的改革正在沿着这一逻辑继续深入。

2. 中国渐进改革进程中的双轨制。

中国改革的成功，归功于双轨制的渐进改革模式。这是避免社会大震荡的正确选择，也是减少改革阻力的机智策略。双轨制解决了稳定与改革的问题。

中国改革面对的困难，首先是与计划体制相应的集体主义的价值观念，以及对社会主义的传统认识的根深蒂固。实际上，改革开放初期，体制外经济特别是个体户在社会上没有地位。以企业为主体的社会保障，使国有企业员工处于低生活水平下的稳定。体制内的人们渴望生活改善，但又不想改变这种称之为“大锅饭”的稳定状态。最希望改变自己的社会状态的，是体制之外的群体，例如农民，以及城市中的下层人群。

由于中国经济社会的城市和农村的二元结构，中国的改革分为农村改革和城市改革两个部分，农村的改革不会对城市的结构产生

大的影响。农村之间的生产联系不大，包产到户在农村一直以来有基础。由于原来的人民公社制度，合作化的生产方式与农村的生产力水平不相适应，农民具有很大的改革动力，因此，联产承包责任制改革可以在短期内实现。但城市的改革不同，工业的生产分工复杂，企业之间关联复杂，计划经济体系把企业的决策权集中到政府部门，使这一系统更为庞大复杂，牵一发而动全身。因此，城市的改革不可能采取农村改革的模式。双轨制改革模式符合所有人的利益，体制内的人既保持稳定，又能得到有限度的生活改善；双轨制的改革有利于避免对社会价值观产生太大的冲击，而影响社会稳定；双轨制的改革既保持了体制内经济的稳定，又促进了体制外经济的发展。

中国改革的双轨制，主要表现在三个层面上：

第一个层面是价格体制的双轨制。改革开放初期，中央做出了价格改革先行的决策。我国的价格改革，实行调放结合，先以调为主后以放为主的渐进式改革。渐进式改革包括：改革目标的阶段性；改革方式的先调后放；改革地区的先沿海后内地，广东、福建及经济特区改革先行带动全国；改革项目的先小商品后重要商品，先商品后服务，先下游产业后基础产业，先消费品后生产资料再生产要素。针对当时一般商品和服务的管制价格体系，体制内和体制外两种价格体制同时运行，一种物资，体制内的计划价格，与体制外的市场价格并存。在渐进改革的进程中，逐步放任体制外价格机制的发育、壮大，使得体制内价格体系地位逐步下降，最终退出历史舞台。双轨制的改革发展得比较顺利，最终促成了有关商品、服务价格的完全市场化。

第二个层面是企业所有制的双轨制。体制内的国有企业，采用放权让利、承包制等等一系列措施，逐步强化激励，增加经营决策权，以提高企业效率。体制外的非公经济，乡镇企业、私人企业、“三资”企业等等，随着改革进程的深入，逐步发展壮大。体制外的经济在80年代发展得非常快。体制内是存量经济，体制外是增量经济。增量经济的发展，使存量经济比例逐步下降。价格的双轨制改革给体制外经济的发展提供了空间。这是因为当时的乡镇企业，没有权利得到国家分配的主要生产资料，实施双轨制，为乡镇企业提供了购买和销售工业生产资料的市场。由于乡镇企业在激励机制和劳动成本方面相对国企有巨大优势，因此，80年代中期乡镇工业得以“异军突起”。由于体制外经济的成长及其更高的激励，上世纪90年代中期产权改革推行之后，在效率的竞争中，国有小型企业几乎在一夜之间私有化。

第三个层面是区域体制的双轨制。计划经济体制向市场经济体制的转型，与经济全球化的推动有很大的关系。上世纪60—70年代亚洲“四小龙”的崛起，表明了参与国际产业循环对经济增长的重要作用。在经济全球化的环境下，不融入全球体系，经济发展就落后。计划体制无法与国际产业体系接轨，因此，必须有一个能与国际接轨的区域，实行与计划体制不同的体制，能够与市场体制接轨。经济特区就是在全国计划体制之外的实行不同体制的区域。中央给予特区的特殊政策，是经济特区实行特殊的经济政策和经济管理体制，并且强调，建设上以吸收利用外资为主，经济所有制实行以社会主义公有制为主导的多元化结构；经济活动在国家宏观经济指导调控下，以市场调节为主。这一特殊区域，从特区扩展到广东省，再扩展到沿海14省市。2001年中国加入世界贸易组织后，区域体制的双轨制实际上完成了并轨，中国整体上实现了市场经济转型。

3. 广东先行一步的意义与贡献。

广东先行一步的意义，就是在渐进的改革进程中，承担了改革先行的任务。国家给予的特殊政策、灵活措施，就是要广东突破计划经济体制，对计划体制的市场化改革做出探索。广东先行一步的实质是在中国改革双轨制中承担体制外轨道上的探索，为中国改革提供与世界经济体系接轨的平台和通道，提供制度改革的试验和示范。

第一，改革的试验区。制度的变革没有先验的东西，摸着石头过河的策略，符合市场经济的本质，就是决策权的分散。把改革交

给实践者，把制度的探索交给实践者，以实践的结果为检验真理的标准，以是否有利于生产力的发展为标准，以是否有利于经济发展为标准。这是市场经济的原始动力，由此产生的制度创新，必定符合市场化方向。因此，广东先行一步负有改革、创新、探索的使命，以及对新制度的效果的试验。一方面，广东试验的成功，表明改革开放制度的成功，使改革开放的区域逐步扩大。1984 年初，邓小平第一次视察深圳题词："深圳的发展和经验证明，我们建立经济特区的政策是正确的。"1984 年 4 月中央决定开放由北至南 14 个沿海港口城市，1985 年 2 月，将珠江三角洲、长江三角洲和闽南三角地区的 61 个市县开辟为沿海经济开放区。另一方面，例如物价放开、基础设施建设投融资的市场化、产权改革等等制度改革的探索试验，以及深圳特区政府行政改革的探索等等，都对我国市场经济体制的建立做出了贡献。

第二，改革的示范区。在牢固的传统社会主义意识下，思想的束缚是改革的最大的阻力，这也是为什么中国的改革进程首先是解放思想。因此，必须有成功的经验，才能减少改革的阻力。广东特别是深圳经济特区，担当了试验区的角色，为改革开放探路，为改革的路向提供成功的证明。广东的示范作用，特别是经济特区的示范作用，使中国对改革的认识一步步深入，使中国的市场化改革方向越来越清晰，越来越坚定。从中央对市场化改革目标的不断深化，可以看到这一点：1982 年 9 月，党的十二大提出"计划经济为主，市场调节为辅"的原则；1984 年 10 月，党的十二届三中全会做出关于经济体制改革的决定，指出我国实行的是有计划的商品经济；1987 年 10 月，党的十三大指出，新的经济运行机制，总体上来说应当是"国家调节市场，市场引导企业"的机制；1992 年 10 月，党的十四大明确宣布：我国经济体制改革的目标是建立社会主义市场经济体制；1993 年 11 月，党的十四届三中全会做出了《中共中央关于建立社会主义市场经济体制若干问题的决定》，勾画了社会主义市场经济体制的基本框架，制订了继续深化改革的总体蓝图。至此，历经 15 年，我国市场取向改革的目标及其框架在理论上、认识上基本完成。其间广东的探索，广东的示范作用，不但推动了中央决策层的共识形成，而且推动了中国社会大众层面共识的形成。广东改革的成果，伴随着珠江水、广东粮的北上，给中国一个市场化的成功示范，推动了中国市场经济观念的转变。

第三，引进的窗口和出口换汇的基地。中国的经济发展，需要资金、技术、管理和外汇，借鉴“四小龙”的发展经验，广东担负了中国实施出口导向战略的使命，作为引进外来资本、引进先进的管理和技术的窗口，辐射到全国各地；作为出口换汇的基地，支持了内地的发展。我国加入WTO之前，1986—2001年广东进出口总额占全国40%，连续16年居全国首位。2001年，外贸出口总值954亿美元，相当于全国的35.9%，进出口总额和出口创汇均占全国四成左右。1978—2007年广东外贸出口总额由14亿美元增长到3692亿美元，增长了260多倍，连续20多年保持全国第一位，占全国的比重保持在30%～40%。

第四，广东的外向型经济推动中国经济融入全球经济体系。广东从香港与珠三角“前店后厂”的合作模式开始，从加工贸易起步，承接国际产业转移，参与国际产业分工，率先实现与全球经济体系的融合。20多年来，努力在国际产业链中升级。2007年，广东高新技术产品产值达到1.87万亿元，出口1283.48亿美元，位居全国第一。广东产业对外依存度高达150%，2007年全省外商投资企业增加值占全省的54.4%，出口占全省的62.8%，投资占全社会投资总额的23%，涉外税收（不含关税）占全省财政收入的20%。在全省加工贸易产业就业的人口为1626万人，占全省就业人口的30%。时至今日，虽然广东参与国际产业分工的模式面临挑战，但是广东的外向型经济，在中国经济融入全球经济体系进程中发挥了不可替代的作用。

第五，广东体制外经济的发展推动了中国改革进程。在双轨制改革策略下，体制外经济的发展是推动改革进程的主要动力。广东体制外经济的发展最快，总量最大。主要原因在于：（1）以香港为主的产业转移，将珠三角推进国际产业体系，所以，国际接轨对

改革提出了迫切的需求，推动了珠三角地区的改革；（2）珠三角的文化价值观受港澳影响较大，更容易向市场经济的价值观转变；（3）融入国际产业大循环使广东经济得到快速发展，广东出口导向的外向型产业发展最快。到1991年，广东的经济已经形成“三分天下”的格局，即三分之一是国有经济，三分之一是集体经济，三分之一是非公有经济。因为双轨制改革的关键成功因素是体制外经济的成长，所以，广东外向型经济的成长，使广东对中国的改革进程和结果产生了最大的影响，成为中国改革成功的决定性因素。

第六，广东成为中国改革的排头兵。在中国改革开放进程中，广东得以先行一步，全国经济发展水平最高。1978—2007年广东GDP由185亿元增加到30673亿元，增长了41倍，从1985年起GDP总量连续23年稳居全国第一位。1978—2007年广东人均生产总值由247美元增长到4080美元，翻了四番，已经处于世界中等发达国家水平。1978—2007年广东经济平均增长速度在13.8%，创造了世界经济发展奇迹。到2007年底，广东经济规模已经超越了亚洲“四小龙”中的香港、新加坡和台湾，初步实现了1992年邓小平南方谈话提出的广东经济要在20年内赶超“四小龙”的设想。广东经济发展先行一步，广东在发展中碰到的问题，其他地区将来也会碰到，例如在自主创新、产业升级、参与国际产业分工方式的转型、社会管理、社会保障体系、农村集体经济改革等等方面。因此，广东担当了排头兵和尖兵的作用，为全国的进一步改革积累经验。

第二章
率先开放

在深刻总结国内经济发展的历史经验和正确分析世界经济形势的基础上，1978 年 12 月的十一届三中全会把实行对外开放确定为基本国策。1979 年 7 月，党中央、国务院批准广东在对外经济活动中实行“特殊政策，灵活措施”，拉开了广东在对外开放中先行一步的序幕。

一、创办特区，大胆探索对外开放

从党的十一届三中全会到十二届三中全会，是广东对外开放在全国先行一步，进行初步探索的阶段。在这一阶段，广东以敢闯敢冒的改革精神，大胆实践中央给予广东的特殊政策和灵活措施，率先创办经济特区，以优惠政策和廉价的土地和劳动力，积极承接港澳制造业的转移，大力发展“三来一补”加工业和转口贸易，在对外开放征途中“杀出一条血路”。不但使全省经济环境和社会面貌发生了深刻变化，开创了建国以来最兴旺的时期，而且为建设有中国特色的社会主义进行了有益的先行探索，提供新鲜而可贵的经验。

（一）经济特区的率先创办与发展

1. 经济特区的诞生。

1979 年初，广东省委常委会开会讨论如何贯彻三中全会精神，吴南生提出，中央提倡对外开放，广东有很多优势，有数千万华侨在海外，又毗邻港澳，能不能先走一步，划出一块地方，搞出口加工区。广东省委们都觉得这个意见好，一致同意向中央建议。时任广东省委第一书记的习仲勋利用在北京开会的机会，向中央正式提出“让广东先走一步，在沿海划出一块地方搞出口加工区”。广东的要求得到中央和邓小平的支持。1979 年 7 月，中共中央和国务院批准在广东的深圳、珠海、汕头和福建的厦门四个地方开办经济特区。接着，中央派谷牧带工作组来广东调查研究，并帮助制定了两条具有决定意义的政策。一是特区政策可以再放宽一些，如给予引进项目有一定的自主权、财政包干等；二是特区可以搞商品经济（后来叫市场经济）。1980 年 8 月，第五届全国人民代表大会常务委员会第十五次会议审议批准了《广东省经济特区条例》，将“出口特区”正式改名为“经济特区”，并对外公布。这是我国有关经济特区的第一个条法，它标志着我国经济特区的正式诞生。

2. 构建良好投资环境。

首先，建立和完善法规。为了创造良好的特区投资环境，广东省人大常委会根据《广东省经济特区条例》和《关于授权广东省、福建省人民代表大会及其常务委员会制定所属经济特区的各项单行经济法规的决议》的原则规定，于 1981 年 12 月 24 日的第五届第十三次会议通过了《广东省经济特区入境出境人员管理暂行规定》、《广东省经济特区企业登记管理暂行规定》、《广东省经济特区企业劳动工资管理暂行规定》、《深圳经济特区土地管理暂行规定》和《深圳经济特区行政管理暂行规定》五个单行法规，并成立经济法庭、法律顾问处和经济仲裁办事处。以上单行法规的制定以及《关于香港招商局蛇口工业区海关边防管理试行办法》的发布，使特区的立法和司法工作进一步完善，投资者的合法权益得到有效保障，为经济特区的健康发展提供政策保障。

其次，做好基础设施建设。创办经济特区之前，深圳、珠海、汕头都是经济比较落后的地方。在特区起步之初，三个特区都有计划地抓土地开发，搞“五通一平”（即通道路、通电、通电信、通水、通排污排洪和平整土地）基础工程，为外商投资办企业提供生产、生活设施。在资金不足情况下，经济特区借鉴国外一些经济特区土地开发的经验和蛇口工业区经验，多方筹措资金，与外商合作兴建一批商业、金融、旅游、住宅等服务性楼宇，或者将土地出租等方式，积累资金，逐步拓展特区建设范围。

3. 外引内联，多形式吸引外资。

我国设立经济特区，一是为了更好地吸收和利用外资和先进技术、管理经验，为我国的四个现代化服务；二是在特区内实行一系列不同于国内其他地区的特殊政策和管理体制，即实行以市场经济为主，在对外经济活动中更加开放的政策，以求找到一条打破陷入僵化的计划管理体制，尽快把经济搞上去的新路。

从创办之日起，广东省的经济特区认真执行中央赋予的特殊历史使命，在改革开放的前沿地带奋勇拼搏，敢闯敢冒，大胆实践，勇于探索，努力按照市场经济规律办事，大力开展外引内联，发展外向型经济，取得了显著成效。以深圳经济特区为例，到1983年，在不到4年的时间里，深圳就已同外商签订了2500多个经济合作协议，成交额18亿美元，引进2500台设备和一批技术。外汇收入增长2倍，基本建设投资比建国后30年的总和增加20倍。到1886年底，三个经济特区实际利用外资金额达16.6多亿美元。建起一批中外合资、合作和外商独资企业，形成了相当规模的生产能力。

同时，三个经济特区都重视与内地的经济联合，充分发挥对内的“扇面”、“窗口”作用。到1986年底，深圳经济特区已与国家27个部门和28个省市（自治区）以及本省近100个市、县联合兴

办了大批企业。内地支持特区，特区服务内地。特区与内地的经济联合，弥补了特区的技术力量与资金的不足，既加快了特区建设步伐，又推动了内地的技术进步和经济发展。

4. 明确经济特区的性质和作用。

1984 年 1 月 24 日至 2 月 16 日，邓小平针对一些人对经济特区的非议，视察了深圳、珠海，分别为两个特区亲笔写下了“深圳的发展和经验证明，我们建立经济特区的政策是正确的”、“珠海经济特区好”的题词，不仅充分肯定了广东改革开放初期创办经济特区的做法和经验，而且要求把经济特区办得更快更好。回京后，邓小平同中央领导同志就对外开放和特区工作问题谈话时，对特区性质、作用和战略作了科学的概括。他说：“特区是个窗口，是技术的窗口、管理的窗口，也是对外政策的窗口。”1984 年 2 月 24 日，邓小平还提出了两条重要意见：建立特区，实行对外开放，指导思想不是收，而是放，可以考虑再开放几个点，增加几个港口城市。邓小平对特区建设的肯定为广东乃至全国改革开放的全面推进指明了方向。

30 年来，在党中央、国务院的领导和全国的支持下，作为我国改革开放的试验场和排头兵，经济特区在全国的改革和建设中充分发挥了改革开放“四个窗口”（技术的窗口、管理的窗口、知识的窗口、对外政策的窗口）的作用，成为我国观察国际经济和发展变化，学习外资企业的先进技术和科学的管理经验的前哨阵地，探索试验有关政策的试验场。广东经济特区的建立，就像一个伟大的“支点”，撬动了中国旧体制的巨石，撬开了中国对外开放的大门，推动了中国社会经济发展的历史性跨越。

从一个边陲小镇到一座美丽的现代化城市，特区仅用了短短几年功夫。通过改革开放，各经济特区建立了包括电子、轻工、纺织、食品、建材、石化、玩具、机械等门类较多的生产行业，工农业生产高速持续增长，商业、旅游和其他服务行业兴旺发达，财政收入、外汇收入大幅度地增加，文化、教育、卫生、体育等事业发展迅速，呈现一派欣欣向荣的景象。

为了推进改革开放和现代化建设，邓小平创造性地提出建立经济特区；广东的各级领导和全省人民没有辜负中央的重托，始终坚持解放思想、实事求是的思想路线，注意研究新情况，解决新问题，总结新经验，开创新局面，认真办好经济特区，为全国的改革开放走出了一条新路，成为中国改革开放的"排头兵"。

可以说，经济特区创立发展的30年，是沿着有中国特色社会主义道路开拓前进的30年，是认真贯彻党的十一届三中全会以来的路线方针政策不断发展的30年，是经济特区广大干部群众解放思想、实事求是、敢于实践、大胆创新的30年。经济特区的实践，向世界展示了社会主义中国的勃勃生机和光明前景。实践证明，兴办经济特区这个具有远见卓识的创举，对推动我国改革开放和现代化建设的进程，丰富我们对建设有中国特色社会主义的认识，具有重要而深远的理论和实践意义。"经济特区要继续当好改革开放和现代化建设的排头兵，继续争当建设有中国特色社会主义的示范地区，继续充分发挥技术的窗口、管理的窗口、知识的窗口和对外政策的窗口的作用，努力形成和发展经济特区的中国特色、中国风格、中国气派。"①

（二）实施"特殊政策，灵活措施"

根据邓小平的提议，1978年8月13日的中央工作会议在讨论广东、福建两省提议的基础上，形成了《关于大力发展对外贸易增加外汇收入若干问题的规定》。《规定》在"要充分发挥广东、福建两省有利条件"中指出："广东、福建两省邻近港澳，华侨众多，发展对外贸易的条件十分有利。"② 中央决定，对这两省采取特殊政策和灵活的措施，让他们在开展对外贸易，增加外汇收入，

① 《江泽民在深圳经济特区建立二十周年庆祝大会上发表讲话并为邓小平塑像揭幕》，中国网综合新华社消息，2000年11月15日。

② 国务院：《关于大力发展对外贸易增加外汇收入若干问题的规定》，1979年8月13日。

加速发展地方经济方面有更广阔的活动余地，为国家四个现代化作出更大的贡献。

为加快“特殊政策、灵活措施”的出台步伐，习仲勋专门组织了一个文件起草小组，负责《汇报提纲》和《关于试办深圳、珠海、汕头出口特区的初步设想》，对以上两个文件，不仅多次亲自修改，而且还主持召开省委常务会议，进行集体讨论。根据中央指示，从1979年5月11日至6月6日，谷牧带领国务院进出口办、国家计委、国家建委、外贸部、财政部、物资部的10多位负责干部，赴粤、闽两省进行考察。谷牧认真听取习仲勋等人的汇报之后，就广东实行特殊政策和灵活措施的必要性、经济体制改革要解决的若干问题、立法工作和当前要给广东解决的具体问题作了指示，使广东更进一步明确了起草文件的指导思想。谷牧说：“全国的体制要改革，广东更要改革快一些。”广东要一条条来写体制要解决的问题。广东“要杀出一条血路，创造经验”。广东要比中央最近的那些决定更开放一些。

根据谷牧和大家的意见，起草文件小组突击修改整理，拿出文件初稿。习仲勋等人一再修改，并经省委常委会讨论，5月25日，最后定稿。6月6日，广东省委向党中央和国务院上报《关于发挥广东优越条件，扩大对外贸易，加快经济发展的报告》。

1979年7月15日，党中央、国务院批转广东和福建两个省委的报告，即“中发［1979］50号文件”——《中共中央、国务院批转广东省委、福建省委关于对外经济活动实行特殊政策和灵活措施的两个报告》。中央指出：“对两省对外经济活动实行特殊政策和灵活措施，给地方以更多的主动权，使之发挥优越条件，抓住当前有利的国际形势，先走一步，把经济尽快搞上去。这是一个重要的决策，对于加速我国的四个现代化建设，有重要的意义。”

中央给予广东的特殊政策和灵活措施主要包括如下内容：外汇收入和财政实行定额包干，一定五年不变的办法；在国家计划指导下，物资、商业实行新的经济体制，适当利用市场调节；在计划、物价、劳动工资、企业管理和对外经济活动等方面，扩大地方管理权限；试办深圳、珠海、汕头三个特区。[①] 这一历史性文件，拉开了广东改革开放和经济特区建设的序幕，吹响了广东“先走一步”的进军号。

1980年，习仲勋带领广东代表团出席五届全国人大三次会议。期间习仲勋、杨尚昆、刘田夫就广东贯彻1979年50号文件和试办经济特区的情况向中央书记处作汇报，提出扩大广东改革的权限，允许广东参照外国和亚洲“四小龙”的成功经验，大办出口特区，以便加速广东的经济发展，并提出外汇管理、进口生产资料等海关减免税和尽快解决广东能源、铁路交通等问题。

广东的大胆构想得到了中央许多领导人的赞同和支持，中央书记处对广东如何实行特殊政策和灵活措施进行了认真的讨论，并作了重要指示。1980年9月28日，中央印发了《中央书记处会议纪要》。《纪要》指出：“在广东、福建两省实行特殊政策和灵活措施，中央是下了决心的，目的是要充分发挥广东、福建两省的优势，使广东、福建先行一步富裕起来，成为全国‘四化’建设的先驱和排头兵，为全国社会主义经济建设和体制改革探索道路，积累经验，培养干部。”“中央要求广东充分利用和发挥本地优势，尽快把广东的经济搞活，闯出一条道路，使广东成为我国对外联系的枢纽。”所谓特殊政策和灵活措施，一是增大地方的权力；二是广东、福建两省对外更加开放。

中央这个纪要，更进一步明确了中央对广东实行特殊政策和灵活措施的重大意义，同时给广东以更大的独立自主权，让广东更加大胆去闯，成为广东今后对外开放大步前进的一把尚方宝剑。特殊政策、灵活措施的实施，使广东得以充分发挥毗邻港澳、华侨和海外同胞众多、国际市场信息较灵等优势，实行多层次的对外开放，大胆利用外资，引进先进技术设备和管理经验，加快了全省能源、

① 《中共中央、国务院批转广东省委、福建省委关于对外经济活动实行特殊政策和灵活措施的两个报告》（1979年7月15日），见《中央对广东工作指示汇编（1979年—1982年）》，中共广东省委办公厅1986年5月编印，第19、27页。

交通、通信等基础设施的建设，以及各行业技术改造与进步，大力发展出口商品生产，扩大出口创汇，对外经济贸易进入新的更加迅速的发展阶段。

（三）“对外更加开放，对内更加搞活，对下更加放权”

为了实施“特殊政策，灵活措施”，广东不断清除“左”的思想影响，端正经济工作的指导思想，紧紧把握住解放思想，实事求是这一马列主义、毛泽东思想和邓小平理论的精髓，坚持一切从实际出发。1981年4月，广东省委提出了“对外更加开放，对内更加搞活，对下更加放权”。1982年，广东经历了改革开放以来第一次严峻的考验，全省开展一次大规模的打击走私的斗争。广东省委提出必须做到执法更严、纪律更严、管理更严，用“三严”保证“三放”（对外更加开放，对内更加放宽，对下更加放权）。省委还提出“打击经济犯罪坚定不移，对外开放、对内搞活坚定不移”和“有所引进，有所抵制”、“排污不排外”的方针，并围绕“进一步解放思想，大胆改革，更加开放”这个主题，要求各地用足用活中央给予广东的“特殊政策，灵活措施”。广东大胆实践，不断开拓创新，为全国改革开放起到了先走一步的探路作用。南粤大地也发生了历史性的巨变，迅速进入了建国以来发展生机最旺盛、经济实力增长最快、人民得到实惠最多的黄金时期。

（四）从实际出发，形式多样，广泛利用外资

1．举办“三来一补”，开办“三资”企业，利用外资形式逐步多元化。

开展外引内联，引进国外资金，举办“三来一补”（来料加工、来样制作、来件装备、补偿贸易）业务，开办“三资”企业（合资经营、合作经营和独资经营企业），采用国际租赁、贷款和发行债券、股票等多种形式，加快利用外资步伐。而“三来一补”的固有特点与广东的人文地缘优势和政策优势相结合，给广东经济

起飞注入了强劲的活力。它的蓬勃发展，不仅引进了先进适用的技术设备，增强了出口创汇能力，提高了收入水平，而且提高了广东经济发展的积累能力，启动了经济起飞，大大地推进了农村工业化的进程。它在推动广东经济增长的同时，从其形式到内容都获得了发展与充实，显示了其旺盛的生命力。“三来一补”日益成为广东对外开放中易于操作、作用更大的利用外资形式。

2. 拓宽利用外资领域。

就产业而言，外资利用广布于三大产业，遍及社会和国民经济各个部门，包括工业、能源、农业、交通、电信、交通、林业、畜牧业、水产养殖、捕捞、旅游、商业、维修服务、小汽车出租、住宅建设、文教卫生、智力开发培训人才等。既有生产性项目，也有非生产性项目。但以工业项目投资为主，约占投入外资的一半。就区域而言，外资利用从城市到乡村、从沿海平原开放地带逐步伸向省内腹地和山区。

在改革开放初期广东工业化起飞阶段，非生产性项目的引进和建设是必须的，而且也起到了一定作用，但从总体上看，就满足广东发展需要而言，工农业、能源、交通等有效缓解薄弱环节、填补空白的项目以及能形成拳头产品的项目还远远不够。因此，广东引进的重点应以生产性项目为主，以引进外国先进技术和管理经验为出发点。在项目选择上应放在：对我省经济技术发展具有重要作用和急需先进技术和工艺的项目；能够推动企业或全行业实现技术改造的项目；开发山区，开发我省资源的项目；能够发展新的出口品种，开拓新的外销市场的项目。

3. 提高利用外资质量。

一是项目规模从小到大，从几万、十几万美元的项目发展到几百万、上千万美元以上的大型项目，形成大中小型项目并举的局面。

二是外资投向趋于合理，经济效益显著提高。利用外资兴办的项目从引进单机、装备线从事加工装备、维修、服务为主逐步转向生产线和制造技术的引进，从内向、非生产性项目转向生产型、技

术密集型和出口创汇型项目。在利用外资、综合补偿建设交通、能源、通信等基础设施方面，进行了积极的探索，如基本建设下放利用外资审批权限，实行建设项目投资包干和工程招标承包制，多渠道筹集建设资金。

长期以来，东南沿海不是国家建设重点，大型骨干建设工程历来很少安排在广东。随着对外开放、对内搞活经济政策的推行，客观上要求加快建设步伐，但建设资金不足，特别是省财政预算内投资短缺。由于全省外贸迅速发展和投资环境的改善，广东利用外资从 1979 年开始，经历了从无到有、从少到多的渐进过程，打开局面，取得了较大成绩。“六五”期间，广东实际利用外资达 25.2 亿美元，其中外商直接投资 16.7 亿美元，占全国总数近三分之一。外资的利用增加了广东建设资金来源，有效缓解了经济起飞阶段资金的严重不足，促进了广东经济的发展。

（五）制订规划，提高技术引进水平

为加快整个国民经济技术改造，提高生产水平、技术水平和管理水平，提高企业素质和经济效益，广东十分着重技术引进和应用。

1. 做好引进先进技术的总体规划。

1983 年底，广东提出了到 20 世纪 90 年代初期，一些重点行业、重点地区，如广州、佛山、深圳、珠海等城市的生产技术水平，大体上要达到 80 年代初期的国际水平的技术改造目标。为实现这个目标，必须按行业、按产品进行规划，做到有计划、有重点、有步骤地进行技术改造。为此，必须认真做好引进先进技术的总体规划，加强技术引进的规划性，根据技术改造目标，有的放矢，防止和避免盲目引进和重复引进，做到合理布局。对引进项目要严格把关，搞好综合平衡，合理选择布局，以达到充分发挥经济效益和各地优势的目的。零星的、小件产品，可以分散在各地搞，但高精尖的、大批量生产的产品，则应全省统一布局，有计划、有步骤地引进。

2. 逐步提高引进的技术水平。

梁灵光在1983年11月27日的全省利用外资工作会议上的总结讲话中明确提出，广东在引进技术工作中，要逐步提高引进水平，要从过去一般引进单机逐步提高到引进整条生产线，和对国民经济有重大作用的成套项目；从引进设备逐步提高到加强对技术软件和专利的引进；从引进劳动密集型产品，逐步提高到引进资本密集型和知识技术密集型产品。还要做好对引进设备的消化、改造、创新工作，为全行业的技术改造服务。要合理利用留成外汇，真正用到技术改造上去。不但要改造工业，而且要改造农业、商业和其他行业，使整个国民经济的技术水平和经济效益得到提高。

“六五”时期，广东利用毗邻港澳的有利条件，以轻纺工业为主，引进各种技术装备50多万台（套），生产装备线700多条，重点改造轻纺、电子、陶瓷、机械等行业，提高了行业的技术水平，加快技术改造步伐，发展了一批名优产品。“六五”时期，经过建设和更新改造，全省共发展新产品1.84万种，新花色品种16.6万种，产品质量不断提高。全省产品获国家金、银质奖和优质奖的共394个，被评为省优质产品的1167个，工业产品质量稳定提高率为84%，优质品率为11.1%。

（六）积极探索外贸体制改革路子

1. 实行外贸包干体制。

1981—1983年，广东积极探索外贸体制改革的路子，实行外贸包干体制（当时实行这一改革尝试的全国只有广东、福建两省）。进出口贸易由经贸部为主管理的体制转为以省为主管理；以1978年广东货源出口值为基数，超基数出口收汇实行中央与地方倒三七分成；进出口贸易由省自负盈亏。1984年，广东还根据当年的实际情况，在全国率先进行代理出口的尝试。按照“实事求是、随行就市、提高经济效益”的原则，对价格管理进行了初步改革，在外贸企业中实行了出口指标核算，开展了经理负责制的试点，基层收购站、加工厂（场）、仓库的承包经营责任制普遍取得

了较好的经济效益。外贸包干体制改革虽在1984年终止，但这种改革尝试把外贸出口独家经营的沉闷局面打开了一个缺口，在统一对外的前提下，多家经营，开拓国际市场和多种贸易方式，初步形成了多渠道、多层次、多元化的外贸经营格局。

2．扩大外贸主体，下放外贸经营权。

为克服外贸体制上存在的产销脱节、独家经营的弊端，广东组建一批具有进出口经营权的工贸、农贸、技贸结合的地方性公司，并且下放部分商品进出口经营权给市、地、县支公司，直接对外出口，扩大外贸主体。到1985年，拥有进出口经营权的工贸、农贸、技贸结合的地方性外贸公司720家，在港澳地区和国外建立72家贸易公司，开展代理出口、联营出口，以及易货贸易、三角贸易等形式，扩大对外贸易出口，并在巩固发展港澳市场的同时，开拓国际市场，扩展了远洋贸易。

3．建立出口商品生产体系。

在总结外贸体制改革经验教训的基础上，以扩大出口、增加出口为目标，以国际市场为导向，从基层生产企业开始，实行工、农、技、贸的多种形式的横向联合，培育各种不同类型的生产基地和多种形式的出口生产体系。“六五”期间，举办了406个出口基地项目，出口基地提供的出口产品有较大幅度的增加。出口生产体系的构建为解决产销脱节、进出口脱节弊端探索了路子，初步实行了贸工、贸农、贸技结合。

4．实施“四调整”规划。

按更加开放、搞活的方针，初步实施调整出口商品结构、调整出口生产布局、调整出口经营体制、调整出口市场结构的“四调整”规划。出口商品结构由以农副特产品为主转为以轻纺工矿产品为主。大宗出口商品根据各地优势开始实行集中连片、定点定厂生产。出口实行分级经营，对远洋出口由省公司及广州、汕头、湛江等条件较好的口岸为主经营，对港澳贸易除少数大宗商品外，大部分商品由市（地）、口岸县外贸支公司经营。努力开拓远洋市场，在港澳和美国、日本、澳大利亚等地设立了贸易机构，逐步建

立国际销售网络。

“四调整”规划的实施，使“六五”期间的广东对外贸易发生了显著变化。一是出口商品构成有较大变化。轻纺产品出口值比“五五”期间增长79.3%；工业品的出口比重，由“五五”期间的54.1%上升为58.9%；农副产品及其加工品的出口比重，则由“五五”期间的45.9%下降为41.1%。二是对远洋的直接贸易出口比“五五”时期增长46.6%。

5. 解放思想，大胆采用国际贸易上通用的灵活贸易方式。

为充分利用广东的地理优势和丰富的劳动力资源，着力改革对外贸易方式，不断拓展对外贸易的形式和层次。根据广东实际情况，尝试新的贸易做法。从开始比较单一的记账和现汇两种贸易形式发展到广泛采用补偿贸易、进料加工贸易、对口合同贸易、寄售代销贸易、地方贸易、小额贸易、来料加工装备贸易、出料加工贸易、租赁贸易等多种贸易方式。贸易形式的多元化，搞活了广东经济和贸易。

外贸体制改革的率先探索和突破，多种外贸方式的灵活、大胆应用，使广东对外贸易的发展达到了一个新的高度。“六五”时期，广东的外贸出口比“五五”时期增长69%，平均年增长率达11%。1950—1978年，广东出口累计131.26亿美元，而对外开放的短短6年（1979—1984），广东出口额累计达143.42亿美元，为开放前29年总和的109.26%。1950年出口值为1.09亿美元，用了28年时间，1978年才达到14亿美元，而开放后的第8年，即1986年，出口值就增加到42.9亿美元，比1978年翻了一番多，广东出口贸易第一次跃居全国首位，占全国出口总值的比重增加到七分之一以上。外贸收购值占全省工农业总产值的比重平均达12.6%，高于全国5%的平均水平；外贸收购值占国民收入的比重，年均达17%以上，对工农业生产的发展起到一定的积极作用。

（七）开展对外承包工程和劳务合作

对外承包工程和劳务合作从无到有，从小到大，逐步成为广东

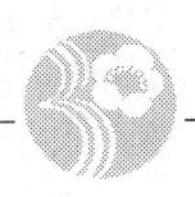

扩大对外经济技术交流、增加外汇收入的一条重要渠道。到1985年底，共签订承包工程、劳务合作项目合同149项，累计合同金额1.4亿美元，已完成营业额1.14亿美元。项目分布在亚洲、非洲、欧洲等23个国家和地区，承包的业务范围包括建筑业、农业、林业、水利、化工、轻工、建材以及各种社会服务行业。“六五”期间劳务合作的范围越来越广，不仅为各项建设项目提供劳务和技术服务，也为轻工、工矿、农业、建材等生产项目提供技术服务和劳务。

（八）落实华侨政策，调动港澳同胞和海外华侨建设家乡的积极性

广东毗邻港澳，华侨众多，由于落实了干部政策和华侨政策，充分调动了各方面的积极性，同时也为港澳同胞和海外华侨回来投资打下了基础。1978年下半年到1983年底，华侨港澳同胞自愿捐物捐款支援家乡建设，兴办公益事业，总值达5.13亿。其中捐资办学的就达1.5亿，共新建和扩建中小学校近2000间，捐资新建扩建医院100多间。在广东利用外资中，来自华侨港澳同胞的占90%。可以说，在对外开放中，华侨港澳同胞对广东的建设发挥越来越大的作用。

在对外开放探索阶段，发展外向型经济已成为广东经济建设的指导思想。对外贸易已不是单纯的互通有无、调剂余缺，而是通过扩大对外交流，解决“四化”建设中存在的资金不足、管理和技术落后两个突出问题；通过国际间的商品交换，节约社会劳动，取得好的经济效益。对外开放已成为广东经济建设的一个重要组成部分，对推动全省经济起飞发挥着越来越重要的作用。对外开放的先行一步使“六五”时期的广东从一个国民经济基础十分薄弱的省份，初步成为家用电器、服装以及系列轻纺产品等享誉国内市场的轻工业生产基地。

但由于是探索时期，广东的对外开放中存在着许多必须进一步完善的地方。如在利用外资政策上，由于没有协调好“放宽政策”

和“区别对待”问题，在利用外资工作的实践中，存在优惠政策中“一刀切”，使得外资流向与广东发展需要得不到很好的衔接，出现了非生产性项目增长过快，生产性项目增长缓慢的弊病。此外，还存在着工作效率不高，官僚主义严重等问题，关卡、层次很多，“过五关、斩六将”；对“三资”企业收费过多，标准过高，负担过重，使企业成本压力加大，经营发生困难。

二、对外更加开放，形成全方位对外开放新格局

1984年10月，中共十二届三中全会通过《中共中央关于经济体制改革的决定》，标志着城市改革的全面展开。80年代中期起，广东加大外贸体制改革力度，采取“以外经促进外贸发展，以外贸增强外经实力”的策略，和“两头在外，以进养出”等措施，积极发展外向型经济，对外开放进入了“三资”企业和生产性外向型行业快速发展的全方位对外开放格局形成阶段。

（一）放宽利用外资政策，大力发展外向型经济

1. 进一步提高对利用外资战略意义的认识。

经过前5年的对外开放，广东上下对发挥自身优势，利用外资弥补建设资金、技术、管理经验不足的重要性有了全新的认识。“利用外资、引进技术，它在现代条件下，已经成为促进本国经济发展的一种通常的对外经济合作的方式，也是很多国家经济发展战略的组成部分。它不存在打击民族工业、削弱自力更生能力的问题，恰恰相反，它有利于争取时间，增强自力更生的能力。因此，利用外资不是权宜之计，而是一项长远的战略方针。……所以，我们一定要进一步加深对中央关于利用外资这个战略意义的认识，要有紧迫感，积极打开我省利用外资的新局面。”①

① 《梁灵光同志在全省利用外资工作会议上的总结讲话》（1983年11月27日），《广东政报》1984年第2期。

2. 放宽利用外资政策。

1984年，广东继1981年后，第二次下放审批权限，放宽利用外资政策，扩大利用外资项目的审批权限为3000万美元。1987年，进一步贯彻落实《国务院关于鼓励外商投资的规定》，各市、地开展利用外资工作大检查。

3. 加强外资流向的引导。

从20世纪80年代中期起，广东进一步明确利用外资指导思想，积极利用国家产业政策，鼓励外商投资交通、能源、高新技术产业、“三高农业”和金融、保险、旅游、社会服务等第三产业；为促进山区利用外资发展，1984年11月，广东省委和省政府在韶关市召开了山区利用外资工作会议，制定了山区利用外资的优惠政策。此举引导外商投资陆续从沿海地区伸展到山区，使山区利用外资很快有了起色。

4. 优化外资投向结构。

从产业政策上努力推动原有的“三来一补”企业逐步向“三资”企业转型，并且严格控制新办“三来一补”企业；同时优化利用外资的投资结构，推动利用外资方式由初期的补偿贸易、加工装配为主转变为合资、合作、外商独资经营为主，使生产型项目比重上升，外商直接投资比例增加。

“七五”期间，全省实际利用外资累计达95.07亿美元，为“六五”期间的2.7倍，外资投向从单纯的加工型、服务型项目转移到生产型、出口创汇型和基础设施型项目，投资地区从城市向乡镇、从沿海开放地带向山区腹地延伸。大量资金和技术设备的引进，促进了传统产品的改造更新和新兴产业的兴起，加快了全省经济发展。

（二）大力改革外贸体制

为改变原由国家统一经营的外贸管理体制，改变国家统负盈亏、外贸企业吃国家“大锅饭”的做法，使企业有可能在自主经营、自负盈亏的基础上放开经营、灵活经营，广东根据自身的省情和毗邻港澳、华侨众多的优势，围绕下放部分经营成交权，扩大对外贸易渠道，促进工贸结合，开展多种形式的灵活贸易，实行鼓励出口的政策，以及改善宏观管理等方面，对外贸易体制进行了一系列的变革。

1．率先全面实行外贸承包责任制。

1987年，广东按照国家经济体制改革的部署，按照有利于促进外贸企业自负盈亏、开放经营、工（农、技）结合、内外贸结合、推行代理制的方向，外经贸系统在全国率先全面实行出口承包经营责任制。具体来说，就是以1988年出口计划外汇为基数，实行包干，一定三年，并把各项经济指标层层落实到支公司、县公司和科、组、厂、仓，使干部职工都有明确的工作责任和奋斗目标，想方设法进行综合运筹。

承包责任制的率先实行，有效地调动了外贸部门和地方开展对外贸易的积极性，改变了企业长期以来由财政统负盈亏的“吃大锅饭”的传统体制，有效地促进了广东外向型经济的进一步发展，大大调动了各地发展对外贸易的积极性。各地方、各部门积极利用本地丰富的劳动力资源、自然资源和国外资金、技术设备，大力发展出口商品生产，形成了三个经济特区、沿海地带和其他地区等不同类型的多层次、多形式、多渠道的对外贸易格局。这些不同地区之间互相联系、互相补充、互相配合，扬长避短，发挥各自的优势，逐步朝外向型经济发展，促进了对外贸易的发展。到1988年，地方外贸公司出口总额达18亿美元，约占全省贸易出口总额的30.6%。

2．改革外贸经营管理体制，扩大企业出口经营权。

一是为适应外贸日益发展的需要，及时调整外贸商品出口流向和增设口岸、起运点和外贸支公司，并在当地出口货源达1000万元或自营出口达200万美元的，运输、海关、商检有条件的重点县，增设了74家外贸支公司。及时扩大了地方的出口积极性，充分调动各级外经贸部门、企业的出口创汇积极性，增加了收汇。

二是扩大各市（地）、口岸县外贸支公司的出口经营权。首先

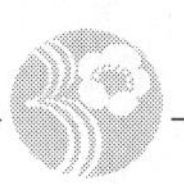

是把鲜活商品出口权下放到市、县，减少中间环节，减少耗损；其次是放宽进口审批和经营权，把来料、进料加工以及外贸业务的成交权下放给有条件的生产企业，特别是大型企业和企业集团，允许他们直接同外商谈生意，自营出口，自找口岸联系出口业务，经省批准可到国外设分厂和推销机构。同时，在不打乱各公司主要经营商品的前提下，允许部分边缘商品有一些交叉经营，使边缘商品都得到较大的发展。

三是转变各地进出口总公司的职能，由过去的管理型向经营型的方向发展，并依据自身对海外出口业务联系多的优势，逐步办成综合型、集体化和国际化的企业。

外贸经营管理的体制改革，大大地增强了地方和企业对外贸易的能力，形成了“三资”企业、“三来一补”企业、国有外经贸企业、自营进出口生产企业和私营企业“五个轮子”一起转的大经贸格局。

3. 改革外汇管理和使用制度，贯彻创汇和用汇相结合的原则。

对市、地、县和企业凡有创汇的单位给予一定比例的外汇留成。对山区县的外汇留成，按中央给省的比例全留给县。多创汇，多留汇、多用汇，改变了外汇统收统支“吃大锅饭”的状况，调动起各级地方和企业的创汇积极性，使广东外贸出口在国际市场需求不振、竞争日趋激烈、贸易保护主义抬头的情况下，仍然保持了一定的增长速度。

4. 鼓励出口。

1986 年，广东为了鼓励超计划出口，凡超计划出口 100 万美元，奖励人民币 1 万元；对各市地和出口 1 亿美元以上的口岸县，给予奖励和外汇扶持；在核清出口货源生产企业的外汇留成的基础上，预拨部分留成外汇；对超计划出口的奖金不征奖金税，等等。结果，当年广东出口增幅达到了 29.6%，1988 年又比 1987 年增长 37.5%，为 1978 年的 5.4 倍。广东的外贸出口继续在全国各省市中处于领先地位。

5. 实施“一个中心，两个体系”的外经贸发展战略。

为使经济在实施中央提出的沿海地区发展战略中得到适度朝前发展，正处于由“进口替代”向外向型转变的关键时刻的广东，对外向型经济内涵有了进一步的认识，明确了广东的经济要以国际市场为导向，积极参与国际交换和竞争，才能更好地获得发展动力和资源，并在1987年提出了“一个中心，两个体系”的外经贸发展战略，即以出口创汇为中心，利用外资，引进技术，建设出口生产体系；联合港澳，面向世界，建立国际销售体系，将广东外经贸发展战略模式确定为“出口导向”型，以对外经济贸易的发展促进广东经济的繁荣。

一是积极发展外贸出口基地，逐步建立和完善工贸、农贸、技贸结合的出口生产体系。1985年以来，广东认真贯彻中央关于沿海开放地带发展贸工农生产的方针，以珠三角和沿海经济较为发达地区为重点，积极建设农副产品出口生产基地和加工企业。为了做好这项工作，专门设立了省贸工农生产体系领导小组办公室，进行统筹规划，协调各方面行动，按照出口贸易的需要发展加工业，按加工的需要发展农业和其他原材料生产，努力探索，逐步建立贸工农生产体系，以提高出口商品的竞争力。到1986年底，全省累计投资人民币19.97亿元，外汇1.08亿美元，改造扩建和新建农副产品出口生产基地和加工企业2081个项目。

在贸工农体系建设中，广东采取补偿贸易的形式（建设资金主要来源于外资，以产品出口偿还外债），突出以品种改良为重点的农业技术系列改造，积极从国内外引进农林牧渔各类优良品种或新品种。在生产技术方面，引进一批先进生产线、生产设备和技术，如瘦肉型猪生产线、牛奶生产线、水产品加工生产线、花卉和蔬菜工厂化生产等。在农产品处理方面，一批技术设备较先进的保鲜、加工、包装、冷藏的加工厂已建成投产。其中规模较大的有粤东、粤西对虾急冻加工厂，南海县里水蔬菜、水果保鲜加工厂，新会县果汁加工厂，东莞市水果冷藏库等。从产前的市场信息、科研、良种繁育，到产中的技术指导、生产资料供应、防疫治病，再到产后的产品收购、加工、包装、销售等，都逐步配套成龙，使贸

工农生产建立在现代农业技术的基础上，初步形成了“行业”、“地区”的出口优势和一定规模的出口商品生产能力。

贸工农生产体系以国际市场为导向，以适销对路的商品为龙头，初步建立起以家庭经营为基础的贸、技、工、农综合发展的经营体系。通过这个体系的建设，将分散的家庭经营联结起来，向农民提供各种社会化服务，减少农民生产、销售的困难和市场风险；通过这个体系的建设，逐步提高农业商品化、专业化、现代化水平，提高产品的市场竞争力，发展创汇农业，为广东参与国际竞争，进一步把利用外资与扩大出口结合起来，发展外向型战略产业提供了有利条件。

二是营建“粤—港—远洋”三点一线的出口销售体系。为在巩固港澳市场的基础上，大力开拓远洋市场，广东按照“粤—港—远洋”三点一线的方式开拓国际市场，建立国际销售体系。在“三点一线”中，以远洋为最大的目标市场，香港为冲向世界的跳板，省内为生产基地；三点之间各有分工，在远洋市场设立公司，其任务是接受订货，利用当地买卖手推销广东的产品，反馈信息；广东在香港的公司，主要是负责联系内外，在“大进大出”中起枢纽的作用；省内负责安排生产，提供货源。除国家外贸部门统一经营商品和大宗商品对远洋出口一般由省级公司经营外，其他商品基本上由各市、县外贸公司的口岸直接成交出口，从而开拓了近洋和远洋国际贸易。这个部署初见成效。1987 年广东外经贸系统海外企业的进出口营业额和出口额均创历史最高水平；到 1988 年，全省出口市场已经发展到 156 个国家和地区。

外贸体制改革力度的加大，承包经营责任制的全面落实，提高了出口创汇意识和应变能力，使“七五”时期成为广东对外经济贸易发展的重要期。“七五”时期，广东出口贸易累计 360. 62 亿美元，为“六五”期间出口实绩的 2. 85 倍，平均每年递增 13. 8%。“七五”期间的出口实绩比 1950—1985 年的出口总和还多出 5. 6%；实际利用外资比 1979—1985 年实际利用外资总和多出 2. 3 倍。出口商品结构明显改善，农副土特产品比重下降，轻纺产品比重上升。同时，进口结构也作了较大调整，重点保证必要的生产资料进口和引进技术设备，有力地支持了全省工农业生产发展。

（三）进一步改善投资环境

为适应对外开放的需要，广东从改革开放伊始就特别着重“硬”、“软”投资环境的改善，尽可能为外商投资创造良好的条件，增强广东吸引外资的引力。

1．建设方便快捷的综合运输网络。

过去，广东交通运输门类虽然俱全，但基础设施落后，公路等级低，主干线和渡口经常堵塞；内河通航能力差，通航里程逐年下降，中小港口设施简陋，集疏运系统不配套；铁路里程少，未能形成网络。随着对外开放的不断扩大，交通运输紧张的状况日益突出。1980 年以来，全省加快了交通运输基础设施建设步伐，全社会办交通，采取国家投资、集资、过桥收费等办法，筹措建设资金，改造和新建了一批主干线、桥梁、港口、航线、机场等基础设施，初步形成一个海、陆、空的综合运输网络。

2．制定了一系列优惠政策。

为了吸引境内外投资者来粤投资，各级政府、各部门认真执行中央批准的“特殊政策、灵活措施”和国务院《关于鼓励外商投资的规定》，各市、地开展利用外资工作大检查，帮助“三资”企业解决难题，总结推广利用外资的先进经验。并结合广东的实际情况于 1987 年制订、公布了《广东省鼓励外商投资的实施办法》，制定了一系列利用外资的优惠政策措施和灵活措施。如对利用外资引进技术的项目和能源、交通、电讯设施等项目，给予用汇的优先安排；对产品出口企业和先进技术企业，在国家规定减免企业所得税期间，免征地方所得税，在以上减免税期满后，先进技术企业按国家规定延长 3 年减半缴纳企业所得税外，再减半缴纳地方所得税 3 年；对产品出口企业按以上减免企业所得税和地方所得税期满后，凡当年出口产品产值达到当年企业产品产值 70% 以上的，除按现行税率减半缴纳企业所得税外，仍可以减免地方所得税。此

外，在山区办的中外合资、合作企业，地方所得税等等免征。特区内的独资企业只要遵守政策法令，客商享有自主经营的权力，特区外资企业的所得税为15%，其中对投资在500万美元以上，或技术先进、资金周转期长的企业可以给予一定的免税年限。出口企业出口产品免征关税和工商税。在珠江三角洲开放区举办的合作、合资、独资企业，属于生产资料和科研项目的，所得税按现行税收规定的税率八折征收。

随着一系列鼓励外商投资优惠政策的实施，三个经济特区充分利用国家给予的特殊政策和区位优势，积极参与国际分工和国际竞争，已与世界上30多个国家和地区合作，办起了“三资”企业3500多家，“三来一补”企业7000多家。吸收外商直接投资呈现出以下新特点：一是投资项目，从生产型的加工项目，转向能源、电信、交通和成片土地综合开发的基础设施建设项目。二是技术层次，从劳动密集型的项目，转向资金和技术密集型的项目增多。三是投资的资本额，从几万、数十万美元的港澳中小企业，转向国际大财团，尤其是华人国际财团的项目日益增多。四是外商投资于商业、金融、房地产等第三产业取得突破性进展。五是外商独资经营的企业日益增多。三个特区逐步实现以国际市场为导向，搞好产业结构和经营方式、经营策略的外向转变，创办出口基地，建立海外销售网点，形成进料—加工增值—出口的模式，直接进入国际市场，发展了外向型经济。1990年，三个经济特区的外贸出口总额达36亿美元，占全省外贸出口总额的35%。

3. 增辟对外开放口岸。

为适应对外开放的需要，广东调整了省内口岸布局，新建和改建对外开放口岸。1987年全省对外开放的客货运口岸31个，占全国近1/3，直接通往香港的客运航线达26条，通澳门的达5条，每天从省内各地开往港澳地区的客运航班达100多班次。在地方货运方面，全省拥有货物启运口岸128个，占全国近4/5。一个海陆空口岸俱全，客货运输齐备的口岸网已经初步形成。

4. 简化手续，提高政府机关的办事效率。

省里逐步下放了利用外资的项目的审批权，规定了经济特区、广州和湛江等开放城市、珠江三角洲开放区，以及其他市县不同层次的审批权限，各级都有权审批限额内的利用外资建设项目，减少了层次报批的繁琐程序。广州实行外经一条街的办法，深圳设立了外资服务中心，东莞首创“一个窗口对外，一条龙服务”的做法，宝安实行外经、外贸、银行、各镇办事处联合办公的制度，以上行政改革大大提高了工作效率，深受外商欢迎。

（四）积极开展海外投资业务

到1988年底，经省政府和国家经贸部正式批准成立的海外企业295家。其中设在日本、美国、澳大利亚、巴拿马、瑞士、英国等国家共36家。这些企业在开展自营业务、代理广东进出口贸易的同时，还为广东开拓新的国际市场、引进资金和先进技术设备以及开展国际经济合作等穿针引线，及时提供国际市场的信息。1990年对外承包工程、劳务合作新签合同金额0.98亿美元，比1985年增长4.2倍；完成营业额1.07亿美元，增长3.2倍。

（五）扩大开放范围，形成全方位对外开放新格局

在中央领导下，广东根据不同的地理条件和经济发展不平衡的状况，采取区域推进的开放战略，不断拓展对外开放的广度和深度。1984年5月，中央认为经济特区、开放城市是“对外开放的桥头堡”，应当起到外引内联的枢纽作用，并进而提出开放珠江三角洲等沿海地区，形成一个对外开放的经济地带。这个想法得到了邓小平的赞成。1985年2月18日，中共中央、国务院正式决定确定广州、湛江为沿海开放城市，并批准两市设立经济开发区，1985年2月，中央批准长江三角洲、珠江三角洲和闽南厦漳泉三角地带开辟为经济开放区，制定沿海经济开放区的发展政策。1987年11月，经国务院批准，广东扩大了珠江三角洲开放区的范围，在原来的4市13县的“小三角”的基础上增加11个县市，成为珠江三角洲的“大三角”开放区。同时，把韩江平原、鉴江平原和雷州半

岛等的19个县市划为沿海经济开放区，从而使开放区的范围扩大到47个县市。加上原有的深圳、珠海、汕头三个经济特区，广州、湛江两个沿海开放城市和海南岛，使广东东至福建、西到广西的整个沿海地带都成为经济开放地区，面积达11.67万平方公里，占全省总面积的56%，人口达4400多万，占全省总人口的68%。1988年6月，国务院批准广东东西两翼沿海地区列入经济开放区范围，使广东的沿海经济开放区扩大到全省57个市县。1992年春天，邓小平视察南方谈话之后，国务院为了支持广东20年赶上亚洲“四小龙”的经济发展水平，同意将梅州、河源、韶关三市列为经济开放区。此外，1984—1993年，广东经国务院批准先后成立了广州、湛江、惠州、广州南沙等4家经济技术开发区。这样，从1979年至1992年，广东全省逐步形成了经济特区、沿海开放城市、沿海经济开发区和山区不同层次的对外开放格局。

10年的对外开放，广东不仅在对外贸易和发展外向型经济上成就显著，而且在外贸体制改革上也取得了突破性进展。多层次、多形式、多功能的全方位对外开放新格局的形成，外向型经济的快速发展，有效缓解了1988—1990年的全国三年治理整顿对广东经济发展带来的冲击力，使广东经济发展最终渡过难关，保持了正常的发展速度。尽管如此，一些阻碍广东对外经济深度发展的观念、体制、政策等因素尚未得到根本清除。广东的对外开放因此进入深化发展阶段。

三、实施外向带动战略，增创开放新优势

1992年初，邓小平视察南方，提出广东今后要加快经济发展的步伐，继续发挥龙头作用，“力争用20年的时间赶上亚洲‘四小龙’”。同年召开的中共十四大，确定了我国经济体制改革的目标是建立社会主义市场经济体制，要求广东力争20年基本实现现代化。1994年6月和1998年3月，针对国内改革开放全面铺开，广东优势弱化的状况，江泽民总书记两次向广东提出了“增创新

优势，更上一层楼”，提高开发水平的要求。广东坚决贯彻中共中央和邓小平、江泽民同志的指示，突出抓好“外向带动”战略，扩大对外开放，引进外资掀起高潮，促进对外开放进入“外向带动”加速发展阶段。

（一）推动口岸管理体制改革，提升特区整体素质，增创特区新优势

为继续发挥毗邻港澳、华侨众多的优势，提高经济特区的整体素质，建立特区的新优势；为进一步发挥特区在全省改革开放和两个文明建设中的“窗口”、“试验基地”和“排头兵”的作用，促使特区整个经济水平再上一个新台阶，广东进行了特区口岸管理体制改革。

1996 年，广东省政府颁布实行了《广东省经济开发试验区管理暂行规定》，明确试验区发展方向，进一步理顺了开放区的管理体制。经省政府批准的 51 家经济开发试验区继续完善综合投资环境，加大对能源、交通和通信等基础项目的建设力度，进行构建与社会主义市场经济相适应行政管理体制、企业体制的改革尝试。

为理顺口岸管理体制，作为全国口岸管理体制改革试点，深圳于 1996 年成立了口岸委、口岸工委和纪工委；完成深圳港监和蛇口港监的合并，成立了深圳水上安全监督局，简化了船舶进出口手续；简化了查验方式，卫检动植检撤出了货验通道，口岸货验通道只保留边检、海关两家单位；清理收费项目和收费标准，减少收费项目；增加口岸电脑自动化设备的投入，实现计算机联网。珠海和汕头也着力在客运口岸旅检查验环节、口岸收费办法、口岸管理机构等方面进行改革。

1997 年，深圳在口岸管理体制改革上取得了实质性的进展。卫检和动植检已分别从文锦渡、沙头角两个口岸货运通道撤出，全面实行了新的监管模式。皇岗、文锦渡、沙头角三个陆路口岸，边检一般对货物、车辆不再进行检查，实现了海关一家为主查验的管理办法。卫、动、商“三检”加快了改革步伐，收费制度也逐步

走向规范。深圳市出入境边检边防总站正式挂牌运作，使深圳口岸管理体制与国际惯例接轨迈开了重要的一步。

1997年，三个特区进一步加大对外开放的力度，从政府管理体制转变和对外商实行国民待遇来改善投资软环境，以体制对接保证进一步对外开放。在开放更多的投资领域，包括资源开发等方面，大胆吸引外资，并进一步研究和完善各种利用外资的办法。三个经济特区加大招商引资的力度，招商引资工作取得新的进展，对外商实行国民待遇也获得较好的效果。深圳市充分利用香港资本市场，扩大引进外资，加快市内企业在香港上市的步伐，发挥驻港企业的筹资功能；努力探索、积极争取建立"深港投资基金"，在港推出深圳股票指数期货，B股在港上市，国有企业在港发行公司债券、扩大离岸业务等利用香港资本市场的新路子。汕头市充分发挥侨乡的优势，以更加积极的姿态走向世界，借助外资实力，实行外向发展。

（二）实施外向带动战略，加速市场国际化

1. 提出"三个一"外贸经营指导思想，确保对外贸易持续增长。

1991年，中央取消出口财政补贴，统一全国外贸政策，继续实行外贸承包制，逐年核定出口总额、出口收汇和上缴中央外汇额度任务，通过调整人民币汇率、出口商品退税和留成外汇调剂等平衡出口盈亏。为应对政策变化，广东省经济贸易委员会及时提出"产品成本降低一点，出口销售价提高一点，经营费用减少一点"的经营指导思想，实行配额分配、许可证发放与企业经营范围和承担出口计划挂钩，加强综合平衡，迅速建立适应新体制运作的操作规程。

2. 实施市场多元化战略。

加快开拓多元化市场的步伐，重视对各国关税政策的研究和国际市场信息反馈，积极引导外贸企业按照国际惯例，联合开拓多元化市场；支持鼓励素质高、效应好的外贸企业加入具有较高知名度

的国际大商社经营销售网，积极与发达国家的大公司、大商社、大企业建立直接的贸易关系。继续巩固港澳、美加、西欧市场；重点开拓东南亚、独联体市场；大力拓展中东、南美、非洲等市场，逐步实现以亚太市场为重点，发达国家和发展中国家合理分布的市场多元化格局。至2000年，广东已与200多个国家和地区建立了贸易往来关系，对欧美、非洲等地区进出口规模不断扩大。

3. 调整优化出口结构，提高出口总体经济效益。

以国际市场为导向，以技术进步为依托，扩大货物出口，拓展生产要素商品、无形商品的出口，逐步形成以货物出口为主，技术、劳务、信息等商品兼容的出口结构。发展深加工产品和资金技术密集型产品出口，促进技术出口和成套设备、机电产品出口等，提高出口总体经济效益。20世纪90年代，广东对外贸易结构不断改善。出口商品的加工深度、产品质量和技术档次逐年提高。初级产品出口比重进一步下降，高附加值的工业制成品比重上升，大额创汇商品不断增加。出口额超过1亿美元的商品从1990年的13种（类）增加到40多种（类）。继实现了由初级产品为主向加工产品为主的转变之后，又实现了从一般加工为主向机电产品为主的转变。2000年机电产品的出口达499.81亿美元，占工业品比重达54.4%，比1995年提高11.8个百分点。高附加值、高技术含量的产品大幅度增加，高薪技术产品出口占工业品的比重由1995年的5.7%提高到19.2%。

4. 加大对出口的金融支持。

设立出口发展基金和风险基金；优先安排外贸出口信贷，争取信贷规模与出口增长保持同步；建立专项信贷和发展基金，积极扶持技术出口。

5. 加快国有外贸公司改革步伐，组建大型企业集团。

推动各外贸公司建立和完善自主经营、自负盈亏、自我发展、自我约束机制，走实业化、集团化、国际化和开拓多元化市场的道路。发展规模经营，组建大型商社和跨国公司。鼓励外贸企业以产权为纽带，通过投资、参股、联合开发、生产、经营等方式，组建

跨地区、跨行业的贸工技一体化的大型企业集团。

具体做法是：在清产核资的基础上，实行分类指导，点面结合，抓大放小，强化管理，创新制度。对省属公司实行强弱结合、接管重组的试点；对市、县外贸公司则根据不同情况分类指导，对基础较好的珠江三角洲的企业，重点推广顺德市改革的经验与做法，推进规模经营、联合经营；对粤东、粤西两翼的企业，着重抓好经营机制的转换；对山区和腹地的县级外贸公司，实行兼营内贸为主、多种经营的方针。在具体操作上实行“一司一策”，因地制宜，力求在解决重点和难点问题上获得突破，推动全省国有外贸公司转机建制的深入开展。省纺织品进出口集团公司在实施股份制改造后，加快了集团化经营的步伐，于1996年2月和9月先后接管了省文体进出口公司和省海外经贸进出口公司。省文体进出口公司1995年亏损超过1000万元，经营处于停顿状态，被接管后，1996年7、8月份即扭亏为盈。省纺织品进出口集团公司纺织品1996年的盈利也比上年增长30%多。市、县外贸企业推广、借鉴顺德市的改革经验，开展了强弱联合、优势互补、重建机制、共同发展的试点。

外贸经营体制改革的深化使广东外贸经营主体进一步多元化。外贸专业公司、自营进出口企业、“三来一补”企业和“三资”企业竞相发展，形成“四路大军”的大经贸格局。“三资”企业成为推动广东对外贸易发展的主要力量，其贸易额由1995年的257.59亿美元增加到2000年495.46亿美元，年均增长10.8%，高于同期全省贸易增速0.6个百分点。

（三）合理、积极、有效利用外资

按照十五大精神和1997年12月的全国外资工作会议精神，广东继续把吸收外商直接投资作为利用外资的重点，并加大外资流向的引导，使吸收外商投资在产业分布、区域分布和资金来源上更趋合理。

1. 进一步优化外商投资的产业结构。

加大产业政策和利用外资政策的引导，积极引导外商投资主要投向基础设施、基础产业、农业综合开发、高新技术产业和支柱产业，并经过试点，将利用外资领域逐步扩大到金融、贸易、交通、保险、房地产业、旅游等领域和其他第三产业。国外贷款以投向基础设施项目和出口创汇项目并重。

就加大农业利用外资方面，广东采取了一系列鼓励外商投资农业的措施。一是认真抓好农业利用外资和技术引进的总体规划工作，有组织、有领导地对外推介招商项目。1990 年以来，全省根据各地农业可利用资源、自然条件、生产习惯等，整理、筛选一批既符合产业政策又有区位优势的农业名牌对外公布招商，诸如茂名的荔枝、龙眼、香蕉，潮州金鳗，梅州金柚，惠州水产养殖，肇庆林产，珠江三角洲的精致农业（珍稀动物、名贵花卉、无公害蔬菜），粤北的反季节蔬菜等，达到了很好的招商效果。

二是采取优惠政策，鼓励外商投资搞农业。制定了《关于加快农村改革，进一步扩大农业对外开放的规定》，着重提出放宽农业投资领域，鼓励外资连片开发荒山地或残次林地，扩大引进良种、良畜（禽）和种养良法，引进先进技术设备等；根据市场经济发展的需要，让外商投资企业逐步享受国民待遇，提出投资“三高”农业的种植、养殖业的合资、合作项目，其产品包括深加工产品（除供港澳实行配额管理商品外），内销比例可放宽至100%；同时在土地租赁、项目审批、水电、税收等方面也作出相应的优惠政策。

农业利用外资措施的制定和落实，使广东“三高”农业进入20 世纪 90 年代后逐步成为外商竞相投资的新热点。到 1996 年，全省农林牧渔和水利的“三资”企业有 577 家，累计实际利用外资25 亿美元。特别是 90 年代后期，农业实际利用外资大幅度增加，项目规模大，投资领域广，技术档次高。外资利用增加了广东农业的资金、技术投入。生机勃勃的外资农业成为广东发展“三高”农业，推进农业现代化的一支重要生力军。据测算，20 世纪 90 年代广东农业投入资金的 20% 来自境外；农业利用外资工作，成为

农村合理利用和配置两种资源、两个市场，促进经济结构优化和产业升级的有效途径；外商带进国外许多先进的经营方式和管理经验、先进的技术设备和优良种子、种苗，对广东传统农业的改造和耕作技术、管理技术水平的提高起到很好作用；特别是他们带来的产品开发、市场开发及其营销经验，对广东农业产业化发展和建设社会主义的市场经济体制具有重要意义。

2. 进一步优化外商投资的区域结构，加大山区引资力度。

一方面充分发挥经济特区、珠江三角洲地区利用外资的优势和有利条件，推动利用外资上档次、上水平；另一方面，逐步向东西两翼和山区辐射，促进东西两翼和山区利用外资的发展。

3. 多渠道多方式吸收外商投资。

积极探索多种筹集外资的途径，进一步试行 BOT 投资方式和境外企业带资承包工程等方式；稳步利用国际证券市场引进外资。

4. 大胆引进和积极引导跨国公司投资。

在继续鼓励港澳台和华侨投资的同时，积极争取扩大欧、美、日等发达国家在广东的投资。坚持以市场换技术的原则，研究吸引跨国公司来广东投资的政策措施，积极引导省内企业与跨国公司的合作。

5. 认真办好现有外资投资企业。

完善外资管理体制，提高企业经营管理水平，推动外商投资企业不断提高技术水平和劳动生产率，形成规模效益。

6. 在改善投资环境上下工夫。

在改善基础设施等硬环境的同时，着力改善外商投资的软环境，加强立法工作，为外商直接投资企业的审批、管理部门提供行为准则。审批部门、行政部门要提高工作透明度，提供完善的服务。

这一阶段，广东引进外资掀起新高潮。1992 年以前，广东大约引进 140 亿美元外资，大量外资是 1992 年后引进来的。“九五”期间累计实际利用外资 586.63 亿美元，比“八五”时期增长 44.5%。

（四）加强粤港经济合作，为香港的平稳过渡和繁荣稳定发挥独特作用

1997年7月1日香港回归祖国，这是中华民族的一件盛事，也是关系我国政治、经济、外交的一件大事。党中央、国务院非常重视香港政权的平稳过渡和保持繁荣稳定。江泽民总书记多次指示，广东要为香港的平稳过渡和繁荣稳定作出新贡献，增创新优势，更上一层楼。为了贯彻落实中央这一指示精神，广东省委、省政府坚定不移地把推进新一轮的粤港经济合作放在极其重要的位置。

1. 加强粤港经济合作研究。

在1996年初，广东省政府就提出了加强粤港经济合作研究的指示要求，并组织有关方面力量以民间形式开展这项工作。1996年5月，按照国务院港澳办批示精神，成立强力专家组进行课题研究，并于香港回归前夕，形成了一个总体研究报告和14个专题报告。报告对粤港经济合作的特点、目标、重点、原则作了全面总结、分析和探索，对香港回归后的粤港经济合作具有重要的指导意义。

2. 制定加强粤港经济合作的措施。

一是探索建立高层协调机构。为使粤港两地加强各个领域的合作，做到互惠互利，共同繁荣，香港特首董建华在其首任施政报告中，明确提出成立港澳高层协调机构的构想，并得到大陆方面的充分认同，认为高层协调机构的构建完全符合粤港经济合作的需要。二是加强口岸建设和衔接。继深圳增开皇岗口岸之后，两地的进出通道增强，人、货、车辆堵塞现象大大缓解。三是加强粤港两地公安、边防等部门的合作。除定期会晤、沟通信息，分析情况之外，还开展联合行动，对逃港现象和走私行为起到防范和遏制的作用。四是促进两地的民间组织和半官方机构的交流和合作。如学术机构、大专院校间的科研、教育方面的合作与交流；香港贸发局、香港生产力促进会等半官方机构在粤设立办事处等。五是推动两地的

大型基础设施项目的衔接。如设立了香港与内地大型基建协调委员会，使特大型伶仃洋跨海大桥和香港与深圳间的西部通道等基础设施建设项目取得了实质性进展。

1997 年，香港虽遭受亚洲金融风暴严重冲击，但粤港经贸合作始终保持稳定增长。粤港双方经济贸易合作的发展，是广东的经济能持续、快速、健康地发展，香港经济保持稳定繁荣的重要因素。

总的来说，上 20 世纪 90 年代，外向带动战略的全面实施，开放型经济的积极发展，使广东对外开放呈现出向纵深发展的特征。广东进出口总额由 1995 年的 1039. 72 亿美元上升到 2000 年的 1701 亿美元，年均增长 10. 3%。贸易方式进一步多样化。已形成以一般贸易、来料加工、进料加工为主，补偿贸易、租赁贸易、出料加工、易货贸易、转口贸易等小型贸易为辅的局面。而加工贸易成为广东最主要的贸易方式，“九五”时期以年均 11. 2% 的增长率发展。2000 年，全省实际利用外资 145. 75 亿美元，占全国的 35. 7%。利用外资领域不断拓宽，结构逐步优化。全省利用外资投向逐步拓展至基础产业、基础设施、高新技术以及其他第三产业领域。

但也存在不少有待进一步完善和深化改革的问题。如在利用外资方面，存在着重复引进、非生产性项目和耗汇型项目比重过大以及政策引导跟不上；外经外贸两张皮问题；外贸经营体制中的“大锅饭”现象仍然存在；对外经济发展的区域不均衡等。

四、“引进来”与“走出去”双向并举，建立高水平的开放型经济

对外经济快速发展，对外经济联系日趋紧密，全方位对外开放格局的初步形成，为广东进一步提高开放水平和实施“走出去”战略奠定了基础。“十五”时期既是广东率先基本实现社会主义现代化的重要奠基期，又是广东经济结构的调整期，经济体制的完善

期。经济全球化趋势的不断增强，区域经济一体化步伐的加快，以跨国公司全球购并为主要特征的结构调整和产业重组所引发的国际分工格局发生重大变化，以及我国加入WTO和大发展、大开放新阶段的新形势，给广东对外开放发展带来机遇和挑战。为更好地应对新形势，“十五”期间，广东以邓小平理论和“三个代表”重要思想为指导，进一步树立和落实科学发展观，积极适应国内国际经济发展的新形势，以增创新优势，率先基本实现社会主义现代化为总目标、总任务统领对外开放全局，以提高国际竞争力为核心，解放思想、开拓进取，积极实施“引进来”与“走出去”双向并举的外向带动战略，增创开放新优势，采取一系列旨在全面提高对外开放水平的政策措施和新举措。

（一）积极做好加入世贸组织的应对工作，增创加入世贸组织的先发优势

2001年12月，我国正式加入世贸组织。面对新的机遇和挑战，广东抢抓机遇，主动出击，进一步推进各项改革，加快政府职能转变，从多方面做好应对工作，增创加入世贸组织的先发优势，全面提高对外开放水平。

1. 加大行政审批制度改革力度。

21世纪初，广东坚持以开放促改革、促发展。为更好把握我国加入世贸组织的有利时机，在更大范围、更广领域、更高层次上参与国际经济技术的合作与竞争，广东加大行政审批制度改革力度，努力促使经济管理体制逐步与国际规则衔接。2002年，广东在第一轮行政审批制度改革的基础上，集中对49个省直单位的所有行政审批事项进行清理审查，取消和调整的审批事项占35.4%。经过两轮清理，省本级政府精简的审批事项幅度近40%，省级政府下放给地级以上市政府的审批、核准事项213项。

2. 深化外贸体制改革。

一是深化国有外贸企业的公司制改造步伐，积极探索建立技工贸结合的外贸公司和中外合资外贸公司。通过资产重组和产权制度

改革，促进大中型省属国有外贸企业做大做强。二是加快下放外贸经营权，进一步降低民营生产企业申报自营进出口经营资格的条件，使一批中小企业、民营企业获得自营进出口权的速度明显加快。到2003年底，全省具有进出口经营权的民营企业已达1.47万家。三是配额管理逐步放开，实行了出口许可证上网申领。四是口岸管理部门实行一系列改革。五是按照世贸组织的规则要求，进一步削减农产品进出口配额，对纺织品被动配额进行公开招标。

3. 加快“大通关”建设步伐。

围绕“改善口岸通关环境，提高口岸通关效率”这一目标，按照省委、省政府部署和上海举行的提高口岸通关效率现场会议精神，省外经贸统筹安排，成立“大通关”调研课题小组，就影响口岸通关效率问题开展专题调研，并制定相应的改革措施。2003年，重点对广州、深圳、珠海的主骨干口岸进行新建、扩建和改造，协调解决了深圳皇岗口岸旅检24小时通关，完善“口岸电子执法系统”，营造安全高效通关环境。2004年，海关、检验检疫、边检、交通、税务、外汇管理等部门不断完善快速通关、便捷通关措施，简化办事程序，减少查验环节，提高通关效率。

4. 深化加工贸易监管模式改革，加快实施加工贸易企业与外经部部门、海关的联网监管。

2004年，广东省政府下发了《关于加快推进我省加工贸易企业与外经贸、海关联网监管的通知》。通过加快实施联网监管，提高了广东加工贸易的监管水平和通关效率，为企业创造成本低、效率高、效益好的经营环境。到2004年底，全省年出口3000万美元以上的476家大型加工贸易出口企业已基本实现联网监管。

5. 完善对重点出口企业的服务。

一是积极宣传推广和全面实施“减少环节、简化手续、提高效率、降低成本”加工贸易深加工结转管理新模式，促进深加工业务的发展。二是强化对大型、重点出口企业的服务。在落实好重点联系挂钩点工作的同时，还建立了重点市、出口大户的联系制度，及时帮助企业解决遇到的困难，做好协调服务，为企业扩大出口创造良好条件，对扩大加工贸易出口起到了积极作用。

6. 逐步改善投资软环境，降低企业经营成本。

2004年，由省外经贸厅牵头，组织省直有关部门组成督查组，监督检查各地方、各部门贯彻省政府《关于进一步优化广东投资软环境的若干意见》的执行情况，对存在问题进行分析，提出对策及解决措施，进一步优化投资软环境。

（二）积极拓展对外贸易增长空间，千方百计扩大出口

认真研究亚洲金融危机的影响和“入世”后的新情况，紧紧把握我国加入世界贸易组织的发展机遇，高度重视日益频繁的贸易摩擦和国家出口退税政策调整对我省的影响，采取有效应对措施，优化对外贸易结构，积极拓展对外贸易增长空间，千方百计扩大出口。

1. 坚持以质取胜，提高出口商品的竞争力。

实施科技兴贸战略，调整优化出口商品结构，提高出口商品附加值。加强对传统出口产业的技术改造和出口产品的升级换代，扩大深加工、高附加值、高技术含量尤其是具有自主知识产权和自主品牌产品的出口；引导和鼓励企业采用国际标准，发展一批机电、轻纺等出口名牌产品，增强出口商品的竞争力；重点鼓励和支持珠三角地区培育一批高新技术产品年出口超10亿美元的大型出口企业，形成高新技术产品出口基地。提高加工贸易的增值水平与带动能力，促进加工贸易转型升级。2005年外贸出口总额达2381.6亿美元，比上年增长24.3%，是“九五”期末的2.5倍；“十五”期间，广东外贸出口年均增长达21.0%。贸易结构得到优化，一般贸易出口533亿美元，五年年均增长25.1%，加工贸易转型升级加快，带动省内配套产值超过3000亿元。机电产品和高新技术产品出口占出口总额的比重分别提高至69.0%和35.1%。

2. 大力推动外贸经营方式创新和多元化。

巩固提升加工贸易，大力发展一般贸易。在发展商品贸易的同时，积极拓展技术贸易和服务贸易出口，努力实现对外贸易从单一

的商品贸易向商品贸易和技术贸易有机结合的新型国际贸易转变。鼓励有比较优势的企业到国外从事加工贸易。发展国际旅游，吸引更多外国游客，增加非贸易创汇。积极发展网上招商和网上交易，通过国际互联网开拓国际市场。继续办好“广交会”。

3. 加快实施全球市场战略，推进出口市场多元化。

抓住亚洲地区经济复苏的有利时机，在巩固和扩大港澳、欧美日、东盟等传统市场的同时，积极开拓东欧、独联体、中东、非洲、南美、拉美等市场，并采取政府推动、企业参与等方式，选择重点目标市场举办经贸洽谈会。鼓励和支持有条件的企业“走出去”，带动产品和服务出口。

4. 努力实施大经贸战略。

加快外经贸体制改革，积极推进国有外贸企业战略性重组，鼓励外贸企业与生产企业走联合之路，走技工贸一体化的路子，形成生产、开发、出口一体化的大型综合商社，实现集团化、集约化经营。支持优势企业到发展中国家开展加工贸易和资源开发投资，带动原材料、设备、技术和服务出口。充分发挥海关、银行、外汇管理、税务、出入境检验检疫部门的作用，促进我省外经贸发展。

5. 推进外贸主体多元化。

2004 年，为积极适应国家出口退税政策调整，广东大力推进外贸主体多元化，赋予更多符合条件的民营企业进出口经营权，鼓励、支持中小企业和民营企业扩大出口，参与国际竞争。“十五”时期，私营企业成为广东新的出口增长点，2005 年获外贸经营权的私营企业累计近 4 万家，出口 299.5 亿美元。

6. 创造外经贸发展的良好环境。

做好反倾销、产业损害预警和应对国外贸易技术壁垒工作；协调好海关、银行、税务、出入境检验检疫等部门的关系，落实各项鼓励出口政策，加强外事、侨务工作，为发展外向型经济服务；完善口岸建设和管理；继续严厉打击走私、骗税、骗汇等违法活动，建立有效的防范打击机制。

（三）实施“引进来”与“走出去”双向并举，加快“走出去”的步伐

1．提高利用外资的质量和水平，努力开创外源型经济发展新局面。

紧紧抓住新一轮全球生产要素重组和产业转移的重大机遇，努力营造开放型、低成本、高效率、安全文明的投资环境，扩大开放领域，优化外资结构，拓宽引资渠道，努力做大做强外源型经济。

（1）扩大开放领域，优化外资结构。

保持利用外资的一定规模，重点吸引外商直接投资；在利用好港澳台资金的同时，积极引进欧美日韩资金；加强与国际大跨国公司、大财团的经济技术合作，争取更多的跨国公司在我省设立地区总部、研发中心和采购中心；着力引进先进技术、现代化管理经验和专门人才，大力引进先进制造业，促进产业结构优化升级；以吸收外商直接投资为主，重点吸引世界著名跨国公司和大财团的直接投资，引导外资重点投向高新技术产业、海洋产业、基础设施、开发性农业、环保产业和现代服务业，参与国有企业的改组改造等；鼓励外商投资企业增资扩产，加快技术开发和创新，扩大在国内采购原材料和配件；扩大金融市场、信息服务、商贸、旅游等领域的对外开放。

（2）创新引资方式。

2004年后，广东着力创新招商方式，积极推行委托代理招商、网上招商、产业招商、企业自主招商、重点项目招商等多种形式招商，加大招商引资力度，提高利用外资的质量和水平。发挥各类经济功能区、工业和科技园区招商引资的载体作用，推动投资项目向园区集中。加强对现有园区的管理和宏观指导，办好一批骨干园区，提高产业、企业集聚能力。鼓励现有外商投资企业增资扩股。

（3）规范、优化投资环境。

进一步改善投资环境，切实为外商投资企业解决实际困难，保护外商合法权益，加快对外商投资企业实行国民待遇。深化涉外经

济体制改革，形成稳定、透明的涉外经济管理体制，营造低成本、高效率、安全文明的投资环境。2005年，开展对涉及企业收费的整治，进一步降低企业营商成本。简化外商投资审批程序，健全外商投资网络服务体系，建立外商投资企业网上服务系统，为外商提供投资申报的全过程服务。积极宣传、推介广东。加强对招商引资的引导，防止滥用低地价、零地价等进行无序恶性竞争。

“十五”期间，“引进来”成绩斐然。广东继续成为外商投资的热土，引进外资工作不断跨越新的台阶，建成投产了一批重大利用外资项目，如全国最大项目中海壳牌石油化工，广东第二大项目亚太纸业等，整体上扩大了广东利用外资规模和质量，促进了广东省产业结构的优化，增强了在国际、国内市场的竞争力，对广东省经济起到了积极的推进作用。

一是外商投资热情持续高涨。2001—2005年全省累计新批外商直接投资项目35942个，比“九五”期间增加15783个，平均每天签订近20个项目；协议外资金额944.99亿美元，年均增长速度达41.0%，比“九五”时期提高了60个百分点；2005年项目平均规模达到283.2万美元，比2000年增加78.63万美元；五年实际利用外商直接投资640.36亿美元，年均增长21.4%，比“九五”时期提高了17.6个百分点。截至2005年底，工商登记外商投资企业5.88万家，居全国首位，比“九五”期末增加1.17万家，其中投资额3000万美元以上1337家。

二是吸收外资质量提高，2005年实际吸收外商直接投资123.6亿美元，比上年增长23.5%，五年累计实际吸收外商直接投资643.5亿美元。工业九大产业和服务业吸收外资扩大，世界500强企业已有176家在我省投资设立581家企业，外商投资企业设立研发中心达246家。

三是投资领域不断扩大，产业结构逐渐趋于合理。“十五”期间，外商直接投资呈现一产平稳发展，二产规模扩大，三产快速增长。2001—2005年，新批第一产业项目729宗，合同外资11.47亿美元，实际利用外资7.24亿美元，占全省的比重分别为2.0%、

1.2%和1.1%。第二产业合同外资额724.33亿美元，实际利用外资483.01亿美元，均占全省七成多，分别比“九五”时期提高了1.9和2.5个百分点，其资金投入的重点是制造业，产品从主要以高耗能低产出的初级化、低水平产品为主逐渐向高附加值、科技含量高和创汇能力强的优势产品为主方向发展。

2. 全面实施“走出去”战略。

改革开放以来，广东引进技术、引进资金成效显著，但“走出去”发展一直止步不前。为改变“进”强“出”弱局面，使对外开放实现从引进为主到进出结合的转变，增强广东经济发展的抗风险能力和发展后劲，广东将加快实施“走出去”战略，在“出”方面取得新突破作为“十五”重要任务来抓。

(1) 加大实施“走出去”战略力度。

推动以技术和设备为资本的境外加工贸易，利用当地的销售和服务网络扩大产品出口；鼓励有比较优势的各种所有制企业“走出去”对外投资，开展境外加工贸易或合作开发资源，补充国内不足之资源；促进商贸企业在海外建立销售服务网络；重点推动轻纺、机电等行业有实力的大型企业开展境外投资，拓展我省优势产业的发展空间，在境外建立加工生产基地和销售、研发、服务网络，带动技术、设备、材料和劳务出口，逐步形成广东的跨国公司；扩大对外承包工程和劳务合作业务，带动成套设备和技术出口；发展壮大一批有自主知识产权、有国产知名品牌、有经济实力和科技开发能力的企业，支持他们做大做强，加快形成有实力的跨国公司和著名品牌，作为“走出去”的新载体。

(2) 完善鼓励“走出去”的有关规则和扶持政策。

落实对外投资便利化政策措施，继续推动有实力的企业到境外投资，发展境外加工贸易业务，带动成套设备、零配件、技术等出口。积极参与中国—东盟博览会，促进企业到东盟国家开展经贸活动。鼓励综合竞争优势较强的企业开展多形式的国际合作，大力开拓对外承包工程和劳务合作市场。加强对境外投资的服务、协调和监管。重视发挥各级贸促会在对外经贸交流活动中的作用。

（3）提高应对国际贸易摩擦的能力。

抓紧做好“入世”后过渡期各项工作。推进公平贸易环境建设，建立和完善重点出口商品的反倾销预警分析系统。积极主动应对知识产权调查、反倾销、反补贴、保障措施等各种贸易救济措施案件，引导企业快速反应。加强防范和应对技术性贸易壁垒及反倾销知识的培训和宣传。

“走出去”战略的全面实施，使广东“十五”时期的“走出去”步伐加快，有力地推动了对外经济合作的发展，全省逐渐形成了全方位、宽领域的“走出去”格局。

一是承包工程和劳务合作实现大幅增长。“十五”时期，承包工程和劳务合作成为对外经济中最具活力的增长点之一，对外承包工程五年累计完成营业额58.06亿美元，比“九五”时期增长5.2倍，年均增长48.3%；对外劳务合作累计完成营业额10.99亿美元，比“九五”时期增加五成多，年均增长23.4%，2005年末各类在外劳务人员2.11万人，业务遍及世界90多个国家和地区。

二是对外投资发展势头可喜。2000年以前，广东省企业境外投资累计协议额仅1.78亿美元，随着广东省优势产业的不断成长，TCL、华为等大型企业加快推进国际化经营，全省经过“十五”短短五年的努力，境外投资累计已高达47.3亿美元，共设立1527家非金融类企业，投资区域遍及80多个国家和地区，主要集中在港澳地区、东南亚、非洲和南美等地。

（四）加强粤港澳台经济合作，提高合作水平

1. 提升广东与港澳台经济合作水平，形成参与国际竞争的合力。

增强优势互补，加强三地资源、市场和基础设施的衔接，推动产业密切合作。把广东的制造能力和资源优势与香港、澳门、台湾的金融物流优势、资金技术优势和旅游资源优势融合起来，重点加强在制造、服务、物流、金融、旅游等领域全方位合作，促进共同发展和繁荣。

2. 以CEPA为契机，推进粤港澳经济一体化进程。

中国内地和香港、澳门关于建立更紧密经贸关系安排（CEPA）分别于2003年6月29日和10月17日签署，并于2004年1月1日同时实施。CEPA的总体目标是：逐步减少或取消双方之间所有货物贸易的关税和非关税壁垒；逐步实现服务贸易的自由化，减少或取消双方歧视性措施，促进贸易投资便利化。

CEPA是中央政府在“一国两制”原则下，在世界贸易组织框架内所作出的特殊安排，对于加快粤港澳经济一体化，提升“大珠三角”的国际竞争力，有着非常深远的意义。三地政府自CEPA签署后，依据世界经济发展趋势和粤港现有基础与条件，紧紧抓住CEPA机遇，进一步创新合作机制，完善合作思路，加快粤港澳经济一体化进程。

一是举行粤港合作联席会议第六次会议和粤澳联席会议。会议确立了“前瞻、全局、务实、互利”的原则，推动粤港澳区域经济一体化。力争在10～20年内，把包括广东、香港、澳门在内的“大珠三角”建设成为世界上最具活力的经济中心之一，广东发展成为世界上最重要的制造业基地，香港发展成为世界上最重要的以现代物流业和金融业为主的服务业中心之一，澳门发展成为世界上最有吸引力的博彩业和旅游中心之一。

二是建立健全粤港澳合作新架构、新机制，提高合作层次。2003年，粤港、粤澳分别建立了新的合作联席会议机制，即由原来的“双首长制”升格为双方行政首脑出面主持，下设“粤港合作联席会议联络办公室”，负责粤港合作的日常具体事务。同时设立若干专责小组，负责对各专题合作项目的研究、跟进、落实。增设“粤港发展策略协调小组”（后改为粤港发展策略研究小组），就粤港合作发展的重大问题进行合作研讨。建立两地企业、行业和商会之间经常性的民间合作研讨机制。形成以合作联席会议机制为主导的粤港、粤澳合作新局面。

三是拓展粤港澳合作领域，提升合作层次。发挥粤港澳三地政府间沟通协调机制的作用，认真落实CEPA，巩固发展粤港澳在商

贸旅游、基础设施等方面的合作，加强粤港澳物流、分销、金融、会计、会展、中介服务等现代服务业合作，扩大在金融保险、信息服务、科技教育、环境保护等领域的合作，推进粤港澳高新技术产业合作，提升制造业合作水平，推动粤港经济合作从劳动密集型的加工出口产业转向创新科技产业和现代服务业。充分利用澳门的独特优势，加强与欧盟的经贸合作。建设粤港澳大旅游区，加快粤港澳跨界大型基础设施建设。

2003 年的粤港合作联席会议第六次会议和粤澳联席会议，粤港和粤澳双方分别确立 12 大和 6 大合作领域和一批合作重点项目。粤港 12 大合作领域有：广东居民个人赴香港旅游；深港西部通道建设工程；联合举办粤港经贸合作研讨会；开通广东多个码头到香港机场的水上客运航线；增开广九直通列车；开展港珠澳大桥与广深港高速铁路前期工作；建立粤港澳传染病防治交流合作机制等。这些项目在 2004 年都取得不同程度的进展，其中有 9 个项目得以完成。粤澳 6 大合作领域有：交通基础设施、旅游、口岸合作、跨境工业、传染病防治工作交流与通报机制等合作项目。由于政府的积极推动，部分合作项目在 2004 年已经启动。

进一步落实 CEPA，推动新一轮粤港澳合作成为 2004 年、2005 年粤港澳合作的核心内容。主要是积极推进粤港澳优势互补，加强货物贸易、服务贸易和投资便利化的更紧密合作。积极为港澳服务业进入广东创造条件，制定港澳 18 个服务行业进入广东的投资便利化措施，加强粤港澳现代物流、建筑、商业、会展、法律、会计、管理咨询等合作。吸引港澳金融、证券、期货、保险企业到广东设立分支机构。积极推进粤港澳三地中小企业合作。全面提升粤港澳制造业合作水平。加快推进港珠澳大桥、广深港高速铁路等跨境大型基础设施的前期工作。推进珠澳跨境工业区建设。加强粤港澳科技、教育、卫生、文化、旅游、信息化、体育、口岸等方面的交流合作。

四是继续开展联合招商，加大“大珠三角”推介力度。2003 年，推动粤港联合推介“大珠三角”，举办粤港与韩、日经贸交流会，赴西欧、拉美等地开展招商引资活动。

五是改善投资环境，稳定和扩大港澳在粤投资，鼓励港澳企业到北部山区和东西两翼发展。

港澳回归，CEPA的落实，区域合作机制的创新，使粤港澳合作水平在“十五”时期得以快速提升，促进香港、澳门的繁荣稳定，加快“大珠三角”区域的形成。

“十五”期间，广东抢抓机遇、应对挑战，在积极参与经济全球化，谋求在更大范围、更宽领域、更高层次参与国际经济合作方面取得了骄人成绩，对外开放迈上了一个新台阶。但总的说来，开放型经济水平仍有待提升，“引进来”与“走出去”还不能实现均衡发展，对国际市场、国际资源的开拓、应用水平还不高，“外”强“内”弱局面尚未得到根本的扭转。

五、深入贯彻落实科学发展观，全面提高开放型经济水平

“十一五”时期，是广东全面建设小康社会、率先基本实现社会主义现代化的关键时期。综观国内外形势，广东既面临难得机遇，又面临严峻挑战，总体上面临有利的发展环境和条件。世界经济持续增长，国际经济合作进一步扩大，经济全球化与区域经济一体化趋势深入发展，国际产业重组和生产要素流动加快，中国与东盟自由贸易区加速形成。我国政治社会稳定，市场经济体制进一步完善，对外开放向纵深推进，大珠三角区域合作蓬勃发展。30年的改革开放积累了丰富的对外开放经验和优势。这些都有利于广东对外开放的进一步发展。但与此同时，国际市场竞争日趋激烈，石油价格高企，人民币进入升值通道，贸易保护主义加剧。国内兄弟省区市外向型经济发展迅猛，广东的原有优势逐渐弱化，且面临日趋严峻的资源环境约束。为此，广东必须按照十六大、十七大精神，以科学发展观统揽开放全局，以胡锦涛提出的“五点”具体要求为指导，认清形势，抢抓机遇，妥善应对挑战，坚持继承、创

新、提高、发展，全面提高开放型经济水平。

（一）树立世界眼光，实施经济国际化战略

对外开放程度高、外向型经济比重大是广东对外开放30年来积累起来的最突出的优势，外经贸在广东全局中具有特殊重要位置。与此同时，如何解决产业仍处于国际分工低端、外向型经济与省内产业和经济联系不够紧密等“软肋”问题也最为迫切。加大统筹国内发展和对外开放力度，提高开放型经济水平就成为今后广东进一步对外开放面临的首要任务。

面对更加复杂多变的国际环境和经济发展新阶段的要求，当前和今后时期，广东的对外开放将按照党的十七大和省第十次党代会及省委十届二次全会的部署，深入贯彻落实科学发展观，进一步解放思想、更新观念，以全球视野把握世界经济发展态势，积极实施经济国际化战略，统筹利用好国内国外两个市场、两种资源，统筹发展好省内产业与外向型经济，统筹协调好完善社会主义市场经济体制和适应国际经济贸易规则，加快建立健全内外联动、互利共赢、安全高效的开放型经济体系，提高经济国际竞争力。

（二）进一步提高引进外资的质量和水平

抢抓新一轮国际产业调整特别是服务业加速转移的机遇，提高利用外资质量，优化利用外资结构，促进省内产业优化发展。

1. 继续创新招商引资方式，拓宽外资来源。

坚持以我为主、为我所用的方针，抢抓新一轮国际产业调整机遇，进一步优化投资环境，健全政府部门指导、专业招商机构和引资主体密切配合的招商引资工作体系；创新招商引资方式，深入推进园区招商、产业招商和联合招商、网上招商、委托代理招商；加强与跨国公司多领域、多形式的合作；积极推行产权转让、海外上市、BOT等多种利用外资方式，提高银团贷款、融资租赁、出口信贷等的利用效率。拓展外资来源，继续积极引进港、澳、台、侨的投资，重点吸引世界著名的跨国公司和大财团的直接投资。

2．提高利用外资质量。

合理有效地利用外资，把引进外资与调整产业结构、促进技术进步和区域协调发展紧密结合起来。积极吸引发达国家和地区以及跨国公司的投资，鼓励其在广东省设立地区总部、研发中心、采购中心，引导外资重点投向高新技术产业、装备制造业、现代服务业、环保节能产业、现代农业和欠发达地区。着力吸引跨国公司把更高技术水平的加工环节转移到广东省，把引进上游产业与提高现有下游产业的技术和生产经营档次结合起来，鼓励生产经营下游产品的外商投资企业在增资扩产过程中延长产业链，向更高档次升级换代。进一步优化投资环境，创造与国际接轨的优良综合投资环境。创新招商引资机制，加强规划对招商引资的统筹和引导，抓住龙头项目开展重大产业招商工作，以龙头项目带动相关产业投资。提高各类开发区的综合竞争力，形成产业聚集效应。完善珠三角产业升级、转移政策，推动劳动密集型外资企业从珠三角密集区向其边缘区以及东西两翼沿海地区转移。积极利用国际金融组织和外国政府贷款支持基础设施、环境保护、教育、医疗等领域的发展。

3．正确处理引进技术与自主创新的关系，全面增强自主创新能力。

要把增强自主创新能力作为科学技术发展的战略基点和调整产业结构、转变增长方式的中心环节，坚定不移地把立足点从过多依赖国外技术逐步转到主要依靠自主创新上来。要充分利用现有基础，努力掌握拥有自主知识产权的核心技术和关键技术，千方百计提高引进消化吸收再创新水平。

走开放型自主创新之路。充分利用国外先进技术资源，依托重大工程项目，开发核心技术。发挥国际合作在自主创新中的作用，吸引世界500强企业来粤设立研究开发机构。支持有条件的地区建立国际科技合作产业基地，鼓励外资研发机构与广东高校、科研院所和企业开展多种形式的研究开发活动。

（三）转变外贸增长方式

深入实施科技兴贸战略，积极推进外经贸增长方式向集约型转变，推进外贸出口向高附加值和自有品牌出口为主转变，优化进出口商品结构，增强应对国际市场波动的能力，构建更加多元、稳定的国际贸易格局。

1．增强适应国际经济新形势的能力。

改进政府对出口产业的支持方式，规范涉外经济活动，有效地运用WTO的保障机制和争端解决机制，提高参与国际商务的效率、水平和权益保障能力。深化外贸体制改革，深化国有外贸企业的公司制改造步伐，积极探索建立技工贸结合的外贸公司和中外合资外贸公司。推动外贸企业与国外跨国公司和连锁集团联合经营。加强政府、行业协会、企业联动机制建设，完善进出口商品预警监测系统，积极应对国际贸易壁垒和贸易摩擦。加快培养通晓国际经济和WTO规则、各国商业法规及贸易技术标准的人才。完善广东经济发展国际咨询会制度，密切与世界经济的联系。

2．优化对外贸易结构。

深入实施科技兴贸和出口品牌带动战略，提高出口产品档次和附加值。加大对传统出口产业的技术改造力度，扶持农产品深加工出口，提升纺织、轻工等传统产品出口档次，扩大深加工、高附加值、高技术含量产品出口；鼓励具有自主知识产权、自有品牌产品和高新技术产品、软件、机电产品扩大出口；严格控制高耗能、高排放和资源性产品出口。

3．完善贸易方式。

大力发展高新技术加工贸易，扩大一般贸易出口，提高传统出口产品的技术含量和附加值，提高机电产品和高新技术产品出口中一般贸易出口的比重。全面推动服务贸易发展，着力承接国际服务业转移，扩大服务贸易出口。巩固港澳台和东南亚等传统市场，扩大美国、欧盟、日本等重要市场，拓展东欧、俄罗斯、大洋洲、非洲、南美及中东等新兴市场，形成多元化市场格局。增加高技术、关键设备和资源性产品进口，大宗产品和重要资源实行进口多元化。

4．促进加工贸易转型升级。

加快加工贸易转型升级，提高加工贸易的产业层次和加工深度，促进国内配套产业发展，提高加工贸易对国内产业的辐射、带动能力。鼓励现有加工贸易企业增资扩产、扩大国内采购和深加工结转业务，创建自主品牌和设立研发机构，积极促进加工贸易企业扎根发展和转型升级。完善加工贸易准入管理，吸引跨国公司把技术含量和增值率高的加工制造环节转移到广东，引导加工贸易企业逐步向园区和海关监管特殊区域集聚。鼓励民营企业发展加工贸易，进入跨国公司产业链。积极稳妥推动加工贸易企业扩大内销。加快推进加工贸易联网监管。

要加快推进珠三角加工贸易转型升级，在实施“腾笼换鸟”的过程中，既要制定针对性更强的政策引导产业转型升级，又要加大招商引资力度，重点引进先进制造业、高新技术产业和现代服务业，提升产业聚集度，增强应对国际市场波动的能力。

5．优化进口产品结构。

落实国家鼓励进口的政策，积极发展技术贸易，扩大先进技术、关键技术和重大装备进口，增加资源、能源和重要原材料的进口。增加对我贸易逆差较大国家和地区的进口，促进进出口贸易协调发展，缓解贸易顺差过大压力。

6．营造良好的外贸环境。

调整和改进外贸管理办法，研究制定广东省鼓励出口商品目录以及相应配套政策。建立和完善外贸促进服务体系，用好国家和省促进外贸发展专项资金，发挥商会、协会等行业组织的作用，遏制低价倾销行为，防止恶性竞争。加强对国外反倾销等案件应诉的组织和服务工作，积极稳妥应对各类国际贸易摩擦。要继续提高口岸通关建设水平，重点抓好枢纽口岸发展建设，加快口岸查验监管机制改革以及查验监管手段科技创新，更好地适应广东多层次对外开放格局的需要。

（四）推进内源型经济国际化

大力实施“走出去”战略，推进国际经济技术合作向直接投资发展境外加工贸易和合作开发资源能源转变。制定、完善“走出去”的扶持政策和服务体系，创新对外投资与合作方式。鼓励和支持有竞争优势的本土企业加快“走出去”步伐，按市场经济规律开展面向全球的专业化、集约化、规模化跨国生产和经营，实现生产要素在全球范围内的优化配置。鼓励企业通过新建、收购、兼并、股权置换、境外上市等多种方式，建立品牌生产和国际营销网络，实现融资、研发、生产和销售的国际化，充分利用境外人才和技术资源，形成一批有国际竞争力的跨国公司，使之成为“走出去”的主体。鼓励家用电器、电子信息、纺织服装等优势行业的企业推动以技术和设备为资本输出的境外加工贸易，在主要目标市场或其周边成本较低的国家投资建设组装厂，建立境外生产加工基地和研发中心，带动中间产品出口；鼓励企业以参股等方式，投资出口国市场的分销、零售环节，利用当地的销售和服务网络扩大产品出口，建立国际营销网络和售后服务体系；支持优势企业加强与发展中国家在煤炭、矿产、石油等领域的投资合作，扩展资源和能源供给渠道，在海外进行国内短缺资源的开发；促进商贸企业在海外建立销售服务网络；鼓励企业到海外承揽大型基础设施项目，增强带动技术、成套设备、大型装备出口的能力；加强境外经济贸易合作区建设，扩大对外承包工程、劳务合作；积极参与我国与东盟自由贸易区建设。充分发挥金融机构和中介咨询机构对境外投资项目的支持和引导作用，帮助企业降低投资风险。

（五）提升粤港澳合作水平，建设粤港澳紧密合作区

在“一国两制”的原则下，按照“前瞻、全局、务实、互利”的原则，深入实施 CEPA，发挥粤港澳各自的优势，全方位加强合作。巩固发展粤港澳在商贸旅游、基础设施等方面的合作，重点加强粤港澳制造业和服务业发展的合作，引进吸收港澳现代服务业，

提升广东服务业的竞争力，提升制造业合作水平。推动广东企业在港澳发展业务，促进港澳的繁荣稳定。加快广深港高速铁路、港珠澳大桥等跨境大型基础设施建设。全面推进粤港澳社会民生领域合作。完善粤港政府联席会议制度，建立粤澳高层会晤制度，提高合作层次。

2008年5月4日至5日，在省解放思想学习讨论活动专题调研成果交流会上，作为深化粤港澳合作专题调研的牵头人，中共中央政治局委员、省委书记汪洋指出，广东要高度重视深化粤港澳合作，要在中央领导下，坚决贯彻“一国两制”方针，遵循经济全球化和区域经济一体化的发展规律，运用中央赋予的特殊政策和灵活措施，坚持以解放思想和体制制度创新为动力，以互利共赢、平等协商为原则，突破现有区域经济合作模式，努力创新合作机制，与港澳共同推动CEPA在广东先试先行，充分地运用市场的手段、力量推进粤港澳之间的融合，共同推动产业转型升级，共同推进金融合作与创新，加大基础设施建设和资源整合力度，合作共建绿色大珠三角优质生活圈，积极探索口岸改革，逐步实现三地人员、资金、货物、信息等要素无障碍快速流动，全面推进粤港澳经贸合作，提升大珠三角地区的国际竞争力，为成功实践“一国两制”的伟大构想作出新贡献，为我国继续推进改革开放创造新经验。

经济国际化战略的实施，使广东外经贸强省建设步伐明显加快。2007年，对外贸易增长方式逐步转变，进出口趋向均衡发展，市场多元化格局进一步形成。进出口总额由2002年的2211亿美元增加到2007年的6340亿美元，五年增长1.9倍，2007年比上年增长20.2%。机电和高新技术产品成为出口的主导产品，一般贸易出口所占比重由18.3%提高到28.4%。加工贸易转型升级加快，国内增值率达56.6%。吸收外资规模和质量同步提升，累计实际吸收外资700亿美元，发达国家和跨国公司投资逐步上升为主导地位，外资集中投向高新技术产业、重化工业和现代服务业。“走出去”战略加快推进，到2007年底，全省累计在90多个国家和地区设立的非金融类企业达到1804家，协议投资72亿美元，其中近五

年占了61%，涉及加工制造、资源开发、劳务输出、境外工程承包、咨询服务等领域。华为、中兴、格力等一批拥有自主品牌的企业，通过开展境外投资，国际化经营能力不断提高。2006年，广东对外直接投资跃居全国首位，境外工程承包和劳务合作营业额稳居全国前列。

粤港澳经贸合作成效突出。全面实施CEPA，与港澳开展全方位、多层次合作，合作机制进一步完善。制造业与服务业合作并进，投资贸易规模持续扩大。跨境大型基础设施建设顺利，社会民生领域合作不断深化。

曾几何时，人们以“香一年，臭一年，香香臭臭又一年”来形容广东30年的对外开放历程。综观广东30年的对外开放，有很多经验值得我们去总结，很多问题值得去思考，给我们的启示也是极为深刻的。总结广东对外开放的经验，除了众所周知的中央给予广东的“特殊政策、灵活措施”和广东毗邻港澳两大政策和地缘优势外，广东人民勇于解放思想、善于把握世界经济发展态势和准确运用中央对外开放政策，不断克服前进中的困难是最为宝贵的经验。而正是后者是具有全国意义的经验启示。

第三章
深化改革

一、构建市场经济新体制

广东改革开放的鲜明特点是从一开始就比较明确改革的市场取向。广东改革开放30年的历程，就是逐步构建社会主义市场经济体制的过程。这是广东改革开放比全国先行一步的基本特征。广东在我国的经济体制改革中担当了探路者的角色，通过市场取向的改革实践，为全国的改革开放和建设有中国特色的社会主义提供了经验。

（一）导入市场机制推动广东体制改革

在改革开放前，我国照搬前苏联的模式，实行高度集中统一的计划经济体制。实践证明这种僵化的经济运行模式，严重阻碍了生产力的发展。经济体制改革的实质就是要采取有别于指令性计划的体制，因而广东改革以市场为突破口就成为必然和正确的选择。

广东改革是在党的十一届三中全会之后进行的，而更明显的标志是1979年7月15日中央下发同意广东实行某些“特殊政策和灵活措施”的文件之后全面启动的。中央给予的特殊政策主要是批准广东、福建两省改革财政体制，实行财政大包干；扩大地方贸易

的权限；在金融、物资、劳动工资和物价改革方面给予地方适当的机动权限；试办经济特区。广东利用中央给予的特殊政策，从此在全国率先引入市场机制，进行以市场为突破口的改革。

1. 放权让利实行“双轨制”经济。

中央让广东实行特殊政策，在财政、外贸、金融、物资、劳动工资和物价等方面有一定的机动权，实际上就是允许广东在计划管理体制下有所松动，使广东在生产、流通、分配等经济运行环节不完全受中央的指令性计划约束，让广东在计划商品经济的道路上“杀出一条血路”。

党中央、国务院关于批准广东、福建两省实行特殊政策、灵活措施的文件下发后，广东的历届省委领导始终坚持用好用活特殊政策。在80年代，省委把中央给予广东的特殊政策和灵活措施具体化为“三个更加”，即“对外更加开放，对内更加搞活，对下更加放权”。广东的改革开放实践，比较明显地沿着商品经济的思路进行。这一改革思路，突出的表现在三个方面：第一，按商品经济的要求搞好对外开放。省委明确提出，要加快广东经济由产品经济向社会主义有计划商品经济的转变，由内向型经济向外向型经济转变。通过扩大开放，发挥天时、地利、人和的优势，发展外向型经济，带动整个国民经济的发展，改革开放，互相促进，共同为发展广东经济服务。第二，把产品经济体制改革成有计划商品经济体制。广东的经济改革，主要的目标就是变过去的高度集中的产品经济模式为有计划的商品经济，借以迅速发展生产力，实现生产的社会化和现代化。广东以发展社会主义商品生产为导向，改革计划管理体制，逐步放开和调整价格，搞活流通，建立和培育社会主义市场体系。实践证明这条路子是走得对的。因而广东经济的发展呈现了放得开、搞得活、上得快的特点。第三，广东经济的发展，是坚决实行对下放权的结果。在改革开放初期，省委即明确提出对下更加放权的方针，以充分调动企业和地方对外更加开放，对内更加搞活的积极性。

广东的改革是从放权让利开始的，其中最突出的就是财权与外

贸权限的松动。从某种意义上说，财政和外贸改革对广东发展起着关键的作用。

在财政体制改革方面：

广东首先实行财政大包干的体制。我国计划经济时期实行的是高度集中的统收统支的财政体制。统收统支的财政体制是产品经济体制的重要特征。这种僵化的经济运行模式是把全国看作是一个大企业，全国一个核算单位，实行国负盈亏。在建国初期，财权集中在中央，一切收支项目、收支办法与开支标准，都由中央统一制定。地方财政收入都纳入国家预算，全部上交中央，支出由中央拨款，年终结余也都上交中央，即所谓统收统支体制。从 1953 年起改为中央、省和县三级管理，但地方每年的预算收支指标，仍需要中央核定，因而在一定程度上还是统收统支体制。这种财政体制显然不利于调动地方各级政府的积极性。1980 年全国开始财政体制改革，在多数地区实行“划分收支、分级包干”体制的大背景下，中央对广东实行划分收支、定额上缴、5 年不变的财政大包干体制。根据划定的收支范围，以 1979 年财政收支预计数为基数，确定每年定额上缴中央财政任务 10 亿元，一定 5 年。广东对省内各市县财政管理体制也相应进行了改革。

统收统支财政体制的突出问题：一是地方没有真正独立的财权，因而没有发展经济的物质条件，也没有发展当地经济的动力；二是国家财政对全民企事业单位的投资是无偿的，这就使全民所有制企事业单位不能进行真正的独立核算。要调动地方和企业发展的积极性，就必须改革财政体制。财政体制大包干的实质是对全部利税在中央与地方之间重新分配，并明确各自的份额，中央拿多少，地方拿多少。中央得到的份额一定 5 年不变，这样就使地方知道，只有把蛋糕做大，地方就能多得，地方就会把注意力从怎样分割蛋糕，转到怎样做大蛋糕上。蛋糕越大，地方得到越多。地方经济发展了，也就可以向国家多交税收，壮大国家的财力。广东对下“照板煮糊”，也实行相应的财政包干体制，各市县的积极性也调动起来了。所以，财政大包干是改革产品经济体制，发展商品经济

的一个重大措施。

在对外经济贸易体制改革方面：

明显扩大了广东对外贸易的经营管理权限。在计划经济体制下，我国实行对外贸易统制政策。全国对外贸易由对外贸易部统一管理，由对外贸易部所属的对外贸易专业公司统一经营。各省、市、自治区和国家各部，主要是按国家计划负责供货，不经营对外进出口业务。这种体制捆住了地方发展对外贸易的手脚。广东毗邻港澳，华侨众多的优势不能充分发挥。中央赋予广东对外经济贸易的某些机动权，是广东发展外向型经济的重要条件。从1980年开始，在国家统一方针政策和计划的指导下，广东本地生产的商品，除少数由国家统一经营外，其余可以自行安排出口。广东拥有一定的外贸自主权，自订外贸出口计划。广东出口商品除成品油、钨砂由国家有关外贸专业公司经营外，其余商品由广东外贸企业自行出口。“三来一补”、合资经营项目，凡不涉及国家综合平衡的，由广东自行审批；超过1978年基数的贸易外汇收入，在扣除以进养出外汇后，中央和地方三七分成。从1981年初开始，全国实行统一的贸易外汇内部结算价。这些规定，在一定程度上改革了高度集中的产品经济的统负盈亏体制，使广东能把生产与外销、出口与进口统筹考虑安排，有较大的自主权。广东拥有一定外贸权后，组建了一批工（农）贸公司，批准允许一些企业直接经营对外业务，试行工贸结合，支持经济特区和开放城市的发展，增设8个口岸，在省外贸专业公司下属组建140个公司，对港澳出口的商品基本上由各市口岸县的外贸公司经营。

广东先行一步的改革，意味着广东经济必然同时受计划和市场两种机制的约束，既要受计划调节，也要受市场调节，即实行双轨制经济。从广东改革30年的轨迹来看，是经历了从高度集中统一的计划经济体制下逐渐有所松动起步，并从计划调节为主慢慢转向市场调节为主，计划经济与市场经济并行，再逐步由社会主义市场经济取代计划经济的过程。

2. 在生产经营领域以市场调节逐步取代计划调节。

在计划经济下，各地工农业生产都完全听命于中央计划，地方和企业是无权决定生产什么和生产多少的。广东实行经济改革后，在生产经营领域按计划管理的梯度层次，采取先低后高、先易后难的步骤，逐步实现市场调节对计划调节的替代。在农副产品方面，党的十一届三中全会后，广东农村普遍推行家庭联产承包责任制，广大农民初步获得了生产经营自主权，迫切要求调整产品结构，发展优势农业，进入商品流通领域，从而真正成为独立的商品生产经营者，走上共同富裕道路。改革前，广东统派购农副产品达118种，1979年初，广东在全国率先就变革农副产品产销体制作出规定：完成国家统派购任务之后的农副产品，均可进入市场，开展议购议销。稍后又规定除粮、棉、油、糖等品种外，其余农副产品均可跨行业经营，跨省区采购。从此以后，广东按照农副产品供需情况，不断放开新的农副产品市场。1980年广东将原有统派购品种调减为48种，1981年再调减为25种，1984年又调减为13种，1988年进一步调减为6种，1989—1991年先后放开糖、油、粮等品种，农副产品市场调节面已占90%左右，从而在全国最早结束“票证经济”。广东是全国放开蔬菜购销最早的省份，早在1982年先在中小城市试点，1984年全面放开。广东又是全国开放水产品市场最早的省份，水产品产量与增长速度居全国首位。在日用工业品方面，1980年前广东计划管理的一、二类日用工业品达95种，1980年调减为51种，1984年调减为28种，1985年调减为16种，截至1991年除保留盐、棉织品、香烟外，市场调节面达97%。这就意味着经过10年改革，广东的工农业生产已基本上实现了由企业根据市场变化的需要来进行生产和经营。

在生产资料方面，改革前属于指令性计划管理的有几百种，到1990年已调减到73种，其中省管统配物资20种，物资部门统配或管理25种，主管部门管理28种，市场调节面达85%以上。广东在全国较早实行生产资料价格“双轨制”，广东物资部门按照“改革体制，统筹供需，搞活流通”的方针，把计划内外资源捆在一起，调剂使用。广东物资价格管理经历了从过去以物易物、牌价结算发

展到平买平卖、高来高去、低来低去的保本经营，并逐步过渡到计划外市场投放价与计划内调拨价脱钩，由经营单位随行就市作价。广东正是依靠计划与市场双轨“两只手”，保障了日益增加的社会消费物资的需要。

3. 在流通领域打破统购包销格局。

流通是连接生产与消费的中间环节。流通体制改革也是市场取向改革的重要内容。广东在流通领域的改革首先是打破统购包销格局。1980 年广东省政府批准省财贸办制定的关于疏通商品流通渠道、促进商品生产、搞活市场的 12 项措施，吹响了在全省范围内开展流通体制改革的号角。这 12 项措施是：（1）进一步缩小农副产品统购、派购的计划收购范围，扩大三类产品范围；（2）调整日用工业品购销政策；（3）积极开展农工商联合经营；（4）积极办好集体商业和服务业；（5）发展个体小商小贩的补充作用；（6）打破地区封锁，按经济区域组织商品流通；（7）坚决精简商品流通环节；（8）积极开展省内协作，逐步与协作省、区建立固定的供销关系；（9）积极开展议购议销，办好信托贸易和货栈；（10）进一步办好大中城市、县城农副产品市场；（11）积极解决城市和工矿区商业、服务业和储蓄网点不足的严重问题；（12）进一步加强市场管理。上述 12 项措施，基本上勾画出广东流通体制改革的大致框架。

广东流通改革突破了统购包销的单一经营方式，逐步建立多种经营方式并存的格局。它表现在：（1）打破行业界限，实行本业为主，综合经营。过去强调专业经营，改革后这一封闭的经营方式已基本被冲破，各个行业可在坚持本业为主的基础上兼营其他行业的商品，并且在工商服务等大行业之间交叉经营。（2）打破城乡界限。按照商品自然流向组织流通，国有商业与供销商业的分割局面被冲破，城乡通开，归口经营，使商品在城乡之间畅通无阻。（3）打破生产与经营的界限，在搞好购销的前提下，兴办生产经营型企业。（4）打破批零界限，实行批零兼营。批发企业在批发为主的前提下可办零售门店，零售企业在零售为主的前提下也可适量兼营批发。（6）打破内贸外贸界限，举办“双向”型企业。例如国有商业企业经批准后可拥有进出口权，兴办外向型工业。总之，经过改革，广东商业已出现多种多样的经营方式，从而活跃了商品流通。

随着改革的不断深入，流通渠道结构也发生了很大变化。突破了过去国营独占的单一渠道状况，逐步建立多条流通渠道并存的网络。在改革中，广东商品流通在国有商业主渠道所流经的线路中，开始分布众多的分支渠道，形成蛛网密布的渠道体系。特别是在这一渠道体系中出现众多的渠道交汇点，它汇入无数细小渠道或分泄无数细小渠道，其中有：（1）集市。它有批发市场、零售市场或批零兼营市场之分，也有综合市场、专业市场与类别（工业品、农副产品）市场之分。（2）贸易中心。从1981年开始，首先在广州设立广东商业贸易中心，以后各市相继组建市级商业贸易中心。这些贸易中心以国有商业为主体，联合工业与其他行业，联合其他经济成分，既办现货交易，又办期货交易，既搞经营，又搞服务，并定期或不定期举办交易会、展销会、补货会、调剂会，具有开放性、灵活性、聚集性与服务性的特点。（3）购销联营。改革以来，广东商业部门按照扬长避短、互惠互让、互相支援、共同发展的原则，建立起不同地区、不同部门与不同经济形式的企业联营。

（二）全面推动价格改革

价格改革是建立社会主义市场经济的前提条件。在市场经济中，价格在资源的配置中起着枢纽的作用。计划价格不反映价值和供求，造成了极不合理的价格体系，严重阻碍了市场体系与机制的形成。广东作为全国改革的先行省，在价格改革方面也率先起步。

1. 价格改革的主要内容。

一是以价格调整为主的改革。在改革开放初期，广东的价格改革是以价格调整开始起步，从农副产品入手，逐步扩展到工业品。1979年，提高了粮食等主要农副产品的收购价，恢复议购议销和开放集市贸易价格。1980年提高了猪肉等8种主要副食品的销售

价格，同时给职工发放物价补贴。为矫正偏低的主要农副产品价格，对农产品的收购价格采取了超购加价、价格补贴或奖售物资等措施。与此同时，国家有升有降地调整了一些日用工业消费品和生产资料的价格。1981 年提高烟、酒、皮革制品的价格，降低手表等产品的价格；1983 年提高棉纺织品的价格，降低化纤产品的价格；1984 年提高铁路、水路运输的价格，并先后调整煤炭、钢材、生铁、水泥、化肥等生产资料的价格。在此期间，广东采取调放结合的方法，放开部分三类农副产品和日用小商品价格。全省农副产品的提价幅度和议价的比重，以及放开小商品价格的范围都比全国大，但价格总水平基本保持稳定。

二是以价格放开为主的改革。80 年代中期，广东价格改革开始以放开为主。在农产品方面，1985 年取消了农产品统购派购制度，改为合同定购；粮油收购取消了超购加价，改为综合比例收购价；放开生猪、蔬菜、水产品等鲜活商品的价格，同时对城镇居民实行价格补贴。1987 年对提高粮食合同定购价格和增加蔗糖价格补贴。在工业品方面，1985 年放开了收音机等“老五件”的价格，1986 年放开了自行车等“七大件”的价格。这时广东逐步缩小国家定价的范围，扩大市场价格的比重。

三是价格全面放开的改革。1988 年，广东重点调整了粮食购销价格，放开食油和食糖价格，并给职工价格补贴。同时调整了糖蔗、煤炭、钢材、水泥、新闻纸、农膜等价格，放开了黄红麻、名烟名酒、进口冰箱和彩电等价格。至 1989 年，消费资料商品除粮食和居民生活用煤外，全部放开价格、敞开供应。大部分生产资料价格也放开了。但是，由于当时需求总量膨胀，经济结构失衡，通货膨胀加剧，加上宏观调控不力，出现了局部经济紊乱现象，价格改革受阻。而即使在这种情况下，广东也没有从已取得的价格改革的成果上退回来，重新恢复凭证购买。

1989 年之后，广东通过治理整顿，逐步理顺经济关系，完善新的价格体制，巩固了十年价格改革的成果。1988 年全省零售物价上升 32.4%，1989 年，全省零售物价上升幅度下降为 21.0%。

到1990年，零售物价自改革开放以来首次由升转降，下降幅度为4.4%，主要由市场调节的价格运行开始转上正常的轨道。

2. 广东价格改革的成功经验。

广东在价格改革起步时，和全国一样都是以理顺价格体系为目标，从调整价格入手，但在改革的实践中，逐步探索出“放调结合，以放为主，双轨过渡，放中有管，分步推进”这一具有广东特色的价格改革路子。

（1）放调结合，以放为主。由于计划产品经济下价格体系不合理，价格管理体制过于僵化，价格改革如果仅用调整的办法，难以有效地矫正不合理的价格体系；而单纯采用放开的办法，又因市场机制和法律法规不健全，容易造成市场混乱和物价水平的不正常跃升。因此，从广东原来的国家指令性计划比重少、市场调节比重大的实际情况出发，采取了放开与调整相结合，以放为主的方针。在具体改革步骤上注意把握以下环节：一是对相互有替代性的商品，采取控制住关键的一种，放开其他的办法，从而在一定程度上限制住放开的商品的价格。二是以分级管理为基础，逐级下放管理权限，由各级政府、部门、企业自行定价，同时实行指导价和浮动价、最高限价和最低保护价，形成多形式、多层次的价格体系。对于流通区域小，但对生产、生活影响较大的蔬菜、鲜鱼、牛奶等商品价格和服务收费等，将改革的决策权下给市或县，实行分层管理和调控。由于这类商品流通区域小，一个地区放开不会造成对相邻地区的冲击，还可分散价格改革承担的财政负担和风险。经过10年的价格改革，广东大部分商品的价格就已经放开。即使保留计划收购或合同定购的产品，其计划外部分也可以自由上市，自由定价。由市场调节的商品购销额已占整个流通总额的85%以上。

（2）双轨过渡。对那些由于各种原因，既不能放开又不能调整的不合理国家定价，广东率先实行计划内外“双轨价格”的办法。对农产品，计划内购销的执行国家定价，计划外的逐步放开，实行议价或市价，对生产资料产品，计划内生产流通的执行国家定价，计划外或超产部分实行企业定价或市场调节价，以计划外高价

补计划内低价。这既调动了生产企业的积极性，增加了市场供给，又为将来生产资料价格的全面放开打下了基础。待成熟时，把竞争性品种过渡到市场价格，垄断性品种过渡到合理的国家定价。

（3）放中有管，放管结合。价格放开并不等于自由放任。由于市场机制的不健全，价格关系的扭曲，放开价格极易产生价格的紊乱和物价上涨的现象。在这种情况下，必须把管理和放开有效地结合起来。对放开的重要商品价格分别规定最高差率、最高限价、行业协议价、地区公约价等，使价格真正达到既活又相对稳定。为此，政府的物价管理职能从过去单纯定价管理转上决策研究、协调控制、信息服务和监督上来；注重发挥国营商业调节市场供求、平抑物价的主渠道作用；同时，进行系统综合治理，为价格改革创造良好的外部环境。如适度控制投资规模，保持合理的信贷规模，处理好工资与物价的关系，尽力争取社会各方的支持。

（4）分类改革。由于各地经济条件不相同，经济承受能力不一样，不同种类商品在市场的地位、作用和影响程度也不同。因此价格改革不能“一刀切”、“齐步走”，只能从实际情况出发，区别不同地区、不同商品进行分类改革。在具体改革步骤上则根据商品流通区域的大小，对生产生活影响程度以及市场供求状况分类放开，有先有后。在经济特区，除铁路、海运、邮电、电力、航空等仍由中央和省定价外，房地产、医疗、供水、市内公共事业、交通等由特区政府定价管价，其余的价格放开，由市场调节；在全省其他地区，按照统一领导，分级管理的原则，对原来的计划价格，有的放权、放开，有的调整、放松。对不同类的商品的价格，也采取不同的改革办法。其中竞争性的商品是逐步放开，但属于鲜活农产品可一次放开，一般工业消费品则有的先调后放，有的也一次放开。对垄断性商品和要素价格，总的来说是实行合理的国家定价，对原来的价格通过调价来保持合理的比价差价关系，力求实现价格反映价值和供求。

价格改革是一项复杂的系统工程，必须有计划有步骤地选准时机，配套协调，分步推进。即使是可以放开价格的各种商品，也要

根据总需求与总供给的情况，以及企业的消化能力和群众收入水平提高的程度分期放开。广东的实践是：先从农产品入手，再扩大到工业消费品、生产资料和第三产业产品，有先有后，互相衔接。如鲜活农产品，按不同品种，先扩大议价比重，后逐步放开。在次序上，则先县城，后中等城市。

经过改革，原来管得过多、统得过死的僵化模式得到了改变，新型的价格管理体制和价格体系逐步形成，基本理顺了不合理的价格关系，从而促进了市场机制的成长发育，对广东经济的高速增长起了积极的作用。

（三）培育和完善市场体系

从产品经济向商品经济转变，必须要有商品交换的场所，即必须解决市场问题。广东构建社会主义市场经济的过程，实际上也是不断培育和完善市场体系的过程。从建立消费品市场开始，由零售市场逐渐扩大到批发市场，并逐步扩大到包括生产资料在内的整个实物商品市场，进而发展到各种服务市场和生产要素市场。

1．实物与服务商品市场建设。

实物商品市场包括消费品市场和生产资料市场，服务市场则是非实物形态的为生产和人民生活提供服务商品的交易市场。在计划经济体制下，虽然也存在商品和交换，因而也存在市场，但不是按价值规律调节供求与价格的真正意义的交易市场。而真正的市场则必须是放开价格和自由贸易的。在计划经济体制下，我国的消费品由国营商业独家垄断经营，统购派购、统购包销和凭证限量供应；批发商业则是固定流通渠道，固定购销区划，固定供应对象。工业品依次从一级批发站到二级、三级批发站，再到零售商店逐级流转。粮食更是实行全国“四统一”：统一征购、统一销售、统一调拨、统一库存。据统计，广东省1978年社会商品零售总额中，国营和合作社经营比重占95%，非公有制经济只占5%，统购派购的农产品达118种，统购包销和统一收购的日用工业品234种，消费品购物证多达65种。至于生产资料则管得更死，由国家统一分配

的一类物资 256 种，由主管部门分配的二类物资 581 种，由省物资局或主管部门分配的三类物资 191 种，总共 1028 种之多。由此可见，在计划经济体制下的商品流通实际上是产品分配的一种实现形式，市场机制基本不起作用，没有真正意义的商品市场。

广东市场体系的培育，首先在消费品市场取得突破性进展。从 1980 年开始，广东实行开放经营，进行“三多一少”的改革，即多种经济成分、多种经营方式、多种流通渠道和减少流转环节。城乡各种类型的市场和商业网点不断增加，销售额也随之扩大。从 1981 年开始，广东社会消费品零售总额开始位居全国第一。90 年代，广东商品市场在全国的领先地位进一步得到巩固。到 2000 年，广东社会消费品零售总额已占到全国的 12% 左右。消费品市场已经基本形成了批发零售共同发展、功能多样的各类专门贸易中心和集市，形成了网点众多、城乡联结、国内外和省内外循环、多渠道的流通网络。截至 2000 年，广东城乡建立了各类市场 5622 个，其中综合市场占 38%，农副产品市场占 30%，工业品专业市场占 305，其他市场占 2%。商业网点 130 万个，从业 500 多万人。

服务是对应于实物商品而言属于第三产业的产品。伴随着实物市场体系的形成与扩大，广东的服务市场也得到了较快的发展。

广东的生活服务市场是发育得较早也是较好的服务市场。改革开放以来，以饮食服务业为主的传统生活服务市场最为兴旺。在改革开放的前 10 年，饮食服务业网点就增加了 10 倍以上，就业人员也增加了 5 倍多。许多新的生活服务业如美容美发、洗衣、送餐、搬家以及婚姻介绍、保姆介绍、钟点工等也逐步发展成为城市的成熟行业。

广东的旅游市场也是全国最繁荣的。在改革开放前，我国虽然也有一些宾馆和旅行社，但还不能称之为是一个行业。改革开放后，广东的旅游接待人数和旅游收入大幅度增长，在相当长的一段时期，广东旅游入境人数占全国的九成，旅游外汇收入也占全国总收入的 1/4 左右。

广东的交通运输市场也是变化较明显的市场。广东率先实行交

通运输基础设施商品化，实行“谁投资，谁受益”和“以桥养桥，以路养路”的政策，从而吸引了大量包括外资在内的资金，有效地促进了广东交通基础设施建设，迅速缓解了广东交通的紧张状况。目前，广东的交通运输市场已经形成了开放性和多元化的格局。

2. 要素市场。

要素市场是指在市场经济条件下为国民经济运行提供各种生产与经营条件的交易市场。最基本的是资本（资金）、劳动力和土地市场，此外还有产权、技术等市场。广东改革开放先行一步，必然也要在全国率先培育和完善要素市场。

（1）金融市场。

金融市场包括资金、保险和证券市场，是市场经济运行最基本的要素。金融市场的实质是资金和利率的商品化。由于国家对金融管制比较严格等原因，金融市场的发育总体来看是滞后的。但尽管如此，广东在金融市场的培育方面还是有所建树。

一是建立新的金融组织体系。广东建立适应市场经济发展的新的金融组织体系走在全国前列。至2006年末，广东开设的外资银行总行有3家，分行有51家，支行有29家，代表处有31家，已形成各种金融机构并存的多元化的金融组织体系。

二是大力发展多种形式的直接信用。为培育金融市场，广东改革单一的银行信用形式，发展了多种形式的直接信用，初步形成了跨地区、跨系统、多层次的融资网络。省和各市的融资中心、金融市场统一为“资金市场”，广东同业拆借市场已成为金融市场中规模最大、发展速度最快的市场，年拆借总量已超过百亿元。

三是开展对外金融服务。广东具有毗邻港澳、华侨众多的人缘和区位优势，对外经济技术交流活跃，外向型经济发展迅速，因此随着改革的纵深发展，突破封闭式的金融体制，发展对外金融业务，建设外汇市场显得格外迫切。90年代以来，广东逐步开办了国际结算、华侨汇款、外币兑换、外汇贷款、外贸贷款、信托投资、咨询、租赁等业务，并在全国最先开办了境内居民外币存款。

四是保险市场得到发展。广东保险市场发展迅猛，初步形成了以国有保险机构为主体、业务种类多、服务领域广、网络遍布城乡的多元开放的保险市场。广东的保险业发展规模和速度居全国之首，保险市场占全国市场份额的10%以上。保险种类比较齐全，从原来的企财险、车辆险、涉外运输险等30多个险种发展到目前包括国内财产及责任险、农业险、人身险、涉外险四大类404个险种。保险机构网络遍布全省，并与世界上100多个国家和地区的保险机构建立了业务往来。

五是证券市场实现历史性突破。90年代初，深圳证券交易所设立，使广东成为国内最重要的资本市场之一。到2000年底，在深圳证券交易所上市的公司已经达到500家左右，对广东资本市场的繁荣产生了深远的影响。

（2）劳动力市场。

长期以来，劳动力不成为商品是作为社会主义经济的一个本质特征，因此在计划经济体制下不存在劳动力市场。在改革开放后的很长一段时间，尽管劳动力是通过市场配置，但也只能说劳务市场而不能直接提劳动力市场。在经过改革实践的探索之后，广东终于冲破了理论禁区，通过改革劳动用工制度，逐步建设了劳动力市场。广东劳动力市场的培育与完善大体经历了以下几个阶段：

一是实行劳动合同制与用工双向选择制度。劳动合同制最早是在经济特区率先推行，1983年在城镇企业新招职工中开始全面推行。1988年取消指令性劳动工资计划后，在城镇公有制企业中实行了优化劳动组合的试点，大大推进固定工的改革。1995年全面实施《中华人民共和国劳动法》（以下简称《劳动法》），实行全员劳动合同制。

二是形成了城乡劳动力流动机制。随着三资企业的发展和企业用工自主权的扩大，广东已突破了原来城乡之间、地区之间和所有制之间相互封闭的就业模式。80年代广东当地农村劳动力的平均增长率不足2%，而农村非农劳动力年平均增长10%。大量的本地和外地（包括外省）的农业劳动力进入大中城市和小城镇务工；

另一方面，不少科技人员和职工放弃大城市的生活而流动到乡镇企业，从而形成了城乡劳动力的双向流动。特别是农村大量富余劳动力向第二、三产业转移。目前，广东共吸纳了2000万左右来自省外的农民工。

三是建立劳动力市场法规和就业服务体系。《劳动法》颁布实施以后，广东制定了《广东省劳务市场管理规定》、《广东省社会劳务介绍机构管理办法》、《广东省劳动合同管理规定》、《广东省违反招用工人规定处理暂行办法》、《关于制止非法劳务中介活动的通知》等法规，这对于完善本省劳动力市场法规建设、推动劳动力市场的规范化发展起到重要作用。同时，广东注重发展职业中介组织，组织大型劳动力市场集市，建立就业信息网络，发展就业前和再就业培训，推进社会保障体制改革，加强劳动力市场的宏观调控，使劳动力市场服务体系不断完善。

（3）土地市场。

广东的土地商品化最早也是在特区试行。1987年12月深圳市率先以拍卖的方式出让国有土地的使用权，标志着广东土地市场的诞生，从那时以来，土地市场迅速扩大。1992年伴随着席卷全国的房地产热，广东的房地产业达到了炽热化，各地争先恐后地上项目、设开发区，成片的土地被开发，甚至无能力开发的土地也被圈起来，“画地为牢”，地皮、楼宇被炒得火热，大量的资金（其中许多来自内地各省的投机资金）涌入房地产市场，整个房地产市场出现了失控和混乱。1994年，广东对房地产市场加强了宏观调控，经过一年多的调整，1995年广东房地产投资过热的势头得到遏制。1996年全省国土部门设立了土地市场监督管理机构并着手建立市场规则。首先是市场准入机制，凡是进入市场的土地必须向国土部门提出申请，由国土部门审核并补交有关税费后方可进入市场。同时规范了土地转让、抵押、出租的合同文本。目前，全省有土地交易机构100多个，初步实现了土地使用权进场公开交易。

（4）产权交易市场。

广东产权交易市场是90年代随着产权制度改革而建立起来的。

1992 年，深圳市根据产权交易迅速发展的需要，成立全国第一家产权交易所，公开挂牌经营，实现产权转让市场化。1989—1992 年，深圳通过产权交易市场运作实现产权转让的企业达 60 多家，转让资产额 2 亿元以上。1994 年 12 月，广州市产权交易服务中心又宣告成立。此外，深圳证券交易所还从事股权交易转让，使产权交易更加规范与市场化，广州、珠海、佛山、江门等地也开办了证券转让业务机构 40 多家。会计师事务所、审计师事务所、律师事务所、资产评估事务所等为产权交易市场服务的中介组织也得到迅速发展。

（5）技术信息市场。

科技成果是人类劳动的结晶，因此也是一种商品。1979 年，广州市有些科研单位与工厂签订使用科研成果收益分成合同，其实质就是一种技术交易行为。1985 年，国务院颁布《关于技术转让的暂行规定》，从而拉开了技术市场的序幕。1986 年，广东省颁布了《广东省技术市场管理规定》，使广东技术市场迅速发展起来。技术市场的形式有技术使用收益分成、技术入股、科技成果转让等。1992 年 8 月，深圳举行了我国首次科技成果拍卖会。随着技术市场的发展，技术商品机构的审批制度、技术合同认定登记制度、技术交易会审批制度、技术纠纷仲裁制度已初步健全，它标志着广东地区技术市场已基本实现规范化和法制化。2000 年 5 月，广东出台了技术市场条例，进一步促进技术市场的发展。全省共有技术贸易机构 6000 多家，从业人员超过 15 万人。1998 年以来，全省技术合同成交额达 2100 亿元，占全国的 19.5%。连续三年成功地举办了深圳国际高新技术成果交易会、东莞市电子产品博览会、广州市留学人员科技交流会等大型技术成果交易活动，取得了显著的成效。广东已逐渐成为我国技术市场交易的集散地。

广东信息市场的起步较晚，但发展速度很快。电子信息服务业在全国处于领先地位，仅广州就拥有软件开发和电子信息服务企业百余家，开办了国际联机检索、全国信息联网、电脑化图书资料查询管理、电子数据交换等多项服务。计算机数据通讯网络逐步在各

大城市的经贸、财税、科技、教育、交通、城市管理等部门中形成了应用系统，其规模之大、覆盖面之广在全国各省市中居首位。电子信息产业也有了长足的进步，为信息市场的发展提供了坚实的基础。

3. 广东市场体系建设总体评价。

（1）广东市场体系的特点。

随着改革开放的不断深化和各种类型的市场建设，广东已建立起比较完善的市场体系。广东市场体系具有以下几个特点：

一是形成了多元化、多层次平等竞争的市场格局。以国有经济为主体，多种经济成分平等竞争的市场格局基本形成。这一特点在商业流通领域表现得最为突出。多层次的市场体系也开始形成。如三级架构的房地产市场体系，具有初级、中级、高级的劳动力人才市场体系和多层次的产权交易市场体系。在商品批发、商品零售方面建立了各种类型的市场，使商品和生产要素能够在不同层次的市场中自由流通，冲破了行政的条块分割，提高了市场运行效率。

二是商品市场的国际化程度较高。广东本地销售的商品有相当比重是通过国际市场交换实现的。据统计，全省批发商品购进总额中的17.2%为进口商品。其中进口的成品油、钢材等重要生产资料占市场销售量的大部分。广东商品市场这种由国内到国外，由国外到国内的商品双向交流，反映了市场的开放性，为广东市场的发育注入了新的内容和活力。

三是市场功能完善，对外辐射力强。广东市场发育较快，市场功能比较完善。商品市场既有现货市场，也有期货市场；生产资料市场、劳动力市场、产权市场既注重发展有形市场，又注重发挥无形市场的作用；金融市场方面，银行、证券、保险、信托、基金、财务公司、典当、租赁等行业齐全。这些特点使广东市场体系具有比较完善的功能，形成了较强的辐射力。

四是市场机制发挥的作用广泛。在商品市场中，除药品等极少数商品和水、电、煤气、公共汽车等公共服务的价格由政府确定外，其余绝大部分商品的价格完全由市场调节，市场决定价格的机

制已经形成。由于市场机制的充分调节，物流顺畅，供给充足，市场呈现出买方市场的特征。在劳动力市场中，劳动者与企业双向选择的机制已经形成，市场信号在很大程度上调节着劳动力的供求，上千万劳动力通过市场机制调节，在较大的范围内自由流动，得到较合理的配置。在金融市场和房地产市场等要素市场方面，市场机制也发挥着越来越大的作用。

（2）市场体系建设在广东改革发展中的重要作用。

市场体系是市场经济运行的载体，市场体系的形成与逐步完善对广东的改革开放和经济发展的作用明显。

一是奠定了以市场作为资源配置机制的基础。计划经济与市场经济的主要区别之一是资源配置机制的不同，计划经济是以计划的形式分配社会的各种资源，以实现资源的"合理配置"；而市场经济则是按价值规律，通过市场交换实现资源的"最佳配置"。部分市场的建立，只能实现部分资源的市场配置，而整个市场体系的形成，就标志着所有社会资源实现市场配置成为可能。市场配置资源的基本前提是按市场价格进行交换，即要形成符合价值规律的价格形成机制。广东在流通体制改革和市场建设的同时推进价格改革，先后放开了生活资料、生产资料以至各种生产要素的价格，从而提供了广东市场经济运行的基本条件。

二是促进了政府职能的转变。市场体系的形成和市场合同制对经济发挥调节作用，意味着政府计划管理职能必然要变化。市场体系越完善，市场调节的作用就越大，相应的计划调节的作用就越小，政府职能越要转变。由于在计划经济体制下的计划调控不只是涉及微观经济，整个政府职能部门都是围绕着指令性计划运转，当计划对经济的调节功能弱化，计划管理职能转变的同时，政府对经济的管理职能特别是政企关系必然要转变。与此同时，财政、税收、金融等部门的调控职能也要随之转变，从而逐步形成政府调控市场，市场引导企业和配置资源的宏观管理模式。

三是为多种所有制经济共同发展创造了条件。按计划分配资源，必然要限制"体制外"经济的发展，在片面追求公有制经济发展的思想指导下，加上计划限制，非公有制经济是很难得到发展的。而市场体系的建立，在市场机制和价值规律的作用下，非公有制经济可与公有制经济在相对公平的环境下竞争，为多种所有制经济共同发展提供了必要条件。改革开放以来，广东的外资经济和个体私营经济得到了较快发展显然是与广东市场体系建设密切相关。

（3）培育市场体系的基本经验。

在培育和完善市场体系过程中，广东各级政府发挥了重要作用，采取许多有效措施，保证了市场建设和改革开放的顺利进行。通过培育商品市场和要素市场，实现生产关系的变革，运用市场机制推动各项改革事业的发展，逐步建立起社会主义市场经济的基本框架。

一是调动各方面的积极性，发展和完善商品市场。大力发展农产品、工业消费品、生产资料的批发市场。建立规模适宜、结构合理、形式多样、分布得当的商业零售网络，以及社会化和现代化水平较高的流通产业和流通企业，并充分发挥市场机制的作用。在基础性产业也逐步打破垄断，从而加快了市场体系的培育和发展。

二是发挥政府宏观调控职能，促进市场有序运作。规范市场运行，建立正常的市场交易秩序，是政府的重要调控职能。人们通常把政府比作裁判员，把市场交易主体比作运动员，而无论是裁判员还是运动员都首先要有游戏规则。市场规则主要包括市场进出规则、价格决定规则、平等竞争规则和市场交易规则。广东在培育市场体系的过程中，十分重视有关市场运行的法规建设，构成了较完善的市场规则，对于培育市场体系、规范市场秩序起到了重要作用。

为稳定生活消费市场的运行，政府建立了商品储备制度，加强对关系人民群众基本生活的“菜篮子”市场的调节。例如，以财政拨款设立了建设基金、农业发展基金、蔬菜发展基金、粮食风险基金、副食品风险基金分别用于支持农产品市场建设、蔬菜用地征用、蔬菜种植、家畜饲养、水产养殖、粮食和猪肉销售补贴，建立粮肉储备。在政府的扶持下，菜、肉、家畜和水产等农产品的自给

率大大提高，保证了市场的充足供应，满足了人民群众的消费需求。

三是发挥市场中介组织的作用和推动市场信息化。社会经济监督组织是社会中介组织的核心，主要包括会计师事务所、律师事务所、公证和仲裁机构、质量和计量检验认证机构、建设监理机构、资产评估和资信评估机构等。随着经济的发展，广东的中介组织体系已初步形成。

市场的信息化程度，影响着市场运行效率的高低，是反映市场发育程度一个重要标志。信息化程度越高，市场参与者受信息非对称性的限制就越少，同时市场活动受不确定性的影响也就越小，因而市场风险也会随之降低。广东各级政府在 90 年代十分重视市场信息化、现代化的建设，加大投入，不断提高市场运行的质量和效率，提高服务水平。

广东在市场体系建设方面取得了明显的成效，但还不够完善，农村市场发育相对缓慢，现代服务业和要素市场有待加强，市场秩序环境和社会信用水平不高，行政性垄断依然存在。这些问题都需要在今后的改革与发展中加以解决，使广东的市场体系更加完善。

二、所有制与产权改革

生产资料所有制是社会经济发展的重要基础，也是经济体制改革的重要内容。广东在走向市场经济改革的过程中，大力进行所有制结构调整与改革，不断深化农村集体所有制和国有企业产权改革，并发展了非公有制经济。与此同时，对与所有制密切相关的分配制度进行了改革。

（一）所有制结构调整与非公有制经济发展

随着改革开放的不断深化，必然触及所有制的改革，公有制一统天下的格局被打破，国有经济、集体经济有进有退，不断调整、提高，非公有制经济迅速增长成为经济发展的重要组成部分。目前，广东已形成公有制为主、多种所有制经济并存，共同发展的新格局。

1. 所有制结构调整的背景。

新中国成立以后，由于我们党对所有制问题的片面认识，一味追求公有制程度的提高。在经历对农业、手工业和资本主义工商业的三大改造和人民公社化运动以后，全民和集体所有制已占绝对优势，私有制经济已只剩下“资本主义的尾巴”。与这一时期的理论指导和思想认识相一致，全民所有制的具体实现形式就是国有制，全民所有制企业由国家直接经营管理，其人财物、产供销必须纳入统一的计划之中，集体企业也大体上实行了全民所有制企业的管理模式。这种传统的公有制形式，对新中国成立初期迅速稳定社会、安置就业、集中力量进行经济重建，乃至于社会主义制度的建立和巩固，曾经发挥过历史性的积极作用。但随着社会生产力的逐步发展，经济关系的日益复杂，其缺陷也越来越明显地暴露出来。这种单一的所有制结构和传统的公有制形式，逐渐导致企业缺乏生机活力，生产力发展缓慢，人民群众多层次的物质需要和精神需要长期得不到满足。

改革开放以后，广东借助政策、地理和人文方面的特殊优势，在进行以市场为取向，以放权让利、变通搞活为主要内容的经济体制改革的同时，对所有制结构也进行了较大的调整。在三股力量的作用下，广东的所有制结构发生了很大变化。一是城镇无正规就业居民与部分回城知青从事个体工商业；二是随着家庭联产承包责任制的广泛推行，农业中释放出来的剩余劳动力也加入了个体私营工商业的经营；三是“三来一补”及各种类型的外资企业逐步进入广东。

2. 加快非公有制经济发展的主要措施。

所有制结构调整，实际上就是让非公有制经济与公有制经济共同发展，提高非公有制经济在所有制结构中的比重。加快非公有制经济发展的基本途径就是积极引进外资和大力促进个体私营经济的发展。广东改革开放30年来，通过扩大开放的区域和投资产业领

域以及改善投资软环境和实施优惠政策，有效地调动了外商的投资性，使广东利用外资的水平一直处于全国的前列。

在大力推进民营经济发展的方面，广东省委、省政府高度重视民营经济在社会主义初级阶段的战略性地位和作用，出台了多项鼓励民营经济发展的政策，采取各种有效措施促使个体私营经济健康发展。一是放宽经营范围和经营条件。二是鼓励各类人员从事个体私营经济活动。三是为个体私营经济发展创造公平竞争的环境。四是为个体私营经济提供良好的服务。五是促进个体私营经济提高素质增强活力。六是依法保护个体工商户、私营企业的合法权益。

3．所有制结构调整的成效与改进对策

广东所有制结构调整成效明显，特别是在90年代以后非公有制经济的加速发展，对优化全省经济结构，促进经济健康持续的发展起着重要的作用。非公有制经济在广东经济体系中扮演了很重要的角色。外资企业成为广东社会投资、外贸出口的主力军，非公有制企业的增加值在全省GDP的比重不断提高，特别是在流通领域，90%以上的经营者是个体工商户和私营企业。经济结构的调整促进了一、二、三产业比例结构的优化和协调发展。非公有制经济的发展也为国家提供了新的税源，有效地缓解了地方经济建设和社会运作的财政压力，同时还为贫困地区脱贫致富以及促进农村城镇化建设发挥了重要作用。

但是，广东经济结构的现状仍然不能适应经济发展的需要，国有经济分布太宽，整体素质不高，资源配置不尽合理等问题依然突出，导致财力过于分散，许多国有企业资金不足，负债率过高，而低水平重复建设又使国有企业普遍存在“大而全”、“小而全”现象，造成产业结构、组织结构不合理，经济效益低下。另一方面，非公有制经济在发展过程中也还存在许多有待解决的问题，最突出的是表现在难以获得与公有制企业同等的国民待遇和公平竞争的条件。非公有制企业在资金、技术和各种生产要素的配置以及政府的管理与服务都面临较多的困难，这些问题在很大程度上制约了非公有经济的发展。因此，广东经济结构还需要进一步的调整。一方面是要继续深化国有企业改革，调整国有经济布局，贯彻有进有退，有所为有所不为的方针，优化国有经济的内部结构。另一方面是为非公有制经济创造很好的发展环境，妥善解决非公有制企业“融资难”等突出问题，拓宽向非公有经济的投资领域，鼓励非公有制企业投资电力、供水、排污、路桥等公共设施项目和投资办幼儿园、学校、医院公共服务项目。并推动非公有制经济的组织结构调整，通过建立现代企业制度做大做强非公有制企业。总之，要采取一切有效措施，努力实现党的十七大报告提出的“坚持和完善公有制为主体，多种所有制经济共同发展的基本经济制度，毫不动摇地巩固和发展公有制经济，毫不动摇地鼓励、支持、引导非公有制经济发展，坚持平等保护物权，形成各种所有制平等竞争、相互促进的新格局”。

（二）农村股份合作制改革

广东农村经历了家庭联产承包责任制，改革农产品统购派购制度，放开农产品价格，调整农业生产布局和产业结构，搞活商品流通和完善社会化服务，农业从过去的产品经济迅速转向商品经济的轨道。广东农村在改革的实践中，产生了一种新型所有制形式，这就是股份合作制，它把股份制与合作制巧妙地结合起来。广东农村股份合作制经历了自发发展、鼓励发展和引导发展三个阶段。80年代属于自发发展阶段，以农民自发行为和个别地方的发展为主；90年代初是鼓励阶段，中央、地方政府和有关部门出台了一些政策，起到了推波助澜的作用；90年代中期以后有些地方和部门对农村股份合作制制定了一些政策和法规，对设立程序、组织架构、股权结构等方面进行了规范，引导其逐步走向规范化。

1. 农村股份合作制出现的必然性。

股份合作制在广东出现不是偶然的，而是有着深刻的社会经济根源和内在的客观必然性。它是农村商品经济发展和市场化的产物，是农村改革开放的结果。

股份合作制得以产生的直接原因是社会大生产和商品经济的充

分发展。在广东农村特别是珠江三角洲地区，随着非农产业的发展，生产要素的组合与生产经营管理要比传统的单一农业复杂得多，原有的所有制模式显然与生产力发展不相适应，严重制约了集体经济的发展。

农村股份合作经济现已成为广东省特别是珠江三角洲地区农村经济的一种重要经济形式。据统计，全省农村股份合作制企业发展到40634个，其中镇级3151个，村级9827个，农民股份合作企业27592个，社区股份合作联社1766个，社区股份合作社7368个。实践证明，股份合作制对推动农村市场经济发展、提高生产力水平、建立市场经济体制起着积极的作用。

2. 农村股份合作制的类型与探索。

从80年代中后期起，建立股份合作经济的实践就已逐步在广东部分地区铺开，由于各地经济发展的条件存在差异，所实行的股份合作制形式也不尽相同。按股权属性、股权结构来划分，有企业型股份合作制和社区型股份合作制。企业型股份合作制可以分为农民个人产权的股份合作制和个人产权、法人产权混合股份合作制。社区型股份合作制包括完全社区股份合作制和土地股份合作制。

（1）企业型股份合作制。

包括农民股份合作制和混合型股份合作制两种类型。农民股份合作制主要是指农民之间在自发、自愿的基础上，根据生产需要共同出资金、劳力、技术、土地等，组成股份合作企业。农民股份合作企业，一是由农民经济联合体发展而成，二是由集体企业通过改制形成。其特点是以个人产权为基础，产权关系较清晰。农民股份合作企业由于内部产权明晰，经营、管理制度比较健全，分配制度比较透明，大多数发展健康。

（2）社区型股份合作制。

完全社区型股份合作制产生于80年代中期，是对社区集体经济组织进行改造的结果。这一改革，起自个别沿海发达地区、城市郊区，进入90年代向珠江三角洲发达地区推进。其具体做法有两种类型：一是将经济合作社改造为股份合作社；二是把经济联合社

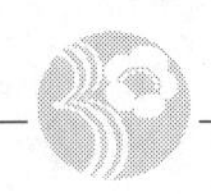

改造为股份经济联合社。90年代以来，珠江三角洲地区的顺德、南海、中山、番禺、江门、东莞的农村不同程度地推行了这一改革。其中顺德、南海大部分的管理区、合作社完成了折股量化、还股于民、建立股份合作经济组织的工作。

（3）土地股份合作制。

土地股份合作制是以农民土地使用权入股方式形成新的经济组织和经营机制。将农民的土地使用权即承包权入股，土地使用权由农民手中转移到经济合作社、经济联合社，由经济合作社、经济联合社统一规划和布局，土地统一发包给专业队或少数中标的农户，形成规模经营，或集体统一开发和使用。农民依据土地承包权股可分享土地经营的利益。

3. 农村股份合作制改革的成效。

农村股份合作制改革是继家庭联产承包制和乡镇企业之后的又一次大飞跃。农村股份合作制适合现阶段农村生产力水平存在多层次、多种形式的产权主体和利益主体的现实，适合农民的要求，也适合市场经济的发展要求。农村股份合作制既扬弃了人民公社"一大二公"的单纯公有产权而否定个人产权的制度安排，适合了个人对财产权利要求而重新构造个人和农户家庭财产，在此基础上引入了股份机制，而进行了新制度安排，又继承了社区性、封闭性、福利性等中国独特的制度遗产，兼有劳动联合、按劳分配的合作机制。

农村股份合作制在外壳上借用了股份公司的形式，但又有很大程度上的不同，股份公司完全由股份机制起作用；也不同于合伙企业，合伙企业是以自然人的信用为基础的，不存在合作因素；与合作企业的差异在于，合作企业内实行一人一票制，但股份合作企业还存在股份机制。农村股份合作制是农民的伟大创造，具有鲜明的中国特色。

农村股份合作制实现了农村生产要素组合方式的转变。突破了利益分配上的平均主义，实现了农村集体利益分配方式的转变。有利于打破社区封闭格局，实现资源在更大时空范围内的优化配置。

更重要的是，它在实践上初步确立了集体土地所有制中农民个人与社区集体组织的动态关系，从而推动产权财产化、商品化进程。

农村股份合作制促进了农村经济的大发展，促进了土地资本化，使土地从单一农业用地，变为一、二、三产业多功能用地，级差地租增加了农村财富，为实现农村现代化创造了制度和物质基础。

农村股份合作制促进了农村的城市化，突破了农村家庭联产承包制土地零散经营的格局，实现了土地的适度规模经营和基地化生产方式的转变，丰富和发展了家庭联产承包制。促进了农村劳动力的转移，有利于农民离土离乡，向二、三产业和城镇转移，加速农村工业化。

（三）国有企业及产权制度改革

国有企业改革始终是我国经济体制改革的重点。30 年来，从放权让利，扩大企业自主权到转换经营机制，建立现代企业制度，一步一步地从浅表层次的企业运营走向深层的产权制度改革，取得了显著成效。

1．国有企业改革的背景与前期改革。

在计划经济体制下，国有企业如同是国家“大工厂”的车间。企业的劳动力、资金和设备等生产要素的配置以及从原材料供应、产品加工到销售的每一个环节，都是按国家的指令性计划进行，企业根本无自主权可言，当然也不存在自主经营和自负盈亏的问题。党的十一届三中全会以来，国有企业改革作为我国经济体制改革的重点，进行了多方面的尝试。其中前十年的改革主要是着眼于调动企业生产和经营积极性的改革。这一阶段的改革由于目标不太明确，同时也缺乏改革的经验，是属于摸着石头过河的阶段。先后采取了放权让利、利改税和经营承包制等改革措施。

广东这一阶段的国营企业改革，以全面推行承包制为主线，企业以“包死基数”作条件，从政府那里换取了更大的自主权，并利用自主权进行了以人事、用工、分配制度为主的一系列内部改

革。全省在实行承包的过程中，各地都采取“蓄水养鱼、养鸡下蛋”的措施，较多地向企业放权让利，减免税收，并实行税前还贷。同时，在企业内部进行了一系列配套改革。承包制作为一种企业经营制度，使企业的税负比“两步利改税”要轻，这在当时企业税费较高的情况下，较恰当地处理国家与企业分配关系，企业得到的实惠较多，调动了企业和职工的积极性，有力地促进了企业的发展。对比实行承包前后的1987年、1988年，全省工业总产值比前两年增长了23.54%，利税总额增长了13.28%，劳动生产率增长了25.49%。财政收入稳定增长，预算内国营工业企业承包后一年比前一年上交利税增长12.67%。国营企业经济实力大大增强，承包后两年固定资产净值增长3.45倍。职工生活福利有了较大改善，1988年预算内国营工业承包企业职工人均工资收入2316元，比上年增长34.15%。

国有企业前期改革取得了显著成效，在很大程度上消除了计划经济时期存在的弊端。但是，这一阶段的国有企业改革受“计划经济为主，市场调节为辅”框架的制约，国营企业改革的着力点是放权让利，国有企业一些深层次的矛盾并没有解决，改革存在许多局限性。国有企业前期改革的着力点是单个企业，企图搞活每一个企业，没有从整体搞活国有经济来拓展改革的思路，因此，难以合理地调整国有经济的布局。国有企业改革牵涉面广，需要系统配套，综合实施。但由于当时政府管理职能没有根本转变、社会保障体系尚未建立、与国有企业改革密切相关的其他改革没能配套等原因，国有企业很难成为真正的市场主体。此外，由于国有企业改革是在缺乏经验情况下进行的，在改革目标尚未确立之前，改革只能针对已经暴露出来的突出问题摸索前进。承包制虽然可以调动企业的积极性和增强企业的活力，但毕竟不是一种规范的做法，在推行中存在许多弊端。

2. 国有企业产权制度改革。

随着改革的深化，党的十四大明确提出了建立社会主义市场经济体制的改革目标模式。国有企业也进入了深层次改革的阶段，改

革的目标是建立现代企业制度。1993 年 11 月，党的十四届三中全会通过了《中共中央关于建立社会主义市场经济体制若干问题的决定》，对现代企业制度进行了科学的概括，这就是适应市场经济和社会化大生产要求的产权清晰、权责明确、政企分开、管理科学的企业制度。主张通过建立现代企业制度，使企业成为自主经营、自负盈亏、自我发展、自我约束的法人实体和市场竞争主体。

广东根据中央所确定的改革目标和部署，在总结国有企业前期改革的基础上，不失时机地对国有企业改革的思路进行了战略调整。从减税让利为主的政策调整转变为以转换机制为主的制度创新。通过制度创新，使国有企业财产组织制度、管理体制和运行机制与社会主义市场经济相适应。这一时期的广东国企改革，涉及的范围广、改革的力度大，围绕结构调整，制度创新，积极探索国有企业的多种实现形式，稳步推进股份制，建立现代企业制度，大力推进资产重组。

（1）企业股份制改革。

广东的国有企业股份制改革比较早，1983 年深圳宝安县成立了新中国第一家股份制企业。但就全省来看，企业股份制改革还局限于个别发达地区，直到 90 年代，股份制改革试点才在全省展开。1991 年 9 月广东省成立了企业股份制试点联审小组，主要职责是拟订企业股份制改革的有关规定，审批全省（广州、深圳可自行审批）股份制试点方案，并监督实施。广州市等一些城市也参照省的做法，成立了股份制试点的领导机构和工作机构。省市二级机构的形成，为广东加速股份制改革提供了有效的组织保证，使全省的股份制试点进入一个新阶段。

广东股份制改革首先明确了发展股份有限公司的原则，这些原则主要是：有利于调整和完善所有制结构，增强国有资本与其他社会资本的融合功能，搞活公有制经济；有利于实施国家和广东的产业政策，引导社会资本重点流向支柱产业和高新技术产业；以资本为纽带，推动企业之间跨地区、跨行业、跨所有制的交叉持股，吸引境内外法人、自然人投资入股，优化股权结构；多种形式，讲求实效，注意规范。

随着股份制企业的不断发展，广东股份制改革逐步走向规范化。1998年，广东省人民政府批转了省体改委《关于发展完善我省股份有限公司的意见》，要求加强股份有限公司的规范和发展工作。提出要进一步健全股份有限公司法人治理结构，依法规范董事、监事和经理的产生程序和办法；股份有限公司要制定股东大会、董事会、监事会和经营班子的工作制度和议事规则，特别要强化董事会的集体决策功能，防止个人专断造成决策失误；充分发挥监事会的监督作用，强化内部监督和约束机制。要加强审计监督，保障国有资产，维护公司股东和债权人的合法权益。企业股份制经过1992—1994年的大发展和1995年之后的巩固、完善和提高，到1999年底，全省有股份公司1202家，数量居全国各省市之首，其中已在深、沪两交易所上市的公司有115家。

广东股份制改革取得了明显的成效。股份制经济的发展，为国有资产保值增值提供了一种有效的实现形式。同时，股份制为企业开辟了新的发展空间，支持了一批老国有企业的发展，支持了能源、交通等基础设施的建设，支持了一些新建市的经济发展。国有企业改组为股份公司，逐步改变了长期以来国有产权的虚置状况，使企业经营机制适应市场经济的运作。

（2）建立现代企业制度。

广东国有企业建立现代企业制度的改革是在企业股份制改革不断深入的基础上进行的。1994年，广东选择了250家（1996年调整为187家）企业进行现代企业制度试点。省人民政府先后出台了《广东省现代企业制度试点工作方案》和六个配套文件，按照产权明晰、权责明确、政企分开、管理科学的要求和《中华人民共和国公司法》（以下简称《公司法》）的要求进行试点。

建立现代企业制度作为国有企业发展的目标模式，目前仍在进行之中。广东建立现代企业制度的试点企业在改革的重点难点问题上大胆进行探索，为全省国有企业的制度创新提供了借鉴。国有大中型企业，以完善法人治理结构和母子公司体制为突破口，初步建

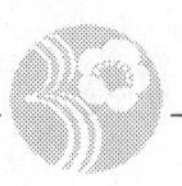

立起产权清晰、权责明确、政企分开、管理科学的现代企业制度。全省986家国有及国有控股大中型工业企业中，有582家进行了规范的公司制改革。

（3）资产重组。

资产重组也是国有产权改革的重要内容。广东以省属国有企业为突破口推动全省国有企业的资产重组，优化结构，充分利用国家优化资本结构试点政策，促进企业低成本扩张，谋求发展新路子。

一是重组省属国有企业。广东省属国有企业资产重组按照政企分开、整体搞活、适度规模、依法组建、平稳过渡的基本原则，将原来分散在省政府50多个部门管理以及军队、武警、政法机关移交过来的1546家企业进行重组，占省属企业的66.67%；资产总额2436.62亿元，占59.49%；负债总额1308.30亿元，占47.13%；净资产1128.32亿元，占85.49%。组建了省工业资产经营公司、商贸资产经营公司、广晟资产经营公司。省政府对省电力集团、省交通集团等20个大集团实行国有资产授权经营。

二是充分利用国家优化资本结构试点政策实行兼并破产。从1996年开始，国务院先后批准广州、深圳、佛山、汕头、韶关、湛江等6个城市列入优化资本结构试点城市。通过实施破产，消灭了37个亏损源，处理累计亏损28亿元；通过实施兼并，113家优势企业兼并136家亏损企业，既减少了企业亏损，又加快了优势企业的发展。同时，通过实施兼并，国有商业银行66.54亿元的债权由亏损企业转换到优势企业，保障了国有信贷资产的安全。

三是积极探索低成本扩张的发展道路。广东许多大型企业，充分利用自己的品牌和完善的营销网络等优势，用有限的资金通过兼并联合，实现低成本扩张。

资产重组特别是优化资本结构试点工作对促进全省国有资产的优化配置和经济结构调整起到了积极作用。一方面有助于加快优势企业的发展。优势企业抓住国家以优惠政策鼓励兼并的难得机遇，积极实施兼并发展战略，取得了良好的经济和社会效益。据统计，1997年全省兼并方企业实现利润49.37亿元，1998年实现利润

43.50亿元。另一方面是促进了劣势企业脱困。一些长期亏损的企业通过实施兼并、破产，迅速实现了扭亏为盈。汕头市1997年至1998年两年有16家企业依法破产，20家企业被兼并，6家企业减员增效，使全市国有企业整体脱困有了新的进展。

3. 继续深化国有企业改革的构想。

国有企业经过30年的不断改革，已经在很大程度上消除了计划经济体制下的弊端，使国有经济更加壮大，对国民经济的控制力进一步增强。但是，国有企业与社会主义市场经济供给制的要求还不能完全相适应，从企业内部管理到国有资产的管理以及整个国有经济的布局都还不少问题，因此需要继续深化改革。

一是要进一步完善公司治理结构和国有资产管理体制。要规范股东会、董事会、监事会和经理层的职责，真正做到各负其责、有效制衡。要改变目前国有及国有控股公司的监事会形同虚设的状况，强化监事会的各项监督管理职能，并通过增加外部董事改善董事会结构。应改变国有股一股独大的股权结构，积极推进国有企业产权主体的多元化、分散化和明晰化，通过股票上市、相互参股、合资合作、收购兼并和资产重组等多种方式吸引外资、私营、集体企业以及企业内部职工投资参股，把大多数国有企业改造为多元投资主体的有限责任公司或有限公司。国有资产是通过委托代理关系实现经营管理的，完善国有资产管理体制就是要加强对委托代理关系的责任约束，保证所有权能够充分地实现其控制力度，同时要给经营者一定的激励，保证国有资产的经营者的经营目标与所有者一致，防止损害所有者权益的现象发生。

二是要进一步改善国有企业的规模与组织结构。应改变广东目前的国有企业“大企业不大，小企业不少”的规模结构，集中力量发展一批大型骨干企业和大型企业集团，并依托这些优势企业对国有经济进行调整和重组。广东过去在实施大集团战略中，力量分散，行政色彩较浓，不利于国有经济的发展。应改变各地层层“抓大”的做法，集中力量，打破条块分割，通过国有资产经营公司和控股公司来推动大企业集团的发展。企业之间的兼并、联合应

以优势企业为核心，由企业根据需要自主决定，通过市场原则促使国有资本向优势企业集中。要以资本为纽带，理顺集团核心企业与子公司的产权关系，合理界定母子公司的功能，建立规范的母子公司制，增强集团的竞争力。按照市场规律培育一批实力雄厚的跨地区、跨行业、跨所有制的大企业集团。

三是要进一步优化国有企业的布局，改变广东国有资产分布过宽、力量分散的状况。通过国有资产的战略性调整，从一般轻工业、商贸和传统服务业中退出来，把有限的国有资产配置到对广东产业结构优化升级起带动作用的重点行业和企业中去，更好地发挥国有经济对国民经济发展的主导作用。同时要打破国有企业在能源、交通、通信等基础设施和公共服务领域的垄断，营造各种所有制平等竞争，共同发展的良好环境。

（四）分配制度改革

收入分配制度改革是整个经济体制改革的重要组成部分，也是建立社会主义市场经济体制的重要环节。广东收入分配制度改革从打破平均主义的“大锅饭”，恢复计件工资和实行奖金制度开始起步，坚持以按劳分配为主、多种分配方式并存和效率优先、兼顾公平的原则，不断深化以工资制度改革为重点的收入分配制度改革，逐步建立起一整套与社会主义市场经济相适应的收入分配制度。

1. 推进企业收入分配制度改革。

企业收入分配制度改革是城市改革最早涉及的领域。一开始主要是针对高度集中统一的工资管理体制的弊端，依据按劳分配的社会主义原则，打破分配上的平均主义“大锅饭”，扩大企业收入分配自主权。各地从恢复计件工资制和实行奖励工资制等一些行之有效的做法起步，逐步探索解决工资分配中多年来积累下来的问题，采取措施分期分批调整职工工资。广东按照国务院的统一部署，于1979年开始在全省各地全面推行了经常性生产（工作）奖、临时一次性奖、原材料节约奖以及国家规定的技改奖、发明奖、产品质量奖和综合超额奖等奖励制度。一些具备条件的企业（工种）实

行了计件工资。恢复了计件和奖励工资制度，增加了工资分配的弹性，激活了企业内部分配。广东在企业收入分配改革方面的思路是：改革现行不合理的工资制度，逐步消除工资分配中的平均主义积弊，实行企业与国家机关事业单位工资制度脱钩。企业职工工资依靠本企业经济效益的提高，国家不再统一安排企业工资改革与调整。企业内部工资分配，由企业根据实际情况自行确定。逐步实行工效挂钩办法，建立工资总量决定机制。在此基础上，广东按照建立社会主义市场经济体制的要求，积极推进企业工资分配制度改革：一是实行工效挂钩办法；二是实行工资总额包干；三是制定国有企业参考工资标准；四是实行岗位技能工资制；五是逐步落实企业分配自主权；六是实行经营者年薪制；七是多种生产要素参与分配。

广东经过了30年的收入分配制度改革，从根本上消除了计划经济体制下的弊端，初步建立了按照市场经济体制要求的分配制度，从而调动了广大劳动者的工作积极性。但是，广东的分配制度改革还不算很成功，老百姓的意见还比较多，较突出的问题与全国性的问题基本一致，主要是收入差距过大，垄断性行业职工的工资过高，而农民工工资又过低。工资形成机制与决定机制都还远未适应市场经济经济体制的要求，劳资双方的工资谈判制度尚未完善，劳动者对工资的议价能力低。

2．积极推进国家机关事业单位工资制度改革。

广东从1985年7月1日起，按照中共中央、国务院发布的《关于国家机关和事业单位工作人员工资制度改革问题的通知》要求，在国家机关和事业单位工作人员中实行新的工资制度。国家机关行政人员和专业技术人员实行以职务工资为主要内容的结构工资制，按照工资的不同职能，分为基础工资、职务工资、工龄津贴和奖励工资等4个组成部分。国家机关人员均按现在担任的实际职务确定职务工资；职务变动时，按新职务领取职务工资。同时建立正常的晋级增资制度，每年根据国民经济的完成情况，适当安排国家机关、事业单位工作人员增加工资。从而废除了新中国成立以来一

直沿用的等级工资制；把国家机关单位的工资制度与企业的工资制度分离开来；着手解决国家机关单位中普遍存在职级不符、劳酬脱节等矛盾。进入 90 年代后，广东按照国家的统一部署，以加快建立和完善与公务员制度相适应的公务员工资制度，作为机关单位工作人员工资制度改革的重点。

广东在开展机关工作人员工资制度改革的同时，按照体现按劳分配原则、形成竞争和激励机制、符合不同事业单位特点的要求，对事业单位工资制度进行了改革，建立符合事业单位特点的工资制度。

一是实行分类管理办法。对经费来源不同的事业单位，采取不同的管理办法：对全额拨款单位，执行国家统一的工资制度和工资标准，在工资构成中，固定部分占 70%，活动部分占 30%；在核定人员编制的基础上，可以实行工资总额包干，增人不增工资，减人不减工资，单位可以自主安排使用节余的工资。对差额拨款单位，也执行国家统一的工资制度和工资标准，但在工资构成中，固定部分占 60%，活动部分占 40%；并根据本单位经费自筹的程度，按照国家有关规定，实行工资总额包干和其他管理办法，逐步减少财政拨款，实现经费的自收自支。对自收自支单位，基本实行企业化管理和企业工资制度，企业自主经营，自负盈亏，自主决定工资分配形式和水平。

二是实行不同类型的工资制度。根据事业单位不同工作岗位的特点，实行不同类型的工资制度：其中专业技术人员工资在工资构成上，分为专业技术职务工资和津贴两个部分。由于各个事业单位工作性质和特点差异较大，专业技术人员的工资制度又有 5 种形式，即专业技术职务等级工资制、专业技术职务岗位工资制、艺术结构工资制、体育津贴和奖金制、行员等级工资制。管理人员工资一般是在建立职员职务序列的基础上，实行职员职务等级工资。职员职务等级工资在工资构成上，主要分为职务工资和岗位目标管理津贴两个部分。其中职务工资根据管理人员工作能力的高低和所负责任的大小来确定，是工资构成中的固定部分。岗位目标管理津贴

则视管理人员工作责任的大小和完成岗位目标的情况发放，在工资构成中属于活动部分。工人工资制度分为技术工人和普通工人两类。其中，技术工人实行技术等级工资制，普通工人实行等级工资制。在工资构成上，前者分为技术等级工资和岗位津贴两个部分，后者分为等级工资和津贴两个部分。此外是建立正常的增资机制和健全奖励制度。对有突出贡献的专家、学者和科技人员，实行政府特殊津贴。

3. 不断完善收入分配的调控措施。

收入分配的调控始终是改革的重要内容。随着收入分配自主权的逐步下移，广东不断探索收入分配的调控方式。在改革开放初期，主要是通过开征工资调节税和加强工资基金管理进行调控。进入90年代，广东进一步探索以多种方式加强对收入分配的调控，努力建立与市场经济发展相适应的收入分配调控机制，调节过高收入，保障最低收入，以促进社会的稳定发展。

（1）加强和改善工资总额的管理。

广东把加强和改善对企业工资总额的管理，作为加强收入分配宏观调控的重要手段，坚持按劳分配的原则，坚持宏观管好，微观搞活的原则，探索工资总额的调控机制。1995年，广东实行工资总额使用计划审批制度。所有企业的工资总额使用计划一律纳入工资总额宏观调控管理范围，企、事业单位以各种名目发给职工个人的钱物、有价证券，一律纳入工资总额管理。企、事业单位只能在一家银行开设一个基本账户，一切工资性的现金支出只能通过该账户支取。各企业单位支取工资，必须凭同级劳动部门核发的“工资总额使用手册”到开户银行支取，银行要按手册监督各企业单位的工资性现金支付，对手册核定计划以外的，一律拒付。在经济体制转轨时期，采取上述过渡性措施，对防止收入分配的高低悬殊可起到积极作用。

（2）实行工资控制线与工资指导线。

在改革开放过程中，一些国有企业特别是一些垄断性国有企业的工资发放不规范，工资增长过快，工资水平偏高，拉大了行业、

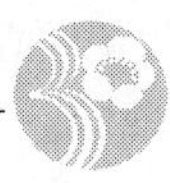

企业之间收入分配的不合理差距，分配不公现象加剧。从1996年起，广东按照国家提出对部分行业、企业实行工资控制线的办法，对电力、金融、证券、航空、煤气和自来水供应等，上年度职工平均工资达到当地企业职工平均工资200%以上（含200%）的行业和企业，实施工资控制线办法，规定这些行业、企业当年职工平均工资增长速度，要低于当地企业职工平均工资计划增长速度。

（3）公布劳动力市场指导价位。

为了给用人单位和求职者在劳动力市场上进行双向选择提供一个比较客观公正的参照标准，广东按照劳动部的统一部署，从1999年开始在广州、深圳等地试行劳动力市场指导价位公布制度。劳动力市场指导价位公布制度由劳动保障部门按照国家的统一规范和要求，定期对不同职业（工种）的工资水平进行调查、分析、汇总、加工，形成各类职业（工种）的工资指导价位，并向社会公布，以指导企业合理确定职工工资水平和工资关系，调节劳动力市场价格。

（4）规范工资支付。

按照《劳动法》和劳动部有关工资支付的规定，广东劳动和社会保障部门积极采取措施，规范用人单位的工资支付行为，切实保障劳动者的合法权益。要求企业以劳动合同的形式明确工资标准，严禁企业以实物和有价证券代替工资，并督促企业按时发放工资。坚决查处企业拖欠、克扣职工工资等各种违法行为。各地劳动监察机构把企业拖欠、克扣职工工资的问题作为劳动监察的重点。

（5）实行最低工资与下岗职工基本生活保障制度。

随着经济和社会的发展，保护劳动者及其家庭成员基本生活和劳动者的合法权益问题逐渐凸现出来。1994年8月，广东省人民政府颁发了《广东省企业职工最低工资规定》，明确规定用人单位支付给职工的工资，不得低于规定的最低工资。最低工资由各市劳动部门根据职工及其平均赡养人口的最低生活费用、本地区的平均工资水平、消费物价指数、社会保险标准和本地区的经济状况、劳动生产率水平以及就业状况等因素确定。

为了保障下岗职工的基本生活，广东认真贯彻党中央和国务院的有关文件精神，在全省有下岗职工的国有企业中建立再就业服务中心，并根据广东实际建立起下岗职工基本生活保障与再就业制度，按照“先分流，后下岗；少进中心，快出中心；分类指导，确保基本生活”的工作方针，指导企业在改革过程中，尽量安排职工分流；确实无法分流的，组织下岗职工进入再就业服务中心，发放基本生活费。下岗职工基本生活费按照低于当地最低工资标准、高于失业救济标准的原则确定。

此外，广东还通过全面推行社会保障制度和征收个人所得税等措施对个人收入分配进行宏观调控。

4. 收入分配制度改革的评价与深化改革的思路。

收入分配制度改革贯穿于改革开放的全过程，广东在改革中始终坚持社会主义市场经济的要求，贯彻以按劳分配为主体，多种分配形式并存的原则，积极倡导效率优先，兼顾公平，基本建立起与社会主义市场经济体制相适应、“市场机制调节、企业自主分配、职工民主参与、政府监控指导”的企事业工资分配制度和公务员工资制度。在初次分配中发挥市场机制的作用，在再分配中发挥政府的调控职能，令工资分配的激励、保障功能得以较好地发挥。通过落实企业分配自主权，实行工效挂钩、岗位技能工资等形式，改变了计划经济体制下，企业吃国家的“大锅饭”，职工吃企业“大锅饭”的平均主义弊端，使企业工资的增长与企业的经济效益的提高，职工个人的工资收入与其对企业的贡献紧密地结合进来，调动了企业和职工的积极性。并基本实现了多种生产要素参与分配的格局，令资本、土地、技术和管理等生产要素进入了分配领域，促进了生产要素配置的优化。同时，初步建立了收入分配的宏观体系框架，增强了政府对收入分配的调控职能。

但是，收入分配制度的改革还不算很成功，各种矛盾与问题不少。其中较突出的是：收入差距过大与平均主义倾向并存，分配不公的矛盾比较突出。过高收入未能有效调节，过低收入也没有得到很好保障，垄断性行业收入普遍过高，农民工工资收入太低。这种

状况也反映了政府对收入分配的调控不力，调控的手段不多，调控体系还不够完善。

根据党的十七大报告提出的“要坚持和完善按劳分配为主体、多种分配方式并存的分配制度，健全劳动、资本、技术、管理等生产要素按贡献参与分配的制度，初次分配和再分配都要处理好效率与公平的关系，再分配更加注重公平”的要求，要继续深化广东收入分配制度的改革。在企业工资收入分配方面，要强化自我约束与激励机制，加大力度推行工资集体协商制度。建立由职工或工会代表同企业经营者集体协商，决定工资分配水平和形式的利益制衡。政府要根据经济增长、物价水平和劳动力市场供求状况发布工资指导线和市场工资率，供协商双方参考，最后由资产所有者代表和职工代表共同商定本企业年度工资增长水平，确定新创造价值中各自的分配份额。企业工资水平的确定要体现党的十七大提出的“逐步提高居民收入在国民收入分配中的比重，提高劳动报酬在初次分配中的比重”的精神。对于国有企业的收入分配加强规范化管理，特别是要对企业经营者的收入分配加大力度进行有效监管。要进一步完善个人收入分配的宏观调控机制，加强政府对个人收入分配的间接调控，采取切实有效的措施“保护合法收入，调节过高收入，取缔非法收入”。要保障城乡居民的最低收入，着力提高低收入者收入，逐步提高扶贫标准和最低工资标准，建立企业职工工资正常增长机制和支付保障机制。

三、改革与完善宏观调控

放权搞活，从计划指令转向市场运行，并不等于政府可以无所作为。事实上，广东和全国一样，都曾经历过难以走出“一放就活，一活就乱，一乱就收，一收又死”这样一个怪圈的阶段。因此，广东在走向市场经济改革的过程中，始终坚持放管结合，围绕如何对市场的有效监管和完善政府对经济运行的调控问题不断地进行探索和改革。

（一）建立与市场经济相适应的宏观调控体制

1．建立和维护市场秩序。

市场秩序是维护市场公平竞争，保证市场正常运行的准则与行为规范，是社会主义市场经济发展的必备条件。市场秩序也是市场经济运行秩序的核心，只有建立良好的市场秩序，才能提高微观经济效益，保证整个国民经济的协调发展和实现宏观经济目标。改革开放以来，无论是商品市场还是要素市场，有违市场秩序的现象始终存在，假冒伪劣，以次充好，欺骗消费者的问题十分突出，侵犯知识产权、侵害劳动者利益，金融诈骗以及偷逃税款的现象时有发生。这说明市场本身出现的自发性、盲目性和无序性运行所带来的负面效应单靠本身市场的运行是不可能自动消除的，而必须加强政府对市场的监管。为此，广东各级政府和有关部门在建立和维护市场秩序方面不断进行实践与探索。

一是通过制定地方性法规，规范市场秩序。在构建市场经济体制过程中，广东省人大和省政府部门先后制定和颁布了一系列有关维护市场秩序的法规、条例。如市场商品质量方面有《广东省市场商品质量监督检验暂行规定》，在价格方面有《广东省物价管理暂行条例》、《广东省行政事业性收费暂行管理条例》，在工程招标方面有《广东省建设工程招标投标管理规定》等等。90年代后，广东还分别就农村社区合作经济承包管理、农村承包合同纠纷仲裁、公司破产、产品质量监督、财产拍卖、典当、企业集体合同管理、酒类专卖管理、食盐专卖管理、城镇国有土地使用权公开招标拍卖、建设工程造价管理、个体工商户和私营企业权益保护以及反不正当竞争、查处生产假冒伪劣商品违法行为等方面进行了立法，并出台了征地管理、土地使用权出让、房地产产权登记、开发经营、评估、转让，房屋租赁、拆迁、商品房预售管理、建筑市场管理、建设监理和牧业管理等一系列房地产市场管理的法规规章。深圳特区还就企业破产、企业清算、拍卖、典当、计量、旧机动车交易、企业技术秘密保护以及劳务市场、文化市场、金银市场、金属

材料市场等分别进行了立法。上述法规的颁布，对于建立和规范市场秩序，保护市场经济主体的合法权益起到了十分重要的作用。

二是通过各级行政管理部门加强监管，维护市场交易秩序。广东从市场的准入制度抓起，加强对企业资质和生产经营活动的监管。各地工商部门对各类企业换发了全国统一的营业执照，建立企业产品标准的制定和备案制度，对企业实行生产标准监控和产品质量抽检，对食品企业实行标签发证管理，并及时制止和查处企业违章生产经营的行为。在市场管理中，普遍开展了以“文明管理、优质服务”为中心的创建“文明市场”活动，制定了评比“信得过摊档”、“违章经营扣分”和“达标管理“等管理制度。各级行政部门还十分重视加强经济合同的管理，严厉打击利用合同进行诈骗的违法活动。为保证市场经济的顺利运行，广东公安、工商等部门联手严厉打击各种经济违法犯罪活动，坚决打击走私贩私、欺行霸市、强买强卖和出售假冒伪劣商品的违法行为。

三是充分发挥社会舆论和中介组织的作用，促进市场健康运行。广东的新闻媒体对维护市场秩序起到了重要的宣传舆论作用。利用报刊和广播电视，大力宣传诚实、守法经营的工商企业，而对那些利用不正当手段或欺诈行为损害国家利益，以及坑害消费者的企业则予以揭露，对他们形成舆论压力，对维护市场的良好秩序起重要作用。

各种中介组织和社会团体也是维护市场秩序的重要力量。会计师事务所、律师事务所、公证和仲裁机构、质量和计量检验机构、建设监理机构、资产评估和资信评估机构等中介组织发挥了社会经济和市场运行的监督职能。消费者协会、行业公会、个体劳动者协会等在行业自律及维护消费者利益和协调买卖双方的矛盾等方面都起着特殊的作用。

2. 改革计划调控方式。

我国的经济体制从计划经济转变为市场经济，但并不意味着不需要计划调控或管理，而是要转变计划管理的职能，从过去以指令性计划为中心的经济运行转变到以市场为中心，计划管理成为政府按市场规律要求调控经济运行的职能之一。改革开放30年来，广东对计划体制与计划调控方式进行了多方面的探索与改革。

一是从指令性计划转向指导性计划管理。广东前期改革的特点之一是向下放权，首先是把生产和经营的自主权还给企业。这种放权表现在计划管理上，就是缩小指令性计划的范围，减少向企业下达的指令性计划指标，变单一的指令性计划管理形式为指令性计划、指导性计划和不作计划任由企业根据市场自定计划三种管理形式同时并存。广东正是通过这样的放权改革，调动了地方和企业的积极性，从僵化的计划管理体制中解放出来，并发挥市场经济的作用，促进了全省经济的大发展。

二是从微观管理转向宏观管理。简政放权，减少对企业的直接干预，增加市、县各级的权力后，省计划管理的重点就由微观经济转到宏观经济上来，由此引起了计划工作内容和计划工作方式、方法的一系列转变。国民经济计划的内容由直接规定国营企业的产供销活动，转到以全社会的宏观经济活动的协调与平衡为主要内容上来；计划工作的重点由过去以年度产品量计划为主，分钱分物分指标批项目，转到以研究制定长远发展战略和中长期规划、计划和政策上来；计划管理的方法从过去单纯使用行政指令的方法，转到综合运用经济、行政、法律三种方法并以经济方法为主上来；计划机关的职能从过去作为生产企业的决策者，成天忙于发号施令的职能，转到为企业、为基层提供服务的职能上来。所有这些转变，对计划工作的要求不是降低了，而是提高了。计划的覆盖面扩大了，计划的不确定性增强了，对计划的科学性要求提高了，对计划工作人员的素质以及整个计划工作系统的效能要求严格了。

三是从单一计划管理转向运用产业政策和经济杠杆调控。减少对企业的直接干预，转变计划管理工作的职能，提高计划的科学性，目的是要更好地实施对宏观经济运行的调控。但是宏观经济调控的手段不能再依靠下达指令性计划到企业的办法，而必须转向依靠产业政策和经济杠杆，通过运用财政、税收、信贷等经济手段来影响市场信号，调节市场供求，进而引导社会资源配置和经济运行

按照国家的计划目标进行。这样，协调计划部门与财政、税务、银行等综合性经济杠杆应用部门的关系，使政府掌握的各种经济手段的运用与科学的计划相一致，就成为建立科学有效的政府宏观调控体系的重要一环。

在计划管理体制改革中，广东创造了在政府首长领导下定期召开经济协调会议的形式。这种形式既保留了各经济部门行使其职能的独立性，又及时沟通了各部门的联系，加强了各部门之间具体方针、政策的协调，取得了明显的成效。计划部门通过计划的编制提出国民经济和社会发展的目标；又通过监测计划的执行，及时发现经济、社会发展中出现的新情况新问题，提出宏观调控的对策和意见。这些计划方案和对策意见，通过政府首长的具体协调变成各部门的统一行动，形成对经济运行和社会发展的政府调控力量。政府调控决策的科学与否，取决于计划部门对经济发展规律的认识和对形势发展的正确判断；政府调控能力的大小取决于财政部门和政府金融部门所掌握的财力的大小；而政府调控的效率则取决于政府首长对各部门的有效协调。

3. 改革政府行政审批制度。

行政审批制度是在计划经济下，政府管理社会经济的基本手段和方式。传统行政审批制度不能适应市场经济的发展，市场机制的作用得不到充分发挥，影响了市场的正常发育；行政审批以行政干预代替市场调节，助长政府部门的特权意识和寻租行为，降低办事效率，滋生腐败现象。同时政府部门成天忙于审批事务，没有更多的精力想大局、抓大事，不利于宏观管理和宏观调控水平的提高。因而，政府审批制度不改革，既不利于市场主体的运作、市场机制的发挥、市场秩序的完善，也不利于政府的廉洁高效、依法行政和宏观管理水平的提高。因此，行政审批制度改革，成为转变政府职能、建立社会主义市场经济体制的一项十分重要的内容。

深圳经济特区较早进行行政审批制度改革。1997 年底，深圳市委、市政府决定，以改革市政府行政审批制度为突破口，推动深圳市行政管理体制改革上一个新台阶，并出台了《深圳市政府审批制度改革实施方案》。随后，广州、珠海、佛山等地也纷纷进行审批制度改革。1999年，广东省人民政府领导班子在“三讲”教育中，把改革行政审批制度作为“三讲”教育整改的一项重大措施来落实。

广东行政审批制度改革的基本思路，是按照建立社会主义市场经济体制的要求，充分发挥市场在资源配置中的基础性作用，理顺政府与市场、政府与企业、政府与社会的关系，促使政府职能的转变，推动政府部门依法行政，提高政府行政效率。

第一，根据社会主义市场经济条件下宏观调控和社会管理的需要，对少数关系到经济发展和社会安定团结的重大事项，继续留审批。主要包括：涉及国家安全、社会治安、外事等方面的重要事项；涉及土地资源、水资源、森林资源、海洋资源和文物资源等国家重要资源的开发利用项目；国家法律、法规明确规定关系到社会安定和人民生命财产安全的特种行业和项目；国家法律、法规明确规定的关系到国计民生的少数专营专卖项目；涉及省、市重大建设项目，财政支出项目和政府基金管理项目；涉及精神文明建设重大活动及重要建设项目等。

第二，根据建立社会主义市场经济体制的要求，凡是可以由市场机制调节的、可以由企业自主决定的、可以由中介机构管好的审批事项，原则上都必须取消。取消审批后，或进行核准、备案管理，或实行招标、拍卖制，或彻底放开，由市场调节。

第三，针对审批依据的不同，对审批事项进行依法调整。对依据国家法律、行政法规明确规定设立的审批事项，予以保留；对依据省人大制定的地方性法规、国家有关部门、省人民政府行政规章明确规定设立的审批事项，原则上予以保留，但对其中不合理或明显不适应社会经济发展需要的事项，按立法程序修改有关法规、规章，取消或调整审批方式；对依据国家有关部门及其内设机构、省（市）政府制定的规范性文件明确规定设立的审批事项，除确有必需保留的外，一律予以取消。

第四，理顺上下级政府之间、政府部门之间的审批事权。凡是

可以由下一级政府及其部门审批的事项，原则上予以下放，增强上一级政府的宏观管理职能；对多个部门审批的事项，原则上实行一个部门主审，其他部门参与审核的办法。

第五，改进审批方式，提高审批效率。对保留审批的事项，严格规定审批内容，明确审批条件，规范审批程序，减少审批环节，简化审批手续，明确审批时限，提高审批的透明度和效率。审批业务较重，特别是一些面向基层、面向企业、面向群众的部门，要求推行“窗口式办公”。

第六，建立审批监督机制，加强对审批行为的监督。每一审批事项都必须明确规定审批人员的审批责任，实行行政审批责任制和过错追究制；重大审批事项必须建立集体会审制度，杜绝个人越权审批；要充分发挥各部门内部监察机构和监察人员的作用，加强内部监督。

广东省各级政府经过审批制度改革，收效明显。

一是大大减少了政府审批事项。省人民政府部门原有审批核准事项 1972 项，改革后减少了 767 项，减幅达 39%，其中原有审批事项 1392 项，改革后减少了 876 项（部分改为核准制），减幅达 63%。通过改革，把一部分本应属于社会、企业、中介组织的职能交了出去，进一步发挥市场在配置资源中的基础性作用。二是进一步推动了政府职能的转变。通过审批制度改革，政府大幅度减少微观的审批事务，把企业生产经营和投资决策权交给企业，把社会可以自我调节与管理的职能交给社会中介组织，进一步理顺了政府与市场、政府与企业、政府与社会（中介组织）的关系，使政府部门从繁忙的审批事务中解脱出来，促使政府部门想大局、抓大事，加强宏观调控和宏观管理；通过改革，促使政府部门从习惯于传统体制下的审批经济向社会主义市场经济转变，从微观的、直接的、行政的管理方式向宏观的、间接的和以法律、经济为主要手段的管理方式转变。三是提高了政府办事效率。通过大幅度减少审批事项，明确审批内容、条件、程序、时限、责任等事项，理顺交叉审批和重复审批，实行“窗口式办公”制度等举措，大大提高了政府各部门的办事效率。四是提升了政府的形象。长期以来，广大市民和投资者对审批手续繁琐、政府机关办事人员态度差颇为不满。通过改革审批制度，实现政务公开，依法审批，大大改进了机关工作作风，提高了机关办事效率；通过改革，还从制度上制约了政府部门腐败行为，推动政府勤政廉政建设，提升了政府机关的形象。

（二）改革与完善财税调控体制

财税是市场经济条件下最主要的宏观调控工具。广东的财税改革一直是力度较大的改革，从实行财政大包干，打破财政“大锅饭”，到实行分税制，规范财政收支，再逐步走向公共财政，逐步建立起与社会主义市场经济发展要求相适应的财政管理体制和财政运行机制。

1. 80 年代广东财政调控的制度创新。

广东体制改革是从财政大包干起步，广东财政的改革措施对广东的改革开放和经济发展起着至关重要的作用。在 80 年代，广东利用中央给予的特殊政策大胆地进行了财政调控的制度创新，成效显著。

一是负债经营的投资方式。由于广东地处国防“前线”，在计划经济时期国家投入的建设项目很少，广东的基础设施十分落后。在大包干体制下，单靠当地政府的财力是远远不能满足需要的。因此，广东采取了多元的集资方式，除安排好预算内投资以外，财政积极发展信用投资，多方筹集建设资金。1979—1988 年，广东固定资产投资总额 1253 亿元，主要靠广东自筹资金。10 年间广东修建公路桥梁 1195 座，共投资 30 亿元，其中中央投资仅占 6%。广东的基础设施大部分要靠负债经营。在这期间，广东创造了“以路养路”、“以桥养桥”、“以电养电” 的资金筹集方式，成功地走出了一条负债经营的路子。二是扶持性减税政策。为尽快改变广东企业设备陈旧、技术落后的状况，鼓励企业上技改项目，广东实行了扶持性减税政策，就是在中央授予的税收权限范围内，对从事开发性生产，进行设备更新、技术改造等项目，按规定纳税有困难的

国营、集体企业，经申请批准，可给予扶持性减征产品税或增值税照顾。扶持性减税政策调动了企业的积极性，发展了生产，培育了税源，从而也促进了财政收入的增长。三是“放水养鱼”的政策。广东在运用财政调控经济的过程中，采取了“放水养鱼”的思路，先让企业有足够的资金活起来，再从上缴的利润中得到更多的财政收入。在折旧方面，从1982年起，国营工交企业的基本折旧基金全部留给企业和地方使用，从而 增强了企业的自我改造能力。在国有资产管理方面，从1979年起，国营企业的固定资产实行有偿调拨，所得价款一般都留给企业用于固定资产更新，这使得企业乐意把闲置或多余的设备调出去。在成本管理方面，允许企业提取的燃料和材料奖在成本中列支，支持企业增收节支。

2. 90年代以来广东财政调控的主要措施。

一是建立“水涨船高”的财政运行机制。为规范和完善财政管理体制，理顺省与市县的财政分配关系，保证市县的既得财力和经济发展的积极性，增强省级宏观调控，1994年起广东省人民政府出台并实施了《广东省分税制管理体制实施方案》，明确划分省与市县政府的事权和财政支出，以及财政收入范围，逐步建立起一个经济发展与财政收入同步增长、全省财政收入增长与省市县各级财政收入相应增长的“分税分成，水涨船高”新分配机制，促进了全省经济持续、稳定、健康的发展，保证了财政收入的平稳增长。二是调整财政支出结构。向公共财政转移是建立社会主义市场经济体制的必然要求。随着市场机制在资源配置中的基础性作用日益增强，财政资金的使用应转移到满足政府履行职能和社会公共需要上来，突出财政的公共性特征。凡是可由市场机制调节的领域，财政要逐步退出；只有市场调节“失灵”的领域，财政才积极介入。适应这一要求，90年代广东省财政支出结构发生了重大的变化。90年代初期，全省各级财政部门认真贯彻中央适应从紧的财政政策，强化预算约束，财政支出主要用于行政事业经费、农业投入、企业技术改造和企业解困资金方面；党的十五大后，广东省财政加大了支出结构调整的力度，加快了向公共财政转移的步伐，逐

步压减了一般竞争性领域和经营性方面的支出，向公共财政过渡。三是改革预算制度，积极推行政府采购和集中支付方式。改革预算编制办法，将部分财政支出细化到部门和项目，便于人大履行预算审批监督职能；改进财政支出核定办法，除行政事业单位人员经费和公用经费实行定员定额管理外，其他各项经费安排和生产建设性支出实行逐年核定，便于履行对财政支出的控制和监管。为加强财政支出管理，减少行政干预，提高资金使用效益，从1998年开始，广东省积极开展政府采购试点工作。到1999年，全省已有省级和12个市对政府所需货物和服务实行了政府招标采购办法。四是推进预算外资金管理方式改革。为了进一步加强对预算外资金管理，对行政事业性收费和罚没收入逐步实行“收支两条线”管理。行政事业性收费、政府性基金和罚没收入委托银行代收，并加强对行政事业性收费和罚没收入缴入国库专户的管理。全省各级财政部门都按级设立了统一的财政专户，形成了预算内有金库、预算外有专户的格局。

2000年以后，广东财政改革主要从不断深化部门预算改革、深化“收支两条线”管理、积极稳妥推进国库集中支付等多项改革创新，不仅在依法理财、民主理财方面不断前进，也为政府工作走向规范化、制度化打下坚实的基础。近年来，广东各级财政部门落实“收支两条线”管理规定，先是对行政事业性收费和罚没项目进行了清理，全省地级以上市都实行了委托银行代收、缴罚分离、票款分离的制度。自2003年起，省级和地级市的行政单位各项收费和罚没收入与部门支出脱钩，深化“收支两条线”管理，从源头上堵塞滥设收费、“搭车”收费、乱开支的漏洞，实现了纠正行业不正之风的制度化管理。

国库集中支付改革是广东省公共财政支出改革的一项重要内容，其方法是财政性资金支出通过国库单一账户体系直接支付到商品和劳务供应者或用款单位。通过实行这项改革，不但有利于解决预算透明度不高、财政资金使用效率低等问题，而且强化了预算约束，加强了财政资金运行的全过程监管。广东省国库集中支付改革

还进一步完善了运行机制，包括建立了省、市、县三级国库管理机构和国库支付执行机构，建立了系统规范的改革实施方案和操作办法，初步建立起新型的国库单一账户体系，建立了国库管理网络信息系统，建立了多环节、各方面的监督制约机制。

3. 改革税收体制，增强税收调控功能。

税收是政府实施宏观调控，促进经济发展的重要手段。改革开放以来，税收体制改革不断深化，逐步改革中央集权的税制，实行以财政包干为主要内容的税制。1994 年开始进行的以分税制为主要内容的税制改革及其后采取的若干调整和完善措施，依照“统一税法、公平税负、简化税制、合理分权”原则的要求，逐步建立起与社会主义市场经济相适应的新的税制框架。

通过税收体制改革，广东率先在全国初步建立起与社会主义市场经济相适应的现代化地方税收征管体系，保证了广东地方税收持续快速增长。在此基础上，广东省人民政府积极运用税收手段扩大内需、支持国有企业改革和高新技术产业的发展，促进广东省产业结构的优化升级和经济的持续快速增长，税收的宏观调控作用得到充分发挥。

一是支持国有企业改革。在国有企业转制过程中，不少生产经营困难的国有企业尤其是国有中小企业，普遍遇到沉重债务、下岗职工安置等包袱问题，如果缺乏政府的支持，改革将难以深入，给企业发展和社会稳定造成严重影响。为此，根据中央有关文件精神并结合省实际情况，广东制定了一系列税收政策，利用税收手段支持国企改革和发展。如对由政策性原因造成的国有小企业应在改制前处理的各种亏损挂账，可冲销原企业的公积金和资本金；确需由改制企业承担的，可作新企业当年新发生的亏损，在以后 5 年内用税前利润弥补；对当年安置国有企业下岗职工人数超过企业从业人员 60% 的劳动就业服务企业和私营企业，一次性减免企业所得税 3 年；免税期满后，当年新安置下岗职工人数占企业原从业人数 30% 以上的，减半征收所得税两年。二是支持住房制度改革。为加快住房资金周转，促进积压空置商品房的销售，对企业和行政事业单位按成本价、标准价出售的住房，减免营业税、土地增值税，以减轻个人买卖普通住宅的税收负担；同时，为促进住房租赁市场的发展，对个人按市场价格出租的居民住房应缴纳的营业税暂减按3%税率征收，房产税暂减按4%的税率征收。三是支持企业技术改造和技术创新。对企业以自有资金或银行贷款用于国家鼓励、符合产业政策的技术改造项目的国产设备投资，从1999年7月1日起实行按40%比例抵免企业所得税的政策；从1999年起减半征收固定资产投资方向调节税，2000年起暂停征收。对单位和个人从事技术转让、技术开发业务和与之相关的技术咨询、技术服务业务取得的收入，免征营业税。

经过30年的不断改革，广东已基本形成了与经济社会发展相适应的财税体制。近年来，广东财税部门内部也进行了大胆的改革与创新，提高了财税管理水平。在部门预算改革方面，初步建立了科学规范的政府收支分类体系，为实现部门预算“公正、公开、透明”创造了条件。并加强了信息化建设，利用政务内网传送数据，加强项目库管理。在政府采购制度改革方面，坚决贯彻执行《政府采购法》，促进政府采购工作法制化、规范化。但随着经济和社会的不断发展，特别是按照城乡统筹和落实科学发展观的要求，广东的财税体制还很不完善。应根据党的十七大报告提出的“围绕推进基本公共服务均等化和主体功能区建设，完善公共财政体系”的要求，继续深化财税供给制改革，要构建既能与国家财税体制相衔接，又能适应广东经济社会发展需要的财税体制。

（三）建立和完善社会保障制度

社会保障是为稳定社会，支撑市场经济体制和保障国民经济正常运行的一种制度安排。在计划经济体制下的保障模式是职工的生、老、病、死、伤、残等都由企业统包起来。这种保障模式的弊端主要表现在：资金来源单一，缺乏社会调剂能力，造成企业负担畸轻畸重；实施范围窄，社会化程度低，管理体制混乱，政出多门，权责不清。1983年5月，广东省试行合同制职工社会养老保

险制度，迈出了社会保障制度改革的第一步。此后，广东陆续推出了一系列的社会保障改革项目，从而逐步建立起与社会主义市场经济相适应的社会保障制度。

1. 养老保险制度改革。

广东省社会养老保险已由计划经济时期的企业统包模式改为实行社会统筹和个人账户相结合的基金筹集模式，形成社会保障与自我保障的有机结合机制。同时将养老保险待遇与被保险人的缴费工资和缴费年限挂钩，在享受养老待遇的权利与缴纳保险费的义务之间建立了相对应的约束机制。规定养老待遇与经济发展和社会生活水平提高相适应，同社会平均工资的增长水平挂钩浮动，解决通货膨胀对离退休人员生活的影响，使离退休人员分享社会发展成果。

养老保险基金的筹集是按照“以支定收，略有节余，留有部分积累”的原则，规定养老保险费用由国家、单位和职工三方负担，职工个人按本人上年度月平均工资的一定比例缴纳养老保险费，缴费比例由省人民政府根据职工工资收入水平和个人账户积累情况决定。到2000年底，广东全省已有1082.55万多被保险人建立起养老个人账户，率先在一个省的范围内实行个人账户与社会统筹相结合的新制度。这对转变社会保险机制，迎接社会老龄化的挑战，具有深远的战略意义。

在养老保险待遇给付方面，按规定职工享受按月领取的养老金，必须具备退休年龄和缴费年限两方面条件。广东省法定基本养老金实行结构养老金制度。养老金由基础养老金和个人账户养老金两部分组成，养老金每年7月进行调整。

实行结构式养老金制度既体现了公平原则，有利于保护竞争能力弱的劳动者，又体现了效率原则，在享受待遇的权利与履行缴费的义务之间建立了相对应的利益激励机制。同时，养老金随职工平均工资的增长相应增长，改变了过去养老待遇“一次定终身”的固化状态和追加补贴的随意性、随机性，形成了法定基本养老待遇随经济发展有规律地变动的正常调整机制，体现了退休人员分享社会发展成果的原则。

广东养老保险制度改革一直走在全国的前面，近年来，珠江三角洲的一些城市还建立了农民养老保险制度，但总的来看，广东养老保险制度仍处于城乡分割的状态。按照党的十七大报告的要求，广东养老保险制度还需要进一步深化改革。一是要建立覆盖城乡居民、体制机制统一，有差别，可衔接的城乡养老保险体系。从长远的发展目标来看，我国的基本养老保险制度统账结合模式可以向普惠式的国民养老金制度与差别性职业养老保险制度双层结构发展。二是要尽快解决目前养老保险制度统账结合模式中部分个人“空账”运转的问题。这个问题主要是新、旧制度转型中因中老年职工养老金的历史欠账造成的。对历史欠账要进行核查，查清中老年职工养老金历史欠账需要补偿多少才能完成制度的转型，并通过多种途径进行补偿。三是要进一步强化社会化服务，提高老年人的生活质量。要建立健全社区服务网络，大力发展各种社会团体，尽可能满足老年人的生活需求。

2. 基本医疗保险制度。

在计划体制下，城镇实行的是公费医疗和劳保医疗，整个医疗保障制度依托于单位。从80年代中期起，广东开始探索医疗保险制度改革，提出了实行个人账户与社会统筹相结合的改革模式，拟定了“小病放开，大病统筹”和“设立个人医疗账户”两种改革试点方案，并积极开展医疗保险制度改革试点工作。从1991年起，先后在东莞、深圳、佛山、顺德等市进行了医疗保险改革试点。1999年4月，广东省按照全国统一规定出台了城镇职工基本医疗保险制度改革方案，实行社会统筹和个人账户相结合的方式，保险费由用人单位和职工双方共同合理负担。

对于特殊人群的医疗待遇作出了明确规定。离休人员、老红军二等乙级以上革命伤残军人的医疗待遇仍按原资金渠道解决，不足部分由同级政府帮助解决。退休人员参加基本医疗保险，个人不缴纳基本医疗保险费，对退休人员个人账户的计入金额和个人负担医疗费的比例给予适当照顾。国家公务员参加基本医疗保险时，享受公务员医疗补助政策。

2002年10月，中共中央、国务院作出了《关于进一步加强农村卫生工作的决定》，明确提出要建立和完善新型农村合作医疗制度和农村医疗救助制度，要求各地先行试点，总结经验，逐步推广。广东按照国家的规定，从2003年起建立了由中央财政、地方财政和个人共同出资的新型农村合作医疗制度，并逐步提高财政补助的比重。

广东基本医疗保险制度改革大体上是与全国同步进行，目前已取得一些成效，但存在的问题还比较多，城乡之间、地区之间和部门之间都有很大不同。按照党的十七大报告提出的要全面推进城镇职工基本医疗保险、城镇居民基本医疗保险和新型农村合作医疗制度建设的要求，广东基本医疗保险制度必须进一步深化，努力建立城乡统一的、覆盖全体居民的、多层次的、社会化的医疗保障体系。

3．失业、工伤和生育保险制度。

失业是改革开放以后出现的新问题，特别是随着国有企业的深化改革，大量的富余职工走向社会。因此，需要为下岗失业的职工提供相应的社会保障。

为妥善解决国有企业下岗职工的基本生活保障和再就业问题，广东各级政府采取了一系列措施。建立统一管理的、规范的再就业服务中心。将正常下岗的国有企业职工转到再就业服务中心，并将各地再就业服务中心有机地联系起来，形成一个网络。既通过再就业服务中心解决下岗职工的基本生活问题，又通过再就业服务网络广泛地收集各行各业招用工信息，对下岗人员进行适销对路的职业技术培训，提供再就业服务，积极转变下岗职工的就业观念，鼓励其自谋出路，兴办个体工商业，并予以政策优抚，同时还广开就业门路，尽快使下岗职工再就业。

广东在80年代中期就已建立失业保险制度。根据《广东省失业保险规定》及其后通过的修改决定，广东省的失业保险覆盖范围较广。目前，广东省行政区域内所有企业、事业单位及其职工、社会团体及其专职人员、民办非企业单位及其职工、有雇工的城镇

个体工商户及其雇工以及国家机关中建立劳动合同关系的人员，均有义务依照广东省失业保险规定缴纳失业保险费，其失业人员可以享受失业保险待遇。这一制度让占城镇职工70%以上且失业风险较大的非国有企业职工与国有企业职工一样，能享受同等的失业保险权利。失业保险基金的开支项目包括：失业保险金；失业保险期间的医疗费、生育补助金、丧葬费、被保险人供养的直系亲属抚恤金、救济费；失业保险管理费；促进再就业费用；经省人民政府批准，为解决失业职工生活困难确需支付的其他费用。

工伤保险则是一个老险种。我国的工伤保险是以1951年政务院颁布的《中华人民共和国劳动保险条例》为依据建立起来的，但现行的工伤保险则是从80年代中期开始进行改革而逐步建立和完善起来的。目前，广东对全省所有企业、事业单位、国家机关、社会团体、城镇个体经济组织及其所属全部员工实行统一的工伤保险制度。工伤保险实行差别费率与浮动费率相结合的机制。工伤保险费由单位承担，个人不缴纳。工伤保险待遇包括医疗费、护理费、康复器具费、一次性工伤辞退费、一次性残疾补偿金、残疾退休金、丧葬费、遗属抚恤金、供养直系亲属和配偶生活补助费等。

广东省城镇女职工生育保险制度仍在进行试点。根据原劳动部颁布的《企业职工生育保险试行办法》规定：生育保险费用实行社会统筹，根据“以支定收，收支基本平衡”的原则筹集资金，由企业缴纳生育保险费，不超过企业工资总额的1%，职工个人不缴纳生育保险费。女职工生育保险的开展，对维护和保障女工的基本权益，促进妇女就业具有积极意义。

广东随着城镇居民基本医疗保险试点的开展，更为广阔的人群纳入了社会保险覆盖范围。广东的社会保险体系正逐步实现由保障城市为主向城乡统筹转变，由保障职工为主向覆盖城乡居民转变。截至2007年底，全省参加基本养老保险2227万人、医疗保险2022万人、失业保险1308万人、工伤保险2114万人、生育保险659万人，全省五大险种参保共达8330万人次。根据国家劳动和社会保障部的部署，广东社会保障部门将根据城镇居民医疗保险和农村社

会保险业务开展的要求，补充修订原有的业务管理规程，完善养老保险关系转移操作办法、个人账户管理办法，制定全省视同缴费账户建账操作规则、全省异地转诊管理办法，为实现省级统筹打好管理制度的基础。

第四章
依法治省

广东是国内最先提出并确立依法治省方略的省份。早在1993年5月中共广东省第七次代表大会上，省委书记谢非在代表中共广东省委所作的《为广东20年基本实现现代化而奋斗》的报告中，就正式提出，要“发展市场经济，保持社会稳定、秩序良好”，就必须“高度重视并认真推进政治体制改革，建设民主政治，实行以法治省”。1996年8月，在总结试点城市深圳依法治市经验的基础上，中共广东省委作出了《关于进一步加强依法治省工作的决定》。同年9月，省八届人大常委会第二十四次会议通过《关于在依法治省工作中充分发挥地方各级人大常委会作用的决议》。10月，省委成立依法治省工作领导小组，并把领导小组办公室设在省人大常委会。自此，广东的依法治省工作全面展开，所创造的法治建设的“广东经验”不仅极大地丰富了地方民主法治建设的实践，而且对全国范围内的法治建设起到了很好的示范和推动作用。

一、地方立法的实践与探索

（一）广东地方立法的发展历程

1978年12月，党的十一届三中全会召开。全会总结建国以来

的经验教训，提出必须“发展社会主义民主，加强社会主义法制”，强调“应当把立法工作摆到全国人民代表大会及其常务委员会的重要议程上来”。1979 年 7 月，五届全国人大二次会议通过重新修订的《中华人民共和国地方各级人民代表大会和地方各级人民政府组织法》（以下简称《地方组织法》），对我国立法体制进行了重大改革，规定县级以上地方各级人民代表大会设立常务委员会，赋予省、自治区、直辖市人大及其常委会制定地方性法规的权限。1982 年、1986 年两次修改的《地方组织法》进一步规定，省、自治区的人民政府所在地的市和经国务院批准的较大的市的人民代表大会，根据本市的具体情况和实际需要，在不同宪法、法律、行政法规和本省、自治区的地方性法规相抵触的前提下，可以制定地方性法规，报省、自治区的人民代表大会常务委员会批准后施行。1981 年、1992 年和 1996 年，全国人大及其常委会通过专门决议，先后授权广东省及深圳、汕头、珠海等市人大及其常委会根据具体情况和实际需要制定所属经济特区的各项单行经济法规。广东省地方立法的探索之路大致可以分为四个阶段①。

1. 初步探索阶段（1979 年 12 月—1984 年 10 月）。

这一时期，广东省人大及其常委会从本省的实际情况出发，初步探索地方立法的道路和发展方向。一方面，为适应刚刚起步的改革开放的需要，根据中共广东省委提出的“尽快制定一些必要的经济法令、条例和规章制度。除应由中央统一制定颁布的以外，属于地方职权范围内的，我们要抓紧制订并颁布实行”② 的意见，省人大及其常委会尝试把中央赋予的在经济体制改革和对外开放中的特殊政策和灵活措施用地方性经济法规形式固定下来，在没有先例可循的情况下，先后制定了《广东省经济特区条例》、《广东省经

① 关于阶段划分的根据和每阶段的特点，参见李焕新、杨建广：《依法治省与广东地方性立法的实践与探索》，《跨世纪的法治系统工程》，广东人民出版社 2000 年版，第 130～138 页。

② 参见《中共广东省委关于发挥广东优越条件，扩大对外贸易，加快经济发展的报告》，1979 年 6 月 6 日。

济特区企业登记管理暂行规定》、《深圳经济特区土地管理暂行规定》等一系列法规。由于试办经济特区是广东实行特殊政策的重要内容，因此这一时期的广东对经济特区立法相当重视，并把建立和完善外商投资法律环境作为中心任务。在这一时期制定颁布的21件地方性法规中，关于经济特区方面的立法就有8件，占立法总数的38%。另一方面，因应社会管理的需要和当时的治安形势，省人大及其常委会先后制定了关于计划生育、物价管理、城市建设管理、河道堤防管理以及处理偷渡外逃、禁止贩毒吸毒、取缔嫖宿卖淫活动、禁止赌博等有关法规。自此，广东省开始了艰难而大胆的先行立法的探索之路。

2. 初步发展阶段（1984年10月—1992年）。

1984年10月《中共中央关于经济体制改革的决定》公布后，广东的改革开放进入全面展开阶段。在新的形势下，在中共广东省第六次代表大会上，省委书记林若对地方立法工作提出了更高的要求，"要把我省经过实践检验切实可行的政策，经过立法程序，形成地方法规"。"当前特别要注重地方经济立法，使之尽快配套、完善。没有经济立法，就不可能有商品经济的大发展"。这一时期，广东大胆探索地方立法新领域，并针对改革中出现的新情况、新问题，在当时国家尚未制定法律的情况下，改革地方立法模式，规范立法程序，开展先行性立法，不仅为全国制定法律、法规摸索了经验，为其他省市的同类立法提供了范例，而且也为随后广东地方立法的快速发展创造了条件。这期间广东地方立法出现了第一个高潮。

3. 全速推进阶段（1993—1999年）。

1993年，广东迎来了地方立法史上的一个重要时刻。当年3月，时任全国人大常委会委员长的乔石在八届全国人大一次会议期间，对广东省代表团提出了加快立法的要求。同年4月，乔石在视察广东时又提出，"在市场经济体制建立过程中，广东可以成为立法工作试验田，先行一步"。按照乔石委员长的要求，根据社会发展的需要，广东全速推进立法工作。这一阶段，广东省人大及其常

委会每年制定、批准的法规均超过 25 项，平均每年立法 30 项以上。

表 4－1　1993—1999 年广东省人大常委会制定、批准的法规

年份	1993	1994	1995	1996	1997	1998	1999
制定、批准数（件）	31	35	26	33	31	30	35

这一时期，立法的重点仍然放在对经济关系的调整和规范上。1993 年制定和批准的 31 件地方性法规中，经济法规 17 件，占 54.8%；1995 年制定和批准的 26 件地方性法规中，经济法规 15 件，占 57.7%。在注重经济立法的同时，也抓紧社会、文化等方面的立法。例如针对外来人员管理而制定的《广东省出租屋暂住人员治安管理规定》，为治理珠三角一带赌博不良风气而修订的《广东省禁止赌博条例》等。此外，继续进行创新立法，在 1993、1994 两年制定的地方性法规中，带先行性的法规 15 项，约占总数的1/4。

4. 稳步发展阶段（2000 年至今）。

《广东省地方立法条例》的出台，标志着广东省地方立法进入注重立法质量的新阶段，立法向全面规范发展。在 2004 年召开的广东省立法工作会议上，卢钟鹤主任进一步指出，今后广东在立法工作中要坚持以下四条基本原则：在立法理念上，要更加体现以人为本思想；在立法选题上，要更加充分反映民意；在立法内容上，要更加重视代表和反映人民群众的根本利益和要求；在立法过程中，要不断增强立法的民主性和科学性。

这时期地方立法的任务，是按照省委的要求，尽快制定和不断完善广东经济和社会事业发展需要的各类法规，它呈现如下特点：第一，加强立法工作的总体部署，科学编制立法计划。建立《广东省 2007—2010 年立法规划项目库》，对“十一五”期间的地方立法项目进行通盘考虑和总体部署，以便更好地配合国家和省

“十一五”规划的贯彻实施。向社会公开征集立法建议项目，改进立法计划编制工作。为增强执行立法计划的责任，2005年开始，立法计划新制定项目明确了法规草案报送和提请常委会审议的时间。第二，从注重经济立法到更加突出社会领域方面的立法。围绕省委九届九次全会提出的“着力发展社会事业，促进社会公平正义、建设和谐文化、完善社会管理”和省委九届十次全会提出的“更加突出社会领域的立法”的要求，抓紧制定社会领域方面的法规，以进一步促进和谐广东的构建。第三，更加注重立法的质量。体现在重视发挥法规案三审制的作用，从程序上保证立法质量的提高；重视发挥法规草案指引制度的作用，切实提高法规起草质量；发挥人大代表在立法中的重要作用。

（二）广东经济特区立法的发展历程

1. 经济特区立法的性质和特征。

1979年，中共中央、国务院决定在广东实行特殊政策、灵活措施，同时批准在广东的深圳、珠海、汕头三市设置经济特区。要建立和建设好特区，就必须制定出一整套治理、规范经济特区的法律，“既要维护我国的主权，执行中国的法律、法令，遵守我国的外汇管理和海关制度；又要在经济上实行开放政策”①，使经济特区的建设有法律上的依据和保障，以法律促进特区经济的发展。为此，全国人大常委会于1981年授权广东省人大及其常委会制定所属经济特区各项单行经济法规，1992年7月又作出授予深圳立法权的决定。1996年，全国人大授予汕头、珠海两市人大及其常委会和人民政府分别制定法规、规章的权力。从1981年至今，广东的经济特区立法取得了瞩目的成绩。

经济特区立法具有以下性质：第一，对中央立法的从属性。它

① 《中共中央、国务院批转广东省委、福建省委关于对外经济活动中实行特殊政策和灵活措施的两个报告》，1979年7月15日。

既是中央立法的重要补充，特别是在改革开放初期进行的先行立法；同时必须遵循“不抵触原则”，所制定的法规不得与《中华人民共和国宪法》的规定以及法律和行政法规的基本原则相冲突。第二，立法主体的特定性。根据授权决定，有权制定经济特区法规、规章的，是获得全国人大及其常委会授权的广东省、福建省以及深圳市、汕头市和珠海市人民代表大会及其常务委员会，深圳市、汕头市和珠海市人民政府。其他任何省市均无权进行经济特区立法。第三，立法效力的有限性。深圳经济特区的立法不能适用于珠海，珠海经济特区的立法不能适用于汕头。广东省人大及其常委会制定的经济特区单行经济法规，也只能在广东省内的几个经济特区实施，不能适用于非经济特区城市。可见，经济特区的立法适用范围具有明显的地域限制性。第四，经济特区立法权限的有限性。经济特区的立法范围由国家授权文件确定，主要是有关经济体制改革和对外开放方面的内容。经济特区无权制定授权范围以外的立法事项。

经济特区立法与一般地方立法的主要差别在于：其一，立法权的来源不同。经济特区的立法权来源于最高国家权力机关或其常设机关的授权决定，是一种特别授权立法。而一般地方立法权来源于《宪法》、《地方组织法》等相关法律的规定。其二，立法的效力等级和调整范围不同。一般而言，经济特区立法所产生的规范性法律文件，按其性质来说，其效力等级一般低于授权主体本身制定的规范性法律文件，又应当高于一般地方与授权主体相同级别的国家机关所制定的普通规范性法律文件。经济特区立法的范围，以不超出授权主体的授权范围为限；而一般地方立法所调整的范围，是以《宪法》和相关法律所规定的事项范围或这些地方的立法主体的职权范围为限。其三，同一般地方立法相比，经济特区立法带有明显的自主性、先行性，有时还带有一定程度的试验性。经济特区不仅要在经济体制改革和对外开放方面进行试验，而且要在立法上反映这种变化，为全国立法和其他地方立法提供参考和借鉴。

2. 经济特区立法的主要做法。

全国人大及其常委会授权经济特区立法权，主要是基于经济特区与其他地区之间的政策不同、经济条件不同、社会经济发展状况不同，由此导致的立法需要也不同。这就要求经济特区立法既要不违反法律和行政法规的规定，维护法制统一，又要立足本地实际，充分利用经济特区的自主立法权，处理本经济特区发展过程中急需解决的问题；或者在国家和省还没有立法，出现法律空白时，借鉴国外立法经验，结合本经济特区具体情况，对某些急需法律调整的领域进行探索性、先行性立法。具体来说：

第一，在处理经济特区立法与国家法律、法规的关系上，注重立法的连续性和统一性。在国家已有起草计划或者正在起草过程中的情况下，尽量避免重复；对于非制定不可的立法项目，也尽量避免与国家立法雷同。如深圳为了避免与国家制定相类似的公司立法，细化为《股份有限公司条例》和《有限责任公司条例》，缩小法规的调整范围，从而更具有针对性和操作性。

第二，在立法项目的确定上，从以调整市场经济为重点，转变为以促进经济、社会、政治和文化全面发展为目标。在经济特区建设初期，立法以调整市场经济为主。以深圳为例，1992 年 7 月到 1995 年初制定颁布的 42 件法规中，直接调整市场经济关系的立法 26 件；与建立市场经济体制有密切关系的，如环境保护、社会治安和廉政建设方面的法规分别为 5 件和 3 件。① 随着改革开放和经济发展，深圳在继续加强经济立法的同时，也开始注重“以民为本，树立全面、协调、可持续的发展观，促进经济社会和人的全面发展”②，加强社会保障、环境保护、廉政建设等领域的立法，制定了校园安全、禁止食用野生动物、家庭服务业、居民就业促进、

① 参见深圳市人大常委会：《用好立法权，保障深圳经济特区社会主义市场经济体制》。转引自李绍新、张富强主编：《跨世纪的法治系统工程》，广东人民出版社 2000 年版，第 144 页。

② 参见 2004 年的《深圳市人民代表大会常务委员会工作报告》。

资源综合利用、机动车排气污染防治、生态公益林等条例。[①] 为贯彻落实科学发展观，从2007年开始，深圳人大高度注重经济社会的可持续发展，立法工作以循环经济配套立法和城市管理立法为重点，促进科学发展，在制定《循环经济促进条例》、《改革创新促进条例》之后，重点加强了循环经济配套立法，以促进循环经济体制机制的建立。此外，还大力加强环境保护、城市管理、安全管理等方面立法[②]，体现了对人的尊重和关爱，促进了人与社会、人与自然的和谐发展。

第三，大胆进行先行立法探索，充分发挥立法“试验田”作用。经济特区在经济体制改革方面的先行性试验同时也反映在立法上，通过总结经济特区多年改革实践经验，探索超前立法，发挥法规的引导、规范作用，为国家立法提供参考。如1993年的《深圳经济特区有限责任公司条例》和《深圳经济特区股份有限公司条例》是在国家公司法尚未出台的情况下制定的，不仅对于深圳的深化企业改革有良好的引导作用，更为国家公司法的制定提供参考。2003年深圳通过的《人体器官捐献移植条例》，在国内也是首次以法规的形式对器官捐献行为予以保护和规范。

第四，大胆借鉴国外境外地区立法经验。早在1992年，邓小平同志在视察武昌、深圳、珠海、上海等地时就明确指出，改革开放胆子要大一些，敢于试验，不能像小脚女人一样。“社会主义要赢得与资本主义相比较的优势，就必须大胆吸收和借鉴人类社会创造的一切文明成果，吸收和借鉴当今世界各国包括资本主义发达国家的一切反映现代社会化生产规律的先进经营方式、管理方法”。这些讲话无疑为经济特区借鉴国外境外先进的立法经验提供了“通行证”，很好地阐述了借鉴的可行性、可能性和必要性。为了提高经济特区立法的质量，从制定规划到确定立法项目，再到各项立法的具体规范内容，经济特区的立法者们都注重参考借鉴外国以

① 参见2005年的《深圳市人民代表大会常务委员会工作报告》。

② 参见2007年的《深圳市人民代表大会常务委员会工作报告》。

及港澳台等地区的先进立法经验，并结合本地实际，通过吸收、改造和创新，使立法既符合国际发展趋势，又符合中国国情和经济特区发展需要。

据统计，截至2003年10月31日，深圳市人大及其常委会共制定218项法规（含修改和废止决定），其中属于经济特区立法205项，较大市立法13项。在经济特区法规中，约1/3是在国家相关法律法规尚未制定的情况下，借鉴香港及国外优秀法律文化先行先试的；1/3是根据特区经济发展和改革开放的实际需要，遵循《宪法》的规定和法律、行政法规的基本原则，对国家法律、行政法规进行必要变通、补充和细化的；还有1/3是属于为加强行政法制、环境保护、特区城市管理以及精神文明建设需要而制定的。①

（三）地方立法的主要经验和启示

1. 在坚持国家法制统一的前提下，体现地方特色。

我国是一个统一的单一制国家，这是《宪法》确立的处理中央与地方关系的一项重要原则。《宪法》、《立法法》均对中央与地方的立法权限范围作了明确，涉及国家主权、国家基本政治制度和经济制度、公民基本权利和义务等重大事项，必须由全国人大及其常委会统一立法，地方不得就这些事项进行立法。地方国家机关根据本地区实际制定的地方性法规是中央立法的细化、落实和补充，它从属于中央立法，不能与《宪法》和其他法律、行政法规相抵触。

广东省人大及其常委会以及具有立法权的广州等市的人大及其常委会，从一开始便正确认识地方立法的从属地位和在社会主义法律体系构建中的拾遗补缺作用。对于国家已列入计划或正在审议的法律，广东尽量不制定类似的法规，避免人力、物力上的浪费，更

① 郭荣俊：《拓展立法新空间　创造发展新优势——在经济特区授权立法联席会议上的发言提纲》，http：//www. hainanpc. net/huiyi/rendai_ read. php？ id =90&class_ id =5。

不赶在全国人大之前颁布，以免造成法律上的冲突。另外，还注意克服那种认为既要符合不抵触原则，又要搞地方法规，最稳妥的办法是照抄有关法律规定的对“不抵触”原则的片面理解，和那种认为既要符合不抵触原则，又不能照搬有关法律规定，地方立法就没有多少搞头的消极态度。正确认识地方立法具有的自主性，针对社会生活和经济生活中急需解决的问题，人民群众反映强烈的“热点”问题，自主地进行立法规范，充分发挥地方立法的作用。

2. 大胆展开先行性、试验性立法，填补立法空白。

由于地方可以在国家尚未制定法律或行政法规的情况下先行制定地方性法规，这就决定了地方立法具有先行性、试验性的特点。从实践层面上看，从社会产生立法需要到列入立法规划再到法律的制定、颁布，平均需要 5 年左右的时间。[①] 这样长的一个法律空白期显然不利于经济社会的发展。

作为改革开放的先行省份，广东省在地方立法之初，在国家尚未制定法律的情况下，勇于“打破常规，急用先行”、“超前立法，引导改革”，大胆开展先行性、试验性的立法，大胆探索地方立法的新领域，为国家制定法律、法规探索经验。据资料显示，自 1979 年 12 月至 2006 年 3 月，广东省人大及其常委会共制定和批准了 425 项地方性法规，其中先行性、试验性、自主性的法规占总数的 52%。[②]

先行性、试验性、自主性的立法为全国和其他省份提供了大量的经验。例如，1986 年的《广东省经济特区涉外公司条例》是我国第一部地方性公司立法，1993 年的《广东省公司条例》更是在全国率先倡导产权明晰、管理科学的现代企业制度，成为当时国内最完备的一部规定现代公司制度的地方性法规。这些立法为国家此后制定《中华人民共和国公司法》等法律法规提供了大量的实践

① 崔卓兰、于立深、孙波、刘福元著：《地方立法实证研究》，知识产权出版社 2007 年版，第 64 页。

② http：//www. rd. gd. cn/rmzs/2007/06/200706 – p06. htm。

借鉴。

3. 不断推动立法工作的科学化、民主化，提高立法质量。

一方面，在总结创立阶段立法实践经验的基础上，制定《广东省人民代表大会常务委员会关于制定地方性法规程序的暂行规定》，使地方立法工作制度程序化、规范化。另一方面，不断探索立法听证会、征求意见座谈会、立法互联网论坛、公开草案征求社会意见、委托专家立法等等创新民主化的立法程序，使制定的法规充分体现人民的意志，代表广大人民的根本利益，不断促进民主立法、科学立法。

（1）专家学者起草法规草案，首开专家立法先河。由于人大在地方立法上的主导性不足，立法话语权往往掌握在政府各职能部门手中，因此，部门利益的扩张成为地方立法的一个主要制约因素。有鉴于此，早在1993年，广东省人大及其常委会尝试拓宽法规起草的渠道，委托专家学者起草法规草案。在1993、1994两年内，广东省人大常委会组织起草或委托起草的法规占22%。1998年通过的《广东省人民代表大会常务委员会制定地方性法规规定》，2001年制定、2006年修改的《广东省地方立法条例》均以法规的形式把它固定下来，规定立法机关可以将法规草案的起草工作委托给任何具有相应能力的机关、专业机构和专家；任何单位和个人也有权自行起草法案并将法规建议稿提交法规提案人。由于省人大常委会立法主动性的增强和专家学者的参与，起草法规渠道的拓宽，使广东省立法步伐加快，立法工作效率和法规质量得以提高。

（2）多元主体参与立法，充分展现不同利益主体的博弈。为了充分反映不同利益主体的诉求，使各种利益在立法博弈中实现均衡，广东省人大及其常委会还尝试在法规起草过程中吸收利益相关方参与。在2006年《广东省预防未成年人犯罪条例》起草的过程中，除了向省未成年犯管教所、省少教所、工读学校及多所普通中小学校展开调研，召开政府职能部门和其他相关单位的起草意见征

求会议外，更创设了“未成年人法案起草小组”[①]，使草案能充分体现预防未成年人犯罪法律体系的直接作用对象、也是最大的利害关系人即利益相关方、该条例的最主要“主体”——未成年人的意见。未成年人参与起草法案，根据自身的感受和体会提出更符合实际的意见和建议，最终促使该条例更加公正公平，也使该条例在发挥预防未成年人犯罪的作用方面更具针对性、可行性和实效性。

（3）举行立法听证会，再开全国之先河。1999 年 9 月 9 日，广东省人大常委会就《广东省建设工程招标投标管理条例（修订草案）》首次公开举行立法听证会，被认为是“立法民主化、公开化的一个里程碑”。为此，引起了全国新闻媒体的浓厚兴趣，共有 28 家新闻媒体的数十名记者参加了现场采访报道。半年后，这一透着民主精神的立法听证程序被全国人大肯定并被载入《立法法》。这是广东地方立法史上的先例，在全国也是一大创举。2003 年 7 月 8 日，在《广东省爱国卫生工作条例（草案）》起草过程中，就民众与立法机关都广为关注的“该不该立法不吃野味”、“该不该限制宠物活动场所”等问题，广东省人大常委会举行了一场别开生面的、有 280 多人参加的立法听证会。各方观点针锋相对、高潮迭起的激烈场面，通过中央电视台和南方网现场直播，曾轰动一时。更有专家赞叹，这场轰轰烈烈的立法听证会的普法意义已远远超出了它作为民主立法程序的意义，正是广东人大的“开门立法”之举令昔日“神秘”的立法殿堂化为生动的普法“课堂”。[②] 时任中共中央政治局委员、广东省委书记的张德江曾在省人大常委会党组《关于在制定〈广东省爱国卫生工作条例〉中实行开门立法的情况报告》中批示：“省人大常委会在制定《广东省爱国卫生工作条例》中，实行‘开门立法’，充分发扬民主，取得

① 未成年人是该法案的主要调整对象，以未成年人为主要调整对象的法规没有未成年人的参与起草显然是不全面的。该未成年人法案起草小组是通过在团省委的官方网站（http：//www.gdcyl.org/yfqsnfz/）和《南方日报》等主要媒体发布招募信息，公开召集组成的。

② 朱源星：《地方立法硕果累累》，http：//www.rd.gd.cn/wjf/50/rd50008.htm。

了成功的经验。这是一次有意义的探索，应当肯定。”

（4）通过报纸、互联网等媒介征求立法意见。在科学日新月异的今天，互联网已经成为人们工作、生活的一部分，也是人们传承信息的主要载体之一。从《广东省燃气管理条例》、《广东省商品房预售管理条例》、《广东省物业管理条例》等一批法规草案通过报纸公开征求意见，到之后法规草案征求意见进一步扩大到南方网、广东人大信息网等网络媒体，在更广泛的层面上征求公民意见，广东的立法工作吸纳了新兴科技因素，并取得良好的社会效果。特别是在《广东省预防未成年人犯罪条例（草案)》的起草过程中，起草者为了回应公众对立法民主化的诉求，适时地通过网络、报刊等媒介进行问卷调查，由大众选择该条例应该规范的主要问题；之后更专门开设了《广东省预防未成年人犯罪条例（草案)》征求意见网①，不仅公布了《广东省预防未成年人犯罪（草案)》全文，还开辟了专栏供公众发表评论、修改意见和建议；此外还公布了起草小组的电子邮箱，公众可以通过电子邮件表达他们对《广东省预防未成年人犯罪条例（草案)》起草的意见，等等。通过报纸，特别是互联网开辟这些公众参与的途径，从立法的起点就为不同利益群体提供一个公平合理的博弈平台，使每一种声音都得到倾听，每一种主张都有机会表达。

在30年的地方立法的实践和探索中，广东省人大及其常委会积极行使地方立法权，保障、引导和规范经济改革和对外开放，为法治建设的“广东经验”画上最有分量的一笔。

二、地方政府法制建设的实践与探索

（一）广东地方政府法制建设发展概况

1. 政府法制工作的内涵

① 该网于2006年3月27日正式开通，网址为 http：//www. gdcyl. org/yfqsnfz/。

“政府法制工作”这一概念在1987年4月国务院召开的全国政府法治工作会议上首次提出。国务院领导同志在会议的总结报告中明确指出：“政府法制工作是整个法制建设的组成部分”。我国的政府法制工作由来已久，只是长期以来没有使用“政府法制工作”这一概念。

政府法制工作就是设立专门的机构负责政府法制建设方面的职能，具体包括政府的行政立法、行政执法监督、行政复议、行政应诉、办理提案、法律咨询、培训和宣传等方面的内容。政府法制工作机构是本级人民政府的常设行政机关，是本级人民政府的办事机构，是负责政府法制建设的职能机构，全面负责本级政府法制行政工作。其职责范围包括组织实施和监督执行立法计划，具体协调指导法制工作，监督检查法律、法规情况，负责行政复议和行政应诉等方面的工作。

2. 广东省政府法制工作机构的建立、健全过程。

广东省在1981年5月设立省政府办公厅法制处，具体负责省政府法制方面的工作。1984年8月，成立了省政府经济法规研究中心。1985年12月，成立了广东省经济法研究会。①

为了适应改革开放和现代化建设迅速发展的需要，根据《行政复议条例》第24条的规定，“县级以上的地方各级人民政府的复议机构，应当设在政府法制工作机构内或者与政府法制工作机构合署办公”，广东省政府于1988年4月批准成立了“广东省人民政府法制局”，内设经济法规处、行政法规处、研究室、办公室。省政府法制局行政复议处与省政府行政复议办公室合署办公，两块牌子，一套班子。

1989年8月，广东省政府发出了《关于建立和健全政府法制机构的通知》，要求各地、各部门尽快建立、健全政府法制工作机

① 广东省人民政府法制局：《关于我省政府法制工作情况的汇报》，第2～5页。转引自李绍新、张富强主编：《跨世纪的法治系统工程》，广东人民出版社2000年版，第235页。

构，加快政府法制建设。9月，广东省召开了第一次全省政府法制工作会议。此后，全省各市、县、区政府和省直各部门纷纷着手组建法制工作机构。到1992年底，全省20个地级市、64个县、13个县级市、41个市辖区全部成立了法制机构，43个立法、执法任务较重的省直单位也成立了专门的政府法制机构，或指定专人负责法制工作。一些乡镇，如兴宁、海康所属的乡政府也成立了法制办，或者设立了专门的法制助理员。一些市、县政府工作部门也成立了专门的法制机构。至此，全省政府法制机构的网络已经基本形成。①

3. 广东地方政府法制建设的发展历程。

广东地方政府法制工作始终坚持以邓小平理论为指导，顺应时代发展的方向，结合本省实际，积极回应改革过程的各种挑战，经历了从无到有、从数量增加到质量提高、从探索创新到制度规范的发展历程。在1987年“政府法制工作”的概念被提出以前，广东省政府在进行经济建设的同时，也一直在进行法制建设。1979年至1987年间，政府在发扬社会主义民主和健全社会主义法制的同时，法制工作的重心由加强人民民主专政逐步向经济立法方面转移。

我国的封建社会有两千多年的历史，封建专制主义和小生产的影响都根深蒂固。林彪、“四人帮”十年的干扰破坏，更把专制主义和无政府主义同时推向登峰造极的地步。因此，当时正确理解民主与法制的关系，肃清一些流毒和影响的任务非常艰巨。政府在加强社会主义法制、巩固人民民主专政方面做了大量工作，至1980年，全省114个市、县（区），已有111个按照全国五届人大二次会议通过的《选举法》规定，进行了直接选举人民代表，并有91个市、县（区）召开了人民代表大会，选举成立了市、县（区）

① 李绍新、张富强主编：《跨世纪的法治系统工程》，广东人民出版社2000年版，第236页。

人民政府，进一步加强了政权建设。[①]

20 世纪 80 年代初期，广东省继续贯彻十一届三中全会路线，坚决执行中共中央、国务院关于经济上实行进一步调整和政治上实现进一步安定的重大决策，继续实行特殊政策和灵活措施，经过几年的努力，经济建设取得了一定的成就，人民民主专政得到了加强，此时，法制工作的重心由加强人民民主专政逐步向经济立法方面转移。各级政府加强经济立法，制订和完善切实可行、便于检查的经济法规。目的是从源头上堵塞造成不正之风的各种漏洞，严厉打击走私贩私、贪污受贿等经济犯罪活动，纠正经济领域中的违法乱纪现象，带动整个社会风气的好转。经济立法工作的加强，促进了改革的顺利进行，保证了改革的健康发展，改革的成果得到了巩固。随着经济立法的建立和健全，各项经济活动逐步纳入到法制的轨道，受到了法律的保护和制约，真正做到了有章可循，有法可依。

随着经济体制改革的逐步深入和社会主义市场经济的逐步形成，政府也在积极探索其自身管理职能转变的改革。早在 1982 年，广东省政府就提出要切实讲究和改进领导方法。要求各级领导继续解放思想，善于思考，大胆创新，勇于实践，努力打破束缚经济发展的老框框，改进思想方法和领导方法，要善于根据新形势和新任务的要求，研究新情况、解决新问题、打开新局面。[②] 政府管理职能转变的改革，是指实行政企分开，各级政府对企业的管理逐步由直接管理为主，转向以间接管理为主。为适应政府职能的转变，加强宏观管理，对政府机构也进行改革，精简和合并那些直接管理企业的经济部门，适当充实加强综合管理部门、经济监督部门、调节部门和政法部门。1986 年，这项改革主要在市、县两级进行。且以江门、韶关、湛江三市和广州市越秀区为政府机构改革的试点，

---

① 参见刘田夫 1981 年 2 月 24 日在广东省人大五届三次会议上所作的政府工作报告。

② 参见刘田夫在 1982 年 12 月 24 日广东省第五届人大五次会议上所作的政府工作报告。

推广琼海等县开展县级综合改革的经验。[①] 此时已具有政府法制工作内涵的雏形。

1987年4月，国务院召开了第一次全国法制工作会议，第一次提出了“政府法制工作”的概念。在此大好形势下，广东的政府法制工作得到了较大的发展。至1987年底，各级政府建立了专管和兼管法制工作的机构，对建国以来的法规和规章，进行了全面清理，分别作了修改、完善或废除。还制定了一批以涉外经济立法为重点的规章，解决了省内政治、经济生活中出现的一些矛盾，理顺各种关系，促进了投资环境的改善。全省广泛开展法制宣传教育，1600多人参加普法学习，增强了人民群众的公民意识和法律意识，提高了广大干部和群众学法、知法、守法、用法的自觉性。[②] 此后，政府法制工作的内涵不断得到充实和完善。各级政府法制机构较好地充当了行政领导在法制方面的参谋和助手，对各级行政机关依法行政起到了积极的促进作用。政府法制工作进入了一个新的阶段。

（二）广东地方政府行政立法工作

1. 广东省行政立法的发展阶段。

回顾改革开放的30年，我们可以将广东省地方政府的行政立法工作分为三个发展阶段。

（1）全面恢复阶段（1979—1989年）：突破计划经济体制，立法为改革开放保驾护航。

由于十年“文化大革命”的破坏，当时的广东与全国一样处于百废待兴、百法待立的状况中，因此加紧地方性法规和政府规章的制定无疑是处于恢复阶段的广东政府法制建设的当务之急。1979年广东省政府制订了《广东省人民政府关于处理偷渡外逃的规

---

① 参见叶选平在1987年6月22日广东省第六届人大六次会议上所作的政府工作报告。

② 参见叶选平在1988年1月20日广东省第七届人大一次会议上所作的政府工作报告。

定》，这是全国的第一个地方性规章。至1989年已颁布政府规章近500项，为广东营造了有法可依的良好氛围，为建立社会主义市场经济体系提供了重要的依据和保障。“加强经济行政立法，学会运用法律手段管理经济社会活动”，是当时政府法制工作的基本要求和法制宣传中的一个典型口号。法律的作用需要通过向各经济社会活动领域渗透而表现出来，当时的每一项立法决策几乎都是对原有体制的突破，都是允许某一新经济因素、新经济关系在原有体制中生存或者在体制外生存，探索性是这一时期地方立法的明显特征。从广东一系列地方性法规、规章的制定过程中，我们可以发现计划经济旧体制被逐个突破的过程，可以找到这一时期广东商品经济萌芽、市场经济体制创新发展的轨迹。

（2）健康发展阶段（1990—1996年）：建立市场经济体制，确立法制的主导地位。

这一阶段，有两种因素共同影响和推动广东行政立法工作：其一是党的十四大明确了我国改革的基本目标取向——建立社会主义市场经济体制；其二是《行政诉讼法》、《行政复议条例》和《行政处罚法》先后通过实施。这些背景因素决定和影响了广东这一时期的行政立法工作的基本趋势：体现市场经济改革方向的各种要素市场已基本形成，经济改革从体制突破转向体制创新和新旧体制转换。法制既要适应体制创新的改革需要，又要维护正常社会秩序，解决新旧体制转换中社会经济关系激变所引发的众多体制摩擦、利益矛盾。在此期间，广东的法制建设承担着建立社会主义市场经济体制的艰巨任务，行政立法进入了快速发展的时期，发挥了积极的引导、保障、调控、服务的功能，取得了新的成果。这期间，有关市场经济方面的立法，如《公司条例》、《期货市场管理条例》等，在一定意义上为国家立法提供了经验。广州市政府制定的《广州市禁止燃放烟花爆竹的规定》，在全国引起了较大反响，《人民日报》对此作了专门的报道。

（3）继续深化阶段（1996年至今）：创新市场经济体制，贯彻落实建设社会主义法治国家的方略。

现阶段，我国正以《行政处罚法》的实施为起点，以《立法法》的实施为契机，理性调整行政执法权力和立法权力结构，逐步控制行政许可、行政处罚等行政权力的设定，探索研究如何提供更多更好的行政服务和行政指导。这一大背景下，广东地方立法呈现两个显著特点：

一是规范行政机关自身行为的法规、规章逐步增多，行政权力膨胀的势头得到较大遏制。如，1999年广东省政府制定了《广东省行政处罚听证程序实施办法》，对行政机关的行政处罚行为进行规范，对听证程序作了进一步规定，保障和监督了行政机关依法实施行政处罚，保护了公民、法人和其他组织的合法权益。

二是在继续加强经济调节、市场监管方面立法的同时，更加注重社会管理、公共服务方面的立法。在立法理念上，更加突出以人为本，更加重视直接关系人民群众切身利益的立法项目；在立法程序上，更加注重集中民智、反映民意，积极探索扩大社会各界有序参与政府立法的机制、程序和方法，提高政府立法的透明度；在立法机制上，改进调查研究方法，要求制定每部行政法规都要深入基层，了解社情民意，将立法建立在充分调查研究的基础上，增强立法的针对性和可操作性；在立法实效上，研究探索立法成本效益分析和立法后评估制度，及时跟踪有关法规的实施效果，并分析、总结制度设计本身存在的问题，准确把握制定、修改、废止有关行政法规的时机。

2. 广东省行政立法工作评述。

从30年的立法历程看，广东行政立法呈现出一个总的趋势：民主与公开精神增强、公众参与立法的广度深度增大、立法更加科学化。广东省做了大量的工作保障公众参与立法。

一是省委、省人大和省政府高度重视公众参与。《中共广东省委关于贯彻〈中共中央关于加强党的执政能力建设的决定〉的意见》，对公众参与立法作出了规定。2003年、2004年省政府在《行政许可法》、《国务院全面推进依法行政实施纲要》贯彻实施意见中，对公众参与提出了较高要求。省人大常委会多次举行在全国

产生强烈反响的立法听证会（例如2003制定《广东省爱国卫生工作条例》听证会），2004年11月省人大常委会又把《广东省行业组织管理条例》公开征求意见。省政府早在1997年起草《广东省行政执法队伍管理条例》时，就把主要内容刊登于《南方日报》，公开征求意见。省政府法制办在2003年审查《广东省农作物种子条例》时，多次召开论证会，并在《南方日报》全文刊登征求意见。

二是公众参与制度建设不断健全。早在20世纪90年代初省人大常委会就建立了立法顾问制度，聘请10～20名专家学者担任立法顾问，参与立法咨询论证；广州市人大常委会也建立了立法顾问制度。深圳市和汕头市人大常委会制定了立法听证程序规定。茂名市政府制定了行政决策听证规定。

三是初步建立了公众参与的网络技术平台，不断探索公众参与立法的新途径。省人大常委、省政府法制办公室已在其公众网站上设立"立法征求意见"等服务，各地也正在推广这类技术服务。早在1992年省人大常委会就委托专家起草《广东省经纪人管理条例》，并于1993年11月获得通过。省人大常委会在拟定2004年立法计划时，又向人大代表征集立法建议。

"开门立法"一词可以形象地表述广东省地方立法的公众参与情况。早在1993年，中央提出，在市场经济体制建立过程中，广东可以成为立法工作的试验田，先行一步。在此之后，广东在立法的公开性与透明度上作了深入的探索，开门立法成为广东的有益尝试，听证、公开征求意见等形式不断充实着开门立法的内容。开门立法使原来似乎"高不可攀"的立法过程，引入全社会参与的质疑和讨论，极大体现了民意，使普通的老百姓也能参与立法，是一场活生生的民主示范。至此，开门立法、民主立法趋于成熟，其重要意义在于合理界定和分配权利，正确处理权利与权力、权利与责任、权利与义务的关系，防止利益部门化、部门利益法制化，坚决克服一些部门对立法"有利则争，无利则推，他利则拖，分利则拒"的现象。

另外在立法程序方面，许多法律、法规、规章制定过程中都尽量多地倾听专家学者和社会各界意见。2005年，《地方立法条例》进行了首次修改，建立了草案三次审议程序，推进了广东立法与国家立法的接轨。立法程序的增多并非程序性的拖拉，而是要让法律的出台经过更多的酝酿，通过媒体，让公众对法律有更多的了解，也让立法者有充分的时间了解民意从而进行更加科学的考虑，确保法律不是“匆匆出台”。

（三）广东行政执法责任制建设

1. 行政执法责任制的提出。

行政执法是行政机关大量的经常性的活动，直接面向社会和公众，行政执法水平和质量的高低直接关系到政府的形象。在我国，80%以上的法律，90%以上的法规和几乎全部的规章，都是由行政机关来负责执行和落实的。无处不在的行政权和其他公权力一样，是一柄双刃剑，正确行使可以光耀社会造福人民，反之如懈怠、滥用，则会阻碍发展，滋生不公，甚至不利于社会和谐。

从20世纪90年代起，河北省石家庄市政府、内蒙古自治区乌海市政府、陕西省富平县政府、甘肃省敦煌市政府，在执法实践中不约而同走上了制度创新之路。[①] 随后星火燎原，从南到北，许多地方都主动选择了行政执法责任制，以期解决行政执法人员对执法职责知之不多的问题。2005年7月，国务院出台《国务院办公厅关于推行行政执法责任制的若干意见》（以下简称《意见》），开始在全国范围内推行行政执法责任制，规范和监督行政执法权。《意见》的出台，呼应了推进行政执法责任制实际工作的需要，标志推行行政执法责任制的工作发展到了一个新的阶段，依法行政又上了一个新的台阶。

---

① 参见李立：《推行行政执法责任制述评》，http://www.chinalaw.gov.cn/jsp/contentpub/browser/contentpro.jsp?contentid=co1703071048。

2. 广东强势推行行政执法责任制。

多年来，广东省认真贯彻落实中共中央、国务院的要求，积极推行行政执法责任制，在加强行政执法管理、规范行政执法行为方面做了大量工作，取得了显著成效。

首先，制度先行，通过制度规范执法工作，促进行政执法质量和执法水平的提高。1999 年 11 月 27 日，省人大常委会通过了《广东省行政执法责任制条例》，用地方性法规的形式来规范行政执法责任制，这在全国并不多见。该条例的通过标志着广东省行政执法责任制建设开始走上法制化、规范化、制度化的轨道。同年，省依法治省办、省人大常委会研究室、省人大法委和省政府法制局联合编印了主要面向基层的《行政执法责任制问答》一书。为了完善配套制度，省人大、省政府制定了《行政执法队伍管理条例》、《行政执法队伍审批和公告办法》、《行政执法监督条例》等。2005 年 7 月，《国务院办公厅关于推行行政执法责任制的若干意见》出台后，广东及时转发了该意见，同时提出贯彻落实要求，还下发了《关于开展行政执法职权核准界定公告的通知》。这种靠制度来规范工作，提升工作的做法，为我国其他地区推行行政执法责任制工作提供了基本思路。

其次，以《意见》的发布为契机，在全省推进行政执法责任制。为了全面贯彻落实《意见》的各项要求，广州市成立了市政府推行行政执法责任制办公室，抽调市法制办、编办、监察、财政、人事以及其他相关部门的联络员集中办公，对所属 60 多个部门的执法依据逐一梳理审核，予以确定，最后公告，并按要求分解执法职权、确定执法责任。同时财政予以充分保证。这种做法确实是保障这项工作完成的一个创造性举措。天河区以评议考核为突破口带动这项工作；中山市的行政执法责任制工作开展得比较广泛，从市里 20 多个部门到所有的乡、镇，都开展了这项工作；珠海市金湾区创造出一个服务型小而高效的政府；湛江以案卷评查为核心，加强评查和考核的力度；省地税局充分发挥信息平台的作用，建立公平公正的考核机制。①

再次，推进行政执法责任制，保障经济发展软环境，促成经济发展与法制建设的良性互动。软环境就是政府的管理和执法水平。现在城市间的竞争，比的就是软环境。法制建设是对经济发展的软环境的保障。执法水平提高了，执法环境好了，软环境好了，更能吸引外商投资。广东省对市场经济就是法制经济有深刻体会，没有法制保障，经济发展是不可能长久的。推行行政执法责任制对整个法制建设的重要作用，是通过上层建筑反作用于经济基础，从而促进经济发展，使上层建筑和经济发展相协调。

3. 广东推行行政执法责任制工作评述。

从广东各级政府推行行政执法责任制的实践来看，既有探索的艰辛，也有成功的收获；既有可圈可点的成功经验，也有需要进一步完善的不足之处。

广东的成功经验可为全国进一步推行行政执法责任制，加强依法行政摸索一条良好的路径。（1）完善制度建设，依法明确执法机关和执法人员的执法职责、权限和范围，保证行政执法责任制落到实处。（2）建立行政执法评议考核制度和行政执法过错责任追究制度。通过对执法目标任务完成情况的考核，具体评议出一级地方政府、一个政府部门贯彻执行法律、法规和规章的情况，而且把这种考核评价与该地方、该部门的整体工作的好坏相联系，甚至同公务员职位的升降结合起来。（3）推行行政执法公示制度。行政执法公示制度，消除了过去执法暗箱操作，执法行为不规范、不利于监督、不利于追究责任等弊端。公示制以其明确的执法规则公之于众，便于社会及公民监督，便于权力机关监督，也便于行政机关进行执法监督检查和考核评议，更便于追究违法行为人的法律责任。（4）增强执法人员法律意识，切实加强行政执法队伍建设。实施行政执法责任制，有赖于行政执法人员法律意识的增强和行政

① 青锋：《抓规范执法，促经济发展》，《政府法制研究》2006年第4期（总第46期）。

执法队伍的建设。同时，实施行政执法责任制可以增强行政执法人员的法律意识，可以培养行政执法人员忠于法律、信守法律的优良品格，可以增强领导干部的法律意识，牢固树立法律至上和依法办事的观念。

广东行政执法责任制推行十多年以来，各项工作已基本纳入正常轨道。但是，行政执法责任制作为一项复杂而艰巨的系统工作，现在还处于实践探索和理论研究的初期阶段。实践中，仍然存在着许多问题，有待进一步完善。（1）行政执法责任制工作在不同地方和部门发展不平衡。有的地方刚开展工作，有的地方已经做得很好。建议解决这个问题时注意两点：一是处理好条和块的关系，特别是市、区政府与省里半垂直部门的关系问题。二是关于垂直部门和双重管理部门的考评问题。（2）行政执法责任制具体实施方式不规范。如：执法责任量化标准不科学，不合理，有的执法机构以罚款数额的多少作为考核标准，结果尽管罚款很多，但执法目的却达不到；不依程序执法，随意性大，还存在"重实体，轻程序"的现象。（3）执法的队伍、手段和水平还不适应客观要求。县、乡两级执法队伍力量弱小且素质不高，行政执法者的知识、经验不足，手段落后，执法机关办案经费、技术设备与社会管理需求也不相适应。（4）对执法人员违法责任追究力度不够。执法单位的领导和执法人员的思想认识上有偏差，对执法中的违法情况往往以大事化小，小事化了的心态进行处理，大多是"只纠错，不责人"。

（四）广东行政救济制度建设

1. 行政救济制度概述。

行政救济是国家为了排除行政行为对公民、法人和其他组织合法权益造成的侵害而采取的事后法律补救手段和措施。行政救济主要包括行政复议、行政诉讼、行政赔偿、行政补偿等。在更广泛的意义上，还可以包括信访、请愿、声明异议、申诉、改正错误等。

在行政救济的各种措施中，行政复议、行政诉讼与信访的应用率最高，这三者为行政救济制度的基础。行政复议与行政诉讼共同

构成了当事人不服行政机关具体行政行为而申请救济的两大法定途径。与行政诉讼相比，行政复议具有受案范围更宽、方便、快捷、不收费等优点，可以把行政争议及时主动地化解在行政机关内部，因而，在防范和化解社会矛盾、构建和谐广东的过程中，行政复议是一项非常重要的制度。行政纠纷往往影响面广，涉及人数多，而且造成大量信访案件，成熟的信访体制也是化解纠纷、促进和谐的有力武器，且广东在信访体制上有所创新。篇幅所限，这里仅探讨广东行政复议制度及信访制度的建设问题。

2. 广东行政复议工作评述。

自1999年《行政复议法》实施以来，广东省行政复议工作有了较快的发展，其在化解社会矛盾、维护社会稳定、构建社会和谐方面的作用日渐突出。自2000年到2005年，我省各级行政复议机关收到行政复议申请的总数逐步上升，其中除2002年比2001年有所回落外，其余各年都有较大增长。按年统计，每年的案件总数分别是：2000年3456宗，2001年4213宗，2002年3976宗，2003年4247宗，2004年5617宗，2005年6445宗。

2000—2005年六年中，全省各级行政复议机关认真履行行政复议职责，对行政复议申请的受理比率基本在90%以上，即90%以上的行政复议申请得到立案受理。在受理案件后，各级行政复议机关基本能抓紧时间审查、结案。每个统计周期（即每半年）的结案率约85%。在每年审结的案件中，决定维持的约50%；撤回申请、撤销、责令履行或者确认违法等处理的约占48%；决定变更的很少，不到2%。①

从总体上看，广东行政复议工作取得了很大的成绩，行政复议制度在防范和化解社会矛盾方面发挥了重要作用。但目前的行政复议工作仍不适应发展社会主义民主政治、构建社会主义和谐社会的迫切要求，存在的问题主要包括：（1）一些地方政府领导重视不

① 参见李华南：《充分发挥行政复议在化解社会矛盾中的积极作用》，《政府法制研究》2006年第5期（总第47期）。

够。有些地方领导未能充分认识行政复议工作在化解社会矛盾中的积极作用，在组织领导、机构编制、后勤保障上没能给予足够支持。(2) 行政复议力量配备与任务不适应。一是县区一级复议机构不健全。二是人员配备不到位。三是人员流动大。(3) 行政复议保障不足。《行政复议法》规定行政复议实行不收费制度，所需工作经费必须由同级财政予以保障。目前，各地复议工作普遍存在经费保障不足问题，尤其是县区一级行政复议经费基本没有依法列入财政预算。(4) 复议文书审批程序繁琐，容易造成工作被动。实践中，复议文书往往被当作普通办文处理，忽略时限要求，经常造成工作被动。(5) 上下级行政复议机构的联系松散，缺乏必要的指导。

中共十六届六中全会提出构建社会主义和谐社会的战略部署，既赋予行政复议更大的责任，更为这项工作提供了良好的发展机遇。广东必须抓住机遇，充分发挥行政复议工作在构建和谐社会中的作用，推进行政复议工作更上新台阶。

3. 广东信访制度建设。

随着市场经济体制的发展和社会转型步伐的加快，各种利益和矛盾的冲突也在上升，表现之一就是信访量的逐年上升。据统计，仅 2003 年，广东省人大常委会办公厅信访处共受理人民群众来信 8584 件；接待群众来访 4176 批 12670 人次，来访人数首次突破万人次大关，接待来访数量比上年多 1516 批 4096 人次，分别上升 57% 和 48%，平均每个工作日接待来访 15.8 批。巨大的信访数据，是人们维权意识不断提高的重要表现。另一方面，信访量的上升也折射出人们对政府管理的科学化、民主化以及透明化的期望值正在不断提高。

广东省委、省政府一直重视信访在化解社会矛盾、构建和谐广东中的作用，积极更新观念、创新信访体制，首创信访督查专员制度。根据时任中共中央政治局委员、省委书记张德江的意见，省委常委会决定，从 2004 年 1 月 1 日起，建立省信访督查专员制度。省信访督查专员从省直机关新任的副厅级领导干部中产生，经省委组织部考察确定后，分期分批派到省信访局工作。每批10人，每期3个月，专职处理群众来信，接待群众来访，着重协调处理重大信访案件。工作安排和日常管理由省信访局负责。工作期满后，由省委组织部和省信访局组织考核，考核结果存入本人档案，作为任用、奖惩等的依据。信访督查专员制度是省委进一步加强和改进信访工作的重大决策，是培养锻炼干部的重大举措，是广东省信访工作改革和干部任用制度改革的新尝试。该制度是广东首创，已经写入中共中央文件。文件建议在全国推广信访督察专员制度，加大信访案件的督办力度。

广东目前信访机制还存在严重缺陷：（1）信访机构庞大而分散。党委（通常与政府联合设立）、人大、党委工作部门、政府工作部门和司法机关甚至事业单位都设有信访机构。（2）信访机构没有独立处理问题的权限。信访问题的处理需要先报领导审批，领导批示后，再会同具体业务部门拿出处理方案，然后还要领导审批。

要解决目前信访制度存在的问题，使信访制度发挥其应发挥的功能，需进一步完善和规范信访制度。第一，要对目前过于分散的信访机构进行整合，建立起统一的计算机联网系统。第二，整合各种社会矛盾调处机构，规范信访部门职能权力，形成“大信访”格局。第三，建立若干专门行政裁判所，处理诸如土地征用、房屋拆迁、工伤补偿、交通和医疗事故纠纷等专门性争议案件。第四，畅通信访渠道，实行阳光信访。第五，维护信访秩序，推进依法治访。要健全信访法定程序，完善信访工作机制，明确责任，限期处理，及时结案；加大信访执法力度，维护信访者的合法权益；建立理性、有序、合法的信访秩序。通过依法治访，把信访制度纳入法制化建设的道路。

（五）广东地方政府职能的转变

1. 政府职能转变的目标：建立服务型政府。

2005年3月国务院总理温家宝在第十届全国人大三次会议上

所作的政府工作报告中强调指出，我们应努力建设服务型政府，创新政府管理方式，政府的主要职能是经济调节、市场监管、社会管理和公共服务。这是我国国家领导人第一次正式提出服务型政府的概念。2006 年 3 月，《国民经济和社会发展“十一五”规划纲要》进而明确提出，加快建设服务政府、责任政府、法治政府。中共十七大作出了加快行政管理体制改革、建设服务型政府的战略决策。2008 年 2 月 23 日胡锦涛总书记在中央政治局第四次集体学习时强调指出，建设服务型政府对于推动科学发展、促进社会和谐具有十分重要的意义。这充分标志着服务型政府已经成为中国行政体制改革、政府职能转变的目标选择。

2. 广东建立服务型政府的创新实践。

广东处在我国改革开放的前沿，也是较早发展市场经济的地区，在摸索建立服务型政府的实践中，有一些创新之举。

（1）健全决策机制，建设高效政府。广东省政府非常重视决策的科学化和民主化，已经形成了“三不”的决策原则：没有充分的调研不做决策，没有多个比较方案不做决策，没有专家的论证意见不做决策。不断加大对重大决策的调研力度，十分重视广泛听取社会各界的声音。每年一次举行“省长与专家座谈会”，每两年一次举行“国际咨询会”，广泛征询国内外专家对广东重大发展问题的意见和建议。一些重大的决策实行“听证会”制度。政府重大决策先经法律咨询论证后再决策已成为惯例。定期对决策的执行情况进行跟踪和反馈，并适时调整和完善有关决策。

（2）贯彻落实《行政许可法》，深入推进行政审批制度改革。行政审批制度改革直接关系到政府职能的转变和服务型政府的建立。1999 年以来，省政府先后组织开展了三轮行政审批制度改革，共取消省直机关审批、审核、核准事项 1262 项，下放管理事项 287 项，改变管理方式、移交行业组织或中介机构管理事项 94 项。《行政许可法》出台后，广东省各级政府、各部门结合行政审批制度改革，着力抓好行政许可清理工作。2005 年 5 月，省政府办公厅印发《广东省 2005 年行政审批制度改革工作方案》，要求省直各部门在省政府第三轮行政审批事项清理的基础上，加强制度建设，完善审批管理监督制度，规范行政审批行为；省政府发布《广东省第一批扩大县级政府管理权限事项目录》，将214项审批权下放或委托县（市）管理；各地行政审批制度改革工作取得积极进展，佛山、潮州及阳江等市完成了新一轮的行政审批事项清理工作。2006年，《广东省人民政府关于若干临时行政许可事项的决定》出台，进一步推进行政审批制度改革。

（3）大力推行政务公开，让权力在阳光下运行。公开信息不是权力者（主要指国家权力）的权利或权力，而是义务和职责。政务公开也是民主政治和防止权力腐败的必然，是信息时代的必然要求，是与世贸组织规则相接轨的必要措施，是建立和完善社会主义市场经济体制的需要。建设服务型政府需要政务公开。

为促进和规范政务公开工作，保障公民、法人和其他组织的知情权，加强对行政权力的监督，推进依法行政，根据有关法律、法规规定，结合本省实际，广东省政府于2005年制定《广东省政务公开条例》。根据该《条例》，原则上，所有的行政机关都有义务向民众进行行政信息公开；凡是法律法规规章要求，以及政府及政府机关所作出的具有普遍约束力的行政决定，只要不属于党和国家秘密事项，都要对外公开，包括社会经济发展战略、事关全局的重大决策过程和出台的政策、当地重大突发事件的处理情况、干部选拔任用情况、政府向社会承诺为群众办实事的事项及完成情况以及群众普遍关心的事项等等。目前，全省所有村、镇，县级政府及直属机关已全面实行了政务公开。为进一步加强政务公开制度的执行，省政府于2005年及2006年分别制定《广东省第一批扩大县级政府管理权限事项目录》及《广东省人民政府关于若干临时行政许可事项的决定》。

（4）推行预算公开，打造“阳光财政”。以政府预算管理的规范化为突破口，强化立法监督机构对政府财政预算行为的监督与审查，逐步推进公共财政管理的阳光化进程，构建利益相关主体共同治理的预算管理模式，似乎是一条重塑中国政府治理结构的重要线

索。在这一较具前瞻性的政府治理结构框架的构建过程中，广东实施了很多具有创新意义的制度和重大改革的举措，为中国“阳光财政”下的服务型政府的进一步完善，提供了某些具有“曙光”性质的可供借鉴的范例。

2001年以前，省政府每年向人大提交的预算报告一页纸就全部列完，支出方面只列到“类”；2001年，政府部门首次向省人大提交部门预算，但当年提交的只有七个部门；2002年，政府向省人大提交的预算报告扩展到27个部门；2003年，全省102个省级部门全都向人大提交了预算报告，在开支流向中列到了“项”，并有代表首次提交《预算草案修正案》；2004年，全省102个部门向人大提交了预算报告，每个部门都在预算表后附上一份文字说明，内容包括部门的机构设置、部门职能、人员构成、收入预算说明、支出预算说明等，提交给代表审议的《省级部门预算单位预算表》共有540页。2003年3月，广州市第一次在市人大会议召开前，由市财政局长向代表做财政工作的专题汇报，提高了代表们审议预算草案报告的质量，加强了财政部门与代表的沟通。

3. 全面深入推进广东服务型政府建设。

建设服务型政府，不是简单地对现有政府管理体制的修补和增减，而是涵盖施政理念、组织架构、职能调整、权力运行方式等多个方面的转变，是综合性的系统工程。今天，广东经济加速发展、各项改革继续深化，还需进一步转变政府职能，全面深入建设服务型政府。

（1）创新政府理念，努力形成服务型行政文化。构建服务型政府关键在于重塑行政文化，创建服务型行政文化。服务型行政文化具有民本位、有限性、责任性、高效性、参与性等特征。（2）加强法制建设，为服务型政府建设提供法制保障。在依法治国成为国家治理方略的背景下，服务型政府必然是法治政府，必然是致力于全面推进依法行政的政府。（3）规范政府组织管理，保障服务品质。建议制定政府服务标准。一方面为了促使公务员明确工作目标、程序，向公众提供规范化的服务，并作为绩效评估的依据，更为重要的是有利于公众明了政府的服务承诺，以便监督和维权。（4）完善公民参与机制，完善政府与社会的互动渠道。应结合服务型政府建设的现实需求，建立公正透明，运转流畅，绩效明显的公民参与机制。（5）大力发展公民组织，实现服务主体的多元化。建设服务型政府，必须扩展服务主体，在坚持以政府为主导的前提下，吸纳政府以外的市场主体、社会主体积极参与政府公共服务活动，实现公共服务主体的多元化。

三、公安司法体制改革的实践与探索

（一）广东公安机关加大执法力度，提高执法质量

1. 公安机关的发展和特殊机构设置。

广东省公安厅于1949年12月正式设立，并于1972年改名为“广东省公安局”。1976年“文化大革命”结束后，重新恢复广东省公安厅建制。全省各县、市设立公安局，在城市的街道和农村的乡镇设立公安派出所。此外，广东省公安厅还在林业、农垦、铁路、民航、水上航运等部门设立公安局、公安处、公安分局或公安派出所。

广东省公安厅还根据广东的特殊需要，设置了专门的执法机构。（1）设立边防管理局。针对旅居海外的华侨多、居留和往来港澳的人员多、外资企业多的特点，广东公安厅增设了边防管理局。（2）设立刑事侦查局。为及时准确打击刑事犯罪分子，广东省公安厅在刑事警察力量的配置和机构的设置上作了改革探索。首先在省厅设置刑警总队，各市设立刑警支队或大队。之后，省公安厅于1996年报经省人民政府批准，在刑警总队的基础上组建成刑事侦察局。这在全国范围内首开先例。（3）特设港澳调研处。香港澳门回归前后，敌对势力活动频繁，跨境犯罪日益猖獗。针对这种情况，省公安厅设立港澳调研处，主要是收集和掌握境外的敌、

特、社情。同时，在加强粤、港、澳合作方面也进行了有益的探索。[①] 此举，有力地打击了跨境犯罪，为广东改革开放创造了有利环境。

2. 转变执法理念，创新执法方式。

为提高执法质量，广东公安变革执法理念，力争内铲积弊、外顺民意。中共十六大后，全国公安系统提出了一个新命题："贯彻十六大，全面建小康，公安怎么办?"广东公安机关以此为契机，在2003 年初，开展了以"贯彻十六大，全面建小康，公安怎么办"为题的大讨论活动。通过大讨论，全省公安机关和民警都经历了一场刻骨铭心的端正执法思想、更新执法理念的变革。公安机关改变了过去一度存在的"重打击轻保护、重实体轻程序、重管理轻服务、重领导轻群众、重处罚轻教育"的落后观念，达成了共识：必须转变执法理念，必须坚持执法为民。

广东公安不断创新执法方式，在非常时期，采取专项行动。如：2004 年 10 月 18 日至 11 月 30 日的 40 天内，广东省公安机关开展了侦破命案专项行动。此次行动共破获故意杀人和投毒、纵火、爆炸、抢劫、强奸、绑架、伤害致死等 8 类命案 506 宗，这 8 类命案的破案率比 10 月份提高了 8.7 个百分点；抓获命案犯罪嫌疑人 879 名（其中本省命案犯罪嫌疑人 738 名，外省命案逃犯 141 名）；接连成功破获了东莞"11·26"杀死 4 人案、清远系列杀人劫车抛尸案、阳江系列持枪抢劫杀人案、肇庆系列杀死 2 人案等重特大案件。40 天内平均每天破获命案近 13 宗，抓获命案犯罪嫌疑人 22 名。

为防止年底社会治安问题出现反弹，确保全省社会治安持续稳定，省公安厅于 2005 年 11 月在全省公安机关开展为期两个月的"粤鹰"行动。随后一年半时间里，广东又陆续开展"粤鹰 2"、"粤鹰 3"系列打击行动。三次席卷全省的"粤鹰"行动，切实维

① 李绍新、张富强主编：《跨世纪的法治系统工程》，广东人民出版社 2000 年版，第 268 ~272 页。

护了广东治安大局稳定，进一步提高了人民群众的安全感。

为有效遏止涉枪犯罪的高发势头，为北京奥运会的顺利举办创造良好的治安环境，2008 年，广东省公安厅部署广州、汕头、湛江等地，从 4 月至 7 月底开展区域性打击涉枪犯罪专项行动。专项行动取得了显著成效，相继破获了汕头“2·19”系列抢劫杀人案等一批有影响的案件，抓获了一批涉枪犯罪嫌疑人。

3. 在探索中逐步提高执法质量。

改革开放 30 年来，广东公安机关在预防、制止和侦查违法犯罪活动，防范、打击恐怖活动，维护边境地区的治安秩序及治安防范工作等方面作出了很大贡献。但是公安执法工作仍存在着许多问题，人民群众还有很多不满意的地方。公安机关在探究改革、完善和加强公安执法工作的措施中逐步规范执法行为，提高执法质量。

从强化教育培训入手，全面提高民警整体素质。提高民警素质是确保公安执法质量的核心问题，没有高素质的执法民警，就不会有高质量的公安执法。既要突出重点，又要注重学习的系统性，有计划、循序渐进地进行学习，一步一步地打好基础，进而全面提升整体素质。要通过学习教育，使全体民警牢固树立执法为民的思想，把实现好、维护好、发展好广大人民群众的根本利益作为执法工作的出发点和落脚点，把人民群众满意作为公安执法工作的最高标准，真正做到“权为民所用，情为民所系，利为民所谋”。通过培训，使民警全面掌握公安常用法律和业务知识，熟悉执法办案新要求，切实转变不适应新形势变化的传统观念和工作方式，增强服务意识、人权意识、证据意识、程序意识、监督意识和诉讼意识，逐步养成自觉守法、严格依法办事的习惯。

从理顺体制入手，强化公安执法保障。公安执法保障机制包括领导管理机制、警力保障机制、财物保障机制、法律保障机制和执法环境保障机制等。公安保障机制建设要同政治经济体制改革同步，要与各地经济社会发展水平相适应，要立足现状，长远规划，分步实施。在保证党对公安工作绝对领导的基础上，进一步强化公安内部垂直管理力度，确保政令警令畅通，最大限度发挥公安机关

整体作战效能；减少地方和部门保护主义指令的干扰，减少非警务活动。同时，优化警力资源的配置，根据各级公安机关的职能定位，大力精简内设机构和派出单位，合并职能交叉或相近的部门和警种，从实际需要出发设置公安派出机构，重新整合警力资源，最大限度地把警力沉到一线，实行“小机关、大基层”，切实解决头重脚轻、机关化严重的问题，切实解决部门与警种之间职能交叉、权责脱节、人浮于事的问题。加强全民法制教育，营造有利于公安执法的大环境。公安机关在行政管理、打击处理违法犯罪等执法工作中也要注重法制宣传，增强全民的法制意识和法律素质，提高全民遵守法律、依法办事的自觉性，在全社会形成学法、用法、护法的良好风气，使人们能够自觉地支持、配合执法，为公安执法工作创造良好的社会环境。

从强化执法监督入手，提高执法质量。实践证明，权力失去监督和制约必然导致腐败。要保障公安机关真正为人民掌好权，用好权，防止在执法活动中滥用权力和滋生腐败，就必须加强对执法活动的监督和执法权力的制约。充分发挥监督部门职能作用，优化监督效能。要进一步明确公安内部各执法监督部门的职责，理顺工作关系。法制部门、警务督察部门、信访部门、纪检监察、人事以及各业务部门要按照职责分工，各司其职，履行监督职能。各部门要加强配合，形成监督合力，努力发挥监督的最大效能。同时，要进一步拓展外部监督渠道，强化外部监督。自觉接受人大、检察、法院、监察等监督机构的监督，用权力制约权力；通过多种渠道，开门纳谏，真诚对待人民群众的批评、投诉、申诉、控告和举报，用权利制约权力；充分利用新闻媒体，主动揭露执法不公，抨击司法腐败，用舆论制约权力。

（二）广东检察机关完善检察机制，促进肃贪倡廉

1. 检察机关的发展和机构沿革。

1950 年 2 月，广东省人民检察署正式创建。1954 年 9 月，广东省人民检察署改名为广东省人民检察院。至 1955 年 10 月，全省

已建立115个检察院，配备干部690人。在“文化大革命”中，检察机关被撤销，检察工作被迫中断，全省检察系统陷于瘫痪。

1978年3月，全国五届人大第一次会议通过的新宪法规定重新设置人民检察院。同年6月，广东省人民检察院重新设立。1979年起，广东检察机关在开展打击刑事犯罪活动的同时，为落实党的政策，开展了复查纠正“文化大革命”的冤、假、错案工作。

1982年中共中央和全国人大常委会作出严惩严重破坏经济犯罪的决定以后，广东各级检察机关加强了打击经济犯罪的工作力度，严惩了一批重大罪犯。1988年下半年针对当时贪污贿赂犯罪的严重情况，根据最高人民检察院的部署，广东检察机关把反贪污、贿赂斗争作为打击经济犯罪的工作重点。1988年3月，深圳市检察院成立了全国第一个“经济罪案举报中心”，至1988年底，广东各级检察院先后建立了“贪污贿赂罪案举报中心”。1989年8月18日，广东省人民检察院为了适应惩治腐败，加强廉政建设的需要，在全国率先建立了“反贪污贿赂工作局”，并使举报、侦查、预防工作一体化。

1993年以来，全省检察机关紧紧围绕党和国家的工作大局，突出查办贪污贿赂、渎职等犯罪大要案，严厉打击严重刑事犯罪和加强执法监督三项重点工作，推动其他检察业务的全面发展，广东的检察队伍不断发展壮大，为保护和促进我省改革开放和经济建设的顺利进行发挥了积极作用。

目前，全省设有各级各类检察院158个。其中省级人民检察院1个，普通地市级检察院21个，广州铁路运输检察院1个，基层人民检察院135个（含5个铁路运输检察院和3个经济开发区检察院）。为了对重点区段、重点单位开展专项检察工作，还在有关部门特设派出机构——检察室，充分发挥人民检察院的执法、护法功能。

2. 改革检察机制，加大肃贪力度。

为保护改革开放成果，发展社会主义市场经济，广东检察机关始终把反贪污贿赂斗争作为打击经济犯罪的工作重点。在惩治和预

防贪污贿赂等国家工作人员经济犯罪方面取得了可喜的成绩，以实际行动推进了反腐败斗争的深入开展，有力地保护和促进了广东改革开放和经济建设的顺利进行。

（1）设立贪污贿赂案件举报中心。为发动人民群众的力量，打击贪污贿赂犯罪，1988 年深圳市检察院参照香港廉政公署的举报制度，建立了我国第一家经济犯罪案件举报中心。同年 5 月和 6 月，广州市、汕头市人民检察院相继成立了贪污贿赂案件举报中心。广东专门成立举报机构的做法受到了中共中央和最高人民检察院的充分肯定。1988 年 6 月，中共中央发出《关于党和国家机关必须保持廉洁的通知》，要求全国县级以上人民检察院设立举报中心。最高人民检察院也做出了相应的决定。深圳市设立经济罪案举报中心的经验迅速在全国推广。

（2）设置反贪污贿赂局。1989 年 8 月，广东率先成立反贪污贿赂工作局（反贪局），至 1992 年，全省 20 个市中已有 17 个成立了反贪污贿赂工作局。反贪局是检察机关内的一个职能机构，在查处贪污贿赂案件、履行职权时具有相对的独立性。该局设 4 个业务部门，建立“举报、侦查、预防”一条龙配套机制，把原来分散的功能和手段统一起来，大大加强了反贪污贿赂工作。

（3）开展案件协查工作，建立个案协查制度。1987 年，广东省检察院与香港廉政公署开始了首次相互合作的探索，1990 年双方正式确立了开展贪污贿赂个案的协查制度。双方合作，侦破了一批重点案件，抓获了一批潜逃境外的犯罪分子。1993 年又建立了与澳门反贪高级专员公署的协作关系，粤、澳之间的个案协查也卓有成效地开展起来。

随着跨省市、跨国界贪污贿赂犯罪的日益增多，广东检察机关与部分重点市院成立了协查机构。对外地检察机关要求协助办案的，始终坚持“积极协查，依法协查，文明协查，有效协查”的原则，团结协作，得到了省内外同行的好评。

（4）着力培养反贪专家，加强队伍专业化建设。针对贪污贿赂犯罪呈智能化发展的趋势，广东检察机关采取多种措施培养专家型的反贪侦查队伍。一方面充实了一批高素质、高学历的人才进入反贪侦查队伍，另一方面加大了培训力度，对法律专业毕业的工作人员，放手让其在办案实践中磨炼，逐步积累直接办案经验。

3. 全面探索检察机制改革的新路子。

目前，贪污贿赂犯罪呈现出新特点：一是行业特点，案件集中发生在公共权力集中、资金集中、资源紧缺的领域；二是金额大，涉及面广，有的案子涉及到很多省；三是贪污贿赂犯罪的手段更隐蔽，更智能化；四是作案后外逃的情况时有发生。另外，法律对犯罪嫌疑人的权利保障越来越完善，公民对检察机关依法办案的要求也越来越高。检察机关要全面探索检察体制改革的新路子，采取新措施，应对新挑战。

一是建立和完善职务犯罪预防机制。自广东检察机关率先成立反贪局及开展职务犯罪预防工作以来，惩治和预防贪污贿赂等职务犯罪的工作开始走上专业化、法制化的轨道。2000 年 5 月在深圳召开全省职务犯罪预防工作会议，标志着广东检察机关职务犯罪预防工作进入一个新的发展时期。

广东检察机关职务犯罪预防工作虽然起步早，做了许多有益的探索，收到了一些效果，但还不能够适应形势的发展和要求，还存在许多不足：各地工作发展不平衡；机构还不够健全，工作人员数量少，素质较差；各地工作零敲碎打，没有系统性；经验总结不足，信息交流不及时，指导工作不到位；缺少立法和成熟的经验，使职务犯罪预防工作不规范等。

二是强化侦查机制改革，提高侦查工作效能。侦查是追究贪污贿赂犯罪的重要环节，如何实现在打击犯罪的同时，又能切实保护人权，彰显司法文明，是摆在检察官面前的一项重要任务。第一，转变执法理念。法律并没有剥夺犯罪嫌疑人的人权，因此他们的人权是应当受到保障的。第二，改变侦查方式，使侦查活动更加灵活、有效。第三，完善监督机制，使侦查活动在监督下进行。

三是加强区际司法协作，打击跨境贪污贿赂犯罪。目前区际司法协作范围狭窄、手续复杂，具有很大的局限性，远远不能适应打

击跨境贪污贿赂犯罪的现实需要。法域之间开展区际司法协作作为一种社会现实需求，随着香港澳门回归祖国，已更加强烈和迫切。广东检察机关可以探索将与港、澳的协作推向纵深。

（三）广东审判机关健全审判机制，确保司法公正

1. 审判机关的发展和审判体制现状。

1950 年 2 月 1 日，广东省人民法院正式成立。1955 年初，广东省人民法院改名为广东省高级人民法院，各地、市、县设立中级人民法院和基层人民法院。建国初期，各级法院克服困难，协同有关部门，积极配合镇压反革命、土地改革和“三反”、“五反”运动，开展审判工作，判处了一大批反革命分子和其他犯罪分子，为巩固新生的人民民主政权、保障社会秩序的安定做出了重要的贡献。

“文化大革命”十年动乱，法院工作受到了严重破坏。中共十一届三中全会拨乱反正，重新确立了实事求是的思想路线，法院组织机构逐步健全。审判队伍不断壮大，还拥有一批博士、硕士和专家型法官。审判职能进一步拓展，广东各级法院从最初的刑事、民事审判发展到刑事、民事、经济、行政、知识产权、房地产等各项审判，执行工作和国家赔偿工作也全面开展，审判运行和管理体系逐步走向完备。各级法院为维护社会稳定，促进经济发展，维护公民、法人和其他组织的合法权益，作出了很大贡献。尤其是改革开放以来，审判工作为党和国家工作大局服务的作用得到了充分发挥。

2. 健全审判机制，力求司法公正。

广东审判机关一直致力于审判机制改革，切实尊重人民群众的知情权、参与权、表达权、监督权，以让人民群众看得见、听得懂、做得到、靠得住的方式保障司法公正。

一是实行立审分开，建立统一的收立案制度。在改革开放初期只有刑、民两大审判，法院系统实行由审判庭分别收立案的立审合一制度。如今，法院新的审判庭纷纷诞生，审判种类和数量日益增

多，立审合一的审判机制暴露出很多弊端：（1）多头立案，多头收费，收费多的争着立，收费少的无人管，造成管理混乱，公民告状难。（2）法官自收、自立、自审，为“人情案”、“关系案”留下可乘之机。（3）对立案失去监督，审判人员滥用减免权，或收多报少，或收而不报，成为滋生腐败的温床。（4）立案登记不统一，庭长、院长不能及时掌握全局，造成办案超期，严重影响办案效率。为解决这一问题，省高级人民法院首先在广州、深圳两个中级法院进行了立审分开的试点。1993 年，在深圳召开现场会，予以全面推广。1994 年全省法院都普遍设立了立案室，在全省审判机关都实行了立审分开制度。这一改革举措受到省委的肯定，并给予高度评价。

二是实行直排开庭，落实举证责任，强化庭审功能。因为近年来案件大幅增长，为了保证公正审判、按时结案，从 20 世纪 80 年代末，广州、深圳等地的基层法院就开始进行当事人举证，变究问式审判为辩论式审判的改革试验。在实践中发现，要彻底改革审判方式，须配套实行排期直接开庭、书面指引当事人举证的制度。1994 年，在珠海市召开全省法院审判工作改革汇报会，在总结典型经验的基础上，要求全省各级法院逐步推行排期直接开庭、书面指引当事人举证、强化法庭辩论式的审判方式改革。①

三是积极创建立案、信访两个“文明窗口”。法院立案、信访工作，直面社会，直面群众，立案、信访两个窗口是人民法院重要的诉讼场所，是人民法院联系人民群众的桥梁和纽带。为真正做到司法为民，最大限度地保证司法公正，省高院于 2003 年 12 月下发《关于创建立案、信访两个“文明窗口”的若干意见》，要求各级法院要健全完善立案、信访两个窗口的功能，搞好立案、信访两个窗口的硬件建设；健全完善立案、信访两个窗口的各项工作制度，确保立案、信访工作有章可循、有条不紊、公开透明。

---

① 李绍新、张富强主编：《跨世纪的法治系统工程》，广东人民出版社 2000 年版，第 294 ~ 296 页。

四是改革传统立案制度，大力提倡十项便民措施。为方便群众立案，广东省高院打破传统立案制度，提倡全省审判机关实行十项便民措施，即远程立案、异地受理、巡回立案、预约立案、双休日立案、当值法官制度、预约接访、网上及电话查询咨询、诉讼指引和诉讼风险告知制度。

五是全面开展“结对帮扶”，努力提高整体水平。“结对帮扶”这一形式在全国法院系统来说是个创举。该活动涵盖了全省21个地级以上市的各级法院。“结对帮扶”采取一对一或一对多的方式在四个方面结对帮扶：一是人才资源共享；二是工作经验交流；三是法院文化共建；四是物质装备支援。在帮扶形式上，通过挂职锻炼、业务培训、支援办案等，促进两地法院交流协作。

3. 全面探索保障司法公正的新路径。

司法公正是审判工作的着眼点和落脚点，也是人民法院多年来追求的目标。形势的发展，改革的深入，对司法公正提出了更高的要求，各级法院须针对新形势下审判工作的特点，进一步落实确保司法公正的各项措施，建立和完善符合司法公正要求的审判工作运行机制，进一步提高执法水平。

一是建立高素质法官的遴选制度。法官是司法的载体，法官素质在很大程度上决定着法治的质量和司法公正的程度。建立高素质法官遴选制度，有助于法官素质的逐步提高，从而最终实现法官职业化、精英化。首先，从统一司法考试资格获得人选中，经考核遴选充实到各基层法院。其次，精简现有的法官队伍，最大限度地发挥现有的法官资源。再次，实行任职公示制度，保证法官的良好品行。最后，实行法官高薪制度，使法律精英无悔地选择法官职业。

二是深化审判方式的改革，确保程序公正。任何良好的法律都要通过正当的程序才能体现其应有的价值。当前，在审判活动中确保程序公正，需要进一步强化审判制度的改革，如：确保法官独立地行使审判权，在审判活动中始终保持独立的地位；全面贯彻公开审判制度，避免先定后审，开庭走过场的现象；落实审判合议制，改变案件的行政审批制以及审委会包揽各类案件的裁定权的现象；

认真执行审判监督制，杜绝上下级法院私下沟通，剥夺当事人上诉权等现象发生。

三是完善审判长选任制。自最高人民法院《人民法院审判长选任办法（试行）》颁布实施后，审判长选任工作在全国范围内普遍展开。审判长选任制对于保障司法公正、提高审判效率将会产生重大而深远的影响。完善审判长选任制，要从根本上改变目前“权责不清，审者不判，判者不审”以及法院体制行政化的现象。同时必须真正落实法律赋予审判长所享有的职权，审判长应当成为合议庭的组织者，在案件的审理过程中发挥指挥作用，但同时也要对案件的审理结果负主要的责任。

四是完善监督机制。司法的公正性与效率性有赖于监督机制的完善。目前法院搞的几个分离，如立审分离、审执分离、审监分离等等，就是为了监督。所以，法院里的法官对于同一个案件的解决，实际上是通过分工与合作来完成的，在这个过程中，就有互相监督的价值存在。上级法院对下级法院也有监督的功能，但是这种监督不能游离在正规程序之外，应当纳入到程序中，实现程序化的监督。舆论监督是维护司法独立的一支力量。舆论监督的集中表现是媒体监督。媒体监督是司法民主化和公开化的产物，是进步的表现，但媒体监督也要纳入到法制的轨道，也要进行程序化的制度建设。

（四）广东司法行政机关创新管理方式，服务经济大局

1. 司法行政机关的重建和发展。

广东省司法厅是主管司法行政工作的省人民政府组成部门。广东省司法厅成立于1955年2月，1959年4月被撤销。1979年9月，第五届全国人大常委会第十一次会议决定设立中华人民共和国司法部，主管全国司法行政工作。1980年2月，广东省人民政府决定恢复成立省司法厅。随后，各地、市、县司法局也相继恢复并开始运作。1980年首建了乡镇司法办公室，2001年3月又实现了司法所“立户定编”。

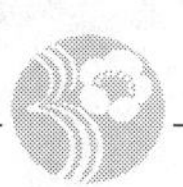

恢复重建后的广东省司法厅内设律师管理处、公证处、宣传处、广东法制报刊社和其他业务行政机构。1983 年 7 月，原由公安部门管理的劳动改造、劳动教养工作移交司法行政机关，因此，又增设劳改局（后更名为“广东省监狱管理局”）、劳教处等机构。

广东司法行政工作自 1980 年恢复重建以来，在广东省委、省政府和国家司法部的指导下，坚决贯彻执行党的路线、方针、政策，充分发挥职能作用，多项工作取得了较好成绩，为维护广东社会政治稳定，促进改革开放、经济发展和法制建设做出了积极的贡献。

2. 创新管理模式，创建文明监所。

广东监狱工作从实际出发，积极探索具有广东特色的监狱管理模式，实现监狱工作跨越式发展。“九五”期末，广东监狱实现了罪犯从野外农业生产为主向监狱室内加工业生产转移的历史性突破，实现从分散关押向集中关押转移，形成了高度封闭管理模式，在客观上有效防止和减少了脱逃案件的发生。2003 年 4 月以来，广东监狱以全面推进规范化建设为契机，深化对监狱管理体制的改革，推行“监狱—监区”二级管理体制，取消原监狱三级管理模式中的分监区管理层级，精简机构，使监区从管理层转变成操作层，提高监狱行政效率和工作效率。2005 年初，实行“管、教分开”的管教工作双领导体制，成立了心理矫治科，为抓好教育改造工作提供了组织保障。同时，积极探索教育矫治工作“质量管理”模式，探索构建起改造质量科学评估体系。

新型管理模式使被改造者不仅提高了思想觉悟、法律意识，而且还学到了技术和劳动技能，掌握了出狱后自食其力的谋生手段。据不完全统计，广东监狱刑满释放人员重新犯罪率仅占 5.88%。因此，一些监管单位被授予部级或省级“文明监狱”称号。

广东省劳教系统坚持“教育、感化、挽救”的方针政策，在管住管好的同时，始终把教育工作放在首位。在管理方面实行分管和创办特殊学校相结合的管理方式，在教育方面坚持对劳教人员进行政治、文化、法律知识和业务技能的教育。开设各类文化教育班

100多个，已有数百万劳教人员接受了各级各类的生产技能培训。从对劳教人员重返社会后的跟踪调查来看，90%以上的解教人员都能安心从事生产劳动，自食其力，重新违法犯罪率较低。司法部鉴于深圳市第一劳教所在劳教工作中取得的突出成绩，授予该所“现代化文明劳教所”的称号，使之成为当时全国仅有的5个现代化文明劳教所之一。到目前为止，全省已有部级现代化文明劳教所4家，省级现代化文明劳教所16家。

3. 大胆改革，创新律师管理机制。

1979年4月，广州市法律顾问处首先组建开业，成为全国恢复最早的律师机构之一。1980年《中华人民共和国刑事诉讼法》正式生效，辩护制度得到恢复。同年8月《中华人民共和国律师条例》颁布，广东的律师制度开始了全面重建。1980年全省法律顾问处发展到13个，从业律师138名。同年12月，律师工作者的行业管理机构——广东省律师协会正式成立，它是我国律师制度1979年恢复重建后成立的第一家省级律师协会。在律师协会的管理下，广东律师工作进入了有序发展的阶段。到1991年，法律顾问处已基本上改制成律师事务所，全省从业律师达到3000多人，律师机构271人。1992年，随着改革的进一步深化和社会主义市场经济体制的建立，律师管理形成了由司法行政机关的行政管理与律师协会的行业管理相结合的体制，律师管理工作得到进一步加强。至2005年，广东21个地级市都已成立了律师协会，共有团体会员（律师事务所）1100多家，个人会员（律师）1.1万多名，均居全国前列。广东已成为名副其实的律师大省。①

广东省司法厅与省律师协会在探索律师队伍管理体制上，锐意创新，大胆改革，留下了一个个坚定而扎实的足迹。（1）打破地域界限，鼓励律师所跨地区设立分支机构，特别是支持有条件的律师所到国外或港、澳地区开拓新的业务。截至1996年底，境外律

① 参见王俊、刘洪群：《广东省律师协会成立25周年纪念大会召开》，《广州日报》2005年12月26日。

师事务所驻粤办事处已有14个；本省律师事务所在国外设立分所1个；外省律师所在本省设立分所4个。（2）在试办4间个人开业的律师所的基础上，继续总结提高，选准目标，适度发展。2008年6月1日起施行的新《律师法》第十四条详细规定了设立律师事务所应当具备的四个条件。其中非常重要的一点就是对设立人人数不再作严格限制，从某种意义上也就是允许了个人律师事务所的成立。这一点对于降低法律服务成本无疑具有重要意义。广东的尝试走在了全国的前头。（3）2004年3月1日起，珠海市施行《珠海市律师执业保障条例》。该条例的实施标志着珠海成为全国第一个立法保障律师权益的地区，为这里律师业的发展提供了最适宜的环境。（4）广东于2002年设公职律师。广东省编办、省人事厅、省财政厅和省司法厅联合发出通知，要求全省各市县务必在2002年内建立公职律师事务所，设立公职律师，专为政府和困难群众打官司。这些公职律师事务所不参与市场竞争，不向社会提供有偿法律服务，为财政核拨事业单位编制。（5）积极鼓励律师机构向乡镇延伸，推行律师服务到基层的计划。1980年，紫金县蓝塘区首先建立了全省第一个乡镇法律服务机构。省司法厅领导在调查研究中发现了这个新生事物立即组织总结推广。到1986年，全省已在乡镇、城市的街道和部分农场、林场建立起服务机构1700多个，法律服务人员近5000人，为基层的改革、发展、稳定发挥了重要作用。这一实践得到了司法部的肯定，并作为经验向全国推广。

4. 改革公证制度，服务经济发展。

公证制度是世界各国通行的一项重要法律制度。新中国的公证制度是借鉴前苏联公证制度创立、形成和发展起来的，并走过了一段曲折的发展历程。20世纪50年代，除基于国际惯例办理的少量涉外公证外，国内公证业务基本处于停滞状态。“文化大革命”期间，我国公证工作几近取消。改革开放以来，这一法律服务工作开始恢复。1979年，司法部重建之后，即着手推动公证制度的复建与发展工作。1982年，国务院制定了新中国第一部公证法规——《公证暂行条例》。然而，随着市场经济的建立和发展，形成于计划经济时代的公证体制，由于没有独立的法人地位，难以独立承担相应的法律责任，因而阻碍和限制了公证事业的发展。1993年以后，司法部根据建立社会主义市场经济体制的要求，启动了公证体制改革。2005年8月，《中华人民共和国公证法》颁布实施，中国公证事业进入深化改革和全面发展的新时期。

广东省的公证工作也同样经历了重建、发展和完善的历程。2000年底，广东省深化公证工作改革会议召开，全省公证制度改革正式拉开序幕。根据国务院批准的《关于深化公证工作改革的方案》的规定，广东省凡达到一定条件的行政体制的公证处，逐步改为事业体制，广东省各地公证处转为事业体制后，由司法行政机关统一管理。省司法厅还在全省组织进行合作制公证处试点，并将顺德市公证处作为合作制第一试点。全省各地公证机构改革与当地政府机构改革同步进行。截至2002年，广东省近100个公证处转为事业体制，大部分公证员脱去了公务员身份，不再吃“皇粮”，真正以国家公证员身份展现在世人面前。① 到2005年底，全省共有144个公证处，1300多名公证员，其中执业公证员700名。全省公证办证量连续4年突破1000万件，占全国办证总量的1/10；涉外、涉港澳台公证每年约45万件，占全国1/7强。全省开办的公证项目发展到200多项。②

5. 首创政府法律援助，服务社会弱势群体。

1995年11月，广州市司法局率先在全国设立了第一家由政府创办的法律援助中心，开始了为社会弱势群体提供法律服务的工作。时任司法部部长肖扬经过视察论证后将中心的工作称为“广州做法”，并批示“可向全国介绍”。国务院新闻办公厅在《人民日报》和《国务院公报》发表的《中国人权事业的进展》一文中，将广州法律援助中心的成立与工作列入“司法中的人权保障”一

① 参见林健生、刘洪群：《广东近百公证处转为事业体制，公证员不再吃皇粮》，《南方日报》2002年12月16日。

② 参见广东省司法厅简介，http：//www. gdsf. gov. cn/webpub_ sft/index. jsp。

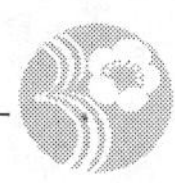

节，作为中国政府表述中国人权保障状况的一项有力佐证。[①]

广州市法律援助中心的成立，将中国的法律援助由自发性的民间善举上升为规范化的政府行为，是中国在法律制度的健全完善方面与国际社会进一步接轨的重大开拓成果，标志着中国在加强民主与法制建设，健全和完善社会保障体系方面迈进一个新的阶段。广东省司法厅在经过充分的调查研究后，也于1996年11月正式成立了全国首家省级法律援助中心。1999年8月，广东省九届人大常委会第十一次会议通过了《广东省法律援助条例》，成为全国首部法律援助的地方性法规。

目前，全省148个市、县（区）全部建立了法律援助机构，形成了省、市、县三级政府法律援助机构网络，并逐步向乡镇一级延伸。此外，还开始在监狱设立服刑人员法律援助部。到2005年底，全省依托司法所成立1336个工作站或联络站，设立366个法律援助服务组织和112个涉军法律事务援助机构；全省法律援助机构专职人员555人。广东各法律援助中心贯彻“公民在法律面前一律平等”的宪法原则，切实维护弱势群体合法的法律权益，办理了一定数量的法律援助案件，取得了良好的社会效益，为实现司法公正，促进社会稳定、经济繁荣和精神文明建设做出了应有的贡献。

---

① 参见《法律援助介绍》，http://www.legalaid.net.cn/program/html/introduce.php。

第五章 人文广东

纵观人类社会发展的历史，任何一种社会形态都伴随着物质文明和精神文明的进步而变化。两个文明相互作用、协同发展是人类社会发展的普遍规律。改革开放伊始，中国共产党就鲜明地提出，要在建设高度物质文明的同时，建设高度的社会主义精神文明。30年来，先行一步的广东人民面对复杂多变的国际环境和艰巨繁重的改革发展任务，始终以开拓创新的勇气和求实辩证的智慧推进精神文明建设，走出了一条具有时代特征、中国风格和广东特色的精神文明建设之路，把现代岭南文明推向了一个全新的历史高度。

一、坚持服务大局，形成推动改革发展的强大精神动力

自中共十一届三中全会确定党的工作重心转移以后，经济建设一直是我们党和国家的中心任务，改革、发展、稳定始终是我们党和国家的工作大局。广东的精神文明建设积极主动地围绕中心、服务大局，把干部群众的思想和行动统一到中共中央和省委的决策部署上来，把智慧和力量凝聚到国家的工作大局和全省的工作中心上来，充分发挥了精神文明建设对改革开放和社会主义现代化建设的保证和促进作用。

（一）不断解放思想、转变观念，为改革开放鸣锣开道

历史上任何一次真正的改革，总是以解放思想、转变观念为先导的。马克思主义认为，一定的文化（作为观念形态）是一定社会的经济和政治的反映，又给予伟大影响和作用于一定社会的经济和政治。广东改革开放30年的高速发展，除了得益于充分发挥了区位优势、政策优势，还得益于充分发挥了观念优势。邓小平说："深圳的重要经验就是敢闯。"[①] 这正是对广东具有的观念优势的精辟概括。广东始终围绕中心任务和工作大局来解放思想、转变观念，不断冲破"左"倾错误思想、教条主义的禁锢，持续增创思想解放、理念先行的观念新优势，为经济建设摇旗呐喊，为改革开放鸣锣开道，充分显示了精神文明建设强有力的先导和支撑作用。纵观30年，广东在解放思想、转变观念方面，主要冲破以下几个障碍：

克服恐"富"症，倡导"勤劳致富"观念。中共十一届三中全会以后，提出农村要推行家庭联产承包责任制，让农村成为改革的突破口，以改变农村贫困状况。但一些人受传统的计划经济和"左"的思想影响而想不通，认为是"倒退"，说什么"辛辛苦苦三十年，一夜回到解放前"；一些人则把富裕与变修、富与不仁画上等号。因而使不少基层干部群众想富又怕富，富了怕露富，害怕被"割资本主义尾巴"，害怕政策变，重新划分阶级，实行"秋后算账"等等。这些疑虑影响了干部群众改变贫穷落后面貌的积极性，对发展生产缩手缩脚，阻碍了改革的进程。广东比较早地认识到家庭联产承包责任制有利于促进生产力的发展，是前进而不是倒退。为了消除顾虑，扫除思想障碍，一方面，在广大城乡进行"实践是检验真理的唯一标准"的讨论，使大家明确，贫穷不是社会主义，不改革只有死路一条，只要是有利于社会生产力发展的，有利于提高人民生活水平的就应勇敢地闯、大胆地干。另一方面，

① 《邓小平文选》第3卷，人民出版社1993年版，第372页。

在全省农村广泛开展了“勤劳致富”教育，鼓励大家想富、敢富、能富、会富，并对先富起来的专业户给予大力支持，开展“贺富”活动，树立起一大批勤劳致富的先进典型，在全社会形成勤劳致富光荣的舆论氛围。

克服恐“变”症，树立开放意识。广东的改革是以打开门户、实行对外开放起步的。为了贯彻落实中共中央让广东“杀出一条血路来”，成为中国改革的试验场和对外开放的“窗口”的要求，广东省委提出要更加“三放”（即对外更加开放，对内更加放宽，对下更加放权），办好三个特区（即深圳、珠海、汕头），开展三个引进（即引进外资，引进先进技术，引进人才智力），进行三个出口［即大力出口商品、出口劳务、出口风景（发展旅游业）］等全面开放的举措。在此过程中，也碰到了各种思想干扰。有人担心经济特区会变成“租界”、丧失主权，出现了所谓“卖国论”、“新殖民地论”；有人认为发展“三资”企业是搞资本主义，外商投资办厂会使社会主义变质；甚至有人说，深圳除国旗还是红色的外，其余都变白了，等等。针对这些论调，省委认真部署全省性的学习辩证唯物主义、历史唯物主义、中国历史和国际形势，使大家认识到，中国在近代以来变得落后了，一个主要原因就是闭关自守；建国30多年的经验教训也告诉我们，关起门来搞建设是发展不起来的；当今的世界是开放的世界，任何国家不对世界打开大门进行交流互动，而想完全依靠自己的力量解决本国发展中的一切问题，已经不可能。同时也教育大家，对外开放并不是不问青红皂白地一概吸收，而是有批判、有保留、有扬弃地吸收，“排污不排外”；分清外来思想文化中的精华与糟粕，既以开放的姿态学习国外的优秀文化成果，又自觉抵制资产阶级腐朽思想。“排污不排外”成为当时广东坚持的重要方针。即使是在80年代中、后期，开展“清除精神污染”、反对“资产阶级自由化”之时，广东仍坚持“对外开放和对内搞活经济坚定不移”。当时群众中流行的一些顺口溜，如“改革是社会主义的‘活心丹’”、“开放是社会主义的‘清凉剂’”、“封闭就是自我窒息”等，正是新的开放观的反映。思想解

放有力驳斥了“卖国论”、“殖民地论”的质疑，消除了人们担心“变质”的忧虑，推动了外资进入和外资企业在广东的迅猛发展，而且使广东对外开放的行为不断主动、思路不断拓宽、区域不断扩大、领域不断增多。此后，在开放观念不断增强的促进下，广东利用外资的质量越来越好，参与世界经济竞争与合作取得的成效越来越显著，国际竞争力的水平越来越高。

克服恐“资”症，确立市场经济的理念。改革是要突破传统计划经济的僵化体制，建立以市场经济为取向的体制。然而，在“左”的思想的影响下，许多人把市场经济等同于资本主义，把市场经济看成是资本主义的“洪水猛兽”，避之唯恐不及。再加上多少年来，在小农经济的大背景下，人们已经形成了根深蒂固的均等、安逸、自足、守旧等传统观念。这一切给以市场为取向的经济体制改革造成极大的障碍。广东的经济学家卓炯最早提出要发展社会主义商品经济。广东省委专门召开会议，提出必须破除不合时宜的陈腐观念和“左”的束缚，破除把商品经济看作是资本主义的固定观念，破除把全民所有制的所有权同国家机构直接经营企业混为一谈的错误观念，破除把竞争看成是资本主义特有现象而不敢竞争、抵制竞争的思想，破除过去老一套的领导方法、工作方法和过时的规定、制度。这些在当时是惊世骇俗的思想解放的主张和要求，有力地促进了广东干部群众的观念转变，“时间就是金钱，效率就是生命”、“市场是心脏”等新观念在全国风靡一时。邓小平发表南方谈话和中共十四大召开以后，人们更是明确地认识到，市场经济作为配置资源和调节经济的有效手段，是建立在社会化大生产基础上的商品经济所需要的一种经济组织方式，其本身不具有社会制度的属性，因而对资本主义社会市场经济的运行规则和方式可以大胆地借鉴和吸收。同时，注意帮助人们全面认识市场经济，既破除把市场经济与资本主义画上等号的陈旧观念，积极发展市场经济，又看到市场经济的两重性，努力限制其负面作用。由此，全省人民摆脱了姓“社”姓“资”争论的种种困扰，“敢为天下先”地确立并强化了诸如竞争观、创新观、时效观、机遇观、信息观、诚

信观、法制观等与市场经济相适应的全新价值观念，形成了促进和加强全省改革发展的强大精神力量。

克服自满情绪，增强忧患意识。广东改革开放先行一步，经济发展处于领先地位，从1985年开始，经济总量年年居全国第一，主要经济指标也排在全国前列。面对大好形势，广东有充分理由感到自豪，但也使一些人滋长了“小富即安”、“小进则满”、安于现状、不思进取的自满情绪，缺乏“再上一层楼”的冲劲；一些人把已经形成的做法当成固定不变的模式，思想日益僵化、保守、教条。这些自满思想成为广东实现更大发展、更大突破的羁绊。事实上，进入20世纪90年代以后，在全国改革开放“千帆竞发”、“百舸争流”的形势下，广东原有的区位和政策优势明显弱化甚至丧失，不少方面已逐渐落在了一些兄弟省市的后面。广东省委审时度势，及时组织了增创广东发展新优势的十大专题调研活动，在全省普遍开展“破除小富即安思想，树立求大发展观念；破除无所作为思想，树立抢抓机遇意识；破除贪图享乐思想，树立艰苦奋斗精神；破除粗放经营观念，树立质量效益意识；破除‘一手硬一手软’倾向，树立‘两手抓两手都要硬’思想”的“五破五树”教育，以推动思想观念的创新，形成开拓进取的合力。广东还积极贯彻江泽民视察深圳南岭村时提出的“致富思源、富而思进”的要求，在全省深入开展“两思”教育学习活动，大力提倡富而好学、富而重教、富而尚勤、富而崇德、富而求序。在新世纪经济社会全面转入科学发展轨道之时，广东的改革开放和现代化建设面临资源和环境的约束趋紧、经济发展方式急需根本转变、民生问题突出等重重困难和巨大挑战。2007年，中共广东省委十届二次全会提出，要牢记“生于忧患而死于安乐”的古训，增强忧患意识，继续解放思想，以当年改革开放初期“杀出一条血路”的气魄，努力在实践科学发展观上闯出一条新路。由此，在2008年掀起了新一轮思想解放的热潮，吹响了新一轮改革创新的号角。全省干部群众以强烈的忧患意识去居安思危，放下GDP的金字招牌，克服骄傲自满的情绪，清除“改革疲劳症”的影响，冲破既得利益者

的重困，打破对传统路径的依赖，紧紧围绕制约未来发展的难点和症结，开展学习讨论和调研，寻找解决问题的新办法和对策，再一次为改革开放进一步深化试水探路。

（二）坚持正确价值观导向，引领整合多样化社会思潮

一个国家、一个民族、一个社会在长期的认识和实践活动中，必然形成共同的价值观，需要有共同价值观的强力支撑。这是一定的社会系统得以运转、社会秩序得以维持的基本精神依托。而我国的经济体制改革，带来了社会结构的深刻变动、利益格局的深刻调整、生活方式的深刻变化；对外开放，也造成了各种思想文化的频繁交流和相互激荡。这一切给人们的思想活动带来巨大的活力，也使价值观念受到空前的冲击。不仅价值观念“整齐划一”的格局被打破，价值取向明显呈多样化态势，而且有不少人产生疑惑、误解，甚至迷失方向，使社会思想文化产生一定的无序性。因此，在全省大力加强社会主义共同价值观教育显得极为重要和紧迫。胡锦涛总书记在2006年提出了社会主义荣辱观，中共十六届六中全会明确提出要建设社会主义核心价值体系，形成全党全国各族人民团结奋斗的共同思想基础。但核心价值体系所包含的主要内容，一直是30年全社会宣传教育的“主旋律”。广东也不例外。30年来，广东自觉贯彻中央的有关决策部署，从“四有”新人教育到“四信”教育，从爱国主义教育到民族精神教育，从社会主义荣辱观教育到社会主义核心价值体系教育，始终抓住精髓、明确主题、突出核心、尊重规律，在以下“四个坚持”中确立社会主义核心价值体系。

第一，坚持一元性主导与多样化包容相统一，夯实社会和谐稳定的共同思想基础。

坚持正确的价值导向，首先必须处理好坚持指导思想一元化与尊重差异、包容多样的关系。我国的社会主义性质决定了马克思主义是我们立党立国的根本指导思想，是建设社会主义共同价值观念的灵魂。广东特殊的地理位置和率先实行改革开放，使面对各种非

马克思主义思潮的挑战更加严峻，西方敌对势力进行意识形态渗透的情况更为复杂。如果动摇了马克思主义这个精神支柱，就会导致思想混乱、社会动荡，带来国家和民族的灾难。当然，面对改革开放中社会思想观念日益呈现差异性和多样性的客观现实，又不能绝对地以“一元”否定或取代“多元”，而应把尊重差异、包容多样作为坚持马克思主义指导地位的题中应有之义。广东在加强社会主义共同价值观建设的过程中，注意把坚持马克思主义的指导地位与实行“百花齐放、百家争鸣”的方针有机地结合起来。一方面，坚持用马克思主义中国化的最新成果武装全党、教育人民，组织全省人民认真学习邓小平理论、“三个代表”重要思想和科学发展观，使之贯彻于各级中心组学习、课堂教学、教材编写、课题研究、社科讲坛、电视专题政论片、普及宣传读本等各个环节，切实增强理论宣传的针对性和实效性；同时还不断增强主流舆论的引导力，加强对互联网等新兴媒体的管理，牢牢把握我省宣传思想文化领域的主导权和话语权。另一方面，高度关注社会急剧变动对人们心理和思想的影响，注意了解、倾听不同群体和阶层的思想状况及愿望，充分尊重每个人在思想观念和精神文化需要上存在的差异，主动适应人们精神文化需求多方面、多层次、多样性的特点，积极挖掘和鼓励各阶层群体所蕴含的积极向上的思想精神，弘扬主旋律、提倡多样化，把尊重差异、包容多样寓于以马克思主义引领社会思潮的原则之中，最大限度地形成思想共识、凝聚多方力量。

第二，坚持理想性追求与现实性实践相互动，形成全省人民奋发向上的精神力量。

随着社会主义市场经济的深入发展，社会意识呈现多样化态势，必须要有一个能够代表广大人民根本利益，为社会各阶层广泛认可和接受的共同理想，才能有效聚集各方面的智慧和力量而共同奋斗。这个共同理想就是走中国特色社会主义道路，实现中华民族的伟大复兴。为此，广东积极开展基本国情和形势政策教育，组织有关主题教育活动，如“共产党好、社会主义好、改革开放好”、“致富思源、富而思进”主题教育等；举办大型图片展，如“广东

省改革开放成就展”、“‘三个代表’重要思想在广东的实践展”等；举办大型文艺晚会，如“中国之路”专题文艺晚会、“东方红日”大型交响音乐会等；摄制电视专题片，如《永远的春天》、《新世纪宣言》等。以各种形式引导干部群众正确认识社会发展客观规律和走中国特色社会主义道路的历史必然性，充分认识改革开放和社会主义建设取得的辉煌成就，理性认识社会主义初级阶段的基本国情和改革发展过程中出现的矛盾问题，深刻认识在社会主义道路上发展中国、振兴广东的美好愿景和宏伟目标，明确认识中央和省委的一系列重大战略部署，增强全省人民的自豪感、责任感、使命感，增强信念信心。与此同时，共同理想的构建是价值目标与现实社会实践过程的统一。人民群众只有直接从社会主义现实实践过程中真正获得实惠和幸福，才能真切地认同社会主义共同理想。因此，广东在进行理想教育的过程中，坚持以人为本，尊重人、理解人、关心人、帮助人，贴近实际、贴近生活、贴近群众，将远大的社会理想和满足人民群众现实利益需求结合起来，积极关注民生，切实解决群众最关心、最现实的问题，努力让社会主义改革发展的成果惠及最广大的人民。例如，近年来，广东积极引导党员干部牢固树立正确的政绩观和“群众利益无小事”的观点，把实现人民的利益落实到各项工作中，先后实施“脱贫奔康”工程、开展扶贫攻坚“两大会战”、解决特困群众“四难”（入学、住房、医疗、法律援助难）问题、实施“十项民心工程”（全民安居、扩大就业、农民减负增收、教育扶贫、济困助残、外来员工合法权益保护、全民安康、治污保洁、农村饮水、城乡防灾减灾）等等。这一系列举措对于改善民生、提高全省人民的生活质量起到了显著作用，进而充分显示了社会主义制度的优越性，增强了中国特色社会主义共同理想的感召力、亲和力和向心力。

第三，坚持民族精神与时代精神相融合，锻造凝聚人心、激励创造的精神支柱。

社会主义的共同价值观念是一种既具有强烈的民族性又有鲜明时代性的先进思想文化。以爱国主义为核心的民族精神是中华民族生生不息、薪火相传的精神血脉，是民族生命力、凝聚力和创造力的不竭源泉。改革开放30年来，为了使全省人民以昂扬向上的精神状态投身到改革开放和现代化建设的伟大实践中，广东坚持不懈地在全省开展以爱国主义为核心的民族精神宣传教育活动。早在改革开放初期就把爱国主义教育作为“五讲四美三热爱”活动的重要内容，并把爱国主义教育与“振兴中华”读书活动结合起来。1994年，省委印发爱国主义教育实践纲要。此后，开展了“百歌颂中华、百书育英才、百片扬国魂”活动、“知我中华、爱我中华、兴我中华”活动、规模宏大的群众歌咏活动；举行“热爱祖国、建设广东”主题教育实践系列活动；利用节庆、纪念日和迎香港澳门回归等进行爱国主义教育；制定和实施全省爱国主义教育基地建设规划，并逐步实行免费参观；启动“南粤红色之旅”，开辟爱国主义教育旅游专线，进行国旗国歌国徽教育，强化国家观念；组织开展清明祭奠革命烈士活动，发扬革命传统等等。同时，还注意深入研究、发掘和整理民族传统文化中的宝贵精神财富，积极开发利用岭南历史文化的人文精神资源开展“岭南文化之旅”，增强全体社会成员尤其是青少年的民族归属感、自豪感和爱国主义精神，自觉为建设美好广东、实现民族振兴而奋斗。

以改革创新为核心的时代精神是中华民族开拓进取的思想品格与改革开放和现代化建设实践相结合的结晶。广东在这30年历程中，始终坚持大力倡导具有鲜明时代特色、有利于改革开放和现代化建设的思想和精神：大力弘扬解放思想、锐意改革、敢为人先、开拓进取、艰苦创业的精神；大力讴歌抗洪精神、抗“非典”精神、抗冰雪灾害精神、抗震救灾精神；大力培育民主法治观念、诚信友爱观念、公平正义观念、科学发展观念、保护环境观念；大力推介体现时代精神的先进典型，如见义勇为英雄陈兆尊、学雷锋标兵陈观玉、爱国拥军好母亲姚贤慈、好军嫂韩素云、践行社会主义荣辱观的典范丛飞等等。同时还大力建设学习型文化、创新型文化和全民创业文化，在全社会培育和推进支持创新的价值观念、基本制度和行为习惯，营造敢想敢为、勇于竞争、尊重人才、宽容失败

的氛围，努力建设创新型广东。

第四，坚持先进性导向与广泛性要求相结合，构筑务实有序的思想道德建设机制。

坚持正确价值导向，既要符合先进性的要求，又要适应广泛性的需要。在社会主义初级阶段，在社会转型期，人们的思想观念、道德要求和价值取向呈现出明显的层次性。确立社会主义共同价值观，一定要从实际出发，对不同层次的人群予以不同的要求，既鼓励先进，又照顾多数，有步骤地引导人们从基本的行为准则向较高的思想境界迈进，促进思想道德的践行与人的发展相统一，才能使正确价值导向的确立取得实效。广东积极探索适合不同群体的思想教育方式。对于共产党员和领导干部，坚持高标准，要求他们“有理想、有责任、有能力、形象好”，严格自律、率先垂范，当好社会的中坚力量，对党和人民的利益负责。对于广大群众，则区分层次、着眼多数、鼓励先进、循序渐进，把关注点放在人们日常生活的基本行为上，激励人们从一点一滴做起。对于青少年群体，从最根本的修养抓起，注重规矩和秩序意识的灌输，培育青少年的爱国心、同情心、感恩心。在开展社会主义荣辱观教育、建立社会主义核心价值体系时，注意与现代公民教育活动结合起来，与群众性创建精神文明活动及和谐创建活动结合起来，与社会主义新农村建设结合起来，采取有力措施推动社会主义荣辱观教育和核心价值体系教育进社区、进村庄、进课堂、进家庭，加大先进典型宣传力度，引导人们见贤思齐，从而有效地提升了全社会的文明程度。

（三）弘扬培育广东人文精神，构成率先发展的力量源泉

人文精神是显现在人类文化中的人类精神，是人类文化之灵魂、之生命力、之基本原则，是人类文明的内核。人文精神的确立，有利于增强民族凝聚力和自信心，使社会发展具有高度的自觉性、能动性和理性。综观历史和现实，能否培育和传承优秀的人文精神，始终是一个国家、一个民族和一个地区能否发展壮大的基本

条件之一。广东在长期的历史发展进程中，孕育了特色鲜明的岭南文化和人文精神。广东具有的古代海上丝绸之路和商业贸易传统的历史，使其形成了经世务实的价值取向、敢开风气之先的精神品格和开放兼容的处世观。近代以来，广东作为对外开放的前沿地带，是风云际会之地，这里孕育了反抗清朝封建统治的太平天国运动，是禁烟抗英的“桥头堡”，是变法维新领军人物康有为、梁启超的诞生地，是辛亥革命的发源地，是民主主义革命的先驱者孙中山的故里……这些轰轰烈烈的革旧布新、反抗压迫与侵略的斗争，造就了广东人独立自主、不屈不挠、勇于拼搏的精神特质。在当代改革开放和现代化建设的进程中，广东又承担了探索者、排头兵的重任，更加需要汲取和弘扬广东人文精神的基因，注入时代的元素，使其大放异彩，成为推动广东经济社会发展的强大动力。

改革是求变的实践活动，充满了不确定性和风险性，特别需要敢为人先、勇于开拓的决心和饱满的精神状态。同时，对外开放和发展市场经济，难免带来一些负面因素的影响，需要进行人文精神的范导和调节，以避免纯利欲的冲动而导致的人性的泯灭和文明的丧失。在20世纪80年代末90年代中的改革开放起步、探索、攻坚的时期，广东各地适时开展了“文明在我市（县）”和市风、县风、城市精神的大讨论活动。例如，广州启动了关于“广州市风”和“广州人精神”的大讨论，在讨论中，人民群众根据改革开放以来精神文明建设的实践和广州作为历史文化名城的优秀传统，概括、提炼出“团结、友爱、求是、进取”的“广州市风”和“稻穗鲜花献人民”的“广州人精神”。这一概括和提炼不仅是广州的历史和现实的写照，而且对广州人民的精神追求提出了新的要求，使人民有了进一步的奋斗目标。又如，深圳也以确定“深圳精神”为核心，塑造深圳人的精神支柱。深圳特区早期的建设者们在一个偏僻、落后的边陲小镇，风餐露宿、艰苦创业，这种建设热情逐渐形成并被喻为“拓荒牛”精神。在此基础上，深圳市将其归纳、总结为“开拓、创新、团结、奉献”的“深圳精神”。“深圳精神”彰显了深圳人的特质，得到了当时前来视察的江泽民的肯定和赞

扬。此外，东莞市确定的“敢为天下先”的“东莞人精神”，湛江市的“扬帆搏浪，走向世界”的“湛江人精神”等，都成为团结广大人民群众同心同德建设家乡、振兴中华的精神支柱。关于人文精神的讨论和确立活动，有效地提高了人们的使命感、责任感和综合素质，使社会的文明意识和风尚上升到一个新的境界。

进入新的世纪，在新一轮改革发展的浪潮中，广东面临着经济全球化和国际局势复杂多变的新挑战，也面临着兄弟省市群雄崛起、你追我赶的竞争压力，需要全省人民保持清醒的头脑，鼓足闯劲和冲劲，强化开拓精神和创新意识，增强再创大业的雄心壮志，提升凝聚人心、焕发斗志、催人奋进的文化软实力。同时，广东的改革正经历着深刻的社会转型，越是在逼近转型的纵深层面，对人们的利益、思想和心理的挑战越严峻，对人们精神世界的震撼和解构也越明显，人们的不适、困惑和焦虑就越加深，对于整合陷入混乱的种种矛盾观念和建设精神支柱、心灵家园的需要则越迫切。因此，在省委的倡导下，全省广泛开展了“新时期广东人精神”大讨论，举办“新时期广东人精神之我见”及“发现广东人精神”等征文活动，开辟“解读新时期广东人精神”专栏、“寻找新时期广东人精神”专版，组织学者、嘉宾、网民对话，开展研讨，等等。社会各界踊跃参与、积极建言献策，最后提炼概括出被共同认可的“敢为人先、务实进取、开放兼容、敬业奉献”的“新时期广东人精神”。以后在全省开展了形式多样的宣传和主题实践活动。全省各地也结合当地实际，开展了本地人精神大讨论，并以大讨论为抓手进一步推动思想文化建设。人文精神的讨论和确立，催生了伟大的事业所需要的崇高精神，从而构成了促进广东新一轮发展的精神支撑和力量源泉。

人文精神是历史的、人文精神是鲜活的。在广东的实践沃土上盛开的人文精神的灿烂之花中，抗击“非典”精神就是最为耀眼的一朵。2003 年前后，广东发生了传染性非典型性肺炎疫情。面对这突如其来的重大灾害和生死攸关的重大考验，广东人民奋起抗击，与疫魔进行了殊死搏斗，展开了惊心动魄的战斗画卷，最终取得了抗击“非典”的重大胜利。广东探索总结出的一套防治“非典”的宝贵经验，为全国乃至全世界抗击“非典”作出了重大贡献。在抗击“非典”的斗争中，涌现出如钟南山、邓炼贤、陈洪光、叶欣、范信德等英雄模范人物和一大批先进集体。广东人民用自己的行动谱写了可歌可泣、感天动地的“抗非”精神，那就是“临危不惧、沉着应对的精神；实事求是、尊重科学的精神；无私奉献、顽强拼搏的精神；万众一心、敢于胜利的精神”。抗“非典”这一熔炉，锤炼出广东人更为非凡的气概、高贵的品质和更加坚强的民族意识，使广东人文精神得到充分展现和升华。正如原文化部长孙家正所说，“广东创造了经济奇迹，同时也把经济活动当中所体现出来的一种我们国家发展所需要的、推动国家进步的思想文化理念呈现给了国家”。那就是一种传承优秀传统、紧跟时代步伐、适应现代化建设需要的新时期广东人文精神。

（四）增强信息化时代的宣传舆论引导力，为改革发展稳定大局保驾护航

宣传舆论历来是我们党意识形态工作的重要组成部分。“舆论反映着国家的形象和社会的精神面貌”①，因而是精神文明建设的重要内容。能否掌握舆论引导、搞好舆论建设，关系党对意识形态的影响力控制力，关系国家的文化软实力，关系党和国家事业的兴衰成败。广东率先改革开放，同时又毗邻港澳，首先遇到改革开放引发的许多问题，需要先行一步去探索、去解决，这就给宣传舆论工作提出了很高的要求。多年来，广东始终坚持正确的舆论导向，适应信息时代的要求，加强和改进宣传舆论阵地的建设，保持了信息传播和舆论引导的健康有序发展。

加强主导力度，形成主流舆论强势。现代信息社会是一个信息爆炸的时代，各种先进科技手段的运用，使舆论活动的传播渠道更加多样化、立体化，舆论活动的受众群体更为广泛，舆论引导工作

---

① 江泽民在全国宣传部长会议上的讲话（2003年9月19日）。

变得更为复杂，社会控制更为艰巨。提高引导社会舆论的能力，就是要在复杂多变的情况下，始终坚持新闻媒体党和人民喉舌的性质不变，党管新闻媒体的原则不变，正确的舆论导向不变，牢固树立大局意识，坚持团结稳定鼓劲、正面宣传为主，唱响主旋律、打好主动仗。广东的宣传舆论部门按照上述方针，严守政治、组织、职业纪律，坚持守土有责，注意从每一阶段的中心工作出发，围绕广东加快改革、扩大开放和经济、政治、文化、社会建设的各项任务，大力宣传中央和省委省政府的战略部署，宣传全省各地现代化建设的成就经验，宣传改革开放以来的沧桑巨变和繁荣稳定的大好形势，宣传人民群众的首创精神，宣传各条战线涌现出来的模范人物和先进典型。广东还精心组织并形成积极的主题宣传舆论攻势，围绕党的创新理论、党的代表大会、每年的全国和省的“两会”、省委的新决策、重大事件等，进行认真策划、集中宣传。如近年来精心组织开展了贯彻和落实科学发展观的宣传，泛珠三角区域合作与发展的宣传，文化大省、和谐广东建设的宣传，中共十七大精神的宣传，以及新一轮思想大解放讨论活动、奥运火炬传递、抗冰雪灾害、抗震救灾等一系列声势浩大的新闻宣传总体战。广东还着力于捕捉、反映社会生活热点、难点、焦点问题，把体现党的主张和反映人民心声统一起来，形成强有力的社会热点舆论监督和引导能力。例如，在20世纪90年代中，广东的媒体对困扰多时的生猪运输、货源和价格问题，广州水果市场的欺行霸市现象，不法分子诱逼未成年少女卖花牟利问题等进行披露、报道、评议，既伸张了舆论正义，又促使了问题的解决。近年来，广东注意切实提高关于就业、医疗、社保、教育、住房、征地、拆迁、安全生产等群众普遍关注问题的舆论引导水平，把坚持正确导向与通达社情民意统一起来，不断完善突发事件新闻宣传报道的应急处置机制，抢占舆论制高点，以及时、客观、权威的信息发布和宣传引导主导社会舆论。总之，广东在建立强大的正面主流舆论强势方面取得了明显的成效，对于营造既奋发向上又和谐稳定的社会氛围起到了极为重要的作用。

增强主控力度，建设较为完善的舆论阵地。以数字化、网络化为标志的现代信息技术的快速发展，深刻地改变了传统的传媒方式，掀起了一场传媒革命。网络传播的即时性、交互性、自由性和开放性等特点，催生了一种新型的舆论形态——网络舆论。这就需要我们研究网络舆论的特点，提高网络舆论引导的水平和技巧，牢牢把握网上热点议题的话语权，迅速增强网络宣传舆论的主控力。广东是全国网民人数最多的省份，网站数量仅次于北京，加强网上宣传和舆论引导的任务尤其紧迫。为此，广东于2001年开办了广东南方新闻网，并把它做强做大。该网自正式开通以来，坚持“政治家办网”的原则，出色地承担了党与政府的喉舌工作，不但在高唱主旋律、正确引导网上舆论等方面成绩斐然，在宣扬广东改革开放的伟大成就等方面亦多有建树，目前已成为华南地区影响最大的新闻网站、全国十大重点新闻网站之一，在国内外网络用户中拥有着较高的公信力。广东还注意健全网络宣传管理机制，加强网上宣传管理，加强互联网舆情信息工作，有效地推动正面声音、引导中间声音、化解负面声音、遏制有害声音，形成大众话题聚焦应有的秩序。广东在重点抓好互联网等新兴媒体舆论引导的同时，切实加强党报、党刊、电台、电视台等传统主流媒体的舆论引导工作，进一步提高各栏目、各专题、各节目的吸引力，并指导协调子报子刊增强大局意识，发挥应有优势，从而建立起多方覆盖、不断完善的舆论宣传阵地，形成了各展所长、功能互补的舆论引导格局，扩大和增强了主流舆论的影响力。

加大改革力度，做大做强党的媒体。各种新闻宣传媒体是实施、做好舆论引导工作的硬件、载体和依托。改革开放以来，广东坚持软硬并重，不断加快报纸杂志和广播电视事业的发展。一方面，不断加大投入，在“八五”期间，全省广播电视混合覆盖率分别达到90.4%和90.9%，按创办数量计，报纸在全国各省、市、自治区中排第二位，期刊排第五位。另一方面，不断加大改革力度，以广东作为全国文化体制改革试点工作为契机，坚持以改革促发展，先后组建了南方报业传媒集团、羊城晚报报业集团、南方广

播影视传媒集团、深圳报业集团、佛山传媒集团等，使主流媒体实力不断壮大，竞争力不断增强。《南方日报》的发行量多年来一直居全国省委机关报之首；《羊城晚报》是国内最有影响的晚报之一；2005年广东电视台、南方电视台整体收视份额以3%的优势超过香港无线、亚视台，位居本地电视市场份额首位。这些对于增强广东的宣传舆论引导力，为改革发展稳定大局保驾护航提供了重要的基础和保障。

二、坚持以人为本，全面提高人的现代文明素质

精神文明作为人的世界的鲜明表征，它的建设关系到人的塑造，是人自身发展与完善的必然要求，精神文明建设就是人的建设。全面提高人的现代文明素质，是坚持以人为本、实现人的全面发展目标的基本前提，是建设和谐社会、推进中国特色社会主义事业的有力保障，是扩充人才资源储备、提升地区综合竞争力的关键所在。30年来，广东始终把促进人的全面发展作为精神文明建设各项工作的出发点和落脚点，通过科学理论武装，推进道德建设，构建公共文化服务体系，发展文化产业，强化教育工作，不断满足人民群众日益增长的精神文化需求，切实保障了人民群众的文化权益，使全省人民的现代文明素质得到全面提升。

（一）用科学理论武装人，提高人的思想水平

综观改革开放30年历程，科学理论武装工作对推动社会进步、提高人们思想水平有着不可或缺的重要意义，无论是对社会规律认识的深化，或是对改革实践能力的提高，还是对社会主义信念的坚持，人们都离不开科学理论的武装与指导。因此，广东一直高度重视理论武装工作，积极建立与完善学习制度与机制，坚持让理论根植于改革实践土壤，做好基础理论研究和决策研究，同时还十分注重创新理论普及宣传的载体。

规范学习制度，不断建设与创新理论学习载体。领导干部的理

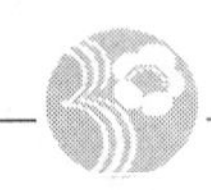

论学习是一项常抓不懈的工作。面对错综复杂的国际形势、汹涌澎湃的改革大潮，领导干部的理论素养、党性修养和领导水平，成为一件关系发展与稳定大局的大事。中共十一届三中全会之后，在广东省委的统一部署下，各级党委开始着手制订理论学习规划，采取党校培训、党委中心组学习、理论研讨会以及单位组织学习等形式，进行认真深入的学习。广东为加强学习制度建设，将学习纳入经常化、规范化、持久化和科学化的轨道，于1996年颁布了《中共广东省委关于建立和健全各级党委（党组）中心组学习制度的决定》。同时还精心组织实施“龙头工程”，在县以上党委中心组持续开展理论学习，在全省逐步建立起党委中心组学习、办班轮训、个人自学“三位一体”的学习制度。广东不断推进学习载体的建设，充分利用各级党校与干部院校，进行短期轮训与系统培训。从1980年至1997年，广东各级党校共培训干部63万人，有关干部院校培训干部127万人次。同时还注重学习载体的创新，创立了“广东学习论坛”。该“论坛”是省委中心组理论学习的重要形式，并扩大到省直机关主要领导干部参加，每月举行一次，邀请中央、国家部委的有关领导和国内知名专家学者，围绕国内外各类重大问题作报告。从2003年10月首场报告会开始，截至2008年6月，“广东学习论坛”已举办52期，有效带动了各级党委中心组专题学习的深入开展。除此之外，省委中心组还不断创新学习形式，以研讨的方式选取一些广东经济社会发展存在的突出矛盾和重大问题展开大型调研；以整风的方式针对班子中存在的倾向性问题进行原因自查、自觉整改。随着学习机制的不断完善，全省的理论学习热情不断高涨，广大党员干部的思想认识和理论水平不断提高，建设中国特色社会主义的实践能力不断增强。

不断深化理论研究，做好理论先导工作。30年来，广东以改革开放为重点，以促进发展为要务，以关注民生为基调，针对一系列重大理论与现实问题，不懈地进行探索和研究。早在改革开放初，广东省委就以“杀开一条血路”的勇气，先后组织开展了各种关于真理标准、生产力标准、社会主义商品经济和经济特区等具

有开创性意义的理论问题的研讨活动。例如1981年6月，根据任仲夷同志的指示，召开了关于经济特区的研讨会，组织动员了一批专家，对经济特区进行调查和撰写论文。随着改革开放不断深入，理论研究也不断推进，陆续召开了"邓小平对外开放理论与广东的对外开放"、"邓小平理论与广东改革发展新阶段"、"总结20年，迈向新世纪"、"学习'三个代表'重要思想"、"广东建设文化大省理论探索"等一系列大型理论研讨会。还组织专家学者对一些重大理论和现实问题进行集体攻关，先后出版了《邓小平理论与广东实践研究丛书》、《广东省中青年社会科学家文库》、《与时俱进的社会主义》、《马克思主义的当代价值》和《科学发展观与广东现代化建设研究丛书》等，在全国产生了一定的影响。2004年以来，广东积极参与中央实施马克思主义理论研究和建设工程。仅2007年，广东省邓研基地组织专家学者撰写理论文章在中央三报一刊（《人民日报》、《光明日报》、《经济日报》、《求是》杂志）发表的文章就有21篇，数量居全国七大研究基地第一位。2004年2月至2007年12月，广东省邓研基地组织进行的马克思主义理论研究和建设工程项目包括"社会主义精神文明建设理论研究"、"关于加强党的执政能力建设研究"、"关于树立和落实科学发展观问题研究"、"关于构建社会主义和谐社会重大理论问题研究"、"关于开展社会主义荣辱观理论研究"、"关于正确认识改革问题的研究"等，先后完成了15批（次）26项重大理论和现实问题的研究，取得了丰硕的成果。

不断拓宽理论普及新路子，使科学理论深入人心。科学理论的普及，是一项长期而艰巨的政治任务，需要坚持贴近实际、贴近生活、贴近群众，探索最佳的传播与表达方法。为此，广东在理论宣传方面注意采取生动活泼的形式，不断打造积极有效的宣传载体。例如，以"百课下基层"为主要形式，开展"十百千万"驻村干部大宣讲。又如，省委宣传部和省社会科学界联合会共同主办了"岭南大讲坛"，该论坛由"学术论坛"、"公众论坛"、"地市论坛"、"巡回论坛"、"艺术论坛"、"企业论坛"六个系列组成，兼

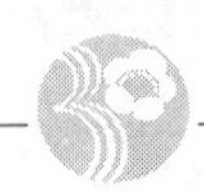

有高层次、高品位、大众化、重交流、求互动、公益性等特征，每年举办200多场，直接受众近5万人次，已成为广东理论普及走向大众化、社会化、通俗化的重要阵地，以及学术交流的平台和文化大省建设的品牌。再如，利用电子音像技术，制作阐述相关理论的影视作品。其中大型电视政论片《新世纪的宣言》、《永远的春天》等播出后均引起了人民群众的强烈反响与共鸣。再例如，广东省委宣传部理论处依托南方新闻网开办了南方理论频道，该频道自2003年11月开通以来，已拥有24个板块、52个热点专题库，平均每天有13984人次访问该频道，有163775张页面被点击阅读，已成为网络理论普及的新阵地。此外，省委宣传部等有关部门还先后组织编写了《小平说：什么是社会主义》、《三巨人说》等通俗理论读物，举办了一系列宣传邓小平理论和"三个代表"重要思想的专题文艺晚会、大型图片展览。广东的理论宣传，以春风化雨润物细无声的方式，使庙堂高远的社科理论逐步走入了寻常百姓家。

（二）构建多层次道德建设体系，培育现代公民

道德是调整人与人、人与社会、人与自然之间关系的行为规范和准则，是精神文明建设的重要内容。广东在改革开放中先行一步，思想道德领域一度受到严重的冲击，如拜金主义、享乐主义和个人主义滋长蔓延，权力寻租的腐败行为频频出现，行业不正之风屡见不鲜，社会风尚一度恶化，黄赌毒、封建迷信活动沉渣泛起。长此以往，"风气如果坏下去，经济搞成功又有什么意义"①。为此，广东大力加强公民道德、职业道德、家庭美德和未成年人思想道德建设，构建多层次的道德建设体系，为净化社会风气，培育现代公民做出了不懈的努力。

公民道德建设不断加强。公民道德素质是衡量社会进步的重要标尺。广东的公民道德建设一直开展得如火如荼，成效显著。1991

---

① 《邓小平文选》第3卷，人民出版社1993年版，第154页。

年4月，省精神文明建设领导小组和省委宣传部联合发出《〈关于开展社会公德大讨论的实施意见〉的通知》，《南方日报》发表通讯《一个沉重问题的问号》、《一个感人的叹号》分别报道阳江市见死不救的“3·16”悲剧和三水县青年农民陆伟东见义勇为的先进事迹，并以此为切入口，开展了全省社会公德大讨论活动，引起了社会的强烈反响。广东还广泛开展以“讲社会公德、除不良陋习、做文明公民”为主题的社会公德建设活动，进一步制定和完善公民守则、市民文明公约。1995年，广东省委宣传部组织编写出版了《新三字经》，受到社会广泛好评，发行了3500万册，一时“洛阳纸贵”。以后又接连出版了《新增广贤文》、《社会公德四字歌》等。2001年，中共中央印发《公民道德建设实施纲要》，广东根据自身特点，精心组织开展以“爱国、守法、诚信、知礼”为主要内容的现代公民教育活动，各地通过广泛开展各种主题的公民教育实践活动、大力树立先进典型、编写富有针对性的教材和视听读物等，在全省逐步形成了积极向上、健康和谐的良好道德风尚。2006年，胡锦涛总书记提出“八荣八耻”的社会主义荣辱观，全省迅速掀起学习宣传实践的热潮，在城乡基层大力宣传普及“八荣八耻”，组织编写《古今中外话荣辱》、《“八荣八耻”职工读本》、《丛飞——践行社会主义荣辱观的杰出典范》等教育读本，深化了教育活动。

职业道德建设不断推进。加强职业道德建设，是社会主义思想道德体系建设的关键。在改革开放过程中，人们对经济效益的追求日渐强烈，滋生了“一切向钱看”的错误观念。一些干部职工在进行本职工作时索要个人好处，一些生产单位以劣充优、粗制滥造，甚至生产假冒伪劣产品。为刹住这些不正之风，1988年，省委宣传部、省总工会发出《关于深入广泛开展职工道德教育的通知》。1997年，省文明委和省委宣传部下发《关于加强我省职业道德建设的实施意见》，在全省广泛开展以“为人民服务，树行业新风”为主要内容的大规模职业道德建设活动。其间，各地各单位，特别是与人民群众工作和生活关系密切的“窗口”行业、服务单

位，以及管理、执法部门，认真抓好职业道德教育，做好建章立制、服务承诺、典型示范、检查督促、总结表彰等工作。省委宣传部还编写出版了《职业道德新格言》。从2001年开始，广东还开展了“共铸诚信、共创文明”，“立志、立德、立业、立规”等主题教育实践系列活动。在党员干部中开展政务诚信建设，推行公示制、首问负责制、工作责任追究制和机关作风评议等工作制度。在企业经营者和广大员工中广泛开展诚实守信和职业道德教育，规范行业服务，建立诚信档案，组织社会各界尤其是非公有制企业举行信用宣言签名承诺活动等。深入开展“百城万店无假货”、“质量万里行”、“3·15消费者权益保护日”和创建“文明诚信市场”、“文明经营户”等活动，推进群众性的行风评议和企业信用评议。由此，广东的职业道德与信用水平得到全面提升。

家庭美德建设不断深化。家庭美德建设是社会道德建设的基础工程。广东的家庭美德建设起步较早。1996年，广东省委宣传部和广东省妇联组织编写了《家庭美德五字谣》。1999年，深圳在全国率先开展十佳“廉内助”、双十佳“廉洁文明家庭”评选活动，随后“家庭助廉”活动席卷全省，活动不断推进，成效日益显著。与此同时，“广东家庭文化节”、“创建百万平安和谐家庭”、“家庭读书”、“书香之家评比”、“美德在农家”、“卫生进村居、健康进家园”和“生态文明户”等系列创建活动也开展得有声有色，为千家万户营造出和谐的家庭氛围。

青少年思想道德建设不断跃上新台阶。青少年是民族发展的希望，切实提高青少年思想道德水平，是社会主义道德建设的重中之重。广东全省爱国主义教育基地和公益文化设施全部向未成年人集体参观免费开放，全省21个地级市实现中央电视台少儿频道落地覆盖，《中华道德名言精粹》、《劝语集萃》等大批适合青少年阅读的作品陆续出版。通过在中小学开展“共建安全文明校园”活动，在镇中心小学以上学校实行聘请兼职法制副校长制度，开展“清理小书包，拒绝口袋书”、“文明办网、文明上网”等活动，校园环境得到有效治理。不断深化与加强学校德育、家庭教育和社区未

成年人思想道德建设，使学校、家庭、社区“三位一体”的未成年人思想道德建设格局日趋完善。广东还开展专项行动，查处有害卡通画册、淫秽“口袋书”等非法出版物等，进一步清理广播影视节目中不利于未成年人身心健康的内容，以确保青少年有一个良好的成长环境。

（三）推进公共文化服务体系建设，让群众共享文化发展成果

建设覆盖全社会的公共文化服务体系，对于满足人民群众日益增长的精神文化需求，提高民族素质，具有重要作用。广东在建设文化大省的过程中，按照发展先进文化的要求，不断加大对文化公益事业的投入，逐步形成覆盖全社会的比较完备的公共文化服务体系。

创作丰富多彩的文化艺术精品，着力开展群众文化活动。文化产品是大众进行文化享受的对象，是政府提供公共文化服务的重要内容。广东各级政府组织实施文化精品战略，大力倡导创作富有岭南特色和时代精神的优秀作品。多年来，广东文化艺术作品的获奖数量均居全国前列。特别是1998年后，广东推出了一批在全国有较大影响的佳作，成为获全国“五个一工程”奖最多的省份之一，在全国文化总格局中的地位大幅度提升。在“十五”时期，全省平均每年均有100部以上的艺术作品获得国内外专业艺术奖项。广东近年每年举办一次“名家名歌”、“名家名曲”演唱会和新年音乐会，在全国引起了轰动。亚洲艺术节、国际纪录片大会、中国国际音像博览会、中国（深圳）国际文化产业博览交易会、全国音乐“金钟奖”、杂技“金狮奖”等也一一落户广东，为广东人民提供了丰富的“文化大餐”。广东还大力开展各类群众文化活动，活跃基层群众的文化生活。例如，定期举办各种具有导向性、示范型的大型文化艺术活动，以丰富群众的文化享受；实施“南粤锦绣工程”、“山区文化建设议案”等，使基层群众深得文化实惠；开展科教、文体、法律、卫生“四进社区”活动，活跃了社区文化

生活；大力发展集“娱乐、休闲、健身、集会”于一体的“文化广场”，让普罗大众拥有更多的自娱自乐场所。“十五”期间，全省群艺馆、文化馆、文化站积极开展群众文化活动，累计举办展览3.39万个；组织文艺活动11.37万次；举办培训班6.9万班次。由全省各市艺术馆及文化馆组织建立、长年活跃在广大基层农村的文艺表演团队达1865支。全省业余合唱团达上万个。还通过举办各种大型群众文艺汇演，有效促进社区文化、农村文化、校园文化、老年文化和少儿艺术的发展。广东高度重视满足外来务工人员的基本文化需求，如深圳在全国首创“大家乐”广场文化，以“自荐、自演、自娱、自乐”的活动方式，满足外来工文化需求；东莞市文联则采取一系列措施扶持打工文化，吸纳“打工作家”加入作家协会。

着力加强文化基础设施建设，形成较为完备的公共文化服务网络。文化设施是公共文化服务的基础。广东仅1998年至2000年，就投入10亿元，建成文化基础设施项目84个。近年来，广东高度重视大型文化设施建设，从2003年起，省财政计划在6年内投入近20亿元用于建设包括省博物馆新馆、省立中山图书馆改扩建工程、保护宋代古船“南海一号”的广东海上丝绸之路博物馆等一批标志性重点文化设施。广州、深圳、佛山、东莞等地也掀起了前所未有的文化设施建设高潮，投资规模之大，项目之多，全国仅见。广东还开展流动图书馆、流动演出服务网和流动博物馆的建设，省财政为广东流动图书馆建设累计投入2800万元，全省共建立51个分馆；由省博物馆牵头建立“流动博物馆”网络，现有52个网络成员单位，覆盖了全省大部分地区；“广东流动演出网”也应运而生，至2008年，已为各地送戏下乡15000多场次。为改变山区群众文化生活相对贫乏落后的状况，1998年，广东还专门制定《广东省山区文化建设工程五年规划实施方案》，重点扶持粤东、粤西和山区的文化体育设施建设。与此同时，广东还完成了“村村通广播电视”工程，共计投入建设资金约1亿元，全部解决2364个信号接收“盲点村”。这一系列大手笔的举措得到了人民群

众的广泛赞誉。

一手抓繁荣，一手抓管理，为人民群众创造良好的社会文化环境。抓繁荣是活跃文化精神产品的生产，抓管理则是促进文化市场的健康发展。广东在大力繁荣文化市场的同时，不断完善执法体系，加大执法力度。一方面，深入开展“扫黄打非”、消除文化垃圾的斗争，开展专项行动，查处销毁色情暴力书刊与音像制品，对网络、网吧和电子游戏厅进行专项整治，对迷信文化与赌博文化给予坚决的打击与抵制。另一方面，广东还制定了一系列加强对文化娱乐市场、音像市场、图书市场等管理的地方性法规和条例。如1993年广东省委省政府出台的《关于加强社会文化经营活动管理的决定》，使文化市场的经营管理有法可依，有章可循。同时还加大对版权保护的力度，1995年在全国率先发布《关于加强计算机软件版权保护的通知》，并于同年制定《广东省版权执法检查规程》。省版权局与省公安厅联合组建“广东省版权执法检查小组”，负责对全省重点地区和重点领域的著作权情况进行检查并配合有关部门进行大型清查活动，对侵权盗版活动进行了有力的打击。

（四）深化体制改革，壮大文化产业，满足群众精神文化需求

文化产业在繁荣发展社会主义文化、满足人民群众的精神文化需求方面有着不可替代的作用。1980年，广州东方宾馆开设了全国第一家营业性音乐茶座，成为改革开放后中国文化产业诞生的重要标志。此后，广东文化产业从娱乐业崛起，迅速向演艺业、电影业、音像业等领域拓展。近年来，广东大力推进文化体制改革，促进文化产业快速发展。从2004年到2006年，广东的文化产业增加值分别为1205亿、1433亿和1680亿，居全国首位；年均增长率超过15%，高于同期全省GDP增长；从业人数和年营业收入，也均居全国首位。

推进文化体制改革，形成多种所有制产业格局。长期以来，在传统经济体制下，文化事业和文化产业的发展存在诸多阻碍。据

此，广东积极推进文化体制改革，建立完善文化产业政策，为文化产业发展搭建平台。广东抓住被中央确定为文化体制改革综合性试点省这一契机，出台《中共广东省委、广东省人民政府关于深化文化体制改革加快文化事业和文化产业发展的决定》，结合实际制订了《广东省文化体制改革试点工作方案》，按照“区别对待、分类指导，循序渐进、逐步推开”原则，创新宏观管理文化体制，实行政事、政企分开和管办分离，推进经营性文化单位转企改制，解放和发展文化生产力。从2003年开始，广东相继出台了《关于深化文化体制改革建设文化大省的若干配套经济政策》、《广东省文化产业发展“十一五”规划》，编制了《广东省社会资本投资文化产业指导目录》、《广东文化产业投资指南》等，有效地调控和引导全省文化产业的发展。广东还积极鼓励、引导民营资本进入准入的各个文化产业领域，使民营文化产业日益成为推动文化产业发展的生力军，从而增强文化产业的整体实力和竞争力。

大力发展特色文化产业，创造广东文化产业新辉煌。广东文化产业特色突出，亮点纷呈。其中，印刷复制业在全国独占鳌头，印刷企业从1978年的965家，发展到2006年的18001家，实现的工业总产值占全国的1/4；63家光盘复制企业拥有526条各类光盘生产线，光盘生产能力和市场占有率均占全国60%以上。广东的发行业也位于全国前列，是中国新闻出版业最活跃的地区与最大的文化产品集散地之一。2006年，广东省有21家出版机构，出版图书8596种，粤版图书获得省级以上（含行业）的各类奖项85项。省出版集团公司经营屡创佳绩，2006年销售收入达28亿元，实现利税2.7亿元。音像电子出版机构由1978年的1家，发展到2006年的29家，行业发展居全国前列。广东的报刊业发展已形成一个以报业集团为龙头、多报种蓬勃发展、能满足多方需求的报业结构。在2007年，有公开发行报纸135种，总发行量43亿份；期刊364种，总发行量4.55亿册，总印数和总印张均位列全国之首。已正式组建南方报业传媒集团、羊城晚报报业集团、广州日报报业集团、深圳报业集团、佛山传媒集团和《家庭》期刊集团，报业集

团的总数占全国的13%。与此同时，广东的动漫艺术也呈现出勃勃生机。截至2006年，全省累计生产完成动画片34部1364集，约占全国总产量的1/5。在2005年经广电总局审核向全国推荐播映的31部优秀国产动画片中，有9部为广东公司出品。广东拥有众多动画加工生产企业，仅在深圳就有200多家，是国内最大的动画制作基地之一，年创产值2亿元以上，逐步形成"形象设计—节目制作—电视播放—贴片广告经营—形象授权—衍生产品开发销售"的动漫产业链。除此之外，广东的会展业、文化旅游业和文化艺术业也逐渐成为广东文化产业的特色亮点。

（五）优先发展教育，实现人民大众受教育权利

教育是社会主义精神文明建设的重要组成部分和基础性工程。20世纪90年代初，广东经济的飞速发展使教育事业的重要作用日益凸显，劳动者素质不高，人才匮乏，成为制约全省经济发展的"瓶颈"。广东省委提出"教育要适度超前于经济的发展"，把教育摆在优先发展的战略地位。据此，广东于1994年确定了"教育强省"战略，开始推进"教育强市、强县（区）、强镇"建设；2002年又确立了"高等教育是龙头，基础教育是重心，职业技术教育是教育体系与经济社会发展对接重要枢纽"的国民教育新体系。通过一系列有力措施，坚持办人民满意的教育，为人民大众享有接受良好教育的权利提供了保障。

以改革盘活教育资源，焕发教育事业新活力。改革是教育发展的根本出路，教育管理体制改革则是改革的重心所在。广东一直以教育管理体制改革带动教育各项工作的推进。从20世纪80年代末开始，学校开始实行"两聘两制一包一奖"（聘校长、教师；校长任期目标责任制、教师岗位责任制；学校包经费；实行浮动奖励工资制），统一了职、责、权、利。到1998年，广东教育管理体制改革已完成三大转变：由统包统管向多方办学、分级负责转变；由争取普及小学、结构单一向稳步发展高中、结构多样化转变；由师资缺乏薄弱、设施简陋向师资充实提高、设施基本达标转变。广东还

建立起以政府办学为主体、社会各界共同办学的办学体制，以及以国家财政拨款为主、多种渠道筹措教育经费的投资体系。近年来，广东教育逐步形成多元化投资、多元化经营、多元化受益的新局面。

大力发展各类教育，优化调整教育结构。高等教育是人才培养的高地。广东采取一系列措施加快高等教育的发展，例如广州大学城的建设，珠海、广州、佛山、深圳等大学高校园区的蓬勃发展，均有效地扩大了广东高等教育发展的空间。广东高等教育毛入学率从 1998 年的 8.1% 攀升到 25.6%，高等教育实现了跨越式发展。基础教育是整棵教育体系大树的根基。广东积极发展幼儿教育、中小学教育，不断巩固提高义务教育水平，大力解决义务教育阶段上学难的问题。广东还着力突破高中阶段教育这个“瓶颈”，建设了 200 所省一级普通高中、100 所国家级示范性普通高中，高中阶段教育毛入学率从 2001 年的 41% 提高到 2007 年的 65.4%。职业技术教育是现代教育的重要组成部分。广东大力实施职业教育战略性结构调整，做大做强珠江三角洲地区职业教育，重组经济欠发达地区职业教育资源，推进经济发达地区与经济欠发达地区联合发展职业教育。广东创新办学体制，组建以大型企业为龙头的职业教育集团，把民办职业教育纳入职业教育发展的总体规划，鼓励公办职业院校与民办职业院校联合办学。广东还探索出一条职教扶贫的新路径，超过 2 万贫困学生通过“半工半读”模式零学费入读中职。

加快实施免费义务教育，彰显教育公平。实现教育公平，既是构建和谐社会的基本要求，也是教育改革和发展的终极目标。广东自 2001 年率先对农村年人均纯收入低于 1500 元的困难家庭义务教育阶段学生实行免收书本费和杂费制度之后，从 2006 年秋季起全面实施农村义务教育免杂费政策，2007 年又进一步免收课本费，在全国率先实现农村义务教育全免费。各级财政仅为农村义务教育免杂费就共安排资金 33.5 亿元，惠及 1025 万农村学生。从 2008 年春季学期起，广东又在城镇实行九年免费义务教育，在实现“教育公平”的道路上又迈出了关键的一步。广东还注意扭转严重

影响教育公平的“择校”现象，2005年省教育厅下发《广东省教育现代化建设纲要实施意见（2004—2010年）》，强调“教育公平”，提出今后广东义务教育不再搞等级学校，要加大财政投入，努力办好每一所学校。

三、坚持人民为主体，广泛开展群众性精神文明创建活动

人是社会的主体，人民群众是社会历史的创造者。在推动改革开放和现代化建设的进程中，中华大地出现了一个亿万人民广泛参与并普遍受益的新生事物——群众性精神文明创建活动。这是人民群众移风易俗、改造社会、创造美好生活的伟大创举。它对于提高公民文明素质、社会文明程度和群众生活质量，创造健康和谐的社会环境发挥了巨大作用。30年来，广东充分发挥人民群众的主体作用，使群众性精神文明创建活动开展得既声势浩大又扎实有序，形成了点面结合、条块结合、城乡互动、向全社会覆盖的新局面，走出了一条与改革开放和社会主义市场经济发展相适应，并颇具广东特色的创建精神文明的路子。

（一）吸引群众参与，从解决群众最关心的问题入手

中国共产党是全心全意为人民服务的党，始终把关心群众、动员群众、引导群众为自己的根本利益而奋斗作为全部工作的出发点和落脚点。群众性精神文明创建活动，正是党全心全意为人民服务的根本宗旨与人民群众创造美好生活的愿望有机统一的体现。坚持贴近实际、贴近生活、贴近群众，为老百姓办实事，把解决思想问题同解决实际问题相结合，使群众得到实惠，才能够有效地吸引群众广泛参与。广东多年来的群众性精神文明创建活动之所以有强大的吸引力、凝聚力和生命力，一个重要原因就是注重适应时代的要求和群众的愿望，并以此为依据确定精神文明创建活动的内容。

群众性精神文明创建活动，始于20世纪80年代初全国各地开

展的“五讲四美三热爱”活动。当时人民群众迫切要求整顿被“文化大革命”破坏的社会风气和社会秩序，改善紧张的人际关系，营造安定团结的社会氛围和清洁美好的生活环境。为此，从1981年起，广东响应中共中央的要求，在全省开展以“五讲四美三热爱”（讲文明、讲礼貌、讲卫生、讲秩序、讲道德，心灵美、语言美、行为美、环境美，热爱祖国、热爱社会主义、热爱中国共产党）为主要内容的系列活动，包括春节前后开展“全民文明礼貌服务月”活动，“学雷锋精神、树文明新风、做‘四有’新人”活动。1990年，该活动延伸为树立省委倡导的“28字”（好学进取、团结友爱、诚实礼貌、健康文娱、卫生美化、勤俭办事、遵纪守法）文明新风活动。广东在开展“五讲四美三热爱”活动的基础上还进行了以“讲文明树新风”为主要内容的系列活动。例如，20世纪80年代末至90年代初开展的“移风易俗”活动，是针对当时存在的封建迷信、聚众赌博、铺张浪费等陋习而进行的；开展创“三优”（优质服务、优良秩序、优美环境）、评“三佳”（最佳服务、最佳乘务员、最佳售货员）活动，是为了解决当时群众反映强烈的服务质量低下、行业不正之风严重的问题；开展扶正祛邪、扫除“七害”的斗争，则是响应群众的强烈要求，清除吸毒、贩毒、嫖娼卖淫、拐卖妇儿等社会丑恶现象。又如，1997年重点抓了群众呼吁解决的文明言行、环境卫生、服务质量、交通秩序四个方面存在的突出问题。再如，2003年开展的讲文明、讲卫生、讲科学、树新风的“三讲一树”活动，是结合抗击“非典”的需要，动员群众自觉革除危害健康、污染环境的陋习，养成文明健康的生活方式。由于这些活动内容与群众的日常生活紧密相关，因而极大地调动了群众参与的积极性。如1982年开展的“全民文明礼貌服务月”活动，形成了广泛的群众行动：共成立学雷锋小组33万多个，青年服务队37000多个，仅清理卫生死角达7400多处、沟渠13万多米。群众反映是“多年来所罕见”。

在农村开展精神文明创建活动，也是根据时代的要求和农村群众的愿望而进行的。随着经济的迅速发展，农民的生活水平日益提

高。但是，新的问题又出现了，一些地方，特别是珠江三角洲一带，新房越建越多，却缺乏整体规划意识；室内条件越来越好，而室外环境仍是脏乱差；物质享受越来越丰富，但精神生活仍然贫乏。总之是“只见新房，不见新村”，与整个经济社会发展不相称。群众迫切要求改变这种状况。因此，从20世纪80年代起，广东在农村地区因势利导地开展了以“六抓六治六变”（抓生产发展，治穷变富；抓思想教育，治旧变新；抓文化科学，治愚变智；抓社会秩序，治乱变安；抓服务质量，治安变优；抓环境建设，治脏变美）和“十好”（村容村貌好，党风好，民风好，社会治安好，文化生活好，教育和科学普及好，完成任务好，计划生育好，生产生活好，军民关系、工农关系、民族关系好）为主要内容的文明户、文明村、文明镇创建活动。90年代初，省委提出了创建一批“经济繁荣、社会文明、环境优美、城乡一体”为基本特征的现代化文明村镇的目标，并提出了建设高标准现代文明村镇的五个标准——高起点规划、高标准建设、高效能管理、高品位文化、高文明素质，适时地把群众创建活动的积极性引导到建设富裕文明的新生活的轨道上来。进入新世纪，广东又积极推动生态文明村创建和社会主义新农村建设。经济发达地区创建“五高”文明村镇；经济欠发达地区和山区创建“五好”（经济好、民风好、村容好、生态好、管理好）生态文明村。这些创建活动反映了群众的利益和愿望，群众易于接受、乐于参与，由“要我做”变成“我要做”，许多问题便迎刃而解。群众在参与活动的实践中也受到了教育，并不断提高了文明素质。

城市的精神文明创建活动也是如此。随着城市化进程的加快，广东出现了一批新兴城市。但是，由于城市总体规划滞后，管理水平低下，相当一部分城市容貌较差，街上乱摆乱卖，卫生设施简陋，环境污染突出。特别是珠江三角洲一带，有不少新兴城市的市民是由刚刚“洗脚上田”的农民转化而来，文明素质普遍比较低。这种状况与广东作为中国经济发展最具吸引力地区之一的地位很不相称，群众要求解决这些问题的呼声很高。从90年代中期起，广东提出了在全省大中城市开展创“三优杯”竞赛，拉开了创建文明城市活动的序幕。1998年，省委在中山市召开全省创建文明城市现场经验交流会，提出城乡文明建设以创建文明城市为“龙头”，全省迅速掀起创建文明城市的热潮。省里出台了《广东省创建文明城市考核指标体系和评选办法》，各地按照要求精心组织实施这一“龙头”工程，党政一把手亲自抓，各有关部门分工抓，不断加大工作力度。自1999年评选命名了第一批“广东省文明城市”和创建工作先进单位以后，全省出现了文明城市创建活动你追我赶、力争上游的良好态势，并有效地带动和促进了整个群众性精神文明创建活动配套化、系列化和高水平化的发展，形成了以创建文明城市为“龙头”，以创建文明村户、文明街道、文明窗口、文明社区为重点，以创建文明线路、文明行业、文明社区为纽带，以提高人的现代文明素质、创造优美生活环境、推进社会文明进步为目标，多层次、多方面、全方位地共建文明、共促繁荣的精神文明建设新格局。以后的城市精神文明建设更加突出以人为本的理念，广泛开展“关爱行动”、“都市暖流”等，为下岗失业人员、外来务工人员、特困群众提供物质帮助和精神关怀；更加关注民生，着力解决群众关心的公共服务设施、医疗卫生、社会保障、社会治安、环境治理等热点问题。广大市民群众积极响应、支持和参与这些活动，并有效地改善了城市环境、秩序和面貌，提高了生活质量，群众在参与中也实现了自我服务、自我管理和自我教育。到2007年，一共有广州、深圳、珠海、佛山、韶关、河源、梅州、惠州、东莞、中山、江门、阳江、湛江、茂名、肇庆、清远、潮州、从化、增城、南雄、阳春、高要22个城市被评为“广东省文明城市”。2005年，深圳市、中山市获得首批“全国文明城市”称号，广州市、东莞市、惠州市获得“全国创建文明城市工作先进城市”称号。

（二）尊重群众的首创，及时总结推广先进典型

改革开放30年广东开展的一系列精神文明创建活动，许多是

来自基层，由群众发起和创造的。广东省委尊重群众的首创精神，给予大力支持和倡导，及时总结和推广，以先进典型引导和示范，从而使各种群众性创建活动由自发变为自觉，由零散趋于系统，由简单走向成熟。

广东省委总结和推广“两南”（即南华西街和南海县）经验，就是一个很好的例证。改革开放后，广州市海珠区南华西街坚持“两个文明”一起抓，建设文明街道，取得显著成绩，使这条百年老街脱胎换骨、面貌一新、充满活力。为总结推广南华西街创造的建设文明新街道活动经验，以典型示范带动全省创建文明街道活动的开展，1985 年，广东省委在广州市南华西街召开现场经验交流会，向全省推介南华西街创建文明街道的做法，即“一、二、三、四”：“一”是一个基础，即抓好创文明单位这项基础工作；“二”是两个“中心”，即用心办好受群众欢迎的技术培训中心和文化活动中心；“三”是从“三化”（净化、绿化、美化）入手整治环境；“四”是“四有”，即有计划、有阵地、有队伍、有制度。1992 年，省委又发现并总结南海县创建文明村、文明户的先进经验，并召开现场交流会，向全省推广该县“标准适当、虚实结合、村户结合”，形成一种群众自我教育、自我激励、自我约束、自我管理机制的创建文明村户的做法。在这次会议上，省委向全省发出号召，城市街道的文明建设学习南华西街，农村的文明建设学习南海。由此，树立了广东精神文明建设的两面旗帜。“两南”经验的示范效应，极大地推动了全省群众性创建精神文明活动的蓬勃开展。可见，越是尊重群众的首创精神，群众参与的热情就越高，活动取得的成效也越大。

改革开放 30 年来，广东发现、培养和宣传了一大批精神文明创建活动的先进典型，先后向全省乃至全国推出了一批文明城市，如中山、深圳、广州等；一批文明村镇，如花都新华镇三东村、深圳市布吉镇南岭村、中山市小榄镇、东莞市长安镇等；一批文明单位，如广州海关新风办事处、广州市电信局 114 查号台、佛山市公安局 110 报警服务台、广州市白云小汽车出租公司等。广东在推介、宣传先进典型时，注意选准角度，抓住典型的闪光点，使宣传能启人心扉、激人奋进。同时还精心组织，形成声势，对重大典型采取新闻集中报道，组织经验交流现场会、报告会、图片展等形式进行宣传。榜样的力量是无穷的。这些先进典型，为推动群众性精神文明创建活动的健康发展发挥了巨大的示范作用。

（三）抓好各种载体，充分调动群众创建积极性

人民群众是精神文明建设的主体力量，是精神文明建设的动力之源。那么，怎样才能把千百万的人民群众调动和凝聚起来参与精神文明建设，使动力像“核能”那样释放出来？广东的实践表明，必须抓好承载蕴含精神文明建设活动“信息”、“内容”的各种载体，才能使精神文明建设由“虚”变“实”，取得成效。广东省委根据各个时期形势发展的需要和中央的部署，在开展创建文明城市、文明村镇、文明行业、文明社区的过程中，有计划、有步骤地运用各种载体或“抓手”来吸引群众参加。在创建文明城市过程中，针对城市的特点，以建设文明家庭、文明单位、文明楼院、文明小区、文明街道等为“抓手”，以志愿服务、“送温暖、献爱心”等实践活动来引导市民参与，使其在活动中提高文明素质。同时充分利用社区文化、广场文化、企业文化等载体，发展各具特色的群众文化。2002 年起，在珠江三角洲地区实施“创建精神文明示范工程”，以此为“抓手”开展区域性文明城市连片创建工作。在创建文明村镇工作中，紧紧抓住村户这个关键环节，以创评星级文明户、高标准现代文明村、“五改”（改水、改厕、改灶、改路、改房）文明村、生态文明村、文明小康村等为载体，使精神文明建设进村、入户、到人。创建文明社区活动比较引人注目的载体有安全文明社区、“六好”平安和谐社区、“四进社区”、学习型社区、绿色社区、无毒社区等，这些活动使文明社区建设不断拓展和深化。在创建文明行业活动中，“文明窗口”、“共铸诚信”、“百城万店无假货”、“青年文明号”、“巾帼文明示范岗”、“春风行动”、“文明风景旅游区”等，是最为叫响的创建载体。这些载体和“抓

手”，极大地调动了广大人民群众投身参与创建活动的积极性，对于广东群众性精神文明创建工作的有序健康开展起了决定性的作用。

（四）引入竞争机制，使群众性文明创建充满活力

没有竞争就没有进步。广东在精神文明创建活动中引入竞争机制，进行科学考评、定期表彰、动态管理，有效地避免了“简单化”、“走过场”、“一阵风”的形式主义倾向，增强了创建活动的活力和对群众的吸引力。多年来，广东创建活动所形成的竞争机制主要特点是：第一，科学化考评。广东在20世纪90年代以后开始探索建立把各项指标量化的科学考评体系。1997年，广东下发了《关于对全省21个大中城市开展创“三优杯”竞赛活动检查评比的通知》，出台了《全省大中城市创“三优杯”竞赛活动评分细则》。1998年又下发了《关于在全省开展创建文明城市竞赛活动的实施意见》和《广东省创建文明城市评选办法与考核标准》。考评体系从文明城市要达到的十个方面制定了量化标准，同时还提出了七个方面的“一票否决”。评选也不仅仅是传统的派出检查小组，而是在坚持职能部门评议为主的同时，充分听取群众意见，发动群众参与，在网上进行测评，并公示结果。至今，创建文明城市、文明小区、文明村镇、文明行业、文明县城等的竞赛活动都有了考核标准和评比办法。第二，制度化表彰。从20世纪80年代中开始，省委召开了多次创建文明活动先进集体和先进个人表彰大会。90年代后，省委把表彰大会制度化，规定每两年评比表彰命名一批省级文明单位，市县也是每年表彰命名一批市县级文明单位。该制度有效地调动了各级党政领导坚持“两手抓”的自觉性，保证了精神文明建设各项任务的落实。第三，区别化对待。广东的文明创建竞赛评比，注意根据对象的不同特点，采取不同的评选方式。例如，竞赛评选的比较常用方法是“抓两头促中间”，但在农村则有时不适合，特别是在创建文明户的竞赛活动中，由于不少农民存在随大流的从众心理，以多以众为好，因而在一些地方创建文明农户

的活动中，就采取了以多促少、以多带少的评选方式，凡是符合文明户要求的都给它挂牌，形成“先进的光彩、落后的脸红”的压力和动力，以激发广大农民参与创建的热情和积极性。第四，动态化管理。为保证创建活动持之以恒、与时俱进，广东的文明创建评比不搞“一锤定音”，而是随时监督，定期检查、复评，如发现问题，及时帮促，限期整改。这些竞争机制促进形成了激励先进、鞭策后进，争先创优、你追我赶的氛围，使精神文明建设生机勃勃、充满活力。

四、坚持统筹兼顾，妥善处理精神文明建设中的重大关系

统筹兼顾是我们党在长期的革命和建设实践中总结并运用的一种重要的思想方法和工作方法。统筹兼顾也是科学发展观的重要思想内容。在精神文明建设中贯彻落实科学发展观要求，就必须坚持统筹兼顾的思想方法和工作方法，这是保证社会主义精神文明建设健康有序发展的必要主观指导条件。事实上，广东改革开放30年的精神文明建设，始终贯穿了统筹兼顾的思想方法和工作方法。这不仅表现在以“一盘棋”的思想统筹精神文明建设的各项内容，同时更体现于用辩证的思维兼顾精神文明建设中的重大关系。这种统筹兼顾各方关系的思想方法和工作方法，充分体现了社会主义精神文明建设的必然规律和发展方向。

（一）坚持社会主义方向与发展市场经济相结合

社会主义精神文明是社会主义社会的重要特征和社会主义制度优越性的重要表现，因而我国的精神文明建设必须坚持社会主义的发展方向是不言而喻的。与此同时，社会主义精神文明建设也要给市场经济的发展以支持。市场经济所特有的竞争效率机制能够极大地促进生产力的发展，被公认为迄今为止最能使社会资源得到优化配置的经济体制模式。实行经济体制的根本转变，是历史的必然。

建立并完善社会主义市场经济是经济振兴、社会进步，使社会主义制度的优越性进一步发挥出来的必由之路。这是中国现代精神文明建设不可回避的社会背景。“精神文明说到底是从物质文明来的”①。新经济体制的建立和新经济形态的发展，必然涉及政治、社会以及思想道德和文化教育等广泛领域，要求社会系统的各个部分与之配合，要求社会主体以有利于现实经济发展的思想观念、道德素质和文化水平为之提供精神支持和动力。因此，社会主义精神文明建设既要高举中国特色社会主义旗帜，大力弘扬社会主义精神，又要反映市场经济发展的要求，为市场经济发展供给所需要的思想观念，如自主意识、竞争意识、效率意识、平等意识、求利意识等的支撑和智力文化的支持。从另一个角度来看，精神文明建设与市场经济发展是互动的，市场经济是一所文明大学校，培育和塑造了人的新的精神和新的品质，为精神文明建设提供了思想活力。

当然，市场经济的“双刃剑”效应又使社会主义精神文明建设肩负了另一种职责。市场经济是讲求功利、追求现实利益的，而这种功利性又极可能造成负面的破坏力。“一旦有适当的利润，资本就胆大起来。如果有10%的利润，它就保证到处被使用；有20%的利润，它就活跃起来；有50%的利润，它就铤而走险；为了100%的利润，它就敢践踏一切人间法律；有300%的利润，它就敢犯任何罪行，甚至冒绞首的危险。”② 可见市场经济并非是天然的道德经济，必须按照社会主义的“应然”原则去要求它，用法律制度去制约它，用道德规范和崇高精神去引导它。因此，我们需要建设的是与社会主义市场经济相适应的精神文明，而不是一般的市场经济文明。前者既包含竞争观、效率观、求利观等一般市场经济价值观内容，但更包含有源于公有制和维护国家与社会利益的社会主义价值观内容。正是这些新的内容，能有力地抑制、减少“资本”胆大妄为的作用和影响。

---

① 《邓小平文选》第3卷，人民出版社1993年版，第52页。

② 马克思：《资本论》第1卷，人民出版社版1975年版，第829页。

毋庸置疑，广东在改革开放30年的过程中，对于如何把握精神文明建设与社会主义市场经济的关系是清楚的。一方面，致力于引导人们冲破姓“社”姓“资”的束缚，打破计划经济的崇拜，走出对市场经济认识的误区，坚持“三个有利于”的标准，大力倡导和积极确立与社会主义市场经济相适应的新意识、新观念，其中有不少新观念、新思想在全国独树一帜、引领风尚。另一方面，广东也坚持引导人们坚持社会主义方向，端正发展市场经济的指导思想，如：引导人们守法致富，坚决打击严重经济犯罪；引导人们踏实致富，纠正急功近利行为；引导人们先富帮后富，走共同富裕之路；引导人们富后防侈、富后防腐，并“致富思源、富而思进”；等等。可以说，广东在正确处理坚持社会主义方向与发展市场经济关系方面走出了一条新路，为全国做出了表率。

（二）继承中华传统文化与借鉴外国优秀文明成果相并重

真正优秀的人类精神文明，应该是绵延的，经过历史的不断检验；同时也是开放的，吸收了人类思想的精髓。对此，毛泽东曾生动地讲过古今中外法，即屁股坐在中国的现在，一手伸向古代，一手伸向外国。这即所谓的“古为今用，洋为中用”。它是建设社会主义精神文明的重要方法。也就是说，要立足于我国改革开放和现代化建设的实践，着眼于世界文化发展的前沿，弘扬民族文化的优秀传统，汲取世界各民族的长处，并在内容和形式上积极创新，创造出承传优良传统又体现时代精神、立足本国又面向世界的社会主义精神文明。这是增强精神文明建设吸引力和感染力的必由之路。这一必然路径充分体现于广东30年精神文明建设的实践中。

开现代精神文明之新必须以传承民族文化之本为前提。广东的精神文明建设深深地扎根于中华民族优秀传统文化的沃土之中。广东毗邻港澳，地处对外开放的前沿，外来文化对人们有巨大的影响。例如，在开放之初，港台的流行歌曲一度曾充斥着广东乐坛，港台的影视也大行其道。有些人曾以历史虚无主义的态度对待传统

文化，主张“全盘西化”。对此，广东提出了大胆继承、大胆借鉴的方针。大胆继承，就是要弘扬培育民族精神，继承倡导传统优良道德，开发传承岭南文化。广东除了利用重大纪念日和重大事件开展以爱国主义为主要内容的民族精神教育外，还善用民族传统节日弘扬优秀民族文化。例如，“春节”突出传统和谐文化主题，“清明”突出缅怀先烈、继承革命传统主题，“中秋”突出团圆团结主题，“重阳”突出尊老敬老主题，等等。广东在道德建设中，注意继承借鉴中华民族优秀传统文化的内容和表达形式。例如，用“旧瓶装新酒”的形式编写出版《新三字经》、《新增广贤文》、《公民道德格言》等思想道德教育读物。又如，以传统的写春联的形式开展“道德春联进万家”活动。广东还积极开发利用岭南文化资源，加强对文化遗产的挖掘、整理、保护和利用（如南越王墓开发、开平碉楼“申遗”、“南海一号”保护等），发展民族民间文化艺术（从 1987 年开始基本年年举办民族民间艺术节），推动优秀传统文化融入现代生活，服务人民群众，使精神文明建设展现出鲜明的民族特色和广东风韵。

一个民族的文化只有在时间上与时代相对接，在空间上与世界相关联，才能焕发勃勃生机。学习借鉴西方优秀文化成果是建设社会主义精神文明的重要途径。开放伊始，广东就清楚地意识到，广东不仅要在对外开放中发展经济，而且要在对外开放中建设精神文明；广东作为全国改革开放的“试验区”，既是物质文明建设的“试验区”，也是精神文明建设的“试验区”。为此，广东首先打破把西方文化等同于资本主义腐朽没落东西的旧观念，充分发挥广东地缘优势和开放优势，坚持“排污不排外”的原则，以积极的精神、宽容的胸怀和务实的态度去大胆借鉴外来文化。比如，广东率先借鉴、研究发展市场经济的理论和方法；引进先进的企业管理制度、运行机制，以及企业文化、公共文化、广告文化；对一些从港台流入的通俗音乐、流行时装、卡拉 OK 等，并不一味地贬抑，而是支持发展其中健康有利的东西，使其在模仿中走向成熟，并锤炼出自己的风格。广东还制定措施，促进政府、学校、文化单位、企

业等开展对外文化交流。近年更是实施文化“走出去”战略，到其他国家举办“文化展”、“文化周”、“文化节”等。仅2005年一年，广东省与外国的双向文化交流就达365批、6853人次。这些交流活动使文化借鉴、文化引进与文化输出、文化辐射并举，较好地推介和确立了广东的文化、文明形象。当然，在此过程中，广东也着眼于引导人们分辨良莠的能力，坚持“择精取优、为我所用，丑恶颓废、坚决抵制”，建立行之有效的文化安全机制，使精神文明建设在开放交流中健康发展。

（三）兼顾思想教育与法制力量，确保形成扬善抑恶的良好风气

精神文明建设是一个综合治理的过程，是一项复杂的社会系统工程，需要将各种手段结合起来，其中，除了教育，法制就是一个最重要的手段，通过依法治国、依法开展精神文明建设，可以对思想道德建设和科学文化教育起到刚性的效应。在精神文明建设中，教育依靠“自律”来完成，是一种“软约束”，法律则依靠“他律”、“强制”来实现，是一种“硬约束”。精神文明建设必须“一手抓教育，一手抓法制”，“软”“硬”兼施，才能有所保障。

广东省委在七届五次全会上清楚地阐明了精神文明建设要依靠法制保障的必要性，提出要积极运用法律手段保护和推行合乎时代发展要求的思想道德文化，并与各方面的管理制度有机地结合起来。多年来，在加强思想道德教育的同时，深入开展法制宣传教育，增强人们的法律观念和法律意识；在运用舆论、宣传、思想教育手段倡导和树立社会文明新风的同时，也积极运用法制手段来推进。许多文明新风的树立，都是先提倡，做好舆论宣传，形成好的态势，然后再总结经验，把它纳入规范化、法制化的轨道。例如，广州市在对市民进行道德教育的过程中，先后制定了《广州市文明公约》、《广州市社会公德守则》、《广州市职业道德守则》、《广州市家庭美德守则》、《广州市民十不行为规范》等，并由市人民代表大会讨论通过、颁布实施。这种由地方立法机构所制定的规则

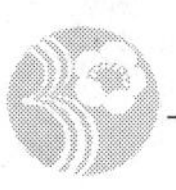

守则是有法律效应的。广州市还根据国家有关的法律法令，制定了包括教育、治安、交通、卫生、环境保护等在内的许多保障城市文明的地方性法规，充分发挥了法律规范的作用。广东在活跃精神文化产品生产，促进文化市场发展的同时，也注意贯彻发展先进文化的要求，把社会效益放在首位，坚持一手抓繁荣，一手抓法制管理。如健全有关法规制度，加强对文化事业、文化产业、文化市场的法规管理，加大打击违法犯罪、扫除文化垃圾和其他各种丑恶现象、维护公共秩序的力度，并收到了良好的效果，使广东精神文明建设走上了依法管理的轨道。

（四）既依靠群众又加强领导，完善科学规范的运行保障机制

人民群众是精神文明建设的实践者和受益者，只有始终相信群众，依靠群众，把群众动员组织起来，形成合力，才能推动精神文明建设不断取得新进展。同时，社会主义精神文明建设是一项全面性的社会系统工程，必须有坚强的领导核心。在当代中国，建设社会主义精神文明，必须坚持和加强中国共产党的领导。只有坚持和加强党对精神文明建设的领导，才能为精神文明建设提供正确的理论指导和思想保证，为精神文明建设制定正确的方针、政策和发展战略，为精神文明建设建立完善的工作运行机制和强大的组织保障。

广东在中共广东省委的正确领导下，早在20世纪90年代，就探索、建立了一套精神文明建设的运行机制，即“育、导、建、管”的有机结合。“育”，就是培育人、教育人，包括学校教育、理论教育、思想政治教育、法制教育、道德教育等；“导”，就是引导、疏导、排解，通过发扬民主，沟通思想，从而疏通民气，理顺民心，化解消极因素，引导群众积极向上；“建”，就是在抓好思想教育的同时，抓好精神文明的阵地建设，包括学校，思想文化阵地，科学普及网络，医疗、卫生、体育设施的建设等；“管”，就是通过建立健全各种管理法规和制度，加强对思想文化阵地和社

会文化市场的管理，加强对社会治安的综合治理，消除各种消极腐败现象。其中，教育是内涵，引导是桥梁，阵地是依托，管理是手段，把它们有机结合起来，发挥其综合效能的作用，思想政治工作和精神文明建设就能结出丰硕的成果。实践证明，该模式对广东精神文明建设的有效运作并取得巨大成效起了十分重要的作用。

广东在精神文明建设过程中，始终坚持依靠群众与加强党的领导相结合。具体来说，主要是处理好以下关系：第一，既当好领导，又带好头。广东省委要求全省各级党委和政府、各级领导干部，要以身作则，真正做到在思想上重视，在行动上落实，当好文明建设的带头人；正确处理两个文明建设的关系，自觉把精神文明建设纳入经济社会发展的总体规划，摆上领导工作日程；健全各级领导干部“双文明”建设的岗位责任制，把是否重视精神文明建设，是否抓出成效，作为考核干部政绩的重要内容，作为晋升的重要依据，从而坚定了群众搞好精神文明建设的信心。第二，既坚持“一把手抓”，又坚持“齐抓”、“共抓”。广东按照中央的要求，建立起统一高效的领导体制：党委统一领导，党政主要领导亲自抓，形成党政主要领导对精神文明建设总负责、分管领导具体抓的领导体制和工作责任制。只有“一把手”“两手抓”，才能“两手都要硬”。同时，除了党委统一领导外，还建立起部门联动、依靠社会力量的齐抓共管工作体系。省和各地方成立了精神文明建设委员会及其办事机构（精神文明建设办公室），配备和充实专职人员，充分发挥其指导、组织、督促和协调作用；组织各级党政机关和工会、共青团、妇联等人民团体，围绕精神文明建设的总体要求和主要任务，发挥各自优势，实行齐抓共管，从而带领、组织广大群众共建精神文明。第三，既发动群众参与，又建立规范、科学的工作机制。精神文明建设不是一哄而上的群众运动，为了确保群众性精神文明建设的严肃性、实效性、有序性和可持续性，建立了包括目标责任、检查考评、表彰激励、法规管理和物质保障等一系列内容的工作机制。例如，在法规管理机制方面，广东省委省政府制定了《广东省文明单位管理若干规定》、《关于加强社会文化经营活动管

理的决定》等一系列涉及文化市场、演出、新闻、出版方面的法规和管理条例，对精神产品生产和宣传文化事业进行正确的引导和管理。在物质保障机制方面，广东在每个时期都制定了明确的关于发展教育、文化等的物质投入计划，并随着经济实力的增长而不断加大对精神文明建设各个方面的投入。比如，广东不断完善和落实文化经济政策，通过设立宣传文化发展专项资金，争取各级党委和政府的支持，广泛发动社会各界捐资等，建立起了研究、创作、出版等各类宣传文化基金共24个，使精神产品生产创作的资金有了保证。以上机制的建立，为广东精神文明建设提供了强有力的保障。

第六章
绿色广东

一、广东生态文明建设发展历程

（一）改革开放30年历史回顾

改革开放已经进入30个年头。在短短30年间，中国经历了发达国家上百年工业化和现代化过程中所承受的改革和环境压力，同时也创造了世界工业化和现代化史上的“中国奇迹”。

广东作为中国最早对外开放的先行地区，现已发展成为全中国乃至世界上最富有生气的经济区之一。作为改革开放较早的省份，许多环境问题在广东最先遭遇。在环境保护与经济发展的关系发生重大变化的时期，广东在加快经济发展的同时，高度重视发展经济与保护环境的协调问题，在全国生态环境保护工作中充当了“领头羊”。

1．生态文明界定。

“生态”一般又称自然生态，指生物之间以及生物与环境之间的相互关系与存在状态。自然生态是存在于人类及其实践活动之外的客观存在，有着自在自为的发展规律，这种规律反映的是自然现象内在固有的、本质的联系，具有不以人的意志为转移的客观性，

不能被人的实践活动所改变，但在尊重和顺应这一规律的基础上可以被合理开发和利用。

生态文明是指继农业文明、工业文明之后出现的一种更全面、更进步的文明形式，是人类文明发展到较高阶段的产物。生态文明以尊重和保护生态环境为宗旨，强调人与自然环境的相互依存、彼此促进、共处共融，是人与生态和谐统一的新的文明发展阶段。因此，从人类文明形态的进步结果来看，生态文明是人类克服了农业文明、工业文明与自然环境尖锐对立的弊端，遵循人与自然相互依存、和谐共生、良性循环这一原则而取得的物质与精神成果的总和，它使人类的文明形态发展到一个新的历史阶段。

胡锦涛总书记在中共十七大报告中首次提出，“建设生态文明，基本形成节约能源资源和保护生态环境的产业结构、增长方式、消费模式”。这一论述为广东全面建设小康社会和构建和谐广东提出了新的要求，指明了前进方向。

2. 生态文明发展阶段分析。

广东环保事业起步于20世纪70年代，改革开放30多年来，在广东省委、省政府的正确领导下，全省环境保护工作获得了长足发展，在国民经济持续快速增长的压力下，全省环境质量保持基本稳定。

第一阶段：环境保护事业起步阶段。

1972年6月，在瑞典斯德哥尔摩召开的第一次国际环境保护大会——联合国人类环境会议标志着全球各国对环境问题的关注。广东省的生态文明建设工作是随着环境保护机构的逐步建立和完善而呈渐进性展开。1973年8月，国务院召开了第一次全国环境保护会议。同年9月，广东省召开第一次全省环境保护会议，研究广东省环境保护两年计划及广东省环境保护机构的设置和归口管理问题、重点污染治理问题。第一次全省环境保护会议召开和省环境保护机构的设置，标志着广东省环境保护工作正式开始。这一时期，工业“三废”治理和环境污染情况调查成为广东环境保护的主要任务。广东省通过抓技术改造、改炉节燃、消烟除尘、资源综合利用以及推广无氰电镀、无氰选矿等先进工艺，对重点污染源进行整治，建设了一批“三废”治理工程，取得了较好的污染治理效果。

第二阶段：1984—1994年，广东省环境保护事业稳步推进阶段。

在此阶段，广东省环境管理体制发生巨大变化。相关的重要历史事件主要有：

1984年5月，广东省成立环境保护委员会，办公室设在广东省环境保护局。同年8月，决定恢复广东省环境保护局“一级局”建制，为广东省人民政府的直属机构。1986年6月，广东省环境保护委员会在广州召开广东省城市环境保护工作会议，部署全省开展城市环境综合整治工作。1987年5月，广东省人民政府颁布了《关于加强城市环境综合整治的决定》，标志着广东省环境保护重点开始从工业污染治理转向工业污染防治与城市环境综合整治并重。在1992年6月联合国环境与发展大会召开后，广东省开展了可持续发展战略研究，并进入实施可持续发展阶段。

这一时期，一是广东省环境保护立法步伐进一步加快。1991年1月颁布了《广东省东江水系水质保护条例》、1994年7月颁布了《广东省建设项目环境保护管理条例》等地方性法规；相继颁布了一批关于建设项目环境管理、征收超标准排污费、饮用水源及跨市河流边界水质达标管理、城市环境综合整治和环境保护目标任期责任制等规章，并发布实施广东省、广州市、珠海市等6个地方污染物排放标准。二是加强了环境保护执法工作。广东省人大常委会、广东省人民政府、广东省环境保护委员会多次组织全省环境保护执法检查。三是进一步深化了工业污染防治。1985年1月，广东省环境保护局召开了广东省工业污染防治会议，贯彻国务院《关于结合技术改造治理工业污染的若干规定》，布置广东省的重点工业污染源治理工作。1986年，按照全国的统一部署，广东省在全省范围内开展首次工业污染源调查，1987年上半年完成调查工作，基本摸清了全省工业污染情况。自1985年至1994年，广东省先后下达了三批共100多家企业的120多项限期治理项目，工业

污染源治理取得明显效果。根据国家超标排污费使用的有关规定，自1982年起，广东省从征收的超标排污费中拨出专门资金，用于企业治理污染，有力地促进了企业的污染治理工作。自1984年起，从广东省财政拨给的更新改造资金中，每年拿出500万元作为环保专户，用于补助治理污染项目。四是环境科学研究取得较大进展。

第三阶段：1995年至今，广东省环境保护事业快速发展阶段。

这一阶段，广东省树立和落实科学发展观，积极推进绿色广东建设。广东省环境保护工作全面推进，成效显著。

一是加强环境保护法制和体制建设，依法治理环境。

在管理体制方面，已经形成了一套以各级环境保护行政主管机构［省—市—区（县级市）］为主体，各有关职能部门为辅助的环境管理组织机构体系，确立了各级环境保护行政主管部门对环境保护工作实施统一监督管理、各有关职能部门分工协作的统管与分管相结合的管理体制，初步形成了科学决策、民主决策的环境管理决策体系框架。

在运行机制方面，按照国家环境保护相关的法律和行政法规要求，加强了环境立法的工作，初步形成了较完整的环境保护法规框架体系，使环境保护执法基本做到了有法可依，并成为全国环境保护地方立法最多、覆盖面也最广的省份之一。这一时期，广东省颁布了多项地方性法规，如1997年12月颁布《广东省实施〈中华人民共和国环境噪声污染防治法〉办法》、《广东省民用核设施核事故预防和应急管理条例》，1998年6月颁布《广东省农业环境保护条例》，1998年11月颁布《广东省珠江三角洲水质保护条例》，2000年5月颁布《广东省机动车排气污染防治条例》，2001年10月颁布《广东省城市垃圾管理条例》，2003年9月颁布《广东省韩江流域水质保护条例》，2004年1月颁布《广东省固体废物污染防治条例》，2004年9月颁布《广东省环境保护条例》，2006年6月颁布《广东省跨行政区域河流交接断面水质保护管理条例》等，为加强环境保护提供了法律依据；也相继颁布了一批关于核电厂环境保护管理、放射性废物管理、排放污染物许可证管理、采石取土管理、海域使用管理等规章；广东省人民政府还于1997年3月和2002年9月分别作出了《关于切实加强环境保护工作的决定》和《关于进一步加强环境保护工作的决定》。

环保执法工作进一步深入。广东省每年由省人大常委会或省政府组织环保执法大检查，对检查中发现的问题立案督办，加快了一些久拖不决的环境问题解决的进程，如小东江、淡水河、枫江污染整治和东江、东深水质保护及增城新塘漂染群和仙村水泥群污染整治等。严格的环保监管、良好的环境信用、高效的环境执法为广东的经济发展营造了良好公平的市场竞争环境，有力地促进了经济的健康有序发展。在此基础上，各级部门认真贯彻执行各项环境管理制度，不断进行制度设计的创新，积极探索提高制度运行绩效的途径和方法，初步形成了一套包括决策机制、协调机制、考核评价机制、参与机制、预防机制、控制机制、投入机制等在内的制度运行体系，环境保护开始走上了一条由行政主导向规范性制度约束转变的轨道。

在环境政策手段方面，除继续加强和完善传统的法规标准等刚性政策手段外，积极探索经济性、沟通性、自愿性等手段，环境管理效率不断提高，有效缓解了环境保护与发展经济的矛盾。

与此同时，积极推进生态文明和环境文化建设，加强对环境保护的宣传和教育，为制度运行营造了良好氛围。

二是城市环境质量逐渐改善，有效扩充了经济发展的环境容量。

在经济快速增长的同时，城市环境质量总体保持基本稳定，部分领域有所好转，有效扩充了经济发展的环境容量。

在广东省委、省政府的正确领导下，广东省在经济持续高速发展，产业结构适度重型化和城镇化快速发展的同时，相继摘取了“经济总量最大、单位能耗最低、环境形势好转”等几项桂冠，经济发展呈现出“又好又快”的良性势头。通过严格环境准入，调整产业结构，转变经济增长方式，加大执法力度，促进落后生产工艺设备的淘汰，广东省节能降耗工作取得成效。2005年广东单位

GDP能耗为0.79吨标准煤/万元，相当于全国平均水平的65.8%，为全国最低水平。2006年，在全年生产总值超过25000亿元，GDP增长14.1%的基础之上，主要污染物二氧化硫（SO_2）和化学需氧量（COD）排放总量两项指标，分别比2005年下降了2.1%和0.9%，实现了2006年的广东减排目标。由于近年来能源消耗量迅速增加和机动车保有量迅猛增长，导致广东大气污染物排放量持续上升。2005年，全省二氧化硫排放量达129.4万吨，比2000年增加43%，但从2006年开始形势有所好转，呈明显下降趋势（见图6－1）。

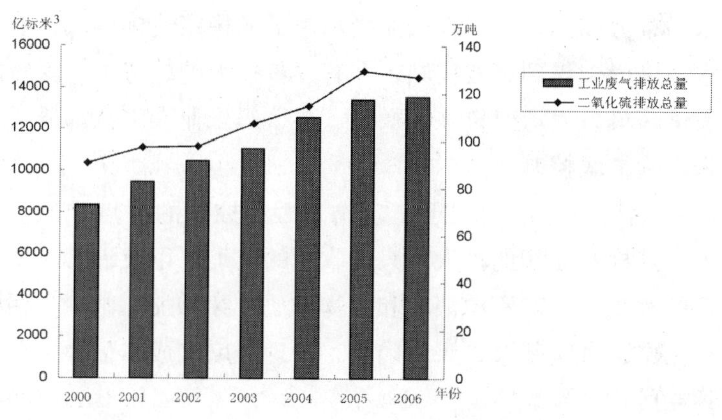

图6－1　广东省工业废气及二氧化硫排放趋势图

（二）生态环境面临的问题及原因

1. 广东省面临的环境问题。

（1）快速的经济增长和人口增加超过环境治理能力。虽然广东省已取得的经济成就为环境治理提供了物质基础，但随着经济的继续高速发展、产业的重型化以及人们生活方式和行为模式的改变，面临的环境形势仍然严峻。广东省现有环境保护基础设施的建设滞后于城市发展；现有的科技支撑，特别是为环境管理服务的技术支撑力度明显不足，环境管理综合决策技术、环境质量监控技术、污染防治技术与预警技术等难以适应环境管理的新要求；人才素质和能力与环保工作任务快速发展的态势还不相适应；现有的环境保护制度难以适应新的环境形势。

（2）生产性污染增长势头有所减弱，但总量压力依然巨大。大气污染方面。2006年，广东省工业废气排放总量高达13584亿标立方米，二氧化硫排放量126.7万吨，单位GDP的污染负荷较高，总量削减压力依然巨大；部分区域的生产性大气问题依然严重，珠江口附近城市工业二氧化硫排放强度较大，存在较为严重的区域性二氧化硫污染问题；此外，化工行业、储油库、加油站及油罐车等导致的挥发性有机物污染尚未得到有效控制。

水污染方面。一些工业企业废水尚不能稳定达标排放；农业面源性水污染尚未得到有效控制，并有逐步扩大的趋势。

噪声污染方面。建筑施工噪声、餐饮娱乐业噪声和部分工业噪声尚未得到彻底控制。

（3）生活性污染增长迅速，成为污染控制的重点领域。随着城市人口规模和面积的扩大、人均收入的增加，以及消费模式、消费水平的改变，人均资源消耗和废物排放持续增加。由于生活性污染涉及面广，种类复杂，来势凶猛，治理难度和成本更大，已成为污染控制的重点领域。

在汽车进入百姓家庭的大趋势下，机动车排放导致的氮氧化物等氧化型污染较为严重，城市生活型大气污染防治面临着前所未有的压力；同时，道路扬尘、机动车排放以及二氧化硫和氮氧化物等的二次转化导致的细粒子污染严重，城市光化学事件发生的概率提高。

在珠江流域上游，工业污染是造成江河水污染的首要原因，但是到了广东流域，生活污染已上升到首要地位。目前，广东生活污水和工业污水的排放比例大致为3∶1，广东排放到珠江的污水中约有78%来自城市生活污水。珠江广州河段的水质污染已从过去的工业污染转向以生活有机污染为主。由于城市污水处理系统配套截污工程全面建成和完善河涌综合整治尚需一段时间，城市生活污水治理压力依然较大。

人口的增加，导致固体废物产生量持续增长，种类日益繁多，现有固体废物处理水平与能力远远不能缓解日益增长的处理压力。主要体现为：固体废物的规范处理设施建设不足，部分处理技术水平偏低，产生了二次污染问题；固体废物的分散处理与资源化利用投入不足，造成资源未充分利用；管理起步晚、基础薄弱、监督力量欠缺，造成固体废物收集、处理处置存在不少监管盲点，污染较严重；全社会对于固体废物的减量化、资源化、无害化的认识及行动与可持续发展的要求还有很大差距。

（4）新的环境污染问题逐步显现。广东省在面临着严重的常规性工业污染和生活性污染的同时，一些新的环境问题或一些隐性环境问题逐步显现。有专家指出，近年来珠三角空气污染已经呈现出污染的区域性、复合性、压缩性的新特征。臭氧污染、光化学污染、灰霾、颗粒物细粒子污染等已成为大气污染的新问题。此外，危险废物、微量有机污染物、持久性有机污染物、土壤污染以及外来物种入侵都是所要应对的新环境问题。

但是，广东省现有的常规监测系统多是20多年前建立的，难以监测这些新型污染情况。另外，现有的环境评价标准中所选取的多为传统的、可视的指标，对于新的污染问题、长时间才能反映出来的环境问题，都没有相应的监测指标，环境质量状况不能得到全面、正确的反映。

除了新环境问题的出现，广东省还面临着污染模式的改变。目前，污染已开始由城市转向农村，由城区转向郊区，由工业转向农业和服务业，由生产部门转向生活领域。污染面源式和复合式扩张趋势的加剧，增加了治理的难度。

2. 问题产生的原因。

一是经济增长速度快，增长方式没有根本转变，控制污染排放量的任务十分艰巨。同时，许多老企业设备陈旧、年久失修、管理不善，污染防治设施存在问题，容易导致污染事故。

二是污染负荷较大，发达国家上百年分阶段出现的环境污染问题，在广东短时间内集中出现，污染治理的难度很大，作为后发地

区，我们应吸取前车之鉴，不能重蹈发达国家的覆辙。

三是环境纠纷成为社会稳定的主要内容，环境安全成为社会公共安全的重要组成部分。

四是地方主义仍然存在，影响了环保工作的发展。一些地区尤其后发地区仍存在片面追求 GDP 增长，甚至以牺牲环境和群众健康为代价的倾向，忽视了环境保护是政府应该履行的基本职责。一些地区的生态环境边治理边破坏，治理赶不上破坏，导致环境质量恶化。

3. 环境与发展的理论检验。

本部分通过选取 1982—2006 年间广东污染物排放和经济发展的有关数据，分析探讨广东省经济增长与环境污染的变化规律。

（1）主要污染物排放的变化。广东省的主要污染物排放总量增加速度虽然低于人均 GDP 的增长速度，但总量仍在继续增加，主要污染物的排放并没有明显的下降趋势。相反，许多污染物的排放仍然呈现继续增长的势头。由于影响环境质量因素的不确定性以及广东省产业结构的日趋重型化，未来的环境形势依然严峻。

（2）霍夫曼比率与 MS 比率分析。在环境经济学里，有一个著名的“倒 U 形”库兹涅茨曲线。该曲线描述了发展与环境之间的关系变化，即随着经济的发展，环境质量将经历一个“低污染—高污染—低污染”的变化。库兹涅茨环境曲线是发达国家所走过的“先污染，后治理”痛苦历程的生动写照。18 世纪中叶，泰晤士河的恶臭达到了使人窒息的程度。到 20 世纪初，伦敦完全进入了黑色的工业时代，成了彻底的“雾都”。其他一些国家在工业化过程中也遭遇过类似的经历。20 世纪中叶爆发于发达国家的一系列环境灾害事件终于迫使他们的政府痛下决心来治理环境。历史地看，发达国家环境质量的根本性改善主要还是得益于一系列强制性环保法规的颁布、制定和实施，这也是许多国际组织和研究机构将“环境保护靠政府”作为一项重要环保经验来总结和推广的缘由。在不同地区，由于环境政策、产业结构等因素的影响，环境库兹涅茨曲线可能呈现多种不同的特征，但是从长期来看，环境污染与经

济发展之间存在着某种相关关系是毋庸置疑的。

在影响环境库兹涅茨曲线的因素中，产业结构是一个很重要的影响因素。对于环境库兹涅茨曲线的产生机制，“结构变迁假说”（structural change hypothesis）认为，经济的不断发展将导致经济重心的转变，即经济中心的变迁沿着以农业为主的低污染型经济向以工业为主的高污染型经济转变，尔后再向以服务业为主的低污染经济回归。在较低的发展阶段，经济波动处于一种生存维系状况，经济发展对环境和自然资源的影响极为有限。由于农业生产所排放的废物不仅数量少，而且可被生物降解，因此，无论是污染的数量还是环境退化的强度，都是有限的。随着经济的发展，农业现代化经营产生的污染和资源消耗程度都在不断增加。更为重要的是，工业不断膨胀并加速发展，其对环境的冲击远甚于早期的农业经济时代，这个时期环境的状况最为恶劣。到了发展的较高阶段，以信息为基础的产业成为经济主体，服务业的比重也迅速上升，经济形态的转变使得污染的排放和自然资源的消耗速度开始下降，恶化的环境逐步得以修复。

由于第二产业中的工业有重轻之分，一般来说，重工业的污染排放量比轻工业的污染排放量大。以广东 1978—2005 年期间的人均 GDP 与霍夫曼（重/轻）比率以及制造业/服务业（MS）的比率变化可以看出产业结构中重工业与轻工业之间的比例以及第二产业与第三产业间的比例对环境库兹涅茨曲线的影响，

如图 6 - 2 所示，广东省人均 GDP 与霍夫曼比率（重/轻）呈现 N 形。从改革开放至 20 世纪 90 年代中期，广东省以发展轻型工业为主，制造业属于典型的轻型结构。从 20 世纪 90 年代中期开始，重工业的增长速度开始超过轻工业（90 年代重工业年均增长 28.5%，比轻工业增速高 6 个百分点）。进入 21 世纪以来，随着重化工业浪潮的兴起，重工业的增长再次大幅提速，到 2004 年重工业与轻工业的比超过 1，广东进入了以重化工业为主导的新一轮增长周期。

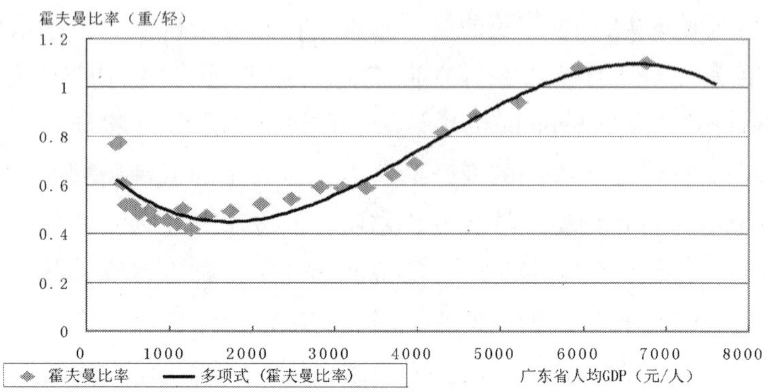

图6－2　广东省人均GDP与霍夫曼比率（重/轻）

（3）小结。

综合起来判断，由于影响环境质量因素的变化性和不确定性以及广东省产业结构的日趋重型化，广东省的环境形势依然严峻。

二、发展绿色经济，转变增长方式

世界环境发展史表明，生态破坏和污染产生是与经济发展密切相关的。一般的，在产业结构处于初级阶段，经济规模越大，污染物的产生量相应也越多，生态和环境压力也越高。在同等经济规模下，污染的排放规模又受产业结构的影响。其中，污染密集型产业、制造业和重化工业的比重，起着重要的影响。客观地看，广东改革开放30年来快速经济发展所产生的生态和环境压力是史无前例的，政府为应对这种压力，做出了艰巨的努力，取得一定的成效。

（一）广东发展绿色经济的重大意义

绿色经济是指由绿色食品、绿色产品、绿色企业、绿色产业等组成的经济，是一种良性循环的新型经济。它反对采取对自然界

"先掠夺，后恢复"的"竭泽而渔"发展道路。而可持续发展是指满足当前需要而又不削弱子孙后代满足其需要之能力的发展，其核心是指当代人在满足自己需要时，不以损害生态环境的质量和过度消耗有限资源为代价，从而达到保护后代利益的目的，二者相互协调，相互统一。

一是发展绿色经济可充分利用广东的物种资源优势和生态环境。独特的地理环境使广东具有丰富多样的生物种质资源，是广东在国际产业实力的竞争中实现可持续发展的根本保证。

二是发展绿色经济可防止水土流失，有利于江河流域的综合整治。要从根本上改变社会经济发展思路，尽快跨越"高消耗，高污染"的传统工业化发展阶段和"化学农业"发展阶段，改善生存环境，促进经济可持续发展。

三是发展绿色经济是调整工业产业结构和控制工业污染的有效途径。化工、造纸、钢铁、电力等行业是广东工业污染的重点行业，特别是一些实力较弱、技术水平较差的企业污染则更为严重。通过发展绿色经济，可积极促成企业以清洁原料、清洁工艺及其生产全过程的有效管理，生产出清洁无公害的产品，也可通过产业结构调整，取缔严重污染屡不治理的企业，使工业污染得到有效控制。

四是发展绿色经济能吸引更多的游客和外商投资，促进经济建设发展。

（二）与环境相协调的经济发展调整

广东省的产业结构调整，需要在资源开发和环境保护层次上重构，一来突破资源稀缺性瓶颈，二来防治环境污染，从高投入、高消耗、高污染、低效益的粗放型经济增长向低消耗、低污染、高效益的集约型经济增长方式转变，实现产业与土地、生态、人口资源的可持续协调发展。

1. 实行"分区控制"，推动经济产业结构调整。

在产业结构调整和产业转移上，严格依据珠三角和全省的环境保护规划，综合考虑区域环境容量与生态环保要求，实行分类指导，分区控制。贯彻珠江三角洲地区实行环境优先，山区坚持保护与发展并重，粤东、粤西地区坚持发展中保护战略。按照严格控制区、有限开发区和集约利用区，和“红线调控、优化区域空间布局；绿线提升、引导经济持续发展；蓝线建设，保障环境安全”的要求，进行生态分级控制管理。同时，将广东省通过省部合作制定的珠江三角洲城市群规划、九大产业发展规划等科学、权威的规划，作为建设项目环境管理严格准入、优化布局的法律、政策依据。

与此同时，还严把环境准入关，加强对新建项目的审批和监管，切实防范污染转移。建设项目环保管理坚持高标准规划、高起点建设、高效能管理，做到“建设服从规划，规划体现环保”，建设项目“三同时”执行合格率分别由1995年的86%提高到2006年的94.4%。

积极推进重点污染源全面达标，对全省40家重点污染源实现在线监测，公开了95家省控重点污染源排污情况。

2. 大力削减污染负荷，扩充经济发展环境容量。

为进一步控制污染，扩充经济发展的环境容量，近年来，广东省先后实施了珠江综合整治、碧水蓝天和治污保洁等重大环保工程，全面推进环境综合整治工作，全省环保投入占GDP的比例连续四年达到2.5%以上，2006年达655亿元，取得明显成效。

目前，珠江综合整治完成了“三年不黑不臭”的阶段性目标，至2006年底，全省建成城镇生活污水处理厂99座，日处理能力达到724.3万吨，化学需氧量（COD）年削减能力达到44万吨，居全国第一。建成烟气脱硫的火电机组装机容量达1586万千瓦，二氧化硫年削减能力达40万吨，居全国第一。

为确保广东省生活垃圾无害化处理，先后投资30多亿元，建成符合标准的生活垃圾无害化处理设施29座，日处理能力2.8万吨，其中广州李坑垃圾发电站、珠海垃圾发电站、深圳环卫综合处理厂、深圳龙岗垃圾焚烧厂、中山垃圾发电厂、南海垃圾发电厂、

东莞垃圾焚烧发电厂、深圳下坪固体废物填埋场和广州兴丰垃圾处理中心等，技术先进、管理规范；危险废物集中处置和综合利用，建成一批危险废物集中处置和综合利用基地；全省医疗废物集中处置设施已建成并运行的有广州、深圳、汕头、韶关、江门、中山、珠海、东莞、佛山等18个市，年处理能力达5.1万吨，处理率达到90.3%。

虽然广东较早地遭遇环境资源瓶颈，但由于较早地认识环境治理的重要性，及时地采取一系列切实有效的措施，使全省经济在快速增长的情况下，环境质量保持基本稳定，为广东经济的可持续发展留足了空间。

3. 在企业、工业园区以及城市和社会三个层面推行循环生产。

在企业层面，依法推行清洁生产。加快企业清洁生产审核，积极实施清洁生产审核方案。完成《广东省清洁生产联合行动实施意见》中提出的实现“三个100”目标，即培植100家高标准、规范化的清洁生产示范企业，推出100个原污染严重、经治理效果明显的清洁生产典型，研发、推广100项以上成熟有效的清洁生产技术和产品。“十一五”期间，将培植300家清洁生产企业，开展清洁生产强制审核工作。

在工业园区层面，抓好建设循环经济工业园区试点工作。试点园区要按照生态型园区要求进行规划、建设和改造，鼓励发展园区集中供能和废弃物集中处理处置系统。园区内企业要形成共享资源和互换产品的产业共生组合，或不同产业的耦合，使一个企业的废弃物成为另一个企业的资源或能源，逐步建立起企业间、产业间物资能源互换或转换的供求关系。最大限度提高资源利用率，从生产源头上使废弃物资源化、减量化和无害化，实现区域的清洁生产。到2010年，全省要建成15个符合循环经济发展要求的生态工业园。

在城市和社会的层面，抓好节约型城市试点和全社会再生资源回收与产业利用体系建设。2005年起，首先在广州、深圳、佛山、东莞、江门、汕头等6个城市开展创建节约型城市试点工作。健全

废旧物资回收利用体系，建设若干个危险废物安全处置基地，重点发展一批区域型的废旧物资再生产基地，培育再生资源回收利用机械设备加工制造基地。

4. 积极推进清洁生产，强化污染的全过程控制与管理。

2001年10月，广东省环境保护局、经贸委、科技厅联合发布的《广东省清洁生产联合行动实施意见》，提出了“三个100”的清洁生产目标。2002年4月，广东省公布了第一批清洁生产试点企业（共55家）名单，启动了清洁生产审核的试点工作。自2002年6月《中华人民共和国清洁生产促进法》颁布实施后，广东省全面推进清洁生产工作。至2006年底，广东省有5家企业获得国家环境友好企业称号，先后公布了三批共75家清洁生产企业，三批共163家强制性清洁生产审核企业及六批共44家清洁生产审核技术依托单位名单，有力地促进了清洁生产审核工作的开展。

5. 积极应对绿色贸易壁垒。

改革开放以来，广东外向型经济获得迅猛发展，特别是加入WTO后，广东作为全国外贸进出口第一大省，对外贸易总体处于强劲上升态势，连年增长速度超过20%，2006年进出口贸易总值达到5272.1亿美元。然而，广东经济有明显的贸易加工型特点，对外贸易在经济发展中的拉动作用显著，绿色贸易壁垒对广东影响很大。从现有的贸易结构看，环境资源依赖性产品占重要位置并且有增长的趋势，具体表现为环境污染密集型产业在出口贸易中名列前茅，初级制成品的出口具有强化的趋势，而这些原材料的初级加工过程往往伴随着环境污染。从贸易方式看，加工贸易占广东省进出口总值六成以上，原料和产品“两头在外”的加工贸易方式在一定程度上导致了高耗能、高污染排放、低附加值产业从发达国家向广东的转移。

在应对绿色贸易壁垒中，除加大政府政策扶持外，广东重点做好了如下几方面的工作：第一，加大了对国际标准化组织制订的ISO14000系列环境标准的研究、宣传和推广工作，使产品生产从方法、标准等方面逐步与国际接轨。第二，逐步健全和完善与外经

贸有关的环保法律、法规和标准，提高环保门槛，以抵御发达国家的污染转移。第三，优化贸易商品结构，增加绿色产品的出口。第四，推行环境标准制度，开发环境标志产品。第五，顺应时代潮流，发展环保产业。第六，主动进行国际环境合作，为外贸出口创造良好的外部环境。

三、营造绿色环境，改善环境质量

（一）环境保护内涵的演变

改革开放30年也是广东省逐步向从重经济增长轻环境保护转变为环境保护和经济增长同步，从环境保护滞后于经济发展转变为环境保护和经济发展同步，从主要用行政办法保护环境转变为综合运用法律、经济、技术和必要的行政办法解决环境问题的大方向迈进的30年。在中共中央明确提出了树立科学发展观，全面建设小康社会与和谐社会的战略目标的背景下，广东省委、省政府审时度势，科学谋划，也明确提出了建设经济强省、文化大省、法治社会、“和谐广东”和“绿色广东”的战略目标与行动。其中，“绿色广东”是保障广东未来社会经济可持续发展的重大举措，具有极其重要的现实意义和战略意义。2005年4月，广东率先在全国制定出省级环境保护规划——《广东省环境保护规划》，正式迈出了建设“绿色广东”的步伐。同年9月下发《关于构建和谐广东的若干意见》，进一步提出以发展绿色经济、培育绿色文明、建设绿色环境、构筑绿色生态为战略目标，积极实施“绿色广东”战略。在“十一五”规划中，建设“绿色广东”是未来5年广东经济社会发展的主线。

环境保护内涵具体表现为：一是“预防为主”已取代“末端治理”而成为环境保护的主体思想；二是环境保护由内容的多样性开始向综合性、系统性转变；三是环境保护不再只关注污染问题，而是进入到寻求经济社会与环境协调发展的新阶段，其内涵已经扩展，经济运行中的产业结构调整、循环经济、清洁生产都包括在其中，即在全面地综合考虑人口、文化、经济发展、资源与环境承载力的基础上，调整生产力与科学技术发展方向，修正经济运行模式与控制人口，按照环境演化与生物进化的客观规律，重建人与环境之间的物质转换和能量传递关系，使之不断趋于和谐。

（二）营造绿色环境的主要做法

建设“绿色广东”，必须构建绿色环境。绿色生态环境是建设“绿色广东”的基础之基础，是区域可持续发展的基本保障。它包括自然生态环境、生产环境和人居环境的优化与美化，森林生态系统和生物多样性的保护，生态资源的保护与可持续利用等内容。

1. 以生态示范创建为载体，推进生态农业的发展。

自1999年广东省环保局组织开展以农村环境综合整治和发展生态农业为重点的创建广东省生态示范村镇活动以来，通过科学规划、优化产业结构布局，加强了生态环境保护建设，改善了农业生态环境和生活环境质量。截至2005年底，全省共有国家级生态示范区3个，全国优美乡镇11个，省级生态示范村镇362个，绿色学校621个，绿色社区84个；深圳市、珠海市和中山市率先开展国家生态市创建活动。

生态农业得到长足发展。陆续颁布了《广东省农业环境保护条例》和《广东省无公害农产品标准》，基本农田环境保护与监测得到加强，建立了东莞市、潮安县等国家级生态农业试点市、县，建立了湛江、高州等省级生态农业试点市、县；建成无公害农产品生产基地592个，990个无公害农产品通过国家认证。

2. 巩固造林绿化与自然保护区建设成果，提高环境承载力。

造林绿化进一步巩固，到2004年底，全省林业用地1080.82万公顷，其中，有林地932.18万公顷，森林覆盖率达57.4%；全省城市建成区绿化覆盖率30.69%，城市建成区绿地率为27.85%，城市人均公共绿地面积为9.59平方米；省级生态公益林为344.98万公顷，占全省国土面积19.6%；建成沿海防护林带2797公里，

营造生物防火林带7597公里；林木蓄积量达3.66亿立方米，森林资源实现了生长量大于消耗量的良性循环。2005年，广东省率先制订出省级环境保护规划，并正式迈出了建设“绿色广东”的步伐。以此为契机，加快推进全省生态环境建设。进一步明确加强对重点地区、敏感地区的农林业的生态建设，建立5条“绿色生态屏障”，包括粤北森林生态屏障、粤西森林生态屏障、粤东森林生态屏障、珠江三角洲城市林带和沿海防护林生态屏障。同时，加强流域（包括小流域）的生态建设，特别是对省内几条大江大河（如西江、北江、东江、韩江、鉴江等）中上游的生态环境建设，保护水土资源，减少和防治生态灾害。在珠江三角洲城市化地区，重点加强环境污染控制和环保建设。在此基础上，逐步构建广东省区域景观生态安全格局，增强社会经济可持续发展的基础能力。

自然保护区建设有新发展。截至2005年底，全省建成各类自然保护区295个（其中国家级自然保护区9个，省级自然保护区50个），334.1万公顷，自然保护区占全省国土面积由1995年的2.3%提高到2005年的5.8%。

3. 开展系列污染治理工程，营造绿色生存环境。

（1）治污保洁工程。2003年广东省委、省政府决定将治污保洁工程列为十大民心工程之一。该工程是广东省治理大气、水环境、固体废物污染和生态保护建设的综合性工程，总目标是：让全省人民喝上干净的水，呼吸清洁的空气，吃上放心的食物，在良好的环境中生产生活。该工程主要任务是以珠江等全省重点流域水质保护为重点，切实保护饮用水源，加强城市环境基础设施建设。2004年广东省人民政府还建立了由省委宣传部、省环保局等17个部门组成的治污保洁工程联席会议。

根据治污保洁工程项目计划，在2010年前，广东省将建设完成120项重点工程项目，包括流域综合整治24项，城市污水处理厂39项，垃圾处理工程12项，大气污染治理项目26项，危险废物处理处置6项，环境管理能力建设5项，生态保护建设8项。至2006年底，120项重点工程中，已基本完成64项，在建51项，共占总项目数95.8%，投资额219.8亿元。通过实施治污保洁工程，2006年全省饮用水源地水质达标率为89.4%，城镇生活污水处理率为47%，污水日处理能力达到724.3万吨，建立了酸雨监控网络，全省酸雨污染有所减轻。

（2）珠江综合整治。珠江担负着广东省流域内13个地级以上市以及香港、澳门地区数千万居民的供水任务，流域面积约占全省国土面积的63%，流域人口约占全省人口的61.5%，是广东省重要的生活、生产水源。随着经济发展和城市化进程的加快，珠江水污染日趋明显，水资源供需矛盾日益尖锐。为改善珠江流域水质状况，保障广大群众生活、生产用水安全，建设经济强省，2002年10月广东省委、省政府召开了珠江综合整治工作会议，广东省人民政府与流域各市政府签订了《珠江整治责任书》。2002年10月广东省人民政府批准了《广东省珠江水环境综合整治方案》，同年11月广东省委、省政府作出了《关于加强珠江综合整治工作的决定》，提出了珠江综合整治的总目标：一年初见成效，三年不黑不臭，八年江水变清。珠江综合整治的主要任务包括工业污染防治、生活污水处理、禽畜养殖业污染控制、重点区域以及内河涌综合整治、生态建设与保护等。

经过综合整治，珠江流域水污染防治和水质保护取得了实效，基本实现了“三年不黑不臭”的目标。

（3）碧水蓝天工程。为切实改善水环境和大气环境质量，广东省从20世纪90年代后期开始，分别实施碧水工程和蓝天工程。

碧水工程：为了有效控制广东省水环境污染，切实保护水资源，改善水环境质量，实现可持续发展战略目标，1997年6月广东省人民政府公布实施《广东省碧水工程计划》（以下简称《碧水工程计划》）。至2005年底，《碧水工程计划》实施进展顺利，115个项目中完成了94项，在建17项，未实施4项，累计投入70多亿元；已建成污水处理厂79座，日处理能力达到634万吨（位居全国第一）。

蓝天工程：为切实加强广东省大气污染防治，有效地改善环境

空气质量，实现可持续发展战略目标，2000 年 2 月广东省人民政府发布实施《广东省蓝天工程计划》（以下简称《蓝天工程计划》）。2005 年底，《蓝天工程计划》160 个项目中，已完成 130 项，占 81.3%；26 项正在组织实施，占 16.3%；4 项未实施，占 2.5%；完成投资 40.82 亿元。

（4）粤港珠三角空气监控系统。根据 2002 年 4 月粤港政府改善珠江三角洲空气质量联合声明的要求，广东省环境保护监测中心站与香港特别行政区环境保护署联合建设了“粤港珠江三角洲空气监控系统”。该系统于 2004 年 12 月投入试运行，2005 年 6 月正式投入运行，2005 年 7 月通过广东省环境保护局和香港特别行政区环境保护署联合组织的项目验收，2005 年 7 月通过广东省科技厅组织的科技成果鉴定。粤港珠江三角洲空气监测网包括珠江三角洲 10 个城市站、3 个区域站和香港的 3 个子站。该监控系统是我国建立的第一个覆盖面最广、监测仪器最完备、监测项目最齐全的区域性空气监控网络，在我国首次建立和实施了与国际先进国家接轨的区域性空气自动监测质量保证和质量控制（QA/QC）技术体系，确保了监控数据的准确性、可靠性和可比性，系统的建设和研究成果具有创新性和前瞻性，总体上达到了国际先进水平。

（5）全面开展创建国家环境保护模范城市活动。环境保护模范城市是环境与社会、经济协调发展，环境质量良好，城市基础设施齐全，市容清洁美观，生态步入良性循环的优秀典范。1997 年，深圳市和珠海市作为创建国家环境保护模范城市的试点，并于同年获得首批国家环境保护模范城市的称号。1998 年 8 月，广东省人民政府办公厅转发了国家环境保护局《关于开展创建国家环境保护模范城市活动的通知》，全省全面开展了创建国家环境保护模范城市活动。中山市、汕头市、惠州市、江门市、肇庆市先后在 1998 年、1999 年、2002 年、2004 年、2006 年获得国家环境保护模范城市称号。

（6）加强粤港环保交流与合作，建立环境交流与合作平台。20 世纪 80 年代初，广东省环境保护局与香港环保署开始建立交流

与合作。1983年11月双方达成了《粤港关于环境保护工作会议备忘录》，1986年5月签订了《粤港联合监测深圳湾大气、水体环境技术工作方案》，1989年5月经国务院港澳办公室、外交部、国家环保总局批复同意成立“粤港环境保护联络小组”，1990年7月双方签订了《关于成立粤港环保联络小组备忘录》，联络小组的成立标志着粤港环保交流合作进入新阶段。自联络小组成立后，双方进一步开展合作研究，如“深圳湾空气和水环境研究”、“大鹏湾环境保护研究”、“珠江三角洲地区空气质素研究”，建立“粤港珠江三角洲空气监控系统”等。双方还举办了一系列技术研讨会，如“火电厂污染控制研讨会”、“粤港环境法律交流会”、“粤港环境影响评价研讨会”等。粤港两地政府还专门就核电站事故应急合作每年举行年会，并进行辐射测量比对。粤港两地除政府部门间的交流合作外，民间团体、公司之间的环境治理技术、环保学术和环境教育等交流也很活跃。

（7）积极推动南粤环保世纪行活动，提高公民环保意识。南粤环保世纪行活动源于1994年开始的广东环保千里行。1994年，广东省由人大、宣传部、环委会组成了广东环保千里行组委会，20多家有影响力的新闻单位作为活动的组成单位，组织中央、省、广州市、港澳等30家新闻单位35名记者参加采访活动，拉开了为期4年的“广东环保千里行”的序幕。为了与全国人大的提法保持一致，更好地配合中华环保世纪行开展活动，2000年广东省人大决定将“广东环保千里行”更名为“南粤环保世纪行”，并继续开展活动。平均每年有25家以上新闻单位近50名记者参加了南粤环保世纪行活动，足迹遍及广东省100个市、县。活动开展以来，累计采访了5000多家工矿企业，发稿超过8000篇，其中报刊文章6500多篇，电视广播新闻1000多条，图片500多张。通过新闻媒体广泛、积极的宣传，南粤环保世纪行活动提高了公民的环境意识，宣扬了一批保护环境的先进典型，披露了不少环境违法行为，使得一些久拖未决的环境问题在世纪行活动的推动下得到了解决，有效地推动了广东省环保工作的开展和环境质量的改善。

四、培育环境文化，构建绿色文明

环境文化从思想观念上倡导人与自然和谐相处，以尊重自然、保护环境、实现资源的永续利用为重要理念内容和方向，是广东生态文明建设的灵魂。改革开放以来，特别是20世纪90年代以后，广东通过在学校、社区等领域开展创绿活动、在村镇推动生态示范区建设及制订各种环保规划及环保法规等，把环境意识、生态文化逐渐融入普通百姓的日常生活当中，把绿色文明变成经济社会发展进程中自觉追求的目标，使广东的生态文明建设不断向纵深发展。

（一）创建绿色学校、绿色社区

1．创建绿色学校。[①]

1996年，《全国环境宣传教育行动纲要》正式颁布，根据《纲要》精神，广东从1998年开始，持续开展了“实施环境教育，创建绿色学校”的活动。经过多年来各级部门的共同努力，全省的环境教育工作逐步走向规范化、制度化、理念化，形成了一套严格的评估标准，特别是在中小学和幼儿园环境教育领域，广东创立了自己独有的特点，已经走在了全国前列。许多学校通过开展创建绿色学校活动，不仅提高了学生的环境意识，同时，还通过把校园的环境教育与社区文化、社区活动、社区建设结合起来，在原来单一的学校环境教育的基础上，开创了社会化环境教育的新理念，通过“一个学生影响一个家庭，一间学校影响一个社区”，把学校的环境教育成果通过学生传导到家庭和社会。

近年来，广东开展的创建绿色学校活动表现出几个突出特点：

一是注重培育学生的绿色文明意识。绿色文明意识是现代公民应具备的基本素养，因此，创建绿色学校不仅要将绿色文明的意识和行动贯穿在学校的管理、教育教学和校园文化建设等整体活动

① 参见广东省教育厅教研室周顺彬：《绿色学校十年思考》。

中，而且要引导师生自觉关注环境保护、生态平衡，培养学生对环境负责的主动精神，提高他们内在的绿色意识。广东通过在学校倡导“绿色文明从我做起”，组织学生参与各种爱护环境活动，有效地提高学生的绿色文明意识。比如，积极组织学生参与各种环境保护公益活动，如宣传生态平衡，保护野生动物，呼吁成人不在公共场所吸烟、随地吐痰、乱倒垃圾，尽量少用一次性筷子、塑料袋、饭盒等，提高学生的环境公德意识。

二是注重用多学科的绿色文明知识教育学生。在建设绿色学校活动中，广东充分认识到，学校的环境教育必须通过知识的科学传授，有效地帮助学生识别环境问题的自然根源和社会根源，了解解决环境问题的方法和行动方式，最终在科学的基础上，形成学生的正确的环境意识、生态价值观和环境道德情感。因此，广东注重从单纯性的学科知识传授，逐渐过渡到多学科知识的综合渗透。如：在《科学》教学中，渗透空气污染、安全用火、节约用水、水域污染及其保护措施等环境意识和科学知识；在《物理》教学时，结合学生学习声学内容，调查室内噪声来源、街市噪声来源，调查汽车尾气对环境的污染等问题。

三是注重开展绿色文明实践活动。许多学校利用新课程标准，把“实施环境教育，培育绿色文明”与教学实践真正结合起来，通过学科课程、活动课程、研究性学习等一系列理论和实践课程的结合，使环境教育能够建立在丰富的实践基础之上。

多年来，广东许多学校通过制定“创绿”工作的计划和目标，宣传生态理念，开展推动社会生态建设的实践活动，以及开展校园绿化、卫生保洁、垃圾分类收集等活动，美化了校园环境，培育了绿色文明意识。截至2007年，广东已先后命名了五批“广东省绿色学校（幼儿园）”，预计到2010年，珠江三角洲地区将有60%以上中小学建设成绿色学校。

2. 创建绿色社区。

在创建绿色学校的基础上，从2002年开始，广东又广泛开展了绿色社区的创建活动。绿色社区要求建设环境优美、生态良好，

社区内建筑、绿化、垃圾分类、污水处理、能源利用等符合环保要求，居民普遍具有较强的环保意识、节约意识和良好的卫生习惯的优秀社区。从2005年至2007年，在全省范围内先后命名了三批共128个“广东省绿色社区”，在推动绿色消费，倡导绿色生活，培育环境道德意识，为居民营造一个适宜创业生活的社区环境等方面起到了良好的示范辐射作用，成为推动环保模范城市和生态城市创建的一个重要的基础工程。广东在创建绿色社区活动中，建设目标清晰明确，保障措施细致有力，注重长效机制建设，从而有效地推动了城市社区生态文明建设。

（1）社区绿色环境建设目标清晰明确。根据广东省民政厅关于绿色社区建设是创建“六好”平安和谐社区的重要组成部分的要求，六好社区中的“环境好”包括：

一是环境整洁。社区无严重破、损、残建筑物和违章搭建，无乱设摊点，路面平整、路牙完整，排水通畅，公共设施完善并得到精心维护；社区机动车、非机动车停放有序；垃圾实行分类回收，垃圾清运定点及时，垃圾袋装率达100%，无卫生死角、无暴露垃圾、无污水、无乱扔废弃物；大力开展爱国卫生运动，倡导周六“义务劳动日”；积极做好除蚊、蝇、鼠、蟑螂“四害”工作，“四害”滋生得到有效控制；居民不养家禽和无证犬，养鸽符合有关规定。

二是环保节约。开展各类以人与自然和谐相处为主题的环保公德教育，大力普及环保知识，社区居民环保意识强；大力发展环保民间组织，培育环保志愿者队伍，增强居民环保意识；引导居民养成节约、环保的良好习惯，自觉采取节水、节电、资源循环利用等有益于环保的行为；社区内企业、餐馆及其他大气污染源得到有效监管，油烟排放和噪音污染等符合相关标准。

三是环境宜人。绿化布局合理，充分利用现有空间种花植草，见缝插绿，小区内绿化、美化、净化程度较高，新社区和老社区绿化用地分别达到30%和25%以上；绿岛绿化无缺株，可绿化面积的绿化覆盖率逐步达到100%；社区树木花草修剪整齐，无毁绿、无侵占绿地等现象。

在绿色社区建设目标的基础上，广东还制订了详尽的绿色社区评分标准，分别从环境管理、环境治理、环境质量、环境美化、环境意识、环境行为、环境特色等方面进行考核，其基本条件是规划布局合理化、工程质量标准化、建筑材料环保化、能源消耗清洁化、资源利用循环化、环境建设生态化、公众参与制度化、消费行为绿色化。通过一系列细化指标，进行严格的评估考评，确保广东绿色社区的创建水平和质量。

（2）保障措施细致有力。

一是组织领导到位。落实层层负责的工作机制是顺利推进社区“创绿”工作的组织保障。广东在创建工作中，做到分工明确，责任到人，形成一级抓一级，层层抓落实的“创绿”工作组织格局，保证“创绿”各项工作任务的落实，确保了“创绿”工作顺利推进。

二是宣传教育到位。广东许多基层社区在开展“创绿”活动中，注重从宣传发动入手，认真制定宣传发动计划，如通过召开居民代表座谈会、向社区居民发出“创绿”行动倡议书、街道领导与居民群众对话、刊登宣传墙报、张贴悬挂宣传标语口号等方法，大力宣传“创绿”活动的目的和意义，使居民群众积极支持创建绿色社区，不断提高参与创建绿色社区的认识。

三是物质保障到位。广东在创建活动中，在充分利用社区资源、倡导社区共建上做文章。如动员社区内的机团单位、企业、个体经营者积极关心和支持社区“创绿”建设，出钱出力，以实际行动为社区创建工作做贡献。同时注意合理使用现有经费，按照科学安排、重点投入、注意节约的原则，在经费使用上注意突出环境整治和绿化美化。

（3）注重建立绿色社区长效机制。

一是创新社区管理模式。如一些基层社区大胆引进物业管理公司，通过物业公司把物业管理和社区环境治理工作结合起来，包括定期保养环保设施、垃圾实行分类处理、资源回收再利用、开展除

害防病等，确保了社区环境治理工作的落实。许多社区实施物业管理后，社区生态环境质量逐年提升，群众满意率逐年提高。

二是建立共建共管机制。许多基层社区牢固树立“社区事情社区办”的社区自治观念，积极主动发挥牵头组织、协调引导作用，加强宣传发动，努力调动社区成员参与创建活动的积极性，实现“同居一地，共建共管”的良好局面。为了充分发挥社区自治作用，建立共建共管机制，一些社区先后建立了绿色社区管理制度、公众环境参与机制等，成立了党员志愿者队伍、居民义务监督员队伍、治安联防队、小学生绿色近卫军等组织。

三是加大社区管理力度。广东许多基层社区十分重视在环境监管和防控上下工夫。第一，建立了完善的环境监管体系，监管机构涵盖了街道、社区、物业管理公司、机团单位、居民群众、志愿者队伍等方方面面，形成了社区全方位、多层次的环境监督体系。第二，打造群防群治防控管理体系，除环保队伍外，还包括与新型社区管理体制相适应的社区警务机制，以社区治保会为核心、以社区保安队为骨干、以义务巡逻队为补充和居民自我防范相结合的群防群治体系等。第三，实行卫生保洁公示制度，采取划分区域、责任到人、标准量化、定期考核、公开公示、群众监督的办法，充分调动了保洁人员的工作积极性，确保了社区清洁、卫生。

（二）创建生态示范区

为加强农村的生态环境管理，促进区域生态环境的保护和建设，在广东省环保局的组织下，自 1999 年开始，全省广泛开展了创建生态示范区活动，生态示范区涵盖范围包括生态示范村、生态示范镇、生态示范场和生态示范园。

广东生态示范区的创建原则是：以生态学和生态经济学原理为指导；坚持经济效益、社会效益与环境效益统一；坚持生态保护与生态建设并举，污染防治与生态保护并重的方针；坚持统筹兼顾、综合决策、合理开发；坚持生态环境保护与精神文明建设相结合。根据广东创建生态示范区的要求，省环保局按珠三角经济区、东西两翼地区和山区3个地区不同的发展状况，并根据村、镇、场、园等不同单位特点，制订了详尽的生态示范区考核指标和考核办法，对各申报单位的社会经济发展、生态环境质量、农业生态环境和生态农业模式等进行全面考核。

在生态示范区创建中，生态示范村创建是生态系列创建的细胞工程和基础工程，是解决农村环境污染问题的重要手段，是实施农村小康环保行动计划的重要载体。全省许多地区结合社会主义新农村建设，全面开展了生态示范村建设，以村庄环境综合整治为重点，改善村容村貌，帮助农民致富。按照生态示范村必须有“一种以上生态农业模式”标准的要求，广东各地农村结合实际情况，充分开发当地生态优势的名优特产品，探索建立现代化的生态农业。如肇庆市四会下步农场遵循“整体、协调、循环、再生”的原理，以沼气利用为纽带，大力发展养殖业和种植业，实现生态经济的良性循环。农业生态旅游业是农村利用环境优势和资源优势发展生态经济的另一方式。广东不少生态示范村在发展生态农业、改善生态环境的同时，为人们提供了观光、休闲、度假的基地。目前，广东省颇具规模的农业生态旅游景区已达100多个。农业生态旅游业不仅为当地农民带来可观的旅游收入，而且使游人在娱乐中接受环境教育，提高环境意识。目前，已有广州、珠海、汕头、佛山、韶关、河源、梅州、汕尾、江门、阳江、湛江、肇庆、潮州、揭阳、云浮等15个市开展了市级生态示范村创建工作。

各地还积极开展省级生态示范镇创建活动，通过以规划为龙头，以解决生活污水和生活垃圾处理为重点，完善环境基础设施建设，整治乡镇和村庄环境，防治农村工业污染，控制农业面源污染，保护饮用水源，美化人居环境，切实解决农村“脏、乱、差”的问题。目前，“既要金山银山，又要绿水青山”已成为许多农村村镇的共识。以往吸引外资主要靠交通优越、政策优惠等因素，如今良好的生态环境成为吸引外资的新优势。在广东许多地方，以创建生态示范村镇为契机，许多村镇积极进行产业结构调整，对污染严重的企业，不管投资多大，利税多高，都坚决拒之门外。

按照生态示范村“近3年内没有发生大的污染和生态破坏事故”的要求，广东各生态示范村、镇企业的工业污染源达标排放率均达到100%。许多生态示范村、镇企业努力建设成花园式工厂，认真实施清洁生产战略，不少企业还申请了国际环境管理体系ISO14000认证。按照生态示范村生态环境保护标准的要求，绿化覆盖率大于35%、人畜粪便资源化利用率大于80%、饮用水卫生合格率100%、生活垃圾清运处理率100%，不少先富起来的农村请来专家进行生态规划，并通过认真实施绿化、美化、净化和改水、改厕、改坟、改殡建设，大力整治了农村环境，大大改善了农村环境基础建设，提高了村民环境意识，推动了环境污染的防治和生态环境的建设，促进了农村经济、社会和环境三者协调发展。

经过持续开展的创建工作，广东许多生态示范创建地区积极发展生态产业、生态环境、生态人居、生态文化，在发展经济的同时，加强城乡环境污染防治，提升公众环保意识，改善人民生活质量，使生态文明理念日益深入人心，部分地区已初步走上了生产发展、生活富裕、生态良好的文明发展道路。截至2008年，被广东省环保局命名的省级生态示范村镇数量已经达到487个；被环境保护部命名的国家级生态村共24个，我省已经成为国家级生态村最多的省份之一；被环境保护部命名的全国环境优美乡镇数量也达到25个；共有5个地区获得国家级生态示范区的命名。

（三）做好环境保护规划，加强环境法制建设

从编制规划入手，统筹兼顾，把解决区域环境问题落到实处，是培育环境文化、建设绿色文明的重要环节。改革开放以后，特别是21世纪以来，广东环保工作紧紧围绕经济建设这一中心，积极探索经济与环境协调发展的路子，环境与发展综合决策水平不断提高。2003年省政府和国家环保总局联合开展《珠江三角洲环境保护规划》和《广东省环境保护规划》编制工作，这是省部联合开展地方性环境保护规划的一次新的尝试。《珠江三角洲环境保护规划纲要（2004—2020年）》和《广东省环境保护规划纲要

（2006—2020年）》已分别于2004年9月24日和2005年11月29日经省十届人大常委会第13次和第21次会议审定并由省政府正式印发实施。

《珠江三角洲环境保护规划纲要（2004—2020年）》成为全国第一个区域性城市群的环保规划立法，在区域环境规划方面走在了前面。《广东省环境保护规划纲要（2006—2020年）》进一步提出，要构筑山区生态屏障，把粤东、粤西地区建设成广东未来快速协调发展的新跳板，把珠江三角洲地区建设成为全国具有示范意义的可持续发展城市群，促进区域协调发展，构建经济持续增长、社会和谐进步、生态环境优美、适宜居住的“绿色广东”。并具体规划，到2010年，50%的城市要达到国家环保模范城市要求，若干城市率先达到生态市建设要求。到2020年，80%的城市要达到国家环保模范城市要求，50%的城市达到生态市的要求。

此外，为强化流域区域环境协调管理，广东还积极牵头开展泛珠三角区域环保合作，签署了《泛珠三角区域环境保护合作协议》，建立了合作工作机制，联合开展《珠江流域水污染防治规划》编制工作，探索跨省联防联治的环境保护模式。并针对经济与社会发展中出现的突出环境问题，深入开展调查研究，及时提出对策和建议，为省委、省政府提供决策依据，促进了一批重大环境问题的解决，有力推动了环保工作的开展。

广东还通过一定的立法程序把环境规划工作法制化、规范化，并保证其顺利实施，引导公众和社会各界的环境观念和行为。近年来，省人大先后颁布了《广东省环境保护条例》、《广东省固体废物污染环境防治条例》、《广东省韩江流域水质保护条例》、《广东省城市垃圾管理条例》、《广东省东江水系水质保护条例》、《广东省环境保护条例》等地方性法规。省纪委和省监察厅发布了《关于对违反环境保护法律法规行为党纪政纪处分的暂行规定》，有力地促进依法管理环境事务，为加强环保工作提供了政策依据。

同时，环保执法工作进一步深入。广东先后开展了“整治违法排污企业保障群众健康”、“清查放射源，让百姓放心”及“固

定资产投资项目环境影响评价和‘三同时’制度执行情况清理整顿”等环保专项行动，对其中不符合环保要求的项目，依法分别作出“停止建设”、“暂停建设、限期整改”和“取消立项”处理；公布了一批排污不达标的企业，对环保老大难问题进行挂牌督办；依法严肃查处了一批违法建设、违法排污企业，严厉打击了环境违法行为，产生了良好的社会效应和警示作用，有力地促进了工业污染防治工作。如在“十五”期间，通过严把环保准入关，强化建设项目环保管理，进一步加强了环评工作的管理、新建项目“三同时”（同时设计、同时施工、同时投产）制度的落实和重污染行业的环境管理，积极推动工业污染源全面达标工作，并制定了120家重点污染源全面达标实施方案，向社会公布了占全省污染负荷50%以上的95家省控重点工业污染源的排污情况，52家企业被评为清洁生产企业，对133家污染严重企业开展清洁生产强制审核，等等。

第七章
科学发展

一、转变经济发展方式，全面转入科学发展轨道

改革开放30年，在党的路线、方针和政策的指引下，广东人民始终坚持以经济建设为中心，经过30年的奋发图强，终于实现了经济社会的跨越式发展，充分体现了开拓进取、科学发展的精神。广东经济发展历经三个阶段：第一阶段（1978—1991年），这一阶段的特征是通过发展“三来一补”的外向型经济，实现社会主义商品经济的大发展和经济总量的大跃升；第二阶段（1992—2002年），这一阶段的特征是初步建立起社会主义市场经济体制，实现综合竞争力质的飞跃；第三阶段（2003年至今），这一阶段的特征是深入贯彻科学发展观，转变经济增长方式，迈向中国特色社会主义科学发展道路。

（一）大力发展社会主义商品经济，实现经济总量大跃升

1978年底开启的改革开放，使广东从相对落后的农业省份一跃成为经济总量居全国前列的经济大省，为经济大发展奠定了重要基础。改革开放前，广东是一个经济基础比较薄弱的农业省份。

1985 年，广东省国民经济的主要指标仍居全国大省的靠后位次，人均工农业总产值低于全国平均水平，在全国排第 11 位。中共十一届三中全会确定改革开放以后，广东充分运用中央赋予的“特殊政策、灵活措施”，充分发挥毗邻港澳和对外开放前沿的独特区位优势，以开放促改革，以改革促发展，通过外引内联、创办经济特区、发展商品经济，嫁接和利用“三资三力”（外资外力、侨资侨力、民资民力），从而迅速发展成为一个初步建立现代工业体系、各项主要经济指标都跃居全国前茅的新兴工业省份。

1. 大力发展以加工贸易为主的外向型经济，确立大开放的经济格局。

1979 年，为突破封闭自守的经济格局，邓小平在听取广东省领导的汇报时，提出试办经济特区的战略设想。同年 7 月 15 日，中共中央、国务院关于在广东、福建实行特殊政策、灵活措施，试办经济特区的文件正式下达。从此，广东驶入了改革开放和经济建设的快车道。通过引进外资和先进技术、设备以及管理经验，积极改造传统工业，提升生产技术水平，建立现代企业管理模式，大力发展加工贸易，充分利用国际产业结构调整的机遇，改善投资环境，从而使广东奠定了多层次、多类型、多功能的对外开放格局，并初步形成外向型经济结构体系。1992 年，广东国民经济的各项指标，在全国各省市区的排名中，除工农业总产值排名居第二位外，其余均跃居第一位，三次产业比重达到 19∶45∶36，工业和第三产业比重大幅度上升。

2. 以市场化取向改革为契机大力发展商品经济，为我国确立社会主义市场经济体制做出有益探索。

改革开放初期，广东的主要经验是“放得开，搞得活，上得快”，市场取向的改革取得突破性进展。在农村，家庭联产承包责任制的改革，使农民获得自主权和经营权，极大地解放和发展了农村的社会生产力。流通体制改革与价格改革配套进行。放开市场和放开价格搞活流通的结果，是使社会生产和生活充满生机活力，也使市场繁荣，商品丰富。价格改革坚持以市场形成价格机制为主的指导思想，实行放调结合，以放为主，放、调、管并举，看准时机分步到位的做法，促进了生产的发展，提高了劳动生产率，也使人民的物质消费和精神消费趋向多元，推动经济的持续、高速增长，进而实现经济的良性循环发展。投资体制改革方面，大胆运用市场机制，改单纯依赖国家投资为社会集资，变无偿使用为有偿使用，多形式、多渠道筹集资金。实行“以电养电”、“以桥养桥”、“以路养路”、“以通信养通信”，广东的基础设施建设发生了历史性巨变。市场取向改革，给广东经济注入了源源不断的源泉活水，也为中共十四大确立社会主义市场经济体制奠定了理论和实践基础。

3. 以广东“四小虎”为代表的新兴工业化城镇崛起，开启工业化和城市化进程。

外引内联促进了广东制造业的大发展，使广东在较短时间内初步建立起现代工业体系，同时工业化的发展带动了土地、劳动力等要素需求的扩张，大量土地被征用，大量农村剩余劳动力向非农产业和城镇转移。以广东“四小虎”为代表的一批新兴工业化城镇在珠江三角洲拔地而起，由此推动了广东第一轮的工业化和城市化浪潮。在这一进程中，省委、省政府吸取一些国家和地区工业化初期不重视环境保护，造成严重生态问题的经验教训，于1985年作出了《关于加快造林步伐，尽快绿化全省的决定》，到1993年，提前两年实现了“十年绿化广东”的宏伟目标。同年12月，广东被全国绿化委、林业部授予“全国绿化平原先进省”称号。与1985年相比，全省森林覆盖率从27.7%提高到53.6%，实现了森林资源生长量大于消耗量的良性循环。“十年绿化广东”目标的实现，极大地改善了广东的投资环境，同时为实现经济社会的可持续发展打下了良好的自然环境和物质基础。

4. 推进经济结构的调整优化，实现由落后农业大省向先进工业大省的跨越。

实现产业结构的优化升级。改革开放以前，广东产业结构以第二产业为主，第一、三产业为辅，1978年第二产业增加值在全省生产总值中的比重为46.6%。此后，第一产业增加值比重逐年递

减；第二产业增加值比重自改革之初至80年代末呈逐年下降趋势，于1991年止降转升，此后更呈快速上升趋势；第三产业增加值比重自改革之初至1992年基本呈上升趋势。由此基本形成了以第二产业为主导、第一产业稳步增长、第三产业蓬勃发展的新格局，初步实现了从落后农业大省向先进工业大省的跨越。实现所有制结构的调整和转变，进一步增强了广东经济增长的活力。随着改革开放搞活政策的贯彻落实，广东所有制结构发生了重大变化，逐步由单一的公有制经济转变为多种经济成分共同竞争、相互促进和补充的多元化格局，南粤大地涌现了国有经济、集体经济、私营经济、港澳台及外商投资经济、国有与外商和集体与外商合资合作的混合经济等6大经济主体。投资主体多元化使非公有制经济得到长足发展，成为广东国民经济的重要组成部分，从而推动了广东工业化进程的加速发展。

（二）探索建立社会主义市场经济，实现综合竞争力质的飞跃

1992年初春，邓小平视察南方，提出广东要加快经济发展步伐，继续发挥龙头作用，“力争用20年的时间赶上亚洲‘四小龙’”。同年召开的中共十四大，确定我国经济体制改革的目标是建立社会主义市场经济体制，广东被赋予力争20年基本实现现代化的历史使命。此后，中共十五大、十六大相继召开，进一步为广东实现经济的跨越式发展指明了方向。从此，广东进入全面建立社会主义市场经济体制，全面建设小康社会，实现经济发展素质提高、综合实力质的飞跃的新阶段。

1. 全面推进和深化改革，初步建立社会主义市场经济体制。

在邓小平社会主义市场经济理论的指导下，广东由80年代中期实行的“有计划的商品经济”转变为90年代的市场经济体制，并初步建立起市场经济体制的基本框架。在关键领域，全面推进和深化产权关系、投资体制、财税体制、金融体制等改革，建立起较为完善的市场体系。

2. 实施增创广东新优势的三大发展战略，促进经济发展跃上新台阶。

1998年5月，中共广东省第八次代表大会提出大力推进经济体制和经济增长方式两个根本性转变，增创“体制、产业、开放、科技教育”四大经济发展新优势，突出抓好“外向带动”、“科教兴粤”和“可持续发展”三大发展战略，促进经济发展五年跃上一个新台阶。省委、省政府提出“分类指导、层次推进、梯度发展、共同富裕”的指导思想，把全省划分为“珠江三角洲、东西两翼和山区”三个不同类型的地区，实施“中部地区领先、东西两翼齐飞、广大山区崛起”的发展战略，明确要求经济特区和珠江三角洲率先基本实现现代化。

3. 全面实施外向带动战略，建立广东区位新优势。

一是继续发挥毗邻港澳、华侨众多的优势，鼓励特区大胆探索，建立特区新优势，从而带动全省全面提升参与国际经济合作与竞争的新水平。二是通过实施外向带动战略，加速市场国际化，形成以亚洲市场为主，发展非洲市场，开拓欧美、南美市场的多元化格局。

4. 分步解决沿海地区与贫困山区协调发展问题，有效缩小城乡和贫富差距。

全省开展扶贫攻坚大会战，实行对口扶持，加快贫困地区的脱贫奔康步伐。在进入新千年前夕，原贫困山区县全部摘掉贫困帽子，全省的行政村全部实现了通机动车、通电灯、通邮、通电话等“四通”，贫困户人均拥有半亩“保命田”。实施财政支付转移制度，实施城市支援农村、发达地区支持欠发达地区战略，有效缩小城乡和贫富差距。这为从根本上解决“二元”结构困境创设了制度基础。

5. 经济结构战略性调整取得显著成效，科技综合实力明显提高。

1998年，省委、省政府发出了《广东省委、省政府关于依靠科技进步推动产业优化升级的决定》，通过企业大面积的技术改

造，依靠科技进步推动产业结构优化升级，传统产业大幅提升，高新技术产业加速发展。三次产业比重由1992年的19.0：45.0：36.0转变为7.5：45.5：47.0。科技综合实力明显增强。全省专利申请量连续多年居全国首位，发明专利申请量1998—2002年间年均增长40.6%，企业创新能力、产业国际竞争力居全国前列；以电子信息、生物工程、新材料、光机电一体化为主体的高新技术产业群迅速崛起。

6. 全省人民生活总体达到小康水平，珠江三角洲地区实现初步富裕。

2002年实现国内生产总值11674亿元，比1992年增长255.45%；城乡居民本外币储蓄存款达13368.7亿元；地方一般预算收入1201亿元；全年社会消费品零售总额5013.59亿元。外贸出口大幅增长。2002年外贸进出口总额达2213.9亿美元，其中出口总额1184.65亿美元；出口产品结构进一步优化，机电产品和高新技术产品出口占全部出口比重分别达到61%和26%左右。2002年农村居民人均纯收入、城镇居民人均可支配收入分别达3912元和11200元，比1992年实际增长58.50%和81.3%。住房条件不断改善，城镇居民人均住房使用面积24.5平方米，农村居民人均住房面积24.1平方米。

（三）转变经济增长方式，全面迈向科学发展道路

改革开放30年，广东经济奇迹的形成，主要还是靠要素投入和投资拉动的，走的还是粗放式增长的路子，这一过程累积了越来越尖锐的矛盾和问题。2003年4月，胡锦涛总书记莅粤视察，要求广东加快发展、率先发展、协调发展，争当改革开放和现代化建设的排头兵。中共十六届三中全会和四中全会，分别作出以科学发展观统领经济社会发展全局和建设和谐社会的战略决策。从此，广东进入了转变经济增长方式，率先实现科学发展的崭新阶段。

1. 实践科学发展观，实现总体经济实力跨上历史性新台阶。

通过采取转变增长方式、推进自主创新、发展文化产业、加强

区域协调等一系列科学发展方针和政策，2007年，全省生产总值30673.71亿元，五年翻了一番多，五年年均增长14.5%，2007年比上年增长14.5%，占全国比重由2002年的1/9提高至1/8，经济总量继超过亚洲“四小龙”中的新加坡、香港后又超过了台湾。人均生产总值超过4000美元。来源于广东的财政总收入由2800亿元增加到7750亿元，地方财政一般预算收入由1201亿元增加到2785亿元，按可比口径年均分别增长21.4%和19.5%，2007年分别比上年增长34.7%和28.0%。工业经济效益大幅提升，规模以上工业企业利润总额增长3.4倍。

2. 推进产业结构优化升级，促进增长方式的新转变。

2004年12月13日，省政府常务会议讨论并原则通过《广东省工业九大产业2005—2010年发展规划》及《广东省工业产业结构调整实施方案》，规划提出在2005—2010年期间，广东将按照走新型工业化道路的要求，加快增长方式的转变，通过重点建设一批支柱产业基地，建设一大批重要产业项目，促进广东支柱产业结构优化升级，促进不同区域工业化协调发展。

在《九大产业发展规划》及《产业结构调整实施方案》的指导下，全省产业结构进一步优化，产业布局和结构日趋合理，现代产业体系已具雏形，产业高级化和适度重型化趋势明显。高新技术产品产值由2002年的4700亿元增加到2007年的1.87万亿元，电子信息和家电产业升级加快。轻重工业增加值比例调整为39∶61，九大产业主导作用增强。以广州汽车为龙头的珠三角汽车产业集群基本形成，大石化产业和沿海石化基地建设稳步推进，轿车、炼油和乙烯生产能力居全国前列，船舶、能源设备、数控机床等关键装备制造取得新突破。中医药产业加快发展。专业镇和产业集群优化升级步伐加快。服务业规模迅速扩大，第三产业增加值由6344亿元增加到1.3万亿元。物流、金融、信息、会展等现代服务业发展迅速。旅游业蓬勃发展，旅游业总收入突破2400亿元，旅游外汇收入占全国的1/5强，广东国际旅游文化节成效显著。农业增加值达到1746亿元，年均增长3.8%。

3. 推进自主创新能力建设，提升科技综合竞争实力。

省委、省政府明确提出和确定自主创新战略是我省发展的重大战略，出台了《关于提高自主创新能力提升产业竞争力的决定》，提出了建设创新型广东的奋斗目标和实现目标的具体时间表，强调企业成为技术创新的主体，同时要充分发挥高校和研究院所的中坚作用。自主创新能力建设极大地推动了广东科技的创新和发展，使广东成为继北京、上海之后的全国第三个科技创新中心，也是企业技术创新能力最强的地区。广东区域创新能力综合指标连续多年居全国第三，科技进步对经济增长的贡献率由 2002 年的 45.8% 提高到 2007 年的 50% 以上。与教育部、科技部共同推动产学研合作，2007 年实施项目 4100 多项。专利申请和授权量继续居全国首位，发明专利申请量从 2005 年起跃居全国第一。名牌带动战略成果丰硕，中国名牌产品、国家免检产品、中国驰名商标分别由 2002 年的 35 个、118 个、27 件增加到 2007 年的 299 个、665 个、108 件，获中国世界名牌产品 4 个，均居全国前列。技术标准战略成效明显，参与制定修订国际标准 107 项、国家标准和行业标准 2295 项。多层次科技创新平台体系基本形成。

4. 基础设施建设实现重大跨越，交通、能源、电力保障能力大幅提高。

2002—2007 年，五年共安排重点项目 292 项，竣工投产或部分投产 197 项，累计完成投资 5835 亿元，促进交通通信基础设施水平显著提升，能源电力保障能力大幅提高。高速公路总里程达 3520 公里，比 2002 年增加近 1 倍，所有地级以上市通高速公路，与陆路相连省区的高速公路出省通道全部打通，基本形成以广州、深圳为中心的 4 小时经济生活圈。开工建设武广客运专线广东段等 10 个铁路项目，总里程超过 1000 公里。加快建设珠江三角洲千吨级骨干航道网，全省港口体系布局逐步完善。新增成品油运输管道 1250 公里。发电装机容量达 5932 万千瓦，比 2002 年净增 2344 万千瓦，完成电网投资 907 亿元。通信网络规模和用户增长迅猛。城乡水利防灾减灾工程进展顺利。

5. 节能减排扎实推进，生态文明建设成效明显。

2006年单位GDP和工业增加值能耗分别是全国平均水平的63.9%和41.1%，分别居全国第二低位和最低水平，2007年继续降低；二氧化硫和化学需氧量排放总量2006年和2007年持续下降。全省及珠三角环保规划全面实施，治污保洁和珠江综合整治工程有效推进。全省环境质量保持总体稳定，21个地级以上市空气质量达到国家二级标准，主要江河和重要水库水质良好。节约集约用地成效明显，五年平均每新增亿元生产总值新增建设用地预计比上五年下降60%。林业生态省建设步伐加快，森林覆盖率达55.9%，城乡环境景观改善。韶关丹霞山和湛江湖光岩被评为世界地质公园。

6. 大力推进产业和劳动力“双转移”，区域协调发展和区域经济合作迈上新台阶。

为了贯彻落实科学发展观，实现区域、城乡协调发展，省委、省政府先后出台系列政策措施。一是改革财政支付转移制度，将市县财政收入增长与享受省的财政转移支付挂钩，以提高财政转移支付效率，促进贫困县市经济发展，为此出台了《关于促进县域经济发展财政性措施的意见》。二是统筹城乡发展，出台了《中共广东省委、广东省人民政府关于统筹城乡发展加快农村“三化”建设的决定》，提出统筹城乡发展的总体目标是：珠三角地区力争到2010年、全省到2020年基本建立起城乡协调的经济社会管理体制和发展机制，实现农民持续增收、农业增效、农村繁荣。近年来，省委、省政府高度重视区域协调发展问题，大力推进产业转移和劳动力转移，积极引导东莞、中山、佛山等珠三角地区推动产业梯度转移，逐步把生产基地转移到东西两翼和北部山区，极大地促进了山区经济的发展，城乡统筹发展格局初步形成。粮食生产在连年受灾的情况下保持稳定，现代农业、效益农业和农业产业化加快发展；农村基础设施建设不断加强，人居环境改善；全面取消农业税，大力清理涉农收费，农民负担大幅减轻；农村发展活力明显增强，投资和消费增幅呈现高于城镇的好势头。2006年5个山区市

生产总值和地方一般预算收入分别增长 17.1% 和 27.8%，高于全省平均水平 3.1 和 7.3 个百分点。

根据 CEPA 及《泛珠三角区域合作框架协议》，粤港澳合作范围不断扩大，层次不断提高，服务业合作步伐加快。泛珠三角“9+2”区域合作与发展的领域和规模大幅拓展，质量水平显著提升，显示出巨大的发展潜力和广阔前景。成功举办两届泛珠三角区域合作与发展论坛和经贸合作洽谈会，区域的经济、文化、环保的生产合作、贸易往来和协调发展正进入一个新阶段。

二、蓬勃发展的产业经济

（一）广东产业发展历程及成就

1. 广东产业发展历程。

广东产业的快速发展，是从“三来一补”起步的，相当长一个时期以劳动密集型产业的代工为主，产品处在产业链的低端环节。近年来，广东把加快产业结构调整、推动产业转型升级作为转变发展方式的关键环节，瞄准现代产业的最高水平，抢抓现代产业发展的重大机遇，推动高新技术产业在自主技术上、重化工业在规模优势上、传统产业在知名品牌上、服务业在加工制造两头延伸上取得了新突破，产业布局和结构日趋合理，现代产业体系基本形成。2007 年广东服务业增加值达到 1.3 万亿元，成为内地首个服务业增加值突破万亿元的省份；广州和深圳第三产业占比分别达到 58% 和 49%，形成了以服务经济为主导的产业发展格局。

从产业的演进过程来看，广东产业经历了“发展—调整—发展”螺旋式上升的三大发展阶段。第一阶段（1978—1992 年），接受香港产业转移，大力发展“三来一补”加工贸易，轻纺、电子工业快速发展。第二阶段（1992—2002 年），产业结构向重型化转型，九大支柱产业发展态势强劲。第三阶段（2003 年至今），初步形成了以高新技术产业为核心，以先进制造业为支撑，现代服务业为主导的产业体系。

2. 广东产业发展取得的成就。

（1）产业综合实力大幅提升，保持全国领先地位。广东地区生产总值连续23年在内地省份保持第一，2007年突破3万亿元，达到30673.71亿元，继超过亚洲“四小龙”中的新加坡、香港后又超过了台湾，占全国的比重由2002年的1/9提高到1/8。地方财政一般预算收入达到2785亿元，五年年均增长19.5%。进出口总额达到6340亿美元，比2002年增长1.9倍，约占全国的1/3。

（2）都市型农业稳步发展。

①效益农业和特色农业加快发展。改革开放以来，广东在市场经济的推动下，大力调整种植业内部结构，致力提高粮食单产，在稳定粮食综合生产能力的前提下，充分发挥本省自然和区位优势，加快发展具有岭南特色的水果、蔬菜、花卉等亚热带经济作物，促使种植业生产逐步向优质、高产、高效益的方向发展，形成了区域化、专业化、商品化和规模化的生产格局，经济效益不断提高。与此同时，进一步发挥农业区域资源优势，不断调整优化结构，大力发展特色农业、效益农业、“三高”农业、可持续农业、设施农业，着力建设农产品优势产区和优势产业带，优质、特色、适销、高效园艺产业持续发展，综合经济效益显著提高。

②旅游农业崭露头角。至2006年，广东省旅游农业发展主要有两种类型：一是观光农业。是以农业生产为依托，充分开发具有观光、旅游价值的农业产品，把农业生产、科技应用、艺术加工和游客参观农事活动等融为一体，供游客领略在其他风景名胜地欣赏不到的大自然浓厚意趣和现代化的新型农业艺术的一种旅游活动。2005年广东省开放的观光农业园有40～50处，如高要市的广新农业生态园、东莞虎门镇的马金山珍珠养殖场、广宁县的竹海。二是休闲农业。是一种利用农业设备与空间、农业生产场地、农业产品、农业经营活动、农业自然环境、农村人文资源，经过规划设计，使其发挥农业和农村休闲功能，增进民众对农业与农村的体验，提升旅游品质，并提高农民收益，促进农村发展的新型农业。

③现代农业示范区加快建设。自广东省委、省政府于1999年启动珠江三角洲十大农业现代化示范区以来，已在全省21个地级以上市建成或在建22个省级农业现代化示范区，取得较好的社会效益、经济效益和生态效益，促进了广东省现代农业园区的建设发展。据不完全统计，全省有各类占地20公顷以上的农业园区300多个，新建一批设施先进、科技含量高、集约化程度高的绿色食品基地、无公害蔬菜基地和花卉园艺基地，发展农产品精深加工业，提升农业的产业层次和产品档次，提高农业整体经济效益。全省各类农业园区的发展，加快了广东省农业现代化的进程，引导带动各地启动新的一轮建设现代化农业进程。

（3）先进制造业发展加速。

①九大产业支撑全省工业发展。"十五"以来，广东提出加快建设和重点发展电子信息、电气机械及专用设备、石油化工三大新兴支柱产业，应用高新技术和先进适用技术改造提升纺织服装、食品饮料、建筑材料三大传统产业，扶持发展汽车、医药、造纸三大潜力产业，有力地促进了九大产业的迅猛发展。2007年九大支柱产业完成工业增加值9149.43亿元，增长18.0%，其中三大新兴支柱产业增长17.5%，三大传统支柱产业增长16.3%，三大潜力产业增长24.9%。九大产业中与原材料、能源有关的行业，增长态势良好。三大新兴支柱产业中的石油化工增加值增速为14.0%，增幅同比提高4.2个百分点；三大传统支柱产业中的建筑材料增加值增速为21.8%，增幅同比虽略有所放缓，但仍高于同期全省平均工业增速3.5个百分点。

②自主创新和节能减排成效显著，产业发展质量位居全国前列。广东产业发展方式加快向低投入、低消耗、低污染、高效益的"三低一高"集约型转变。自主创新能力和科技综合实力不断增强，2006年广东高新技术产业总体发展水平继续保持在全国的领先地位，高新技术产品总量、增加值、出口量均居全国第一。节能减排效果显著，单位GDP能耗和万元工业增加值能耗均为全国最低。

③电子信息产业持续高速发展。近年来，广东电子信息行业产业结构优化升级成绩显著，技术含量较高，附加值较大的通信设备制造业、电子元件制造业增长较快，2006 年工业增加值比上年分别增长 26.5% 和 31%，两者的工业增加值占全行业的一半；家用视听设备制造业增长较慢，其工业增加值增幅仅为 6%。电子信息行业的综合竞争力提升。TCL 集团股份有限公司、广州无线电集团公司等 23 家企业进入全国电子百强企业行列，实现营业收入 3079 亿元，利润 119 亿元，分别占电子百强企业总额的 32% 和 48%，盈利能力明显高于全国平均水平。14 家企业进入全国最大规模软件百强企业行列，软件收入 277.36 亿元，占百强企业收入的 24.6%。华为科技公司、中兴通讯股份有限公司分列全国软件百强企业的第 1、3 位。全年生产彩色电视机 5057.72 万台，占全国 54%；激光视盘机 7759.29 万台，占全国 72%；组合音响 5185.16 万台，占全国 96%；半导体分立器件产量在全国排行第一，集成电路产量居全国第 2 位，移动电话、微型计算机产量居全国第 3 位。

④装备制造业发展迅速。2007 年装备制造业完成工业总产值 20714.57 亿元，增长 24.5%，装备制造业对全省工业产值增长贡献率为 37.0%，拉动全省工业产值增长 9.2 个百分点。重点装备产品轿车以及船舶工业产品（民用钢质船舶）同比分别增长 42.7% 和 57.6%。装备制造业七大行业中（重工业部分），通信设备计算机及其他电子设备制造业是该产业的主力，2007 年产值增长 18.0%，产值占装备制造业的 58.6%；专用设备制造业产值增长 29.1%；仪器仪表及文化办公用机械制造业、交通运输设备制造业、金属制品业、通用设备制造业、电气机械及器材制造业的产值增长均在 30% 以上，其中仪器仪表及文化办公用机械制造业的产值增速高达 52.6%。

⑤汽车制造业异军突起。至 2006 年底，广东省有汽车工业企业 600 多家，其中汽车生产企业 56 家（整车制造企业 10 家，改装车生产企业 46 家），摩托车生产企业 63 家，主要零部件企业 480

多家。2006 年全省汽车工业实现工业总产值 1820.78 亿元，销售收入 1792.65 亿元，出口交货值 244.76 亿元，比上年分别增长 34.3%、35%和 46.8%；全年汽车产销量分别为 57.2 万辆和 57.22 万辆，增长 33.10%和 36.15%。其中轿车产销量为 54.91 万辆和 54.95 万辆，分别占全国总量的 14.2%和 14.4%，全国每产销 7 辆轿车，就有 1 辆出自广州。零部件销售收入 509.39 亿元，增长 37.32%。在全国排位中，汽车整车和改装车产销量排名第四，轿车产销量排名第二，摩托车产销量排名第一，广东已成为全国轿车重要生产基地，也是全国摩托车三大生产板块之一。全行业销售收入居全国行业首位，广州汽车工业集团主要综合经济指标在全国汽车行业企业中排名第一。

（4）现代服务业迅猛发展。

①流通现代化水平不断提高。2006 年末全省限额以上批发零售、住宿餐饮连锁企业 207 家，比上年末增加 24 家；全年实现商品零售额 1832.93 亿元，增长 24.9%，占社会消费品零售总额的比重由上年的 16.7%上升至 20.1%。连锁经营方式的蓬勃发展，推动了流通现代化的进程。2006 年末全省成交额达亿元及以上的商品交易市场 298 家，全年成交额 2562.96 亿元，比上年增长 24.4%。其中成交额超 20 亿元的超大型市场 28 家，比上年增加 9 家，共实现成交额 1516.49 亿元，占亿元市场总成交额的 59.2%。信息技术与自动化技术广泛运用。全省大中型流通企业 80%以上不同程度地建立了销售时点系统（POS），管理信息系统（MIS），应用条形码技术、电子数据交换系统（EDI）和互联网（INTERNET）等，不少企业还开发了 ERP 企业资源管理系统。在供应链管理方面，主要大型商贸流通企业都建有现代化的配送中心，部分企业还开始建立面向全国店铺的平台式供应链管理系统。在业务结算中信用卡消费、电子货币、网络支付等比例越来越大。商业业态不断创新。百货公司、超级市场、便利店、专业（卖）店、仓储式平价商场等，已涵盖消费品和生活服务业市场，直销、邮购、电视购物、网上交易等无店铺销售形式发展迅速。这些业态还相互渗

透、创新组合，催生新的商业模式，如华润万家的百货加超市业态，沃尔玛的社区超市业态等。

②金融业发展迅猛。广东已基本形成以货币、外汇、产权等市场为主体的金融市场体系。银行、证券、保险及各类金融机构业务长足发展，包括大额和小额支付系统、支付清算系统进一步完善，金融服务效率不断提高，金融创新能力日益增强，资源聚集效应逐步显现，上市公司股权分置基本完成，地方金融改革取得重大突破。广东省金融业务在全国创下了多个第一：广东成立了中国第一家证券公司、第一家金融电子结算中心、第一个外汇调剂中心，发行了中国银行业第一张信用卡。特别是2003年CEPA实施以来，广东充分发挥毗邻港澳的优势，深化区域金融合作，全力建设金融强省，对周边地区的金融辐射力越来越强。

截至2006年末，广东省中外资金融机构本外币各项存款余额43262亿元，各项贷款余额25935亿元，分别占全国金融机构本外币各项存贷款总额的12%和11%，高居全国首位。从资本市场和保险市场规模看，截至2006年末，广东省共有上市公司162家，占全国的11%，累计融资近1300亿元，居全国首位；2006年，广东保险业保费收入突破600亿元，占全国保费总量的11%，由2003年的全国第二上升到第一。从外汇业务量看，2006年，广东结售汇总额2300亿美元，业务量占全国的19%，居全国第一。与此相对应，广东外汇交易分中心的外汇交易量占全国18个分中心交易量的65%。此外，截至2006年末，广东拥有银行业金融机构网点1.6万家，从业人员23万，机构网点和从业人员总数仍居全国首位。

③会展业蓬勃发展。广东是中国会展业发展较早、较活跃的地区之一，广州与北京、上海一起成为中国三个重要的区域会展中心。至2006年，全省会展面积已超过100万平方米，会展企业1000多家，平均每天举办不同规模的会展3个。2004年以来，广东会展收入占全国的比重一直保持在40%左右，优势非常明显，已初步形成以广州—东莞—深圳为中轴，包括佛山、珠海等城市在

内的珠三角会展带。近年来，广东会展业年均增长20%以上，展览规模全国第一。以广交会为代表，涌现出一批在行业与地区有较大影响力的专业会展品牌，如美容美发展、国际家具博览会、建材展、照明展、服装展、黄金珠宝展、汽车展等等。展览馆设施明显改善。广东室内展出总面积已超过120万平方米，位居全国各省市第一，广州国际会展中心是亚洲之最，深圳会展中心在亚洲也排在前列。

3．广东产业发展存在的问题和未来发展思路。

（1）广东产业发展存在的主要问题。广东产业发展在取得巨大成绩的同时，也存在一些突出问题和隐忧，面临着一些不利因素与挑战，主要表现在：

①主导产业的地位不够巩固，产业链的延伸建设不足。三大新兴支柱产业（电子信息、电气机械及专用设备、石油化工）和三大潜力产业（造纸、医药、汽车）总体技术水平不高，科技原创和技术自主创新能力不足，核心和关键设备仍依赖进口，掌握核心技术的加工贸易产品产值占全部高新技术产品产值的比重不足10%，占全部工业总产值的比重不到5%，技术水平与世界先进水平有相当距离，产业规模大而获利能力低，高新技术出口产品的利润90%以上由外方所得，我们只得到不足10%。产业层次较低。广东产业整体上仍处于全球化产业链条的中低端甚至低端，产品的附加值普遍偏低，主要在加工制造环节参与国际分工，很少介入设计研发和营销服务环节，研发设计、特殊材料、关键部件及产品销售均严重依赖外方，内资企业难以进入料件配套体系，国内配套能力不足，产业链自主延伸能力弱。

②制造业与服务业的互动融合不够。产业内部结构优化升级的步伐不能适应产业经济发展的需要，传统服务业仍是服务业的主体，服务业比重不仅与发达国家有较大差距，也低于发展中国家的平均水平。2006年广东服务业比重为42.7%，比2002年下降了4.3个百分点，比世界低收入国家还低约5个百分点，对经济的贡献率也比2002年下降5.8个百分点。同时，服务业内部结构升级

缓慢，生产性服务业发展滞后，2006年商务服务业占第三产业的比重仅为7.9%，交通运输、邮电、批发零售、住宿餐饮等服务业仍占一半以上。文化资源开发利用程度不够，与整体经济的互动性差，教育和科研仍是广东的“短板”，明显不及京沪和江苏，金融业发展也滞后于长三角地区，服务业与制造业还没有形成互动的局面，这势必影响到其他行业的健康发展，成为新型工业化的瓶颈。

③自主创新能力不足，品牌支撑不够。产业缺乏自主核心技术，掌握的新技术、关键技术以及拥有自主品牌和自主知识产权的产业和产品比重还很小，产业发展对外依存度过大。核心技术和关键设备大多依赖进口或为外方所控制。高新技术产品出口中，对外技术依存度在60%以上。企业开发具有自主知识产权核心技术产品的内在动力和能力不足，企业普遍重引进、轻消化，重模仿、轻创新，发明专利在授权专业中所占的比例低于上海和江苏。大部分企业还停留在加工贸易阶段，品牌、创新意识薄弱，“广东制造”亟待“品牌突围”。

④粗放型经济增长方式没有根本转变，给资源与环境容量带来较大压力。广东经济增长方式仍具有明显的粗放型特征，经济的快速增长主要依靠投资拉动，依靠大量消耗能源、土地、水等资源。土地消耗量大，GDP每增长1个百分点就要消耗5万亩土地。污染物排放与经济同步增长，广东63%的国土面积属国家酸雨控制区，珠江口是全国仅次于渤海湾的第二严重污染水域。要实现广东人均GDP到2020年再翻两番的目标，按照目前的经济增长方式，至少要消耗10倍的投资、近4亿吨的标煤，使用相当于深圳、珠海、东莞三市6000多平方公里面积总和的土地，相当于珠三角九市（不包括惠州、肇庆）645万亩耕地的总量。这显然是难以为继的，是不可持续的。

⑤区域产业发展不平衡。总体表现为山区和东西两翼与珠三角地区相比较，产业规模、产业层次水平还有很大差距。珠三角地区产业规模大、层次较高，山区和东西两翼产业规模小、层次低。从各区域产业结构看，珠三角三次产业比例为2.4∶51.7∶45.9，已

进入工业化中后期；山区三次产业比例为20.4：45.2：34.4，粤东三次产业比重为11.4：51.5：37.1，粤西三次产业比重为23.0：41.9：35.1，上述三个区域仍处于工业化初中级阶段。

（2）广东产业未来发展思路。

①构建现代产业体系，推动三大产业协调发展。适应国际产业分工、转移和变动新趋势，以优化产业结构和提升产业国际竞争力为主导，促进产业发展模式的变革。推动第一产业精细发展、第二产业优化发展、第三产业加快发展，按照"二产带动三产，三产促进二产"的指导方针，形成二产、三产"双引擎"驱动，推进三大产业协调发展。切实转变经济发展方式，走新型工业化道路，强化自主创新，大力发展高技术、高附加值、低能耗、低污染的先进制造业和现代服务业，改造提升传统产业。提高产业集聚水平，调整优化产业布局，依托产业园区和专业镇建立优势产业集群和生态园区。从产业能力扩张转向产业体系建设，把发展的重点放在努力提高产业体系化程度上，围绕重点企业和核心技术，延长产业链，完善产业体系，提高产业整体竞争力，提升地区工业化水平。构筑以高技术产业为先导、先进制造业为支撑、现代服务业快速发展、现代农业不断优化的产业发展新格局。

②重点发展先进制造业，提升产业价值链。利用全球产业结构调整和转移的机遇，立足于发挥比较优势，集中国内外优势资源，着力发展资源消耗少、科技含量高、带动效应好的先进制造业，优先发展以关键零部件为核心的"中场产业"，向制造业价值链高端延伸，提高产业配套能力。

制造业发展要坚持高级化和适度重型化战略。一是发挥电子信息、家用电器、汽车、装备制造、石化等主导产业对整个产业链发展的带动作用，促进一批中下游产业的发展。做大做强电子信息和家电产业，尤其是向集成电路、微电子和数字音视频技术等纵深领域发展；以整车生产为汽车工业的龙头，完善汽车配套产业链；以振兴装备制造业为契机，发展先进精密制造业；以石化中下游带动效应，提高精细化工率。二是加快培育生物医药、新材料、新能源、节能环保、海洋科技、航空制造等高增长、高潜力、低消耗的战略产业。三是不断跟踪信息通信与智能控制技术、生命科学、纳米技术、认知科学等最新技术以及技术融合所产生的创新性技术，探索发展高科技领域中的新兴产业。四是优化提升纺织服装、食品饮料、陶瓷及其他建材等传统行业，促进传统行业从产业链的中间制造环节向研发与营销品牌两端拓展。

③加快发展现代服务业，促进先进制造业与服务业的互动融合。从制造业优先转向制造与服务并重，大力发展现代服务业，提升服务业的比重。依托广东制造业优势，着力培育和发展与制造业相配套的生产性服务业，加快发展物流、会展、商务服务、科技服务等产业支援型服务业，为广东制造业向价值链高端提升提供有力支撑。进一步发展壮大金融、信息服务、文化、旅游、房地产等重点行业；提升和规范发展居民服务、住宿餐饮等生活服务业；强化政府公共服务，推动公共服务业的建设和发展。

加快服务业的现代化进程。创新服务产品和服务内容，发展新的业态；积极推动技术创新，争取在信息服务、金融、现代物流等行业的关键技术领域取得突破；积极运用高新技术改造提升传统服务业，提高服务产品的科技含量，延伸产业链，拓展增值服务。扩大服务业的对外开放，积极承接国际服务业转移，重视发展服务业外包，使广东的服务业在更广范围和更高层次参与国际分工、合作和竞争，提高服务业的国际化水平。推动服务业以城市为中心进行辐射性的网络布局，总体上形成以广州、深圳为发展中心，珠三角地区为重点优化区域，东西两翼地区和粤北山区为重要拓展区域，分工明确、优势互补的新格局，扩大服务业辐射范围。

④推动珠三角产业转型升级，推动产业结构向价值链高端延伸。抢抓追赶世界新文明的战略机遇，按照“退、转、引、变”和产业、劳动力“双转移”的思路，通过共建产业转移园、促进加工贸易升级、大力发展总部经济、深化粤港澳产业合作、构建人才培训等方式，把劳动密集型的低端制造业转移出去，引进先进制造业、现代服务业和价值链高端产业，主动实现“旧鸟出，新鸟

进”、“麻雀变凤凰”，最终在珠三角地区区域内外打造融入国际产业发展、辐射国内其他地区的产业发展、带动广东省内产业发展三大循环圈，形成以生态农业为基础的现代农业，以“中场产业”为核心的先进制造业，以现代物流为核心、现代金融业为基础的现代商贸服务业，以文化创意产业为核心的新兴产业协调发展、产业链条完整的全国现代产业体系示范区。实现珠三角地区转型升级的内核包括四方面，即“退、转、引、变”。“退”就是高污染、高能耗的传统衰退产业，必须就地退出；“转”就是有市场需求，可以通过技术改造节能降污的传统劳动密集型产业可以转移到东西两翼及北部山区等欠发达地区；“引”就是大力引进新兴高技术、知识密集型产业；“变”就是培育新兴业态及企业的创新能力和品牌意识，推动产业向价值链两端，即上游的研发设计环节、下游的营销服务环节发展，抢占价值链高端，使得“麻雀变凤凰”，实现珠三角地区由“模仿型经济”向“全球领导型经济”的华丽转身。

⑤加快主体功能区规划，推进产业和劳动力“双转移”。编制实施主体功能区规划，调整优化国土开发空间布局，统筹沿海和山区经济发展，加快建立区域协调发展互动机制，引导珠三角产业科学有序梯度转移，加快山区和东西两翼跨越式发展，尽快形成城乡一体、区域协调的发展新格局，实现共同富裕、共同繁荣。优化珠三角、东西两翼和粤北山区的产业布局，推进经济梯度发展、协调发展，推动形成各具特色、功能互补、各展优势的区域经济和产业发展新格局。珠三角地区要在加快推进产业转移的同时，大力发展先进制造业、高新技术产业和现代服务业等高附加产业，提高自主创新能力。东西两翼和粤北山区结合当地实际积极主动承接珠三角产业转移。以主体功能区规划为基础，以产业转移为契机，加强技能培训，全面提升劳动力素质，合理调配人力资源，加大本省劳动力供给。

（二）工业建设成就显著

1．广东工业发展历程。

改革开放以来，广东人以“敢为天下先”的开拓实干精神，

依托特殊政策带来的体制优势和毗邻港澳的区位优势，借鉴国际经验，大力引进外资，开始了以工业化为主题的经济腾飞。回顾改革开放30年来广东工业产业的发展历程，可将其大致分为三个阶段：蓄势起步阶段（1978—1985年），率先改革开放，引进外资和先进设备，为大发展积蓄能量；高速发展阶段（1986—1995年），轻纺、家电工业拉动工业进入高速增长时期，部分产品开始走出国门，参与国际市场竞争；巩固提高阶段（1996年至今），积极推动产业结构从轻型化向高级化、适度重型化发展，工业总量跃居全国第一。

2. 广东工业发展取得的主要成就。

改革开放以来，广东工业规模不断增长，实力不断增强，成为全国乃至世界重要的制造业基地。

（1）工业产品产量在全国排位稳居第一。2006年，在全国统计的350个工业产品中，广东省工业产品产量排名全国前三位的有159个，其中排名第一位的76个、第二位的45个、第三位的38个；产量占全国同类产品比重超过50%的产品29个，主要是消费类电子产品和家用电器。

（2）重点行业企业营业收入在全国居首。2006年，在全国147个重点行业中，广东有81个行业的主营业务收入排在全国前三位，其中排第一位的45个、第二位的21个、第三位的15个。

（3）重点行业企业利润总额在全国位居前列。2005年，在全国149个重点行业中，广东省重点行业企业利润总额排名全国前三位的有47个，占全国行业总数的32%，其中排名第一位的行业有18个；广东利润总额前五名的行业分别是：石油和天然气开采业、电力生产、汽车制造业、电子计算机制造业和日用化学品制造业。

3. 广东工业发展存在的主要问题和未来发展思路。

（1）广东工业发展存在的主要问题。

①广东制造业主要承担的是国际产业链中的加工制造环节，仍然处于全球分工体系的产业链低端。根据“微笑曲线”，产业链低端也就是价值链中的最低点。在这一点上，附加值低、利润空间很

小，且进入成本低而竞争大。正因如此，广东制造业大而不强的问题较为严重。具体表现为产品的附加值偏低，工业增加值率长期偏小。以2004年为例，广东规模以上工业的增加值率为23.5%，而全国平均水平为28.4%，比广东高出近5个百分点。而且，广东高技术制造业的增加值率只有22.0%，比整体工业的平均水平还低。由此可见，高技术并没有带来高附加值，许多高技术制造业实际上也是劳动密集型加工装配业。

②工业综合效益指数仍然较低。2006年，广东工业经济综合效益指数不断攀升，连创新高。但与全国平均水平及部分沿海省市相比，广东工业经济效益指数仍然处于落后位置，低于全国平均水平26.0个百分点，比指数最高的山东低66.2个百分点。在构成综合效益指数的七项指标中，除资产负债率（逆指标）表现较为理想之外，其余指标均处于劣势。这些指标在一定程度上说明广东工业企业在盈利能力、发展能力、流动资产营运状况和劳动效率方面有待进一步改善。其中，工业产品销售率广东仅为97.25%，低于全国平均水平0.8个百分点，表明广东工业产品的产销衔接情况急需加强。

③能源、资源的相对贫乏，制约了广东工业的进一步快速发展。广东虽是制造业大省，但资源比较贫乏。全省人均拥有常规能源储量不到全国人均的1/20。每年生产需要的95%的煤炭、70%的油品、20%的电力，需要从国外进口和省外购进。钢材、木材等原材料也主要依靠进口。随着近年国际原油价格上涨、国内能源和原材料供应紧张，供需矛盾日益突出。油价的大幅度上涨，企业的生产成本大增，已经对广东经济造成较大的影响。油荒、电荒等能源和资源危机，已经成为广东工业发展的一大制约因素。

④出口不确定因素增多，对广东工业的发展造成了一定的影响。一是绿色门槛抬高，相关产品出口增速放缓。2006年7月1日起，欧盟颁发的《关于在电子电气设备中禁止使用某些有害物质指令》（RoHS指令）正式实施，使得所涉及产品生产成本上升5%~10%，直接影响了广东机电产品的出口。二是出口退税率下

调。2006年9月开始，国家正式出台新的出口退税政策，除了部分国家产业政策鼓励出口的高科技产品外，传统产业的钢材、纺织、家具、塑料等142种产品，出口退税率分别下调2～5个百分点不等，部分资源性产品出口退税完全取消。国家对高科技产品出口的政策倾斜，长远来说是有利的。但对于广东工业品未来出口的影响不容忽视，尤其是对那些处于微利与微亏之间，完全依赖出口退税才得以维持的企业，出口退税下调将对其造成较大的冲击。三是汇率因素不容忽视。人民币汇率改革步伐加快，汇率波动幅度扩大，人民币升值及潜在的升值压力，对广东外向型为主的工业的影响不容忽视。

（2）广东工业未来发展思路。走新型工业化道路，优化产业结构和布局，推进产业聚集，填补和增强产业链高端链节，提升产业层次，培育知名品牌，提高管理水平，实现产业发展由粗放型增长方式向效益型、节约型增长方式转变，是广东工业未来发展的基本思路。

①将引进外资与提升先进制造业产业层次相结合。扭转以往广东不加选择、被动承接国际产业转移的局面，把引进外资与调整产业结构、促进技术进步和人力资源发展紧密结合起来，充分利用新一轮国际产业转移带来的机会，有目的、有选择地引进那些带动性和关联性强、技术密集型制造业以及现代服务业。要注重收集全球产业发展的信息资料，跟踪全球产业链发展趋势，主动切入高端环节，寻找发展机会。要创新方式，注重招商引资的实效，实现“走出去”招商和“引进来”招商相结合，逐步在主要发达国家建立海外招商工作点。

优化外商投资的主体结构，着力吸引跨国公司，特别是世界500强企业到广东投资，设立地区总部、物流中心、采购中心等；抓住跨国公司R&D（研究与发展）本地化的新战略，力争吸引其来粤建立研发基地或培训基地。优化外商投资的产业结构，积极引导外资投向适合广东产业发展、具有重大带动作用的高技术装备制造、关键零部件制造、生物医药、新材料、新能源、现代服务业等

产业，促进广东产业结构升级；深化改革，营造与国际接轨的优良投资软环境；加强规划对招商引资的统筹和引导，抓住龙头项目开展重大产业招商工作，以龙头项目带动相关产业投资。

②大力扶持内源型先进制造企业。鼓励内源型高技术企业通过“干中学”提高自身能力。鼓励本土企业与外资龙头企业形成产业配套关系，通过“干中学”积累起自主的产业创新能力。研究制定鼓励省内中小企业和民营企业与跨国公司配套政策，推动民营企业承接加工贸易，逐步进入跨国公司特别是世界500强企业的全球营销网络，在开放中提升民营经济质量和国际竞争力。

促进国有制造企业的发展壮大，扶持民营科技企业的发展。鼓励和扶持国有大中型企业利用市场手段，与各类经济力量合作组成高技术联盟。鼓励大中型国有企业在推动广东省先进制造业发展方面发挥骨干作用。落实民营经济与其他所有制经济的同等待遇，进一步放宽对民营经济的市场准入，加大对民营科技型企业的财税金融支持，鼓励有条件的民营企业通过兼并、收购、联合等方式做大做强。加快建设民营科技园，促进民营经济向专业化、高科技化和集群化方向发展，鼓励民营资本投资先进制造业。

③重点扶持一批先进制造业产业集群。以广州高新技术产业开发区（广州科学城）、广州南沙开发区、深圳高新技术产业开发区、佛山国家高新技术产业开发区、东莞松山湖工业园等产业聚集区为重点，建设好珠江三角洲国家级电子信息产业基地，广州和深圳国家生物产业基地，以及广州、珠海国家软件产业基地和深圳国家软件出口基地，努力建立新材料等国家特色高技术产业基地和汽车装备制造产业基地，促进广东省电子信息、生物、装备制造、新材料等新兴产业的集聚快速发展。广东省政府相关部门应按照产业规划布局安排先进制造业技术项目和资金，鼓励先进制造业技术项目进入国家和省级高新技术产业开发区、国家高技术产业基地、国家信息产业基地和产业园区以及其他省级以上科技园区，并在同等条件下给予优先支持，促进产业集聚。加强产业集群服务平台建设，搭建公共技术平台，实施专业镇技术创新平台示范工程，为特

色产业集群提供技术开发、工艺配套和信息等服务。

④推动加工贸易的转型升级。以产业升级为主要目标，推动加工贸易企业从高消耗、高污染、低技术的初级加工装配业逐步向节能型、环保型、高新技术化的现代制造业转型升级。在全省加工贸易转型升级过程中，要特别推动与广东省九大支柱产业发展的有机结合，将加工贸易转型升级作为支柱产业优化升级的一个重要路径。重点发展半导体产业、软件产业、装备制造业、新材料产业、精细化工产业、生物制药产业、研发设计业、保税物流业等行业。通过加工贸易的转型升级，大力提升广东省在全球产业分工体系中的地位和作用，提高国际竞争力，使广东省在加工贸易发展中占据更加主动、更加积极、收益更高的发展位置，进一步巩固广东省在全国加工贸易发展中的排头兵地位。

⑤着力提高自主创新能力，积极培育自主品牌。完善自主创新体系。加快组织实施省部产学研结合发展规划，重点发展数字电视、精密制造等产学研战略联盟，增强联合实施重大科技项目能力，推动高校、科研院所科技成果转化。引导和支持创新要素向企业集聚，加强企业工程技术中心、研究院等创新平台建设，强化企业的技术创新主体地位。增强省属科研院所面向行业的技术创新和服务能力。实施名标名牌带动和知识产权战略，重点培育中国世界名牌和中国名牌产品、驰名商标及中国出口名牌。扩大创建区域国际品牌试点，推动产业集群和重点城市创建区域品牌。完善知识产权管理服务体系，加强知识产权保护和专利行政执法。积极采用国际标准和国外先进标准，支持企业参与行业、国家和国际标准的制定。

⑥着力抓好节能减排，加强生态环境保护。落实节能减排工作责任制，强化执法监察。加快制订和实施促进节能减排的市场准入标准、强制性能效标准和环保标准。严格限制新上高耗能、高耗水、高污染项目，加快淘汰落后生产能力，确保按计划完成小火电、小钢铁、小水泥等关停任务。鼓励发展能源资源消耗低、附加值高的产业。开展资源综合和循环利用，重点支持能源资源节约和

综合利用新技术、新工艺、新设备的研究开发。积极开发应用新能源和可再生能源。以节电为突破口，推进建筑、商业、交通等节能，着力提高全社会节能水平。深入推进企业、园区、城市三个层面的循环经济试点。推行清洁生产，积极发展环保产业。探索建立排污权交易等市场化新机制。在全社会树立节约意识，提倡政府绿色采购。

（三）现代服务业发展迅猛

1. 广东服务业发展历程及成就。

改革开放前，我国在发展战略上只重视工农业而轻视服务业，在经营管理中对服务行业长期实行低价制，挫伤了服务业经营积极性，加上受国民经济发展水平低的影响，广东服务业长期总量偏小，比重偏低，发展缓慢。1952—1978 年，广东省第一、二、三产业增加值分别由 14. 39 亿、6. 70 亿和 8. 43 亿元增长到 55. 31 亿、85. 68 亿和 43. 74 亿元；占国内生产总值的比重分别由 48. 7%、22. 7% 和 28. 6% 演变为 29. 8%、46. 6% 和 23. 7%；第三产业增加值年均递增 4. 55%，低于第二产业（10. 54%）和 GDP（5. 18%）（绝对数按当年价计算，增长速度按可比价计算）。服务业长期供不应求，严重影响了居民生活和社会生产的发展。改革开放以后，广东第三产业得到迅猛发展。第三产业增加值由 1978 年的 43. 92 亿元增长到 2006 年的 11195. 53 亿元（当年价）。按可比价衡量，年均增长 14. 7%，高出同期 GDP 的增长速度 1 个百分点。

“十五”以来，广东省服务业得到较快发展，总量一直保持在全国各省（区、市）第一位。全省服务业增加值由 2000 年的 4755. 4 亿元增长到 2006 年的 11195. 53 亿元，对经济增长平均贡献率达到 39. 5%；服务业增加值占生产总值的比重达 42. 7%，仍保持国内领先水平。2006 年服务业就业人数达到 1618. 27 万人，占全社会就业人数的 32. 2%，“十五”期间服务业新增从业人员 216. 1 万人，对就业增长的平均贡献率为 20. 9%，服务业已经成为吸纳城乡居民就业的重要渠道。

2. 广东服务业发展的特色。

(1) 传统优势服务业改造提升步伐加快。

①餐饮业向专业化、集约化经营和多样化方向发展。广东省不断加大住宿餐饮业结构调整力度，促进专业化、集约化经营和多样化发展。全面实施住宿餐饮业服务质量标准化、规范化管理，推进酒家酒店分等定级和创建绿色饭店工作，推动住宿餐饮业服务质量和管理水平的提高。积极探索以连锁经营为重点的现代经营方式，加大住宿餐饮业连锁经营模式和名牌服务产品的推广力度。优化住宿业组织结构，重点推动名牌饭店的连锁发展，提高住宿业的规模层次，促进住宿业的网络化、集团化发展。积极培育粤菜名厨、名品、名店，鼓励名牌、老字号餐饮店实施连锁经营，做大做强一批实力雄厚、竞争力强的餐饮龙头企业，带动中小餐饮企业的发展。加强中式快餐的发展和中餐工业化，促进家庭餐饮服务社会化。

②旅游业实现规模化、网络化、品牌化和连锁化经营。广东省大力提高旅游业的质量水平。以泛珠三角区域合作为契机，推动旅游业的区域合作，重点提升粤港澳旅游合作层次，深化合作内容，加强三地旅游资源、资本和服务的互相开放和企业合作。推动旅游资源的整合，鼓励组建大型旅游集团，推进旅游业实现规模化、网络化、品牌化和连锁化经营。进一步丰富和优化旅游产品，加快旅游结构调整，大力发展会展旅游、文化旅游和近现代革命遗址旅游。推动旅游与文化更紧密结合，提升旅游业的文化含量，努力挖掘旅游资源的文化内涵，大力开发广府文化、客家文化、潮汕文化、侨乡文化等有地方特色的文化旅游。

③商贸流通业组织化、集约化程度和信息化水平明显提高。广东省大力发展以连锁经营为重点的现代营销方式，鼓励连锁经营企业通过兼并收购、资产重组、参股控股等方式扩大规模，推动连锁经营向多领域拓展，提高流通业组织化、集约化程度。集中力量在主产地、主销区或集散地建设一批规模大、功能全、覆盖面广的现代化中高级批发市场。实施以“便利消费进社区、便民服务进家庭”的“双进”工程，全面推进社区商业建设。积极推进“万村

千乡”市场工程，带动工业品、农业生产资料下乡和农产品进城。扶持中小流通企业发展，增强流通业吸纳就业的能力。实施“科技兴贸”工程，推动信息技术、自动化技术、现代营销和管理技术在流通领域的广泛应用。

(2) 生产性服务业发展迅猛。

①现代金融业管理和服务水平大幅提升。广东省不断推进金融综合配套改革，加快建立银行业、证券业、保险业、期货等金融机构全面发展、功能互补、充分竞争的区域金融组织体系，建立货币市场、资本市场、保险市场、期货市场和外汇市场协调发展、规范运作的区域金融市场体系。高标准规划建设广州、深圳金融聚集区，吸引更多的国际金融集团及跨国公司的全球数据处理中心落户广东省。整合地方金融资源，做大做强地方金融企业，打造知名金融服务品牌。加强泛珠三角特别是与港澳地区的金融合作与交流，推动区域金融资源整合，促进区域内经济与金融的互动发展。深化金融业经营管理体制改革，积极探索适合广东中小企业发展的信贷管理模式。深化农村信用社改革，统筹城乡金融业发展。大力发展资本市场特别是债券市场，扩大企业直接融资规模和比重。拓宽保险服务领域，提高保险服务水平，逐步建立完善农业保险体系。

②现代物流业综合效率、服务水平和信息化程度显著提高。广东大力推进综合交通运输体系建设，以完善网络为重点，加强高速公路及县乡公路网、轨道交通网、高等级航道网和集装箱运输系统、能源运输系统、民用航空运输系统等“三大网络、三大系统”的建设，形成便捷、通畅、高效、安全的综合交通运输体系。统筹规划交通布局，促进铁路、公路、水运、民航、管道等运输方式优势互补和相互衔接，提高综合运输效率和服务质量。积极发展现代物流业，以交通枢纽、中心城市和大型商品集散地为依托，规划建设一批辐射全国、连接国际市场的物流平台和区域性物流中心。推广现代物流和供应链管理技术，推动“第三方物流”的发展。

③商务服务业整体服务能力和产品创新能力大大提升。大力提升会展业，充分利用地缘优势，以中国进出口商品交易会、中国国际高新技术成果交易会、中国国际中小企业博览会、中国（深圳）国际文化产业博览会为龙头，增强会展业的竞争力，提高会展服务水平。加快发展市场化、专业化、规范化、国际化、产业化的会展业，培育新的会展品牌。积极发展法律服务、会计、咨询、评估、广告等中介服务业。加大开放力度，降低准入门槛，采取独资、合资、合作等形式，引进一批境外知名的商务服务机构，发展一批能承接国际业务的优秀商务机构，提升整体服务能力。鼓励商务服务产品创新，进一步培育和发展有较大潜力的调查论证、形象设计、战略策划、资产评估、投资顾问等中介服务。加强诚信建设，完善监管体系，促进商务服务业规范运作。

（3）文化创意产业发展迅速。

广东着力发展文化创意产业，积极引导高科技对传统文化产业的支配、渗透和新兴文化产业的拓展，加快推进粤港澳文化创意产业信息资讯和服务交易平台建设，大力发展平面设计、动漫、工艺美术、影视制作、网络游戏等创意产业。加快文化产业基地和园区建设，重点推进国家文化产业示范基地、广东文化创意产业园区、珠三角国际印刷基地、粤东可刻录光盘生产基地、华南出版物集散基地等的建设，实施“版权兴业”工程。

3. 服务业发展存在的问题及未来发展思路。

（1）广东服务业发展存在的主要问题。

一是服务业的体制创新仍没有重大突破，服务业发展环境还不能适应加快发展的要求，在服务标准化建设、诚信体系建设、知识产权保护、市场规范等方面还存在一些问题。二是广东省服务业的自主创新能力不强，应对服务业国际竞争的能力不足。三是广东省服务业总体发展水平仍然较低，服务业市场化、产业化、社会化水平仍然较低，服务企业“小、散、弱”的情况仍然比较突出，竞争力不强。四是服务业人才，特别是高素质的经营管理人才严重缺乏，影响服务水平的提高和竞争力的提升。

（2）广东服务业未来发展思路。

①整合地方金融资源，统筹广州、深圳金融业发展，把广州、深圳建设成为带动全省、连通港澳、辐射华南、面向东南亚的区域性金融中心。大力发展股票、债券、外汇、票据、保险、基金等金融证券市场和其他产权交易市场。广州要继续巩固在银行业、保险业方面的优势，重点建设区域性银团贷款中心、票据融资中心、资金结算中心、银行卡网络中心、保险资产管理中心、债券交易中心、产权交易中心、商品期货交易中心和金融教育科研中心。深圳要大力推动资本市场改革和发展，巩固和提高国内证券交易中心、基金管理中心和风险投资中心的地位，争取国家政策支持建立金融期货中心，进一步发挥毗邻香港的地缘优势，建成创新金融产品的研发基地和粤港金融合作的示范区。

②依托广东省良好的铁路、公路、民航、水路交通运输网络条件和仓储条件，大力整合物流资源，努力建设南方现代物流枢纽。加快建设物流保税园区，发展航空快运，建成一批在国内、国际上具有影响力的大型物流集团和第三方物流公司。形成以广州为龙头、珠三角为主体，服务全省、辐射华南、面向东南亚的物流服务网络，为广东省制造业提供强大的生产服务支撑。

③以促进产业升级、提高自主创新能力和国际竞争力为核心，以创意、创新为动力，以市场为导向，整合广深佛地区丰富的创意资源并积极吸纳国内外创意资本，实施产业集聚和人才集聚战略，完善合作协调机制，合力打造广深佛一体化发展的文化创意产业链条。重点发展数字内容、文化传媒、创意产品制作分销与版权贸易、咨询策划、设计创意等高端行业。充分发挥岭南文化的特色和底蕴，强化品牌战略，做大做强一批文化创意产业园区、创意企业和创意产品的知名品牌。加速推进文化创意产业与传统产业的相互融合，带动广东制造业和服务业向价值链高端发展。

④依托广东省中心城市，加快建设广州珠江新城中心商务区和深圳中心商务区，吸引和集聚国内外金融、商务服务机构，以及大型企业的地区总部、研发机构和服务中心进驻中心商务区，促进现

代服务业特别是金融、商贸、会计、法律、信息咨询等现代高端商务服务业的发展，增强广州、深圳市作为全省经济中心城市要素资源的聚集能力和经济辐射能力。在有条件的中等城市，规划建设一批城市中心商务区，促进城市金融、商贸及相关服务业向城市中心商务区集聚，形成中心商贸圈，创造集约的投资环境，最大限度地降低企业投资成本，增强对区域经济的服务能力。

⑤以国际化、市场化、专业化为方向，依托产业和区位优势，发展各类综合及专业会展，着力打造以广州和深圳为龙头，包括珠海、佛山、东莞、中山、江门等在内的珠三角会展产业带。加快建设和完善以广州国际会展中心为代表的一批高档次、多功能的现代化会展场馆；培育会展市场主体，培养10～15个办展能力较强、水平较高、影响较大的龙头会展企业；创立品牌会展，培育一批规模大、知名度高、在国内和周边国家与地区有影响力的品牌会展；提升会展配套服务水平，提供银行、海关、快运、翻译、购物、餐饮等全方位服务。“十一五”期间，把珠三角地区建设成为中国最具特色、最有影响力的会展中心区域之一。

⑥按照“区域协同发展，发展绿色产业”的方针，抓住粤港澳、泛珠三角区域旅游业合作的契机，充分发挥粤北山区和东西两翼地区旅游资源丰富的优势，加强以交通为重点的旅游基础设施建设。重点发展观光旅游、度假旅游、休闲旅游、红色旅游、生态旅游、文化旅游、滨海旅游等产品。进一步增强韶关丹霞山作为世界地质公园的龙头品牌效应，着力建设一批以山、湖、海、岛等为特色的自然景观品牌；着力打造古道、古寺、古城和特色村寨等一批蕴涵丰富南粤文化的人文景观品牌；完善红色旅游景区建设，形成梅州叶剑英故居、汕尾彭湃故居等一批红色旅游品牌。进一步加强政策支持力度，发挥珠三角地区的辐射和带动作用，促进粤北山区和东西两翼地区性服务业集聚区和旅游产业带的形成和发展。到2010年，建成一批4A级旅游景区，7个山区市全部成为中国优秀旅游城市。

三、充满活力和竞争力的现代城市经济

（一）基础设施建设突飞猛进

1. 广东交通通信基础设施建设。

（1）广东交通通信基础设施建设30年历程及成就。

1978年，广东社会基础设施处于严重制约经济发展的落后状态。为此，广东省连年加大基础设施建设投资，“九五”和“十五”期末，全省基础设施建设投资分别为1168亿元和2309亿元，2007年则达到2455.64亿元。1978年全省公路通车总里程仅为52194千米（含海南岛），且均为低标准公路，公路密度仅为29.3千米/百平方千米。1978—1992年是广东社会基础建设的奠基时期，广东省大胆探索，闯出了一条加快交通基础设施建设的新路子，在1981年率先提出“集资贷款、建桥修路、收费还贷”的设想，并在全国开“以桥养桥，以路养路”的先河，拉开了广东省公路建设高速发展的序幕，至2002年底，全省公路通车总里程为10.85万千米。而到2006年底，全省公路总里程达到17.84万千米，公路密度达64.83千米/百平方千米，高速公路通车里程达3340千米，提前一年于2005年实现地级市通高速公路的目标。同时，其他基础设施建设也得到迅猛发展，2005年广州新白云机场建成运行，铁路营业总里程达到1924千米。2006年底，全省沿海、内河港口拥有的生产用码头泊位2945个，内河航道总里程达到13596千米。“九五”期末，修建、加固江海堤围2117千米，到“十五”期末则达到6305千米，完成水库除险加固3522宗。1980年全省发电装机容量仅有303万千瓦，到“九五”和“十五”期末则分别达到3259万千瓦和4800万千瓦。1980年，全省电话用户仅为20万户，到1990年和1997年则分别突破100万户和1000万户。至2006年底，全省固定电话用户为3633.46万户，固定电话普及率为39.58部/百人，全省移动电话用户为7117.95万户，移

动电话普及率为77.41部/百人。“十五”期末，光缆总长度约29万千米，为“九五”期末的4.3倍。2000年全省互联网用户人数为216.41万户，至2006年底则已达到792.31万户。

（2）交通通信基础设施建设存在的问题。

①网络布局不完善，通行能力仍显不足。高速公路尚未成网，总量仍显不足；铁路网络布局欠合理，珠江西岸无铁路运营；广州铁路枢纽建设滞后；主要城市交通拥挤堵塞，行车速度慢；大型专业化码头能力不足，航道满足不了船舶大型化的需要；现有白云机场运力紧张。

②结构性矛盾突出。高速公路比重小；铁路繁忙线路客货混行影响了速度和效率；公用码头吞吐能力紧张，特别是广州港和深圳港大型集装箱专用泊位的吞吐能力不足，缺口达25%～30%，货主码头和部分港口件杂货泊位能力富余；枢纽港航道水深不适应国际航运船舶大型化的需要；城际快速轨道交通网络建设尚未起步。

③各种运输方式之间的衔接协调不够。各自为政的经营管理模式不能适应现代物流业发展的需要，影响了整体运输效率的发挥。

④信息资源开发和服务严重滞后，信息基础设施远没有得到充分利用。计算机和信息技术在政府、企业、社会和家庭的应用尚停留在基础阶段。

（3）交通通信基础设施建设未来发展方向。

①加快完善“三大网络”。一是高速公路、国省道与县乡公路网。加强与周边省区连接的出省高速公路通行的建设，提高连接泛珠三角区域出省高速公路通行能力。到2010年，建成通往邻省区的主要高速公路通道。提高国省道路面质量。加快粤北山区和东西两翼农村公路建设，提高路网整体质量和服务水平，完成镇通村（建制村）公路路面硬化工程。完善公路站场建设。二是轨道交通网。以建设出省铁路通道和珠三角城际轨道交通为重点，构建“三纵二横”铁路干线骨架，基本实现全省地级以上市通铁路。加快广州、深圳地铁建设。三是航道网。建设由西江水运主通道和珠江三角洲“三纵三横”（“三纵”为西江下游出海航道、白坭水

道—陈村水道—洪奇沥水道、广州港出海航道；“三横”为东平水道、潭江—劳龙虎水道—莲沙蓉水道—东江北干流、小榄水道—横门出海航道）三级及以上骨干航道组成的高等级航道网，浚深沿海主枢纽港出海航道和整治内河深水航道，提高内河航运水平。

②加快建设“三大系统”。一是集装箱运输系统。以沿海主枢纽港为重点，形成以深圳港、广州港为干线港，珠海、虎门、湛江、汕头等港为支线港，中山等其他港口为喂给港，并与铁路、公路集装箱运输相衔接的集装箱运输系统。加强枢纽港内集疏运系统的衔接配套，推动多式联运的发展。二是能源运输系统。加快煤炭运输系统的建设，基本形成以电厂专用码头和广州港为主的煤炭接卸系统。充分利用现有油气码头能力，合理布局建设新的油气码头。完善油气运输系统，建设珠三角液化天然气运输系统。三是民用航空运输系统。加强机场建设，拓展航空运输网络，优化整合运输资源，提升航空运输水平，构筑以广州新白云国际机场为枢纽、干支结合的机场体系。

③全面推进国民经济和社会信息化。全省形成信息技术普遍适用、信息资源合理利用、覆盖国民经济和社会领域的较为完善的信息化体系，初步实现经济和社会信息化，城镇家庭互联网普及率60%以上，电视、广播实现数字化。

2. 广东能源基础设施建设。

（1）广东能源基础设施建设30年历程及成就。

广东省是能源消耗大省，但同时能源存量严重不足。为保证社会需求，广东省一直大力发展煤炭业，北部山区成为广东省主要的煤炭产区，主要集中在梅州、清远、韶关三市。在供应全省煤炭需求外，在煤炭产区附近，兴建了火力发电站，进行电力供应。2005年兴宁“8·7”矿难后，中共广东省委、省政府决定关闭全省所有煤矿，至此广东每年所需煤炭将从外省调入。为解决能源紧张，广东省高度重视能源开发与利用，新能源和可再生能源已经起步发展，风力发电规模正在逐步扩大，广东在新能源替代上走在全国前列。广东开展了各式各样的新能源利用——核能、风能、水能、热能、垃圾发电、太阳能发电、LNG发电等，广东的新能源发电在全国名列前茅。以风力发电为例，南澳县是广东唯一的海岛县，从20世纪80年代就开始了对风力资源的开发和利用。截至2006年，已有国内外的6家公司参与了风电厂的开发建设，共安装风力机132台，总装机容量为5.4万千瓦，年发电1.4亿千瓦时，居全国第二位。广东风力发电可装机容量达600千瓦，可在一定程度上解决电量不足的困局，但已开发的容量很小。广东已经启动7项重大节能工程。这些节能工程包括节约和替代石油、热电联产、余热利用、建筑节能、政府机构节能、绿色照明、能源利用监察能力建设等。石化产业得到不断发展，1994年广东原油加工产量为1042万吨，主要是茂名石化公司655.24万吨，广州石化总厂386.88万吨。2005年全省原油加工量1990.92万吨。目前炼油能力2320万吨/年。在储运设施方面先后建成茂名博贺港25万吨单点系泊接卸码头，茂名至西南地区成品油管线，茂名至深圳沿海成品油管线，惠州大亚湾马鞭洲码头至广州石化的原油输送管线，为发展广东沿海炼油产业奠定了基础。

（2）能源基础设施建设存在的问题。

①人均用能水平及能源利用效率低。人均用电量低于日本、欧美等国家，也低于香港、台湾等地；万元GDP能耗比欧美等发达国家高出近3倍。

②能源消费结构不合理。油、气等优质能源的使用比例偏低，仅占能源消费总量的55%；电力生产以煤电为主，且大多数煤电厂未安装脱硫装置，给环境带来很大压力，酸雨频率超过50%。

③电力供应尚未能完全满足社会经济发展的需要。一是电源结构不合理，单机容量5万千瓦及以下小煤电、小油电、柴油机组及地方小水电装机容量达660万千瓦，占全省电力装机总容量的30%，这些小机组出力不足，难以调度，且能耗高、污染大，急需淘汰；电源建设后劲不足。二是电网建设滞后，不能满足用电增长和大规模接收西电的需要，部分地区供电仍存在“卡脖子”问题；电网建设用地与经济发展矛盾突出。

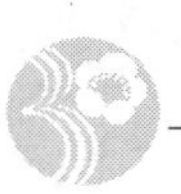

（3）能源基础设施建设未来发展方向。

加强电源、电网、天然气网等能源基础设施建设，增加西电、核电、液化天然气、可再生能源等优质清洁能源的供应，建立能源储备，构建稳定、经济、清洁的能源供应体系。

①加快电源建设。充分接收西电，加快发展核电，优化发展煤电，适度发展天然气发电和抽水蓄能发电，积极开发利用水能、风能、太阳能、生物质能等可再生能源，加快“上大压小”电源结构调整，形成以大型骨干电源为主，多种电源并举的结构。在沿海和内陆沿江进一步选址建设核电站，在东西两翼沿海建设大型煤电基地和风电场，在珠三角等负荷中心建设调峰性能好的天然气电站，按照能源布局建设抽水蓄能电站。到2010年，全省电力装机容量约9500万千瓦（含西电东送2238万千瓦），其中清洁电源所占比重达到53%，比2005年提高13个百分点；单机容量30万千瓦及以上大型机组占省内装机容量的比重达到66%。

②加强电网和天然气网建设。加强省内电网和西电东送电网的建设，形成便于接受外区送电和省内电力交换，满足用电需要的安全稳定、结构合理的广东电网。建设液化天然气站线工程、南海天然气上岸工程，形成贯穿珠江三角洲地区的多气源U形管网。开展粤东液化天然气接收站和输气管网的选址等前期工作。

（二）城市建设日新月异

1. 广东城市建设30年历程。

改革开放前，广东的城市建设发展缓慢，城市基础设施失修失养严重。中共十一届三中全会后，广东省委、省政府加强了对城市建设工作的领导，对城市建设制定了一系列方针、政策，并决定从1979年起，先在省会城市和人口在50万以上的大城市试行每年从上年工商利润中提成5%，作为城市维护和建设资金，并提出今后在国家基本建设计划中，要专列城市住宅和市政公用设施建设资金户头。

“九五”时期，广东省城市发展到54个，其中地级以上市21

个，县级市33个，设市数量居中国各省前列，也是中国地级市最多的省。建制镇发展到1554个，城市化水平提高36%。“九五”时期前三年就完成城市建设投资387亿元。城市供水能力达2154万立方米/日，城市道路12890千米，城市桥梁（含立交桥）2526座，公交车辆（含出租汽车）55242辆，用气普及率93.2%，城市下水道14806千米，城市污水处理从无到有，处理能力达82.23万立方米/日。1999年，省内第一条地铁——广州地铁一号线全线建成通车。全省城市全部实现了省政府颁布的绿化达标标准，基本实现了省政府提出的城镇规划的近期目标。全省不少城市进入国家卫生城市、国家园林城市和环境模范城市的先进行列。

“十五”时期，广东省城市建设完成固定资产投资累计达2500亿元。全省城市供水总量738573万立方米，城市日供水能力3000万立方米，城市用水普及率98.8%；城市道路总长205万千米，每万人拥有公共交通车辆7标台，广州市开通运行4条地铁线，深圳地铁一号线投入运行；投入运行的污水处理厂79座，总处理能力634万立方米/日，生活垃圾无害化处理率达50%；用气普及率94%；城市绿化覆盖面积42.37万公顷，人均公共绿地面积10平方米。截至2005年末，全省采用BOT、TOT等模式建设运营的市政公用事业项目约200项，总投资约390亿元。“十五”期末，全省城镇化水平达51.67%。基本形成布局合理、组合有序、优势互补、持续发展的城镇体系。

到2007年底，广东省有21个地级以上城市、23个县级市、44个县、1137个镇。全省城市面积26645.48平方千米，其中建成区面积3619.1平方千米。广州、潮州、佛山、肇庆、梅州、海康（雷州）6个城市被国家确定为历史文化名城。广州市番禺区沙湾镇、吴州市吴阳镇被评为中国历史文化名镇。珠海、深圳、中山、佛山、江门、惠州、茂名、肇庆、湛江、开平市被评为国家级园林城市。肇庆星湖、仁化丹霞山、南海西樵山、广州白云山、惠州西湖、博罗云浮山、湛江湖光岩被评为国家级风景名胜区。

2. 广东城市建设成就与特色。

（1）城市化水平大幅提高，城市化对经济增长的拉动作用显著。到2005年底，按第五次人口普查口径，广东省的城市化率为60.7%，与“九五”期末相比，提高了5.7个百分点。“十五”期间，全省约有1300万农村人口转移到城市。城市化进程的稳步推进，促进了投资需求和消费需求的持续扩大，有效促进了我省经济的持续快速协调健康发展。“十五”期间，全省生产总值年均增长13%，2005年达到22366.5亿元，人均生产总值达24438元；城镇居民的收入也相应大幅提高，全省城市居民2005年人均可支配收入达14770元，“十五”期间年均实际增长8%。

（2）城市功能和要素集聚能力增强，城乡生产、生活和生态环境明显改善。“十五”期间，广东省城市建设的力度不断加大，城市的各项基础设施和公共服务设施逐步配套完善，初步满足了城市居民的生活和文化需求，提高了城市居民的生活质量。到2005年底，全省公路密度达64千米/百平方千米，高速公路通车里程达3140千米，比“九五”期末增加了约1950千米，已实现所有地级以上市全部通高速公路、与周边陆路省份均有高速公路相连的目标。铁路、港口、航道建设步伐加快。全省累计建成各类卫生机构16054个，各类艺术馆、文化馆140个，县级以上公共图书馆129个，博物馆、纪念馆148个。在城市基础设施和公共服务设施不断完善、综合功能日趋健全的同时，生态环境保护工作也有较大进展，全省城市综合评价指标达到85分。

（3）珠江三角洲城市群成为全球性城市带，东西两翼城镇群初步形成。广东省已基本形成布局合理、组合有序、优势互补、持续发展的城镇体系。珠江三角洲地区城市群已成为全省经济社会发展的排头兵，区域协调发展机制逐步建立健全，整体竞争力不断提升，日益发展成为亚太地区最重要的城镇群之一；东西两翼城镇群初步形成，区域发展协调性大幅提高，尤其是高速公路的开通，拉近了区域间的时空距离，使中心城市的辐射能力得到进一步强化；北部山区城市化稳步推进，承接珠三角产业转移工作成效显著，招商引资工作蓬勃开展。

（4）广州加快建设“首善之区”。广州市是华南地区最大的中心城市，综合经济实力仅次于上海、北京，居全国城市第三位，又是华南地区的交通、通信总枢纽，因而成为带动广东全省和辐射华南、影响东南的现代化大都市。广州与世界上200多个国家和地区建立了经贸联系。世界500强的跨国公司已有170多家到广州投资，形成了以汽车、电子信息、石油化工等为工业支柱产业，金融、商贸、物流、旅游等第三产业占较大比重，软件、光电子、生物医药、新材料等高新技术产业迅速发展的现代产业体系。广州着力做大做强支柱和优势产业，加快产业集聚和延伸产业链。培育建设了一大批带动力强、高增长的生产骨干项目，形成了东部、北部、南部3条产业带和汽车、钢铁、造船、石化四大产业基地。工业向技术密集型、集群化和适度重型化升级转型，产业竞争力明显增强。特别是汽车产业实现了跨越式发展，产量跃居全国轿车产区第二。2008年4月，省委书记汪洋到广州进行专题调研时要求，广州要坚持走全面、协调、可持续的城市化发展路子，努力成为我省建立现代化产业体系和建设宜居城市的“首善之区”。广州将加快建设“首善之区”，进一步巩固中心城市地位，加速迈向国际先进城市行列。

（5）深圳建设成为重要的区域性国际化城市。作为中国改革开放的“试验场”和先行区之一，深圳在进行社会主义现代化建设和探索社会主义市场经济体制方面做了大量工作和超前探索，取得了巨大成绩，也为全省乃至全国的改革提供了许多新鲜经验。高新技术产业、物流业、金融业和文化产业等四大支柱产业增加值占GDP的比重达54.4%，提高4.6个百分点。集成电路、平板显示、化合物半导体等高新技术产业领域引进一批高端项目，产业链不断向上延伸。金融业出现近十年来最强劲的增长，金融中心区、金融产业园区和香港金融业后台服务基地建设稳步推进。深圳港集装箱吞吐量1847万标箱，增长14%，继续稳居世界第四；深圳机场旅客吞吐量1836万人次，增长12.7%，连续五年位居国内第四。盐田港保税物流园区正式运作，六大物流园区建设提速，西部港区进

行了资源整合和功能调整。怡景动漫基地、深圳文化创意产业园、大芬油画村等已成为深圳文化产业发展的重要集聚地。国际旅游城市建设步伐加快，东部华侨城等旅游重大项目顺利推进，2006 年接待过夜境外游客 713 万人次，国际旅游收入 22.65 亿美元，分别居国内城市第一和第四位。

3. 广东城市建设未来发展思路。

进一步加强区域协调发展与合作，突出城市群的辐射带动作用，形成以大珠三角为依托、泛珠三角为腹地，珠三角地区与东西两翼、北部山区协调发展的区域发展新格局，是广东城市建设未来发展的思路。

（1）进一步提升珠三角城市群的国际综合竞争力。

①明确珠三角各城市的功能定位，合理分工，协调发展。广州、深圳市要强化中心职能，率先成为具有国际影响力的现代化城市；珠海、佛山、惠州、东莞、中山、江门、肇庆等市要强化专门职能建设，建设成为区域中心城市。

②深化珠三角三大都市区的分工与合作。珠三角中部都市区（包括广州、佛山、肇庆 3 市）要优化布局分工，发展成为珠三角辐射能力最强的综合服务中心和国际竞争力最强的产业中心之一；东岸都市区（包括深圳、惠州、东莞 3 市）要发挥毗邻香港的优势，实现功能互补和结构性对接，发展成为具有国际影响力的现代制造业基地和生产服务中心；西岸都市区（包括珠海、中山、江门 3 市）要发挥毗邻澳门的优势，抓住港珠澳大桥建设的契机，推进珠澳一体化和通道对接，发展成为珠三角未来加快发展的重点地区。继续发挥粤港、粤澳合作联席会议制度的作用，积极推进大珠三角在经济社会发展、城市化以及城乡规划建设等方面的沟通与合作，促进大珠三角城市群协调发展，提升区域国际综合竞争力。

③协调重大基础设施项目的布局建设。加快武广客运专线、厦深铁路、广珠铁路、珠三角城际快速轨道交通和广深沿海高速公路项目建设，建设由西江水运主通道和珠三角“三纵三横”三级以上骨干航道组成的高等级航道网，进一步建设完善珠三角电网体

系，提高供电能力和供电安全可靠性。

（2）扶持粤东城市群，培育粤西城市群。

①强化区域协作理念，整合资源，优化东西两翼城市体系。增强粤东地区城市群发展的内在动力，大力培育粤西城市群，形成以汕头市为粤东中心城市，潮州、揭阳、汕尾市为粤东地方性中心城市，湛江、茂名市为粤西中心城市，阳江市为粤西地方性中心城市，包括一系列中心镇（含县城）在内的特大城市—大城市—中等城市—中心镇（含县城）协调发展的城市体系，形成政府引导、科学规划、市场运作、产业支撑的城市化机制。

②完善和提升城市生产功能，增强东西两翼城市化发展动力。东翼以潮汕都市区为核心，大力发展能源、石化等临港型工业、海洋产业和特色产业；西翼以湛茂都市区为核心，以阳江市为突破口，重点发展海洋产业，建设水产品加工流通中心，做大做强石化生产基地和电力能源基地。通过建设一批重大项目，提高东西两翼区域工业经济的自我发展能力，努力使东西两翼成为我省新的经济增长点。

③进一步加大资金与项目投入，加快基础设施建设。要加快高速公路建设，尽快形成高速公路主骨架；建成韩江水利枢纽工程；加快潮汕民用机场、汕揭高速、潮揭高速公路等项目的建设；开展洛湛铁路（广东段）、东南沿海铁路（饶平至茂名段）等出省通道项目的前期研究工作。完善城市供水、供电系统的建设和管理，加快城市市政道路、污水处理、垃圾处理等公共基础设施的建设。通过改善东西两翼基础设施建设状况，增强东西两翼城市群的内部集聚力，发挥其作为对外沟通的桥梁纽带作用。

（3）扶持粤北地区城市的成长。

①重点建设中心城市，以点带面、点轴推进，带动粤北地区发展。粤北地区要充分利用原有的基础设施和经批准设立的经济技术开发区，集中发展工业。重点扶持韶关都市区和清远、梅州、河源、云浮等中心城市，加快河源—梅州、清远—韶关、南雄—韶关—连州、丰顺—梅州—蕉岭（平远）、肇庆—云浮—罗定等点轴

地区的发展，培育乐昌、南雄、连州、兴宁、罗定、龙川等“门户”城市和一批中心镇，发挥规模效应，带动北部山区发展。

②注重资源的合理利用和自然环境保护，强化山区作为全省生态屏障的战略地位。韩江中上游地区要全面控制水土流失，营造韩江上游的水源涵养林，建设生态公益林，实施农村能源环保工程，基本扭转水土流失的局面。东江中上游地区和榕江中上游地区要综合治理水土流失，大力营造水源涵养林、生态公益林；以污水集中处理和河道整治为重点，建设水资源保护工程。北江中上游地区要实施水土流失综合治理工程、退耕还林工程，积极营造水源涵养林和水土保持林，保护天然林，建设生态公益林；实施农村能源生态工程。西江中下游地区要综合治理水土流失，以营造水源涵养林、水土保持和风景林为主，保护、恢复和发展阔叶林，建设生态公益林。

四、富裕安康的社会主义新农村

（一）广东农村发展历程及成就

1. 广东农村发展历程。

从1978年开始，广东省以废除高度集中的人民公社体制，全面推行家庭联产承包责任制为起点，对农村经济体制及其运行机制进行了一系列改革与创新，逐步建立起适应发展社会主义市场经济要求的经济体制框架。经过30年的改革创新，极大地解放和发展了农村生产力，有效地推动了农村发展、农业增效、农民增收，为加快新农村建设奠定了稳固的基础。

在农村经济体制改革和农村经营方式发生巨大历史性变革的背景下，自20世纪80年代中期以来，广东立足发挥本省自然资源优势，开始全面调整农林牧副渔的比例关系，大搞农业综合开发和发展“三高”农业，建立大农业内部的良性循环结构。为加快富裕安康现代农村的建设，广东以“农业增收、工业增效、财政增长、后劲增强”为主要目标，采取了一系列重大措施，大力推动农业产业化、农村工业化和农村城镇化，壮大县域经济。同时，广东把加快山区和欠发达地区发展作为全省经济社会发展的重大战略来抓，通过加大扶持力度，实行政策倾斜，山区和欠发达地区发展呈现出良好势头。

进入21世纪以来，省委、省政府根据党中央、国务院的战略决策，在深化农村税费改革、土地使用制度改革的同时，全面推进以乡镇机构综合配套、农村义务教育、县镇财政体制三项改革为主要内容的农村综合改革。

根据中共十六大首次提出的统筹城乡经济社会发展的科学发展观思想，省委、省政府提出了以统筹城乡发展，加快推进农村“三化”建设的新思路，明确了统筹城乡发展的总体目标：珠三角地区力争到2010年、全省到2020年基本建立城乡协调的经济社会管理体制和发展机制，实现农民持续增收、农业增效、农村繁荣。2006年4月14日，广东作出《关于加快社会主义新农村建设的决定》。《决定》提出了“坚持农村基本经营制度，增强农业科技自主创新能力，加快现代农业建设，进一步解放和发展农村生产力，促进农业农村经济可持续发展”的基本原则，强调坚持统筹城乡发展，坚持规划先行、分步实施，坚持因地制宜、分类指导，坚持尊重农民群众意愿。并明确了广东省新农村建设的指导思想、基本原则和“十一五”期间的发展目标，指导全省开展社会主义新农村建设。广东省委、省政府先后召开了全省农村工作会议、新农村建设学习会、新农村建设座谈会、金融支持新农村建设座谈会、民营企业支持新农村建设现场会，全面部署新农村建设工作。各市、县和各部门也通过召开新农村建设座谈会、举办培训班等形式，层层进行动员，统一了思想认识，为全面推进社会主义新农村建设打下了良好的思想基础。省、市、县都成立了新农村建设领导小组，下设办公室具体负责新农村建设的日常工作，切实加强对新农村建设的领导。

2. 广东农村发展取得的成就。

改革开放以来，广东积极有效地落实一系列支农惠农政策，着

力发展现代农业，全面推进农业结构调整，农业基础地位得到进一步巩固，农业农村建设取得显著成效，为建设经济强省、率先基本实现社会主义现代化提供了基础性支撑。

（1）农业经济持续增产增效。2007 年，全省全年农林牧渔业总产值 2821.19 亿元，增加值 1695.50 亿元，分别比上年增长 3.3% 和 3.2%。全省全年粮食作物播种面积 3719.30 万亩，产量 1284.66 万吨，同比分别增长 0.5% 和 3.4%，粮食亩产 345 公斤，增加 10 公斤。园林水果年末实有面积 1528.72 万亩，全年产量 950.65 万吨，分别增长 0.5% 和 6.4%。全省全年肉类总产量 385.68 万吨，同比增长 0.9%。肉猪出栏 3213.88 万头，下降 6.7%；家禽出栏 102284.77 万只，增长 9.9%；肉牛出栏 45.86 万头，增长 2.6%；肉羊出栏 41.60 万只，增长 4.8%。

（2）农民收入稳定增长。2007 年广东农村居民人均纯收入 5624.04 元，同比增长 10.7%，扣除价格因素，实际增长 6.5%。从收入的结构看，工资性收入稳定增长，农村居民人均工资性收入 3202.10 元，增长 10.2%。家庭经营纯收入恢复性增长，农村居民人均家庭经营纯收入 1838.60 元，增长 8.6%，扭转了上年同期下降 2.2% 的局面。非生产性现金收入继续保持快速增长，农村居民人均非生产性纯收入 583.30 元，增长 21.5%。

（3）县域经济保持良好发展势头。2006 年，全省 67 个县（市）实现生产总值 4664.5 亿元，比 2001 年增长 70.2%，年均增长 11.2%，县域生产总值占全省生产总值的比重达 18%，规模以上工业增加值 1001.47 亿元，比 2005 年增长 27.5%，比全省平均水平高出 9.2 个百分点；财政一般预算收入 150.56 亿元，比 2005 年增长 25.3%，比全省平均水平高出 4.9 个百分点。16 个扶贫开发重点县（市）和 48 个山区县（市）地方一般预算收入分别增长 34.3% 和 21.9%，均高于全省 20.45% 的平均增速。67 个县（市）中，生产总值突破 100 亿元的有 15 个，比 2001 年增加 13 个；一般预算收入超亿元的县（市）从 2001 年的 29 个增加到 54 个，平均每县（市）一般预算收入从 1.2 亿元增加到 2006 年的 2.2 亿元。

（4）城乡协调发展成效显著。2006年，广东省财政安排用于“三农”的支出预算为142.8亿元，比上年增长15.4%。全省金融机构“三农”贷款余额3207.3亿元。全省民营企业投入新农村建设的资金达103亿元。全省取消了农业税，免收了农民51亿元的税收，同时逐步下放县、镇权力，大大增强了农村发展活力。至2006年，全省共有5921个建制村通水泥路，通机动车；实现全省城乡电力同网同价；基本解决了全省180万农村人口饮水难问题，全面启动了惠及1600万农村人口的饮水安全工程；从2006年秋季开始全省农村实施免费义务教育；新型农村合作医疗覆盖率达95.6%，参合率达61.5%。2006年，全省农村固定资产投资1275亿元，农村消费品零售总额2058亿元，农民人年均纯收入达到5080元。

（二）广东社会主义新农村建设实践

2006年，广东省委、省政府按照中央提出的“生产发展、生活宽裕、乡风文明、村容整洁、管理民主”的目标要求，以科学发展观统领社会主义新农村建设。根据广东实际，出台了《关于加快社会主义新农村建设的决定》，明确了广东新农村建设的指导思想、基本原则和工作目标，以科学发展观统领社会主义新农村建设，采取一系列政策措施，加快新农村建设，促进了广东农业农村经济又好又快发展。

1. 大力发展现代农业，加快农业产业化经营进程。

广东发挥亚热带气候优势，大力挖掘农业内部潜力，通过发展现代农业提高农业综合生产能力和市场竞争力。继续巩固完善珠江三角洲和东西两翼、粤北山区22个农业现代化示范区建设，不断增强其辐射带动能力，促进区域现代农业发展。为适应广东工业化、城镇化发展要求，广东省委、省政府提出以耕地整治为重点，推进以农田标准化、农业机械化、种养良种化、经营产业化、服务社会化为目标的现代农业园区建设，有效地提高了广东现代农业建设的水平。加快农业产业化经营进程。2006年全省农业龙头企业

和农村经济技术协会，以及农民专业合作经济组织共7752个，带动434万农户，占总农户的45%，促进了农业增效，农民增收。

2. 不断推进县域经济发展，加快中心镇建设步伐。

为夯实新农村建设基础，广东省继续加大东西两翼和粤北山区县域能源、交通、水利等基础设施建设力度，营造良好的投资环境。围绕“一镇一品”，加快中心镇、专业镇建设。进一步放宽对县、镇经济管理权限，为县域经济发展创造有利条件。采取“山洽会”等形式，引导珠三角和泛珠三角地区的企业到东西两翼和粤北山区投资合作，推进县域经济快速发展。据统计，2006年，全省67个县（市）完成生产总值4664.5亿元，比上年增长15.0%，增幅提高2.3个百分点；完成规模以上工业增加值1001.47亿元，比上年增长27.5%，增幅比全省平均水平高9.2个百分点；县域财政一般预算收入150.56亿元，比上年增长25.34%，增速比全省平均水平高4.9个百分点。

3. 加大劳动力培训力度，推进农村劳动力转移。

2003年以来，省委、省政府把促进农村劳动力向非农产业转移就业摆上突出位置，明确提出“实行城乡统筹就业方针，加快建立城乡并重的就业制度和劳动力市场”。各地劳动部门以消除体制障碍，加强农村劳动力技能培训为突破口，积极探索建立城乡劳动者平等就业制度。广州、深圳、肇庆、佛山、江门、中山、珠海等市和佛山市顺德、南海区出台了城乡统筹就业相关政策。为提高农村劳动力的就业能力和创业能力，广东率先实施“智力扶贫工程”和“百万农村青年技能培训工程”，提高农民转移就业技能，促进农村富余劳动力就近转移。截至2006年，全省安排近2亿元，共培训农村劳动力48万人，广东省新增转移就业农村劳动力86万人。资助1.2万名农村贫困家庭子女免费就读技工学校，帮助32.5万农村贫困户人员实现就业。

4. 加快发展农村社会事业，全力解决农村民生问题。

广东省委、省政府把农村群众最关心、最直接、最迫切需要解决的民生问题摆上重要议程，集中人力、物力、财力解决农村最低

生活保障，农民群众饮水难、行路难、看病难、读书难、住房难问题。至2006年底，全省动态管理下的农村困难群众134万人实现应保尽保，基本解决农村180万人口饮水难问题，全省镇通建制村公路路面硬底化率达71.4%，新型农村合作医疗实现全覆盖，参合率达61.5%。从2006年秋季起率先在全国实施农村免费义务教育，全省1025万学生免交杂费。全省共落实和完成农村安居工程危房改造任务11万多户，占危房改造任务的73%。

5. 大力开展生态文明村建设，扎实推进村庄整治。

广东省委、省政府明确要求建立健全“省要管到县，市要管到镇，县要管到村”的城乡规划管理体制，出台了村庄规划和整治的指导意见，计划到2015年全省90%的村完成规划编制，70%的村完成整治工作。重点抓好村庄“五改”（改水、改厕、改房、改路、改灶）工作，并编制了村庄规划农房建设示范图集，指导各地村庄规划和整治工作。在全省范围内开展生态文明村、卫生村、平安村、文明户等创建活动，推动了全省村庄规划整治工作健康发展。

6. 加快推进城乡统筹发展，破解城乡二元结构。

按照中共中央提出的科学发展观的战略思想，中共广东省委、省政府于2005年4月作出了《关于统筹城乡发展加快农村“三化”建设的决定》，实施了五项战略推进措施：①统筹城乡产业发展，着力提升农村工业化和农业产业化水平。②统筹城乡规划建设与管理，提升农村城镇化水平。③统筹城乡居民就业，加快农村富余劳动力战略性转移，增加农民非农收入。④统筹城乡社会事业发展，建立健全农村社会保障体系。⑤统筹城乡体制改革，建立城乡协调发展的新机制。实践证明，广东统筹城乡发展的决策正确，思路清晰，目标明确，措施得力，成效显著。2006年，广东省财政安排用于“三农”的支出预算为142.8亿元，比上年增长15.4%。全省金融机构“三农”贷款余额3207.3亿元。全省民营企业投入新农村建设资金达103亿元。全省取消了农业税，免收了农民51亿元的税收，同时逐步下放县、镇权力，大大增强了农村发展活

力。至2006年，全省共有5921个建制村通水泥路，通机动车；实现全省城乡电力同网同价；基本解决了全省180万农村人口饮水难问题，全面启动了惠及1600万农村人口的饮水安全工程；从2006年秋季开始全省农村实施免费义务教育；新型农村合作医疗覆盖率达95.6%，参合率达61.5%。2006年，全省农村固定资产投资1275亿元，农村消费品零售总额2058亿元，农民人年均纯收入达到5080元。

（三）广东农村建设存在的问题及未来发展思路

1．广东农村建设存在的主要问题。

（1）资源条件对农业发展的约束越显突出。农业生产面临着耕地面积继续减少、生态环境整体恶化、水资源短缺的严峻挑战。人增地减、环境恶化的趋势仍在继续，资源条件对农业发展的约束越显突出。农业农村基础设施薄弱。

（2）农村劳动力素质偏低，就业不充分，制约着农民增收。目前广东省农村劳动力2397万人，初中文化程度以下的约占85%。其中，从事农林牧副渔业的劳动力1543万人，初中文化程度以下的占91%，高中文化程度的仅占8%，受过各种专业训练的仅占3%左右。同时城乡分割的二元体制及现行户籍制度，限制农民工向城市流动。农民文化程度偏低和劳动技能缺乏使农村富余劳动力转移就业难，农民增收任务艰巨。

（3）农业资金供求矛盾突出。目前，商业金融在农村金融领域的功能渐趋弱化，农业银行大量收缩在农村地区的机构网点；农村政策性金融功能不全，农业发展银行功能单一；作为农村金融主渠道的农村信用社未能发挥功能作用。因此，农户得到的贷款极其有限，农民贷款难的问题突出。

（4）农业农村经济发展仍面临着一些深层次的体制矛盾制约。一是城乡分割的二元经济结构仍未根本改变。农业和农村经济在资源配置和国民收入分配中仍处于不利地位，农村居民和城镇居民在发展机会和社会地位等方面仍不平等。农村教育、农村医疗卫生、农民养老保险等农村事业发展滞后，城乡居民享受公共服务和社会保障等方面差距过大。二是现行土地征用制度对农民不公，征地范围过宽，存在滥用土地征用权问题。部分征用土地闲置，农民失去赖以生存的条件，农民利益受损突出。三是农民进入市场的组织程度不高，在市场交易过程中谈判地位低。

（5）城乡区域经济发展不平衡的问题突出，呈扩大之势。“十五”期间，城镇居民人均可支配收入与农村居民人均纯收入的比例由2.67∶1上升为3.15∶1。珠江三角洲与东西两翼、粤北山区之间经济水平悬殊，而且差距继续拉大。同时，随着市场开放程度越来越高，广东省农产品的贸易逆差不断扩大，市场销售的压力日增。农民组织化和农业市场化程度偏低制约农业综合竞争力的提高。

2. 广东社会主义新农村建设未来的发展思路。

（1）优化产业结构，建设现代农业示范区。继续推进农业产业结构调整，发挥区域优势，发展特色农业，建设现代农业。优化农业区域布局，引导大宗农产品向优势产区集中，促进优势主导产品和产业区（带）的发展，在广东省范围内建设一批有较大规模、有地方特色、有较强竞争力的农业产业区（带）。优化粮食生产结构，稳定粮食生产能力。实施农产品名牌战略，进一步完善农产品质量检验检测体系和农产品质量认证体系，全面实施农业标准化，建设农业现代化示范区。

（2）加强农业科技创新，转变农业增长方式。

建立农业科技创新体系，加强农业基础研究和重大应用技术研究开发，改革创新农业技术推广体系，促进农业增长由粗放型向集约型转变。围绕广东省大宗、特色、优势农产品，进一步完善农业标准体系和农产品质量安全体系，促进农业增长由数量型向质量型转变。完善农业产业化运行机制，扶持发展农业龙头企业，提高农业生产组织化程度，积极发展农产品加工流通业，延长产业链，增加附加值，促进农业增长由分散型向产业化经营型转变。

（3）建立支持保护体系，增强农业发展基础。依照《农业法》

和《农业技术推广法》建立农业投资稳定增长的长效机制，加大财政对农业的投入总量，提高公共财政对农村的覆盖面；积极招商引资，引导社会投资农业，积极探索和开展农业保险，扩大农业保险覆盖面。集中财力，重点加强以小型农田水利基础设施、农业技术推广、动植物病虫防疫和控制、农产品质量安全体系、农村沼气、农业生态环境保护等为主的农业支持保护工程，完善以粮食补贴、种子种苗补贴和农机购置补贴为主的对农民直接补贴制度，增强农业发展基础。

（4）建设节约型农业，促进农业可持续发展。以提高资源利用率为核心，以节地、节水、节肥、节药、节种、节能和资源综合循环利用为重点，提高生物、工程、农艺、农机和材料技术的集成应用水平，有步骤地开展3S技术的研究与应用，发展精准农业。争取“十一五”末，使广东省农业有害物综合防治面积达到70%，测土配方施肥面积达60%，农药用量比现有水平减少10%，瓜菜等氮肥施用量减少10%，秸秆综合利用率达80%，农用水利用率提高5%～10%。按照“植物生产、动物转化、微生物还原”的农业循环经济理念，推广种地养地相结合的良好耕作制度，发展高效生态农业、循环型农业和标准化农业，科学合理利用农业资源，努力建设节约型农业生产体系。依法加强对农业生态环境的监督和保护。

（5）深化体制改革，建立城乡一体化体制框架。逐步改革城乡二元结构，消除不利于城乡一体化发展的体制和政策障碍，促进资源在城乡之间的合理配置，建立城乡基础设施和社会事业共同发展的运行机制。重点加快农村劳动力转移就业、户籍管理、城乡统筹就业、社会保障等制度改革，降低农民工进城门槛，切实保护农民利益，为农民创造良好发展环境。改革农村土地制度，从所有权、使用权、处置权、收益权等方面全面明确农村土地权属，切实保障农民的土地权益。继续推进农村“六小工程”（节水灌溉、人畜饮水、乡村道路、农村水电、农村沼气、草场围栏），建设和完善一批社会主义新农村示范点，扎实推进广东省社会主义新农村建设。

（6）加快主体功能区建设，大力推进农村劳动力培训和转移。加快编制实施主体功能区规划，调整优化国土开发空间布局，统筹沿海和山区经济发展，加快建立区域协调发展互动机制。加大农民教育培训工作的扶持力度，积极探索农民教育培训的新路子，特别是对经济欠发达地区采取有效措施，保证基层农民教育培训工作顺利开展，全面提高农民文化素质。

五、协调发展的区域经济和区域合作

（一）区域经济全面腾飞

1. 珠三角地区经济迅猛发展，成为全国经济发展最活跃和最具发展潜力的地区之一。

珠江三角洲位于广东省中南部、珠江下游，包括广州市，深圳市，珠海市，佛山市，江门市，东莞市，中山市，惠州市区、惠东县、博罗县，肇庆市区、高要市、四会市等市县。总面积54744平方公里，占广东省的30.5%。2006年末，常住人口4634.07万人，约占全省的49.8%。

改革开放以来，珠江三角洲充分发挥毗邻港澳的区位优势、信息优势以及华侨众多的人文优势，敢闯实干，开拓创新，采取一系列措施，促进了区域经济的腾飞，成为广东省乃至全国经济发展最活跃和最具发展潜力的地区之一。经过30多年的发展，珠三角逐步建立了一个具有较强生产能力、外向度高、新兴产业不断崛起的工业体系，产业结构不断优化，对外开放领域进一步拓展，已培育起雄厚的竞争力基础。珠江三角洲现已成为以电子、电气为主导的世界制造业中心之一，汽车、石化等重化工业也得到较大的发展，并基本形成以广州、深圳为龙头，以九大高新技术产业开发区为核心，以电子信息、新材料、生物技术、光机电一体化等产业为支柱的珠江三角洲高新技术产业带，成为全球性信息技术产业高度集中的地区之一。珠江三角洲工业化进程已从以劳动密集型轻纺加工业

为主的工业化初期阶段，逐步进入资金、技术密集型产业占据较大比重的工业化中期阶段，并形成了更为发达的外向型经济和日益紧密的大珠三角经贸合作关系。

2. 东西两翼地区全面提速，整体经济发展跨上了新台阶。

东西两翼地区包括东翼的汕头、潮州、揭阳、汕尾4市和西翼的湛江、茂名、阳江3市。2006年东西两翼面积为47418平方公里（东翼1.57万平方公里，西翼3.17万平方公里），约占全省的26.5%。2006年末常住人口3090.62万人，约占全省的33.2%。

省第九次党代会把区域协调发展确定为广东经济发展的四大战略之一，同时将加快东西两翼和山区发展作为实施区域协调发展战略的工作重点。2005年，省委、省政府高度重视东西两翼的经济发展，贯彻落实《关于加快县域经济发展的决定》、《关于促进县域经济发展财政性措施的意见》和《关于统筹城乡发展加快农村“三化”建设的决定》等文件精神，加大扶持东西两翼社会经济发展的力度，在资金和政策上大力支持东西两翼加快发展，同时加强珠江三角洲与东西两翼的经济合作，实现优势互补，促进共同发展。

（1）经济发展速度加快。2006年粤东、粤西分别完成生产总值1805.43亿元和2044.86亿元，分别比上年增长13.3%和14%。

（2）一批基础建设重点项目成功落户。全国最大的核电项目落户阳江，茂名80万吨乙烯扩建项目、广石化1000万吨炼油扩建工程进入施工高峰期。总投资达104亿元的湛江70万吨木浆、湛江港25万吨级航道和总投资达55亿元的潮州三百门电厂一期工程等，为东西两翼的发展带来新机遇。此外，2005年东翼投资、消费和出口需求增势良好，投资、消费和出口需求增速分别达到27.0%、15.5%和26.8%，实际利用外资增长10.4%；西翼投资和消费拉动作用明显，增速分别达到27.2%和17.9%，但出口和实际利用外资均呈负增长，分别为－12.9%和－18.2%，在一定程度上阻碍了经济加快发展。

（3）积极探索加强与珠江三角洲合作的新途径。根据省政府

《关于我省山区及东西两翼与珠江三角洲联手推进产业转移的意见（试行）》，按照两类地区在优势互补、利益共享的原则下共建产业转移园区的构想，经省政府同意，中山火炬（阳西）产业转移工业园和中山石岐（阳江）产业转移工业园成为广东省产业转移工业园，将有利于东西两翼工业集聚和经济发展。

3. 粤北山区大力发展特色经济，经济实现跨越式发展。

广东省山区包括韶关、河源、梅州、清远和云浮五市，面积共77051平方公里，占全省的43%。2006年末常住人口1579.31万人，占全省总人口的17%。广东省委、省政府一直高度重视山区的经济发展，近年来先后制定了《关于加快山区发展的决定》、《关于加快中心镇发展的意见》、《关于加快县域经济发展的决定》和《关于统筹城乡发展加快农村“三化”建设的决定》等文件，出台了一系列扶持山区社会经济发展的优惠措施，同时加强珠江三角洲与山区的经济合作，实现优势互补，促进共同发展。山区五市积极贯彻实施省委、省政府关于促进经济发展的一系列政策措施，努力探索，开拓创新，大力发展特色经济，使整体经济发展跨上了一个新的台阶，综合经济实力明显增强。

（1）经济发展步伐加快。“十五”时期，广东省委、省政府成功举办了两届珠三角与山区经济技术合作洽谈会，共签订合作项目1430项，履行项目1063项，总金额达645.44亿元，向珠江三角洲地区输出劳动力超20万人。扎实推进山区与珠三角共建产业转移工业园区，促进山区经济发展进入快车道，对山区经济总量增长、产业结构优化、财政利税增收等都产生了积极的作用。2006年山区五市地方财政一般预算收入达到84.58亿元，比上年增长27.7%。其中，清远、河源的发展尤为突出。2005年清远经济全面提速，GDP增长23.3%，地方财政一般预算收入增长35.5%，同时人均GDP突破了1000美元大关，在全省公布的八大主要经济指标中，包括GDP在内的七个指标增长排在全省第一位。河源市2005年实现地方财政一般预算收入增长41.5%，为全省第一，GDP增长21.5%，名列全省第二。

（2）产业结构不断优化升级。“十五”以来，山区五市产业结构优化升级，第二、三产业协调发展。2006 年三次产业结构为 20.4∶45.2∶34.4，由以农业为主转变为以第二、三产业推进，三次产业齐头并进的新格局。工业增速迅猛。通过扶强扶优，促使劣势企业退出市场，大力吸引外来工业投资，新增大批工业生产能力，形成一批优势企业和支柱产业。2005 年山区地市工业共有规模以上企业 3593 家，比 2000 年增加 476 家；资产总计 2036.60 亿元，较 2000 年增长 30.0%，“十五”期间年均增长 5.4%；2005 年完成增加值 570.43 亿元，比 2005 年增长 29.3%，分别高于全省平均水平和珠江三角洲 12.3 个百分点和 13.1 个百分点，是 2000 年的 2.07 倍，年均增幅 15.6%。

（二）区域经济协调发展与区域经济合作

1979 年以来，广东在改革开放中“先行一步”，整个区域经济得到前所未有的发展，区域经济协调及合作呈现良性发展势头。它包括广东省内不同类型地区间的协调、合作，也有广东与港澳台地区的协调合作以及与周边省区的协调合作。

1. 区域经济协调发展。

（1）将区域经济协调发展战略作为广东四大经济发展战略之一。广东省委、省政府高度重视省内区域经济协调发展问题，将区域经济协调发展战略作为广东四大经济发展战略之一。广东省委、省政府深入贯彻落实科学发展观，为实现中央对广东提出的“加快发展、率先发展、协调发展”的目标，出台实施了《关于加快山区发展的决定》、《关于促进粤东地区加快经济社会发展的若干意见》等重要文件；编制了《广东省东西北振兴计划（2006—2010 年）》、《关于加快粤东地区发展产业与重大项目规划》等规划，谋划促进区域协调发展。

（2）强化投资和重大项目在优化布局中的作用。广东省强化投资和重大项目在优化布局中的作用，注重把新建的燃煤电源和核电项目、石化重点项目向山区和东西两翼倾斜。2003—2007 年，全省共安排东西两翼和粤北山区省重点项目132项，占项目总数40.2%。2002—2007年，广东省共争取国债及中央预算内投资78.09亿元，主要用于东西两翼和山区欠发达地区的基础设施建设，投向农村电网、农村公路、高速公路、水利、环保、公检法司、城镇和农村供水饮水等方面。“十一五”期间规划东西两翼和山区建设重点项目约175个（部分项目跨区），超过全部重点项目总数的50%，比“十五”期间提高6个百分点；总投资约占全部重大项目投资的41%，提高12个百分点。重大项目建设激活了东西两翼和山区的投资，有力促进了经济社会的加快发展。

（3）加大力度推进产业和劳动力“双转移”。近年来，省委、省政府高度重视区域协调发展问题，大力推进产业转移和劳动力转移，积极引导东莞、中山、佛山等珠三角地区推动产业梯度转移，逐步把生产基地转移到东西两翼和北部山区，极大地促进了山区经济的发展，城乡统筹发展格局初步形成。广东省把推进省内区域合作作为促进区域协调发展的重要推动力。近年来，省内区域间的对口帮扶、互利合作不断加强。珠三角9市（不包括惠州、肇庆）对口帮扶16个扶贫开发重点县和4个山区县，累计落实财政帮扶资金8亿多元。珠三角与东西两翼和山区联手推进产业转移取得阶段性进展。省政府先后举办四届珠江三角洲地区与山区及东西两翼经济技术合作洽谈会，洽谈会成为省内区域间经贸合作的重要平台。

目前，全省东西两翼经济基础进一步改善，发挥农业、海洋、临港工业等优势，大力发展特色经济和民营经济，工业发展步伐开始加快；山区综合开发成效显著，利用资源优势和后发优势，承接珠三角产业转移，大力发展特色经济，经济增长速度明显加快，产业结构不断优化，整体实力跨上新台阶。2005年，51个山区县的工业总产值增幅超过全省和珠三角；2006年10月，粤北山区和东西两翼规模以上工业增加值、社会消费品零售总额、一般预算收入等主要经济指标的增幅均超过全省平均水平；2006年11月，农村投资和消费增幅首次超过城镇。

2. 粤港澳合作深入推进。

改革开放以来，粤港澳经济合作取得了举世瞩目的成就。在这种优势互补、互利互惠的合作关系下，广东迅速完成了工业化的进程，建立起对外开放的先发优势，30 年来获得 GDP 年均 13% 的快速增长。与此同时，港澳地区则顺利实现了产品转型升级，延续了国际竞争力，保证了回归过渡期的稳定和回归后的持续繁荣。

（1）粤港合作联席会议工作机制，特别是 CEPA 的签署，推动粤港澳合作进入了新的发展时期。特别是港澳回归以来，粤港澳三地合作取得了巨大成就，粤港澳之间的经贸合作领域、深度和层次在不断扩大。1998 年建立了粤港合作联席会议工作机制，2003 年建立了粤澳合作联席会议工作机制，将两个合作机制提升到双方行政首长出面主持的高度。2003 年，中国内地与香港、澳门分别签署《关于建立更紧密经贸关系的安排》（简称 CEPA），粤港澳合作进入了一个新的历史发展时期。

在投资贸易合作方面，至 2006 底，广东经批准的港资企业累计达 9. 25 万家，截至 2006 年 11 月底，全省累计吸收香港直接投资项目超过 9. 8 万宗，实际吸收香港直接投资累计超过 1200 亿美元，占广东实际吸收外资的六成多。截至 2006 年 10 月，广东累计引进澳资企业 7000 多家，实际投资累计达 4. 3 亿美元。据统计，广东 2006 年吸收香港服务业项目 2100 多个，实际利用外资 18. 1 亿美元。广东口岸进口香港 CEPA 项下“零关税”产品的受惠货值 2. 8 亿美元，减免税款 2 亿多元人民币，约占全国的七成。

（2）CEPA 框架下，粤港澳服务业合作不断深入，层次不断提高。在 CEPA 框架下，广东省制定并公布了港澳 26 个服务行业进入广东省的投资便利化措施，有力推动了三地物流、会展、金融、法律等服务业的合作发展。截至 2006 年 6 月底，广东省共有港资银行 22 家，有 3 家广东省股份制银行赴港设立分支机构，中兴通讯、富力地产等多家企业赴港上市成功。2006 年，广东吸收港澳服务业项目 2419 个，实际利用外资 19. 93 亿美元。

广东省从 2003 年 7 月率先试行开办赴港澳个人游，至 2006 年底，累计办理个人游签注3011.95万个，实际赴港澳3251.72万人次，均占全国的八成以上。2003年以来，粤港两地每年都在印度旅游展、广州国际旅交会、德国柏林展、香港国际旅交会及日本东京展等国际重大旅游展销会上开设联合展台，并联手在日本、韩国、法国、加拿大、泰国等主要客源地进行专题促销活动。

（3）连接粤港澳的交通网络日益完善，口岸通关日益便利。连接粤港澳主要城市的交通网络日益完善，深圳罗湖口岸人行桥改造工程、皇岗/落马洲口岸和沙头角口岸加建跨境公路桥工程于2004年完工，东莞寮步车检场于2006年12月启用，深港西部通道于2007年开通，深圳福田口岸工程也已竣工，广深港客运专线工程建设正在推进当中，港珠澳大桥研究论证工作取得新突破。

广东跨境口岸通关日趋便利，深圳、东莞、中山等地至香港国际机场的航线逐步开通，深圳皇岗、文锦渡、沙头角口岸启用了边检“快捷通”系统和海关“电子自动核放系统”，港澳旅客自助查验系统在罗湖口岸顺利投入运行，港方研发的“点子通道”（E-Channel）也先后在罗湖、落马洲管制站建成投入使用。

（4）拟建特别合作区，组建中国最强大的超级都市圈。改革开放30周年之际，粤港澳三地的合作可望有突破性的重大举措，三地有可能成立特别合作区，从而在经贸、社会、文化等多领域探索如何更好地融合，组建中国最强大的超级都市圈。

3．泛珠合作上新台阶。

泛珠合作从2004年6月正式开始实施，四年来合作各方分别在粤港澳、四川、云南、湖南成功举办四届泛珠论坛和洽谈会，全面推进经贸、交通、能源、旅游、劳务、民生等合作。合作各方第一年签署框架协议，达成共识，第二年制定规划纲要，进一步明确方向，第三年制定专项规划，认真组织实施，第四年扩大合作领域，务实推进项目实施，泛珠合作实现了一年迈出一大步，获得累累硕果。

（1）两大合作平台有力推动各方经济社会又好又快发展。据统计，截至第四届泛珠洽谈会结束，合作各方累计签约项目超过

1.4万个，总金额超过1.6万亿元。历届承办方通过承办论坛和洽谈会，既扩大了自身影响力，又获得巨大的经济利益。第一届洽谈会期间承办方广东省签约项目710个，金额1336亿元，分别占总数的83.8%和45.7%；第二届承办方四川省签约项目133个，金额147亿元，分别占18.9%和12.8%；第三届承办方云南省签约项目297个，金额1065亿元，分别占29.1%和53.8%；第四届承办方湖南省签约项目797个，金额1981亿元，分别占46.2%和49.4%。与此同时，历届泛珠洽谈会签约项目落实情况好，履约率高，其中广东在前三届洽谈会上签约项目综合履约率分别为72%、85.5%和85.6%。合作各方通过论坛和洽谈会两大平台有力推动了经济社会又好又快发展。

（2）加强合作机制建设和规划编制，确定了行政首长联席会议制度等协调制度框架。合作各方坚持以规划为龙头、以机制为保障开展合作，使泛珠合作稳步推进并呈现勃勃生机。

完善区域合作架构和机制。签署《泛珠三角区域合作框架协议》，确定了行政首长联席会议制度、政府秘书长协调制度、日常工作办公室制度以及部门衔接落实制度等，并在广东省设立泛珠三角区域合作行政首长联席会议秘书处。

制定区域合作发展规划蓝图。配合国家“十一五”规划，编制并推进实施《泛珠三角区域合作发展规划纲要（2006—2020年）》及交通、能源、科技、信息化、环保等专项规划，有序推动了区域合作的发展。

积极探索异质性合作路子。充分发挥各方优势，致力于打破过去以行政区域配置资源和规划经济发展的模式，按照区域经济发展规律和生产力发展的内在要求，在三个关税区之间，在自觉自愿基础上，努力搭建有组织、有制度保证的区域合作新平台。

积极推进与长三角、环渤海两大区域的交流合作，通过签署《关于区域合作组织间开展工作交流与合作的协议》，开展工作互访和交流、互邀参与区域组织重大活动等，促进三大经济圈互联互动。

（3）推动优势互补、互联互动，促进东中西部协调发展。合作各方积极响应国家西部大开发和中部崛起战略，以加强泛珠合作带动东中西部的联动发展。

以推动产业转移为途径，优化东中西部产业布局。仅在第四届洽谈会上广东就签约产业转移项目233个，投资总额246.55亿元。广东丝绸集团作为控股方参与重组广西、湖南丝绸集团，成为泛珠区域产业优势互补的最佳范例。近三年来，湖南实施泛珠合作项目7500多个，引进资金年均增长50%以上；江西与泛珠省（区）签约5000万元以上工业项目869个，实际引资532亿元，占该省实际引资的40%以上。

各省（区）积极推进跨区域的高速公路、铁路、水运、航空及能源项目规划建设，内地九省（区）分别与铁道部签署了战略合作协议，交通部编制印发了《泛珠江三角洲区域合作公路水路交通基础设施规划纲要》。绝大部分省（区）间至少有一条高速公路已建成通车，黔滇、滇川跨省高速公路加快建设，贵阳经桂林至广州的高速公路贵州段国家已批准立项并于2007年开工建设，厦深、向莆铁路建设的前期工作正在扎实推进。区域内实现粤桂滇黔四省（区）500千伏输电线路联网，“西电东送”输送能力超过1200万千瓦。

建设公平开放规范的市场环境。内地九省（区）工商、税务、质监、食品药品监管、知识产权、反走私、金融以及海关、检验检疫等部门，采取清理有关法规、加强执法合作等有力措施，初步营造了公平、开放、规范的市场环境，促进了企业的跨省（区）发展。

（4）加强国际交流与合作，架起我国与东盟合作发展新桥梁。合作各方积极参与中国—东盟自由贸易区建设。在第三、四届论坛期间，成功举办两次泛珠三角区域行政首长与东盟国家商务部官员对话会，探索建立泛珠区域与东盟地区互利双赢的稳定合作机制。与此同时，泛珠各省（区）加快推进建设连接东盟的国际大通道，连接云南和泰国的昆曼铁路于2008年3月21日基本建成，广西正

重点建设从南宁经越南、老挝或柬埔寨、泰国、马来西亚到新加坡的铁路和高速公路网。

近年来，泛珠各省（区）与东盟的投资、贸易合作迅速发展。2006 年内地九省（区）与东盟的进出口贸易额达 560.3 亿美元，同比增长 21.2%。此外，各省（区）还通过泛珠平台加强与欧洲、北美、非洲、中东、俄罗斯的合作。欧洲、北美、阿拉伯等地区的一些政府和大型企业明确表示要加强与泛珠地区合作，并派观察员、企业家代表参加论坛，泛珠三角的国际影响力逐步增强。

4. 区域经济协调发展和区域经济合作未来发展思路。

前瞻性、全方位地重构广东省区域发展格局，逐步形成主体功能清晰、发展导向明确、经济发展与人口资源环境相协调、区域之间分工合理的有序发展格局，提高粤港澳和泛珠三角区域合作水平，促进区域协调和合作发展，是区域经济协调发展和区域经济合作的发展思路。

（1）加快主体功能区的规划建设，调整优化区域空间结构。根据广东省不同区域的自然资源禀赋和现有状况，全省划分为优化开发区域、重点开发区域、限制开发区域和禁止开发区域四类主体功能区。①优化开发区域的国土开发密度较高，资源环境承载能力开始减弱，发展受空间和环境的制约十分明显。要改变依靠大量占用土地、大量消耗资源和大量排放污染物实现经济较快增长的模式，把提高经济增长质量和效益放在首位，继续成为带动全省经济社会发展的龙头和广东省参与经济全球化的主体区域。②重点开发区域的资源环境承载能力较强，集聚经济和人口的条件较好。要充实基础设施，加快工业化和城镇化，壮大经济规模，增强吸纳资金、技术、产业和人口集聚的能力，承接优化开发区域的产业转移，承接限制开发区域和禁止开发区域的人口转移，逐步成为广东省新的经济密集区和人口密集区。③限制开发区域的生态环境较弱，集聚经济和人口的条件不够好。要坚持保护优先、适度开发、点状发展，兼顾发展经济和保护生态环境，逐步成为广东省重要的生态功能区。④禁止开发区域是指依法设立的各类自然保护区域。

要依据法律规定和相关规划实行强制性保护，严禁不符合保护区功能定位的开发建设。各地要按照以上四类功能区定位规范区域开发秩序，落实土地用途管制，实施分类管理的区域财政政策、投资政策、产业政策、土地政策、人口政策和绩效评价、政绩考核标准。

（2）抢占价值链高端，加快推进珠三角地区的转型升级。进一步强化中心城市对全省经济发展的龙头带动作用，把广州建设成带动全省、辐射华南、影响东南亚的现代化大都市，把深圳建设成富于创新活力，具有中国特色、中国风格、中国气派的国际性城市。经济特区要继续增创新优势，走出新路子，办出新特色，实现新发展。珠三角要提升发展层次，继续做优做强，实现“品牌输出，产业转移，拓宽空间；高新引进，优化结构，再上台阶”。逐步将劳动密集型产业向东西两翼、山区转移，拓宽发展的空间。加快机制创新和技术创新，加快产业要素集聚，重点发展技术和知识含量高的制造业和现代服务业，着力提升产业结构的层次和集约化程度。加强城市之间的分工协作和优势互补，整合区域内产业、资源和基础设施建设，推进珠三角城镇群协调发展，努力将珠三角打造成世界级的先进制造业基地和充满生机活力的城市群。加快广州南沙开发，把南沙建成珠三角乃至全省新的重要经济增长极和环境优美的现代化滨海新城区。加快珠三角与东西两翼、山区连接地域的发展。

（3）加快共建产业转移园区，推动东西北地区跨越式发展。加快共建产业转移园区，推动两翼、粤北山区与珠三角的互动发展。实行差别化产业政策，促进珠江三角洲、两翼、山区的产业形成各有侧重的梯度合理分工。积极推进珠三角产业向山区和两翼转移。加强产业转移中的环境保护，限制高污染产业转移到两翼和山区。建立健全区域重大基础设施、环境保护、资源开发利用等重大事项的协调机制，实现两翼、山区与珠三角利益共享和共赢。继续加大对少数民族地区、革命老区建设的扶持力度。

加快东西两翼发展。加大扶持力度，支持两翼重大基础设施和重大项目建设，推动两翼经济进入快速增长期。以建设公路网、铁

路网、海港等为重点，完善交通基础设施。强化工业在两翼发展中的主导地位，发挥两翼的临海区位优势和资源优势，重点发展临港重化工业、特色产业和配套产业。通过建设一批重大项目，提高区域工业经济的自我发展能力，使两翼成为广东省产业发展新的增长点。加快建设现代渔港经济区。

加快山区发展。积极落实扶持山区发展的政策措施，加强山区公路、水利、农村电网和信息化等基础设施建设。山区产业发展要按照适度发展、集中开发和严格保护环境的原则，发挥自身资源优势，大力发展旅游等特色产业、资源加工业和劳动密集型产业。围绕全省主导产业，积极与珠三角产业互动，发展配套产业。

（4）利用共同建设河套地区的契机，大力推动粤港澳三地优势互补和资源融合，共同打造成为世界上最具活力的经济中心之一。

按照“前瞻、全局、务实、互利”的原则，进一步落实内地与香港、澳门关于建立更紧密经贸关系的安排，发挥粤港澳各自的优势，全方位加强合作。重点加强粤港澳制造业和服务业发展的合作，引进吸收港澳现代服务业，提升广东省服务业的竞争力。推动广东省企业在港澳发展业务，促进港澳的繁荣稳定。积极推进粤港澳在物流、旅游、金融、中介咨询、科技、教育、文化、卫生、信息、环保和口岸通关等各领域的合作。利用共同建设河套地区的契机，加快粤港两地的优势融合，大力推动服务业的深层次合作。加快跨境基础设施建设。力争在今后 10 ~ 20 年内，把“大珠三角”建设成为世界上最具活力的经济中心之一。

（5）积极筹划建设泛珠三角横琴经济合作区，推进泛珠三角区域合作。坚持自愿参与、市场主导、开放公平、优势互补、互利共赢的原则，按照政府推动、市场运作的模式，创新合作机制，制定和实施合作规划，以落实合作项目和消除行政壁垒为重点，整体推进、分步实施，共同推动泛珠三角区域内各方合作。完善区域综合交通网络，重点推进区域内高速公路、铁路干线、沿海港口、内河航道和机场建设，进一步提高区域综合运输能力。加强区域电力输送、电源建设和煤炭、天然气、油品供应等能源方面，以及产业投资、科技、物流、信息化、商贸、旅游等领域的合作，形成多领域、多层次、全方位的合作格局。逐步消除影响区域合作的障碍，建立公平开放的区域市场体系。

第八章
和谐广东

人类的发展史就是一部追求民生幸福的奋斗史。无论社会怎么发展，民生幸福始终是人们最关心的问题。改革开放30年来，中国共产党领导人民探索中国特色社会主义道路，从邓小平的“共同富裕”的思想、江泽民的“三个代表”的重要论断，到胡锦涛为核心的党中央提出的科学发展观，归根到底都是为了更好地代表最广大人民的根本利益，更有效地追求民生幸福，更全面地建设和谐社会。

广东的发展，本质上，体现在社会建设上有效解决民生问题、建设和谐社会。改革开放30年来，广东人用“开眼看世界”的开放、海纳百川的兼容、动态求变的创新等精神，不断改善民生，追求社会的全面进步。

一、社会建设彰显改革新貌

伴随着改革开放的进程，广东的社会建设、民生建设开始起步，取得了一系列成效。1978—1992年，社会建设形成新风貌；1993—2002年，民生建设取得新进展；2003年至今，建设和谐广东有了新成效。

（一）社会建设的新风貌

1978—1992 年是广东社会建设的奠基时期。在改革开放的第一个春天，广东社会建设的重点放在构建符合改革进程的政治、经济与社会秩序，并随经济体制改革进程逐步推进城镇化建设，建立适合工业化发展的基础设施，其主要目标就是适应经济发展第一次跨越的需要。

1. 城市化进程逐渐加快。

工业化是城市化的基本动力，珠江三角洲发展的历程就是最好的例证。珠江三角洲的工业化从 20 世纪 80 年代初起步，到 1985 年前后开始进入工业化的高速发展时期，非农产业（第二、三产业）比重已达 75% 以上，从而拉动城市化从 1985 年的 34. 4% 上升到 1990 年的 48. 5%①，广东（尤其是珠江三角洲地区）的城市化进程逐渐加快，至 1993 年底，广东已有建制市 38 个（20 个地级市，18 个县级市），形成了沿珠江城市群和粤东沿海城市群。同时，城镇化建设已显规模，珠江三角洲城镇群基本连成一片。其间，社会基础设施建设和能源、通信等方面的建设取得巨大进展，至 1993 年，新建等级和等级以上公路 6074 公里，铁路 650 公里，新增港口吞吐能力 3900 多万吨，民用航空设施先进、航线密集，航空货运量大，形成了民航、铁路、公路和水运网络式的交通运输。为广东经济腾飞、社会发展和改善人民生活创建了坚实的外部环境。

2. 社会治理确保社会稳定。

在经济迅速发展的同时，各种经济犯罪不断涌现，刑事案件严重影响了人民的生活。因此，广东在狠抓经济建设的同时，加强社会治理，严厉打击各种刑事犯罪和经济犯罪活动，确保经济建设顺利进行。

① 数据来源于广东百科全书编撰委员会：《广东百科全书》，中国大百科全书出版社 2008 年版。本章中的数据，如果没有特别说明，均出自《广东百科全书》、广东省历年政府工作报告和 2007《广东统计年鉴》。

广东根据国家总体部署和自身情况，开展了“严打”战役、除“七害”统一行动、缉私行动、反黑社会行动和反贪污贿赂斗争等。其中，反黑社会行动格外引人注目。得改革开放风气之先的广东，毗邻港澳地区，与台湾一水之隔，特殊的地理位置和较发达的经济条件，使之成为内地最早受到港澳台黑社会组织进行渗透犯罪的地区之一。早在20世纪80年代初期，深圳和珠海等城市就首当其冲。80年代中后期，港澳台黑社会渗透犯罪逐渐波及珠江三角洲的广州、惠州、东莞、江门、中山、佛山以及沿海的汕头、汕尾、湛江等地。因此，1989年当全国提出开展“除‘六害’[①]统一行动”时，广东根据本省实际提出了“除‘七害’统一行动”，比全国的除“六害”多了一项“打黑”的内容。

1979—1991年底，广东省公安机关破获特大案件108722件。这些实践，有力地保证了广东改革开放事业顺利进行，保障了人民平安稳定的生活，促进了社会发展。

3. 初步探索社会保障制度。

国营企业职工退休费用社会统筹开始建立。从1984年开始，广东、江苏和辽宁等省的少数市、县，首先进行了国营企业职工退休费用社会统筹的试点。方法是：市、县或省的劳动部门，根据当年当地养老金的支出，确定社会统筹基金的缴纳比例，统一向企业征收，再根据需要返还企业，由企业负责发放。在试点取得较大进展的基础上，1986年，全国各地开始全面推行养老保险社会统筹。

面对农村老年人口数目的迅速增长和家庭养老弱化的情况，广东省较早开始了农村养老改革。从1990年开始农村养老保险试点工作，主要有政府民政部门主办、委托商业保险机构开办、社会保险机构管理等几种形式。试点主要集中在经济较发达的珠江三角洲地区（深圳、珠海、东莞等市），经济落后地区基本上还没有开展。

---

① 六害：指卖淫嫖娼，制作、贩卖、传播淫秽物品，拐卖妇女儿童，私种、吸食、贩卖毒品，聚众赌博，利用封建迷信违法犯罪。

这期间，不少地区成立了残疾人教育中心，残疾人康复中心，老年大学、老年人培训中心、老年人康复中心等。这些社会保障措施，使孤寡老弱者得到了较好的安置，精神文明风气蔚然。

4. 志愿服务领国内潮流之先。

在这期间，志愿文化在中国落地生根。1987 年，中国第一条志愿者服务热线诞生于广州市；1990 年，第一个注册志愿者社团诞生于深圳市。当时的志愿活动并非政府自上而下地推动，而是民间自下而上地发起。当时，广东率先改革开放，数以百万计的农民工涌向经济特区打工谋生。由于在外资企业、“三来一补”企业、私营企业发展的初期，关于劳资关系的法律缺乏，保障员工利益的法律缺乏，农民工权益受到侵害的现象比较普遍。早期的志愿者就是为了帮助农民工、帮助流动人口，保障他们的基本权益、人身安全、生活尊严，借鉴外国和港澳的经验，开展志愿服务。“从资料可以看出，深圳市 1985 年户籍人口与暂住人口接近，随后暂住人口逐渐超过户籍人口，到 2003 年暂住人口比户籍人口多 256 万，是非常特殊的移民城市。那么，移民人口，不论是迁入人口还是流动人口，他们对于义务工作的需求都特别强烈。”① 因此，深圳市一些热心人士发起志愿社团，开展服务社会公平、民众幸福的活动，引起了社会的强烈反响。

受到深圳的影响，广州市的志愿者也拓展了服务，佛山、珠海等市产生了志愿者群体。总体而言，这时候的志愿服务还没有受到政府的特别注意，但是在社会上已产生良好的反响。

（二）民生建设的新进展

1993—2002 年，在改革开放第二个春天，广东经济实现了第二次跨越。在这个坚实的基础上，广东的社会建设与社会治理取得新突破，社会保障体系逐步建立，范围不断扩大。民生问题取得新

---

① 谭建光、凌冲：《中国深圳义务工作发展报告》，广东人民出版社 2005 年版，第 8 页。

进展。

1. 帮助下岗职工再就业。

伴随社会全面改革与转型，国有企业改制打破了职工终身制待遇，失业成为一个严重的社会问题。

拓宽就业渠道，加快社会保障制度建设。2000年开始，国有企业新增下岗职工不再由企业再就业服务中心保障基本生活和安置再就业，转向享受失业保险，直接通过市场实现再就业。为此，广东尽量增加再就业岗位，提高下岗职工再就业能力，并尽力保障下岗职工的基本生活。

根据再就业培训工作的需求，广东大部分地区建立了相关的信息库，包括下岗职工信息库、培训单位信息库、师资信息库等，为培训工作的管理提供依据。比如1998年，广东国有企业下岗职工45万人，其中24万人参加再就业培训，再就业率70%。[①]

职工下岗或失业是经济发展多年积累的深层次矛盾的综合反映，也是改革和发展进程中必然经历的阶段。因此，在社会保险体系不健全的情况下，由政府大力促进和推动的再就业工程是分流安置下岗、富余职工和解决失业人员再就业的最现实的选择。

2. 社会保障制度求安心。

广东在这个阶段开始建设社会保障制度。1997年，广东省在全国率先建立了城乡居民最低生活保障制度。是年，国务院正式发文《关于在全国城市建立居民最低生活保障制度的通知》，肯定了广东的做法。养老制度不断完善，失业、医疗等方面的制度开始建立并不断完善。广东省在2002年起在全省推行新型农村合作医疗制度，资金筹集在自愿的基础上以农民负担为主，省财政对困难地区给予一定时期的财政补贴。至2002年底，全省企业养老、失业参保人数分别比1997年底增加了156%和111%。城镇职工基本医疗保险制度改革稳步推进，至2002年底，全省共有670万职工参

① 劳动和社会保障部中国就业培训技术指导中心：《中国国有企业下岗职工再就业培训情况调研报告》，1999年。

加了医疗保险。广东规定了最低工资标准，为生活困难的特殊群体建立起低保救济制度。农村社会保障制度建设也进入了先期探索试验阶段。

3. 农民工社会保障的必由之路。

广东现有外来务工人员约3000万人，约占全国跨省流动就业人员总数的1/3，占广东省就业人口总数的1/3，成为珠江三角洲地区一支重要的产业大军。外来工对广东GDP的贡献率达25%，但他们的权益并未受到足够的重视，其合法权益没有得到充分合法的保护。广东率先和高度重视对外省打工群体和农民进城打工群体的社会保障问题。1996年7月1日施行了《广东省职工失业保险暂行规定》，率先在全国规定了在广东就业的劳动者，不分就业单位性质及其职工身份，不受户籍限制，一律将就业者纳入社会保障范围。这个重要举措，顺应了我国社会转型的要求。

4. 促进城乡协调发展。

2000年下半年，广东省在全省17个地级市86个县（市、区）近千个乡镇中开展了扶贫“两大会战”，初步解决了山区和欠发达地区的教育、交通和用水等突出难题，全省不同区域共同发展。在“两大会战”中，全省未通机动车的905个行政村按计划实现了村村通公路，新修村公路5093公里，受益人口达到305万人；未通电话的816个行政村全部实现通电话，架设杆路7691公里，架设电缆8097公里，架设光缆2062公里，安装接入设备6.2万线和无线信道378个，受益人口达到296万人；未通邮的51个行政村全部实现通邮，新延伸邮路1865公里，增加投递人员230多人；未通广播电视的54个行政村实现了通广播电视。人均半亩“保命田”的会战，新造地8.17万亩，改造地31.45万亩，完成替代经济林28.25万亩，各地配套建设田头蓄水池10155个65.67万立方米，为39万贫困农户188万人解决了人均半亩“保命田”；政府安排27.3亿元用于水利设施落后地区的水利建设，逐步解决了这些地区群众饮水、灌溉等问题。同时，通过财政转移支付积极帮助贫困农村和欠发达地区脱贫，促进了城乡协调发展。从2001年起，

省政府每年安排财政专款，建立免收人均年收入1500元以下困难家庭子女义务教育阶段书杂费制度，这项“民心工程”让贫困家庭能过个安心年；2002年，筹措20亿元解决了农村中小学教育历史欠账，促进了农村教育的正常发展。这些举措，为加快我省贫困地区脱贫奔康步伐创造了良好的条件。

广东扶贫工作一直走在全国前列。1997年底，提前3年在全国率先实现“八七扶贫攻坚计划”，东西两翼和粤北地区发展的基础条件明显改善。2002年底，广东农村居民人均纯收入和城镇居民人均可支配收入分别达到3912元和11200元，城镇居民和农村居民人均住房面积达到24.5和24.1平方米，全省人民生活达到了小康水平。农村的教育、交通、通信、用水等农村基础设施得到了全面发展，乡村社会建设出现良好态势。

5. 社会治安综合治理的自我完善。

这个时期，面对社会治安状况不良和违法犯罪率飙升的情况，为了服务于改革与发展大局，以“社会稳定压倒一切”为目标，广东实施社会治安综合治理。

从1991年起，广东省坚持“打防结合，预防为主”的方针，全面开展社会治安综合治理工作，并逐步建立了社会治安综合治理各项规章制度，深入开展严打整治斗争。广东改进了警务运作机制，将大量警力投放到社会面；各地加强了对各金融网点、重点要害部门、大型公共场所等的重点防范和专项防范；同时，全面加强110报警系统和110免费信箱建设，大力加强群防群治工作；加强社会治安综合治理，严厉打击各种严重刑事犯罪活动，扫除“黄赌毒”，坚决取缔“法轮功”邪教组织；反走私斗争保持高压态势。1997—2002年，广东各级法院共审结各类刑事一审案件198964件。总之，广东省高度重视社会治安综合治理工作，从思想源头上提升社会主体法律意识，从制度源头上健全和完善地方立法，以突出的违法犯罪现象作为阶段性严打和社会治安治理的重点，扭转了社会治安恶化的趋势，有效地维护了社会稳定。

随着社区的建立，1991年，广东省在全国率先开展了安全小

区创建活动。并且，安全小区建设由城市向农村、由易创建地区向治安复杂地区逐步扩展，覆盖了70%以上的城乡和80%以上的人口。

6. 志愿服务的机制创建热潮。

广东共青团组织率先大力推进志愿事业，在改革开放的形势下重新弘扬人与人之间相互关怀、相互帮助的风尚。这样，中国现代化建设就避免了单纯经济发展而社会冷漠，铺垫了社会和谐、人性关怀的基础。

1995年，广东省青年志愿者协会成立，一直致力开展各种促进社会文明进步、服务人民群众生活的活动，产生强烈的社会反响。青年志愿者组织"一枝独秀"，发起和开展的多种服务活动，后来成为其他机构、社团学习的样板。如青年志愿者"健康直通车"、"青年志愿者路"、青年志愿者"文化三下乡"、青年志愿者"扶孤助学"活动等，群众的认可程度非常高。特别是在1997年庆祝香港回归祖国活动、1999年庆祝澳门回归祖国活动中，广东省青年志愿者协会与香港志愿者社团、澳门志愿者社团联合举办服务活动，促进了志愿文化的融合，也丰富了志愿服务的内容。

共青团中央对于广州、深圳的志愿服务事业高度重视，先后派出几个调研组前来了解和分析，随后提出将"向雷锋同志学习"创新发展，与志愿服务有机结合的思路。

（三）建设和谐广东的新成效

中共十六大以来，广东的社会建设与治理进入了一个新阶段。2003年8月，正式实施与民生密切相关而又急需解决的十大问题即广东省"十项民心工程"。2005年9月，省委、省政府下发了《关于构建和谐广东的若干意见》，明确提出构建"和谐广东"的目标。关注民生，构建和谐广东取得初步成就。

1. 社会主义新农村建设。

广东进入工业中后期之后，城乡差距进一步扩大，"三农"（农业、农村、农民）问题变得尤为突出，为此，广东对农民减免

税负，通过财政转移支付支持农业基础设施建设，推进农村社会保障制度建设，大力发展农村经济，启动了广东社会主义新农村建设。

2003 年，广东铺开农村税费改革和清理整顿涉农收费，农民减负率达到 83.7%；至 2005 年，全省全部免征农业税，全面清理不合理的涉农收费，激发了广大农民建设社会主义新农村的热情。

发展现代化农业是广东新农村建设的重要举措。广东大力发展特色农业，推广现代化农业示范区和农业产业化，促进区域现代化农业建设。2006 年，广东农业龙头企业、农业经济技术协会和农业专业合作经济组织达到 7752 个，带动农户 434 万户，占农户总数的 45%，农村人均年收入达到 5080 元。

各级政府财政逐步加大对农村基础设施的投入，加快解决农村民生问题。2006 年，省级财政投入 146 亿元，重点向农业与农村基础设施建设倾斜，基本解决全省农村人口饮水安全问题。至 2006 年底，建立起城乡统一的居（村）民最低生活保障制度和以低保为核心的城乡社会救助体系，参加新型农村合作医疗的人口比率提高到 61.5%，约 130 万名农民和被征地农民参加了养老保险。

从 2006 年秋季开始，广东实现了全省 1025 万名农村学生义务教育阶段免交全部杂费。2007 年秋，广东省率先在全国免除农村义务教育阶段学生的课本费。按照“一费制”标准，实施免课本费政策后，小学生每人每学年免 100 元，初中生每人每学年免 180 元。同时，禁止任何部门和单位在发放免费课本时搭售教辅书及其他资料等。这些政策意味着广东农村已经彻底实现免费义务教育，真正解决农村孩子上学难问题，对全面提高人口素质有积极意义。这不仅是广东教育史上的里程碑，更是构建和谐广东的基础工程、民心工程。

2．拓宽就业措施新步伐。

积极完善就业政策，拓展就业渠道。广东积极完善就业政策，扩大就业渠道，启动“再就业培训工程”。高度重视就业、再就业工作。积极推进下岗失业人员再就业工作，扶持下岗失业人员从事个体经营，出台鼓励各种类型企业吸纳下岗失业人员再就业政策。2003—2006年，全省城镇新增就业213万人，年均增幅超过15%；下岗失业人员再就业114万人。城镇从业人员由2002年的905万人，增加到2006年的1263万人。

2005年开始，广东全面启动“百万农村青年技能培训工程”，组织全省100万农村青年参加技能培训，全免费培训转移年均收入1500元以下的农村贫困户青年劳动力54万人。100万农村青年可转变为掌握一门实用技能的技能型劳动力，缓解广东技工缺口，按每人每年劳务收入1万元计，可为农民增加收入100亿元；培训转移农村青年劳动力54万人，使54万户农村贫困家庭脱贫，对加快广东欠发达地区新农村建设意义重大。

为促进特困群体就业再就业，切实解决困难群众就业难问题，创立“零就业家庭”就业援助制度。到2007年11月底，全省共帮助45.6万名困难对象实现了就业，共帮助近8万户零就业家庭至少有1人实现了就业，基本做到动态消除零就业家庭。

2007年，广东在全国首创退役士兵实行免费职业技能培训。退役之后先上学，学到技能再安置，既能减轻安置工作的压力，克服安置的盲目性，又能提高安置的质量，扩大充实社会急需的技工人才队伍。广东这项创举，企业、社会、政府和退役士兵四方共赢，在促进国防建设的同时，必将促进地方经济建设发展与社会和谐稳定

自2002年以来，全省新增加就业岗位479.2万个，约占全国的1/10，而且还新增转移农村劳动力321.3万人。2006年，广东城镇登记失业率为2.6%，远低于全国平均水平。

2007年，广东省城镇登记失业率为2.55%，在全国各省区中最低；吸纳流动就业人员2480万人，全国第一。

3. 社会保障全国领先。

广东不断强化劳动保障措施。外省劳动力和农村转移到城镇的劳动力是广东就业群体中的特殊群体，广东加大劳动监察与执法力度。2005年10月，《广东省用人单位重大劳动保障违法行为社会

公布暂行规定》实施。至2006年底，全省职工劳动合同签订率达88.7%；自2002年到2006年底，为535万名劳动者追回欠薪43亿元，劳动争议仲裁结案率达95%。城镇社会保障范围和项目不断扩大，参保人数不断增加，到2006年底，各项社保基金累计结余1506亿元，约占全国的1/5。

广东省城乡居民医疗保障一体化的做法在国内处于领先，城镇职工的基本医疗保险制度已经顺利实现阶段性目标。截至2007年6月底，全省城镇职工基本医疗保险参保人员达1896万人，参保人数居全国前列。自2004年以来，东莞、佛山、中山、珠海等市已率先成功地实施了城乡居民基本医疗保险和未成年人基本医疗保险，为在全省范围内开展城镇居民基本医疗保险提供了很好的借鉴。目前，珠江三角洲各市均已基本实现农村居民与城镇居民医疗保险缴费与待遇的无差别。为尽量减轻参保人员负担，各市普遍将城乡居民医疗保险缴费标准设置在较低水平，有关地区的城乡居民每月拿出一包烟钱，或是每年少吃一顿饭，就可轻松地参加基本医疗保险。

率先迈入全民社会保障新时代。2007年9月，省委、省政府《关于解决社会保障若干问题的意见》正式下发，分别就被征地农民、无医保保障的城镇居民、困难企业退休人员、企业退休人员、农垦企业职工、华侨农场职工等各类群体的社保问题，提出了具体的政策措施和解决办法，将原有社会保障体系中的空白点和盲点都纳入社保大网，原有的一些制度安排进一步完善。建立被征地农民生产生活保障制度后，政府补助部分，将从当地政府国有土地使用权出让收入中安排，并按实际需要投入。建立城镇居民医疗保险制度后，各级财政原则上按每年人均不低于50元的标准给予补助。为把40.5万困难企业退休人员全部纳入医疗保险，2007—2017年，省财政将安排资金10亿元给予补助，每年定额补助1亿元。为提高企业退休人员养老保险待遇，省财政每年安排8000万元，专项用于14个经济欠发达地级以上市提高基本养老金发放标准后造成的基金增支缺口补助。为解决农垦企业职工养老保险问题，

2006—2007 年，省财政在原来每年补助 5066 万元的基础上增加补助 6000 万元。为解决华侨农场职工生产生活保障突出问题，省财政从 2007 年起对东西两翼、粤北山区和江门恩平、台山参加新型农村合作医疗的华侨农场职工按人均 35 元给予补助。广东基本覆盖了社会保障的主要方面，破解了被征地农民、困难企业退休人员等困难群体的保障难题，奠定了广东城乡社会保障体系的基础，从此，广东迈入全民全面保障时代。

医疗保障体系日益完善。城镇职工医疗保障覆盖范围不断扩大，保障水平不断提高，截至 2007 年底，全省城镇职工参与基本医疗保险的有 2022.2 万人，参与生育保险的有 659.1 万人。新型农村合作医疗参合率不断提高。同时，城乡医疗卫生服务体系基本建立。截至 2007 年，全省共有医疗卫生机构 17468 家，医院床位数 21.8 万张，卫生技术人员 35 万人。县（市、区）农村初级卫生保健工作达标或基本达标，成为中国农村初级卫生保健工作试点阶段的“基本达标省”。全省健全了三级妇幼保健网，妇幼保健机构建设迈进全国先进行列。

城乡社会救济和社会福利日趋完善。发展社会公益事业，关心弱势群体。至 2006 年 12 月底，全省已保五保对象 25.9 万人，人均年供养标准 1600 元。其中 14 个经济欠发达市（含恩平市）共有已保五保对象 23 万人，人均年供养标准 1100 元。珠江三角洲地区有五保对象 2.9 万人，人均年供养标准 4100 元。全省有镇级敬老院 1400 间，实现了每个乡镇都有一间敬老院的目标。敬老院从改扩建前的泥砖瓦房全部建成了钢筋水泥楼房，改善了供养环境，提高了五保老人的生活水平。

广东社会救助工作走在全国前列。推广“羊城会亲”、“爱心超市”、“慈善超市”经验，创新经营管理方式。广州、深圳、佛山、汕头、东莞、中山、江门、湛江共建立了 38 间“慈善超市”，推动经常性社会捐助活动普及和发展。

2007 年，为切实落实被征地农民社会保障资金，省劳动保障厅、国土资源厅联合发布《转发劳动保障部国土资源部〈关于切

实做好被征地农民社会保障工作有关问题的通知〉》，建立被征地农民社会保障资金预存制度。

2008年《广东省职工生育保险规定》正式施行，扩大了生育保险覆盖范围，不仅覆盖本省行政区域内的企业、个体经济组织、民办非企业单位等组织和与之形成劳动关系的劳动者，还覆盖了国家机关、事业单位、社会团体和与其建立劳动合同关系的劳动者。该规定的实施标志着广东从社保制度上实现职工“生育不花钱”的飞跃，标志广东统一的生育保险制度的建立。

至2007年，广东社会保障多项指标全国第一。社会保险五大险种基金结余1709亿元，全国第一；城镇职工基本养老保险、医疗保险、失业保险和工伤保险参保人数分别达1849万人、1886万人、1241万人和1972万人，均居全国第一；农民工参加医疗保险、工伤保险和失业保险人数分别达973万人、1252万人和428万人，均居全国第一。广东在全国率先实现农村最低生活保障制度。

4. 建立住房保障体系。

针对广东房价上涨过快的情况，广东开始探索保障住房的道路。

广州市2006年将保障范围扩大到10平方米以下，租赁住房补贴标准提高到320元，成为全国廉租住房保障范围最广、保障标准最高的城市之一。

广东已经建立起以廉租房、经济适用房、限价房为主体的具有广东特色的住房保障体系，2008年在住房保障体系工程中再投入10亿元，积极解决中低收入家庭住房困难问题。为达到这个目标，2008年优先保障重点建设项目和廉租住房、经济适用住房、中小户型中低价位普通商品住房等重要民生工程的建设用地。

2008年，广东印发了《关于切实解决城镇低收入家庭住房困难的实施意见》，全面推行以廉租房制度为重点的住房保障体系建设，要求确保所有城市和县城，对申请廉租住房和租赁补贴、符合住房困难规定条件的低保家庭做到应保尽保，将廉租住房保障范围扩大到城镇低收入住房困难家庭。

广东省规范经济适用住房制度，将经济适用住房供应对象限定为城市低收入住房困难家庭，逐步改善其他住房困难群体包括外来务工人员居住条件，对廉租住房实行租赁补贴和实物配租相结合、以租赁补贴为主的方式，严格规范管理制度。新建廉租住房的套型建筑面积控制在50平方米以内，严格实行廉租住房保障退出机制，强化工作督促检查。

深圳率先在全国推行外来低收入者享有“住有所居”政策。“小康不小康，关键看住房。”为解决低收入家庭的住房问题，深圳市2008年5月正式出台《关于进一步促进深圳市住房保障工作的若干意见》，将非户籍人口逐步纳入住房保障体系。这样，深圳在着力保障户籍人口家庭的基础上，通过公共租赁住房方式，从产业园区配套公寓和宿舍、“城中村”环境整治、按参加社保年限逐步纳入住房保障体系等多方面考虑改善非户籍人口的住房条件，将非户籍人口逐步纳入住房保障体系。

限价房是构建多层次的住房梯级和消费体系的重要内容之一。2008年2月，广州乃至全国首个限价房楼盘保利西子湾正式公开发售。随着保利西子湾首批限价房的推出，大批限价房楼盘陆续推出市场。出台限价房对解决构建的住房供应体系，以及解决中等收入家庭缓解购房压力问题具有非常现实和积极的意义。

5. 应急预案顺势出台。

危机管理问题被称作当今社会管理的新的重大课题，建立健全社会预警体系和应急救援、社会动员机制，提高处置突发公共事件的能力，是构建和谐广东的重要内容。广东发展迅速，处在社会矛盾多发期。对此，广东制定应急预案，及时协调社会群体之间的利益关系，在危机管理和预防的制度建设方面取得了较大成效。

2003年的“非典”、2008年的雪灾严肃地考验了广东人。危机管理问题考量一个政党执政治国的水平，考量国家处置社会突发事件的能力。可见，加强危机管理是提高政府危机管理能力的需要，是提升政府处理危机事件效能的需要，是关系到社会安全稳定的大问题。

因此，2007年，广东出台《广东省突发公共事件总体应急预案》，提高预防和处理危机和突发事件的能力。广东省创新各种制度对“非典”事件、食品安全、安全生产、突发性群体事件等问题加以预防与解决，省市县成立了相应应急机构，并就不同问题专门制定相关应急预案与措施，筹措了专项备用资金，基本建立了重大疫情的预防与治疗、重大自然灾害的预防与恢复性生产自救、重大突发性群体性事件的预防与处置、食品安全和安全生产监控等体系。

2007年5月，省政府应急办正式挂牌成立，打造出“制度健全，管理规范，运转高效”的工作团队，为争当全国应急管理工作排头兵奠定了坚实基础。2007年，广东省政府应急办重点抓了十项工作：一是狠抓全省应急管理工作的宏观指导；二是狠抓应急管理组织体系建设；三是狠抓“一案三制”（应急预案，应急管理体制、机制、法制）建设；四是狠抓“一网五库”（应急管理工作联络网，法规库、救援专业队伍库、物资库、专家库、典型案例库）建设；五是狠抓应急平台建设；六是狠抓信息报告工作；七是狠抓风险评估和隐患排查体系建设；八是狠抓应急管理培训工作；九是狠抓面向全社会的宣传教育；十是狠抓应急管理区域合作。

2008年冰雪灾害中，广东上下众志成城，齐心协力。广东按照预案在预测预警、应急处置、恢复重建、信息发布和应急保障等方面的要求，积极落实各项救灾措施，维护灾区交通、治安秩序，组织恢复电力、通信等市政基础设施功能，开展受灾群众生活救助工作，努力把人民群众生命财产损失降到最低限度。在这场自然灾害中，应急预案体系使各项抗灾救灾工作更加有序进行，基本经受住了考验。而抗灾救灾中暴露出的一些薄弱环节，也提醒人们，今后还应进一步强化应急管理体制机制，加快应急管理机构和救援队伍建设，改进技术装备，真正铸造起应对突发事件的铜墙铁壁。

2008年5月，汶川地震，大地撕裂，举国同哀。广东省援川医疗志愿服务队于5月13日晚就飞抵成都，第一时间进入重灾区汶川映秀镇建立医疗点，还到“生命孤岛”耿达乡建立第一个医疗点。这充分反映了广东应急救援的及时和有效。

6.“城中村”改造渐入佳境。

“城中村”是城市经济快速发展，周边农村土地被征用，村庄进入城市的产物。虽然各地的“城中村”在地域上已经成为城市的一部分，但在户籍、土地权属、经济组织和行政管理体制方面仍然保持着农村的旧模式。比如广州的石牌、冼村、登峰、瑶台等，改造前的珠海香洲区新涌、洲仔村等。“城中村”内房屋建筑密度大，“一线天”、“握手楼”比比皆是，环境卫生、生活服务等公共配套设施不完善，“脏、乱、差”现象严重。由于村里的管理体制与城市社区管理体制不适应，许多管理关系不清，责任不明，长期以来成为城市管理的“盲点”。

广东全面启动大中城市“城中村”改造。主要执行政府主导、以村为主、一村一策等原则，以及政府决定、政策推动、市场运作的改建原则。广东创新社区管理模式，消除城市治安环境死角。警力下沉社区，统一管理出租屋和外来流动人口，加强对社区内服务场所的监管，社区治安明显好转。严厉打击“双抢”犯罪和街面犯罪，严厉整饬社会治安，扭转了社会治安恶化的趋势。全面提高社会治安综合治理水平，保障社会稳定。广州市的芳村、西朗村及深圳市龙岗区的荷坳新村等是广东省“城中村”改造的成功典范。

7. 维护平安广东。

平安稳定的广东，既是发展的需要，也是民生的诉求。

“零容忍”带来了南粤治安的新面貌。随着严厉打击严重暴力性犯罪、“双抢”、盗抢机动车等多发性犯罪和经济犯罪，不间断地排查整治治安混乱地区和突出治安问题，治安突出问题得到有效遏制。“十五”期间，全省政法机关破案、抓获犯罪嫌疑人、批捕、起诉、审判5项执法办案指标逐年增多，5年间共破获刑事案件83.8万起，比“九五”期间多35.1万起，增加72.2%；全省刑事发案上升的势头已得到遏制，其中2004年、2005年分别比上一年下降0.5%和3.3%。严重暴力性犯罪案件略有下降，城乡人

室盗抢案件和居民小区内发案呈下降趋势。

2005年，广州火车站这个重点地区终于得到阶段性进展。广州火车站的治乱成功，一时轰动全国。广州火车站的治乱历程，是广东警务机制改革的一个成功个案。经验表明：警务机制的革新，为广州火车站的整治注入了新鲜的血液；而综合治理的措施，则巩固了治乱成效。

深圳警方进一步将这种警务改革推向高潮。该市在全国率先改革基层警务管理办法，全市115个派出所全面推行警务新模式，不再区分治安警、社区警、巡警和刑警等警种，变“坐班制”为“巡逻制”，将逾半警力放在路面。这种新警务模式改革最重要的内容主要体现在组织架构上，打破派出所的四队一室（刑警队、治安队、社区防范队、巡警队、综合室）设置，整合治安警、社区警、巡警和刑警等警种，全部实行战斗序列队建制。把现有的社区防范队、治安队和巡警队统一编成若干个社区巡逻队，将原来由各警种负责的业务工作，一揽子放到各社区巡逻队。这种新的警务模式很快收到实效。社区巡逻的警力达到50%以上，大大提升了见警率。

2006年，省委、省政府又对“平安广东”建设作出全面部署，大力开展平安镇街、平安社区、平安村、平安单位、平安校园、平安家庭等平安创建活动。目前全省建成各类安全小区5万多个，覆盖了全省80%以上的社区和人口。一手抓科学发展，一手抓和谐稳定，主动应对，为我省经济社会又好又快发展创造良好的社会环境。

8. 预防和合理解决群体性矛盾与冲突制度探索。

群体性事件频繁发生，严重影响广东社会的稳定。从维护公民合法权益与合理解决历史积案两方面入手，广东根据中央部署成立了信访联席会议制度，并在全国率先建立信访督察专员制度。这是省信访工作改革和干部任用制度改革的新尝试，在全国尚属首创。这一举措可以进一步加强信访工作力量，加大处理重大信访问题和化解社会矛盾的工作力度，有力促进信访问题的解决。

广东将群体性信访事件纳入法制化轨道，有效解决了一大批历史积案和现案，使反复上访的旧案降为零复发。从2006年起，全省实行逐月报送社会矛盾纠纷排查调处台账制度，力求把问题解决在基层、解决在内部、解决在萌芽状态。在群体性事件易发的领域，从预防入手，加快并强化制度建设，保障了民权。从2004年起，广东群体性事件发生率连续三年呈下降趋势。广东努力探索预防和妥善处置群体性事件，着力化解社会矛盾的新路子。

9. 民间组织“民间化”改革。

改革开放以来，广东省民间组织发展迅猛，门类比较齐全，发挥作用显著，已走在全国前列。

2005年9月，广东企业联合会、广东律师协会等11家民间组织共同发起并正式成立广东省民间组织促进会，这表明广东省行业协会取得了实质性成果。到2005年9月，广东省共有民间组织18164个，其中社会团体8697个、民办非企业单位9331个、基金会136个。

2006年，广东省对行业协会的管理模式进行重大改革。3月，广东省人大颁布的《广东省行业协会条例》正式实施。《条例》提出，行业协会、商会要实现“五自”、“三无”，即“自愿发起、自选会长、自筹经费、自聘人员、自主会务”，实行“无行政级别、无行政事业编制、无行政业务主管部门”，其中很重要的一条是现职国家机关工作人员一律不得在行业协会中兼职。《条例》是全国第一部对行业协会法律关系进行调整的地方性法规。

民间组织“民间化”改革取得重大突破，保持民间组织的独立性，给予民间组织工作主动权、人事自主权和经费支配权，对于充分发挥行业协会、商会在完善社会主义市场经济体制，维护市场秩序和行业利益，应对国际贸易纠纷和实行行业自律等方面的积极作用，促进广东经济社会全面发展，建设富裕、公平、活力、安康的和谐广东，都具有十分重要的意义。

10. 志愿服务的广东典范。

进入21世纪，广东志愿服务形成社会参与的高潮。广东打造

出一批具有重大影响的志愿服务品牌，建立了各区、街、社区及各级综合志愿服务队和启智、松柏、医疗、助残、外展、网络等专业志愿者服务队，志愿服务覆盖社会发展和民众生活的所有领域，甚至走出国门，承担了中国志愿服务海外援助缅甸和塞舌尔项目。广东成为我国志愿服务事业发展最快、规模最大的省份之一。

多元志愿组织产生。广东省汉达志愿者、灯塔计划志愿者、西部雏鹰助学网志愿者、番禺打工文书处理部志愿者、东莞志愿者拓展总队、汕头蓝天志愿者等多种类型的志愿者组织诞生。其中，有些是社团登记，有些转用工商登记，更多的是没有登记，自发开展志愿服务活动。党政部门和群团组织对于民间志愿社团的发展，从最初的限制到逐渐允许，再到鼓励其中一些组织发展壮大，态度越来越积极。广东志愿者的“民间组织（非营利组织）大致分为两种。一类为正式注册的机构组织，如 YMCA 青年会、广东狮子会、广东红十字会等。这类组织对报名加入的志愿者开展了培训、管理和分派志愿服务工作。另一类是未能在民政部门成功登记，但一直从事公益活动的民间组织，如灯塔计划、乐助会、车迷会，人们往往习惯把这类组织称为草根 NGO”①。起初主要是珠江三角洲地区受港澳社团的影响，民间志愿组织发展较快；近几年来，广东省东西两翼和粤北山区的民间志愿组织也陆续涌现，而且这些组织与港澳社团、珠江三角洲社团联系密切，开展的志愿服务也丰富多样。多元化的志愿社团产生，打破“大一统”的惯性思维模式，为社会结构分化、社会服务多元化提供经验，促使志愿服务进入百花齐放、迅速发展的状况，为广东省志愿事业的蓬勃兴旺提供了条件。

“参加志愿活动就像广东人喝早茶一样平常”，这是广东志愿文化的特有表述。广东“助人自助”和“日常化”的现代志愿服务理念，拓展了雷锋精神，增强了“雷锋”的生命张力，必然对社会公益行动产生最强劲的推动力。志愿者事业已经发展成为广东

① 乌托邦（李森）：《与志愿者同行》，见谭建光、李森、朱莉玲主编：《解读志愿服务》，广东人民出版社 2006 年版，第 120 页。

省参与面最广、参与度最高、影响力最大的公益事业。广东早期志愿者率先学习外国和港澳经验时，对于志愿服务就是采取务实态度，不神圣化，既能够帮助他人，又能够让自己充实，这是广东志愿服务发展的特点，也是岭南文化的先进性。

中共十七大报告明确提出，“完善社会志愿服务体系”。在新形势下，广东继续当好志愿文化建设的排头兵。2007 年，广东筹款 3130 万元成立志愿者事业发展基金会，还设立了全国第一个省级志愿服务政府奖——“广东志愿服务最高荣誉奖”。如今，广东正努力构建城区基本覆盖、需求及时响应、服务规范高效，与建设现代化文化大省相适应的志愿服务体系，为建设和谐广东贡献力量。

综上，改革开放 30 年来，广东省委、省政府践行党的“始终代表最广大人民根本利益”最高政治承诺，以保障人民的生存与生活权为主导，以繁荣城乡经济为支撑，以保障公民权利实现和维护社会稳定为基础，以切实解决与人民利益攸关的问题为核心，建立起与社会发展阶段基本相适应的社会保障制度，最大限度解决了就业、城乡特困家庭的生活保障和城镇职工基本医疗保险等问题，并开始了对农村社会保障制度的探索与试验，建立各种突发性事件的应急机制，全面进行社会治安综合治理，最大限度地凸显了对民生问题的重视和保障。人民生活显著改善，发展成果正在越来越多地为全省人民共享。一个“富裕、公平、活力、安康”的和谐广东初显轮廓。

二、社会建设成效显著

新时期广东一直无愧于中华民族伟大复兴的“排头兵”，“和谐社会”逐渐成为广东省委、省政府的核心词语。广东在就业、平安、教育、分配、医疗等方面都率先探索，其创造的奇迹令世界震惊。正确的模式选择、合理的制度结构和切合实际的政策措施，是改善民生并对经济和社会发展起到积极推动作用的保证，是一个

必要和必然的过程，凸显出新世纪中国社会主义建设的最大亮点。

（一）扩大就业

只有充分就业才可能实现安居乐业，只有安居乐业，各尽所能，各得其所，才能实现社会安定和谐。就业是重大的经济问题，又是重大的社会问题和政治问题。纵览中外的历史和现状，失业问题历来都是社会不安定的重要源头，经济增长和充分就业历来都是世界各国政府执政所追求的主要目标。在解决改革开放过程中的重大方针、路线和原则过程中，邓小平对就业问题作过一系列论述，他在 1979 年 10 月 4 日中共省、市、自治区委员会第一书记座谈会上的讲话中明确提出："落实政策问题，就业问题，上山下乡知识青年回城市问题，这些都是社会、政治问题，主要还是从经济角度来解决。经济不发展，这些问题永远不能解决。所谓政策，也主要是经济方面的政策。"①

这段话讲清楚了劳动就业问题的性质，不但是经济问题，而且是社会问题、政治问题，并且指出了解决的根本出路是发展经济、采取正确的经济政策。

因此，广东省从构建和谐社会和全面建设小康社会的高度来认识就业问题的重要性，从全局的和战略的高度给予重点把握。经济走在全国前列的广东，就业和再就业工作也执全国之牛耳。

1. 建立健全与社会主义市场经济体制相配套的促进就业的法规政策。

从改革开放起，广东就将就业情况纳入国民经济和社会发展的统计核算体系之中，纳入政府任期责任目标考核指标体系之中，建立促进就业的调控体系，完善就业评价指标体系，同时，进行分解量化，重点监控，微观上从产业、行业、企业、城乡社区等方面扎扎实实地做好就业的组织和服务工作。

为促进再就业工程的实施，近年来广东省各级政府部门协同制

① 《邓小平文选》第 2 卷，人民出版社 1994 年版，第 195 页。

订了60多个优惠政策，为下岗失业人员“开绿灯”。比如，广州市政府为鼓励下岗职工干个体，从2003年起，大幅度对从事个体经营的下岗失业人员实行收费减免等优惠政策，包括免交行政性收费52项，免交或按最低标准收取经营服务性收费21项。

2. 建立健全促进就业服务体系。

按照科学化、规范化的要求，广东各地加快了就业服务体系的建设，发挥政府、企业、劳动者和社会各方面的积极性，综合运用政策扶持和就业服务手段，帮助企业富余人员实现再就业。

广东大部分地区已建立相关的信息库，办好各级各类劳务市场、人才市场，充分利用互联网来宣传就业政策、传播就业信息。自1998年起，广东省财政每年拨出专款建立省级再就业基金。目前，全省已有广州、珠海、中山、东莞、汕头、河源、阳江、梅州等市建立了再就业基金。广州等市已被确定为国家劳动力市场“三化”建设试点城市。佛山、湛江、韶关、中山等市按“三化”标准建设的劳动力市场已投入使用。同时，鼓励民间社会举办各类就业中介信息服务机构。

为了缓解就业结构的矛盾，广东省各地十分注意发挥就业培训中心、技工学校、企业培训机构和社会办学网点及大中专院校五个方面的积极性，推行公共培训、强制性培训、岗前培训、创业培训和购买培训成果等多种再就业培训方式，大力推行定向、定点和挂钩培训。如广州市推出“金钥匙”计划。建立健全职业教育和职业培训体系，鼓励各类职业资格证书培训机构的发展，政府要倾斜支持失业、下岗、转岗和再就业的实用技能培训工作，做好企业改革和调整中的下岗分流和再就业工作。

3. 广开就业渠道，优化就业结构。

一方面，结合所有制结构和经济结构的调整，努力培育新的就业增长点，大力发展非公有制经济和第三产业，特别是商业和饮食服务业。在因地制宜发展高新技术产业的同时，大力发展劳动密集型产业，同时积极发展吸纳能力较强，且符合产业结构调整方向的中小企业。在新一轮大发展中，广东推进“双转移”（产业转移和

劳动力转移），欠发达地区劳动力向当地第二、三产业和珠江三角洲地区转移，增加就业人数，提高欠发达地区的人均收入水平，也将会在一定程度上缓解珠江三角洲地区的“民工荒”问题。

另一方面，拓展社区就业岗位，解决“三偏”（年龄偏大、文化偏低、技能偏差）人员就业难的问题。如广州市针对就业形势给“三偏”人员带来的困难，大力开发家政服务、车辆保管等多项社区居民日常生活服务，组织失业人员对机关和企业的后勤服务岗位及临时性用工进行承包或劳动派遣，大力兴办集市型的社区服务特色街、特色巷等。

此外，广东实行灵活多样的就业形式，在劳动时间、收入报酬、工作场地、保险福利、劳动关系等方面，实行不同于建立在工业化和现代工厂制度基础上的主流就业方式之外的其他就业形式。目前，广东很多下岗职工进入灵活就业领域。就业形式包括钟点工、自营就业、临时就业、季节就业、承包就业、兼职就业、自由就业、派遣就业及独立服务就业等多种。其中以自营就业、派遣就业和临时就业三种形式最为规范。

4. 大力发展劳务输出，加快农村富余劳动力转移的速度。

进入21世纪以来，随着工业化、城市化加速，工业反哺农业、城市反哺农村的力度加大，加速农村富余劳动力向城市转移已成为增加广东农民收入的必然选择。因此，鼓励农民进城务工的政策环境，完全给予农民工“市民待遇”，切实解决其社会劳动保障、子女入学等问题，彻底消除人为的不合时宜的城乡壁垒，切实维护农民工的合法权益，是社会公平和进步的必然要求。

鼓励农村富余劳动力向省外、国外转移、输出。广东由县乡政府牵头建立健全外出务工人员服务体系，做到有组织、成规模、有计划地输出劳务，为每一位外出务工人员建立档案，提供全方位的跟踪服务；强化技能培训，不断提高务工人员的技术水平和实际本领。

广东的经验在于，广东各级政府的指导思想是十分明确的。即围绕经济结构调整和国有企业改革，坚持下岗职工自主选择的市场

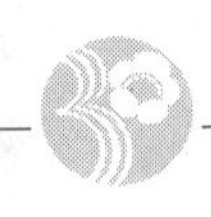

调节就业和政府促进就业相结合的方针，加强宏观调控，用加快发展的办法来推进再就业。实施再就业系统工程，充分发挥政府、社会、企业等多个方面的积极作用。

（二）健全社保体系

社保是民生之依。社会保障制度是社会的“稳定器”，“国家建立健全同经济发展水平相适应的社会保障制度”，已被写入宪法，做好社会保障工作，对构建和谐社会意义重大。

广东经济持续30年高速增长，社会经济的迅速发展，也带来了悬殊的贫富差别和社会分化问题，因此，逐步完善广东社会保障法规体系，缩小贫富差别，成为构建和谐广东的一个重要任务。广东率先一步在全国开展了以社会保险体制改革为序幕的一系列的社会保障体制改革。经过20多年的探索和改革，不仅为广东经济体制的改革和发展铺平了道路，促进了广东经济的持续快速增长，而且还为政府和企业分忧，给百姓解困。

1．率先进行社会保险体制改革。

在国有企业改革与脱困中，改革开放中先行一步的广东把大量特困老企业的职工纳入社会保障范围，减轻了国有企业的负担，为深化国有企业的改革与脱困提供了有力的保障。在全国率先组建省、市、县三级事业性质的社会保险管理机构；在全国率先建立社会统筹与个人账户相结合的养老保险模式；在全国率先建立地方性的社会保险法规体系。广东的社会保险制度经过改革创新，取得了显著的成效。截至2007年底，全省城镇职工参与基本医疗保险的有2022.2万人，参与生育保险的有659.1万人。进一步巩固、提高、规范和完善城市困难职工群众的“三条保障线”（国有企业下岗职工基本生活保障、失业保险、城市居民最低生活保障制度），切实帮助解决城乡困难群众子女入学和就医问题，积极探索农村养老、医保的新途径。

2．率先建立社会保障信息系统。

2005年，投资8亿元启动的广东省社会保障信息系统完成。

每一张社会保险卡都会对应一个相应的社保账号，这个新的“电子身份证”具备多项功能。它可存储足够的信息，实现了个人信息电子化，还可作为就医、各类社会保险事务等的凭证，持卡人可以随时查询自己的养老、失业、医疗、公积金等情况，并且社会保障卡还可在全省跨地区使用。

广东率先在全国建立了社会保障信息系统。民政、劳动和社会保障、社会保险基金管理部门是该系统的三大业务核心单位，相关业务单位还有公安、银行、卫生、地税、工商等多个部门，这么多部门的业务都涵盖到社保信息系统中，这也走在了全国最前列。

3．社会福利体制改革。

近年来，广东加快了社会福利体制改革的进程。逐步实现了从单家独户办社会福利事业转向发动社会力量办社会福利事业，从单纯强调社会效益转向兼顾社会效益和经济利益，从单纯救济转向扶持生产，从救济型转向保障型和福利型，走上了社会福利事业投资主体多元化、管理形式多样化、服务内容系列化、服务对象公众化的社会福利发展新路子，形成了机构养老、街道托养中心养老、社区居家养老等多种养老方式，为老年人提供多种养老服务。比如，2005 年广州市越秀区为居家老人安装了“星光平安钟”呼援平台，广州市荔湾区为社区居家老人购置了应急服务“平安卡”并免费为老人安装电话，为老年人提供了信息化、个性化的养老服务。同时，各地还积极稳妥地推进国有社会福利事业单位管理体制改革，探索“公办民营”、“民办公助”运营方式，实行岗位聘用、岗位定薪等激励机制。

新型社会保障制度体现了中国特色，它的保障水平与覆盖面在不断提高，积极创造条件向民营企业覆盖、向进城的农民工覆盖、向广大农村覆盖。

4．社会救济体制逐步形成规模。

广东社会救助工作走在全国前列。各市已普遍建立城乡居民最低生活保障线制度，并成为全国率先将最低生活保障范围覆盖到农村的省份之一，救济人数和保障标准均居全国首位。全省社会救济工作也逐步形成了工作有规章，救济有资金，通信有网络，物质有储备，慈善组织齐参与的新体制。截至目前，全省有社会福利收养性事业单位2023个，社会救济福利事业费191221万元，自然灾害救济费97337万元。推广“羊城会亲”、“爱心超市”、“慈善超市”经验，创新经营管理方式。广州、深圳、佛山、汕头、东莞、中山、江门、湛江共建立了38间“慈善超市”，推动经常性社会捐助活动普及和发展。

在保证中央社会保障改革大框架前提下，为了完善广东特色的社会保障体系，广东必须认真解决社会保险制度运行中的深层次问题，要从统筹经济社会发展的高度，从建立与经济发展水平相适应的社会保险制度的目标出发，完善社会保险基金筹集、征缴制度和办法，努力实现经济发展与社会保障体系建设的良性循环，尽快建立广东特色的、符合经济社会协调发展需要的社会保障制度，并将工作制度化、经常化、社会化，实现从“要我参保”到“我要参保”的转变，实现让“广东人民人人享有社会保障”这一宏伟目标。

（三）维护社会安定

没有好的社会环境，就没有科学的发展。搞好治安，既是发展的需要，也是民生的诉求。省委、省政府认识到，一手抓科学发展，一手抓和谐稳定，始终保持清醒头脑，未雨绸缪，主动应对，才能为我省经济社会又好又快发展创造良好的社会环境。

民生的平安篇章，就是搞好社会治安综合治理，搞好安全生产，建立突发性灾害事件的预防处置应急机制。

1. 社会治安综合治理。

“安全、有序、稳定”是和谐社会的重要标志，是各级人民政府管理社会的主要职能。早在2006年3月，中共中央政治局委员、广东省委书记张德江在接受《人民日报》专访时就指出，“和谐社会即法治社会”，他要求在全省切实树立起法律权威。“法治广东”的理念日渐深入人心，并在地方性法规的日益完善以及对各类犯罪

的从快从重打击中得以体现。

广东省积极实施科技强警，先后组织开展了声势浩大的严打整治斗争及“粤鹰”系列、侦破命案、打击街面犯罪、打黑除恶等严打专项行动。“零容忍”带来了南粤治安的新面貌。广州市三元里地区和普宁市、陆丰市摘掉了全国毒品危害重点地区的帽子。各地打击治理六合彩等赌博和传销专项斗争效果明显。刑事发案整体下降，群众反映强烈的“双抢”发案大幅下降。

广州火车站的治理成功，导致新一轮的警务机制改革在广东大地上遍地开花。广东这种新警务模式改革收到实效。据了解，深圳各派出所刑事案件立案数比改革前均有一定幅度的下降，破案数、刑拘数、查处治安案件数、打击处理数等指标大幅上升。广州、东莞等地的警务改革也正如火如荼地开展，社区警务是主要的改革方向。调查显示，群众的安全感普遍上升。

2. 安全生产“责任重于泰山”。

坚持以人为本的科学发展观和构建和谐社会，都要求我们必须摆正生产与安全之间的关系，群众利益大于天，安全责任重于山。胡锦涛总书记在中央经济工作会议上强调“安全生产问题，事关人民群众的生命财产安全，事关社会稳定大局”。

广东省在生产过程中，牢固树立安全生产、文明生产的科学生产观，安全生产警钟长鸣，常抓不懈，坚持安全和生产“两手抓两手都要硬”。一是抓法治，严格执行《安全生产法》、《消防法》、《道路交通安全法》等法律法规，强化执法力度，进一步落实安全生产责任制，对违犯安全生产法规造成重特大事故者一律绳之以法，对长期存在安全隐患而拒不整改者一律依法关闭并追究单位法人的责任；二是抓监管，安全不合格不达标者一律停工停产进行整改，直到合格为止；三是抓责任制，层层负责制，责任到人，量化到人，一票否决，奖惩分明；四是抓基础，搞好安全基础教育和基本技能培训，搞好安全基础设施建设，搞好安全规章制度建设；五是抓领导，对领导不力、监管不力、带病生产造成严重后果者，应负经济的、行政的、法律的责任。

广东比较有效地维护了安全生产，提高经济效益，增强企业凝聚力、向心力，同时，增强职工安全感、保障职工安康，促进了平安家园的建设。

3. 建立突发性灾害事件的预防处置应急机制。

随着经济的发展和生态环境的变化，各种灾害发生的频率越来越快，范围越来越广，影响越来越大，对人民群众的正常生活和切身利益所造成的危害越来越深。为此，广东健全和完善“防灾、减灾、抗灾、控灾、救灾”的体系，建立突发性灾害事件的应急处置机制。

2007年5月，省政府应急办正式挂牌成立，争当全国应急管理工作排头兵。2007年，省政府应急办在全国率先建立了省级突发公共事件应急管理专家库，成立了省级突发公共事件应急管理专家组；率先提出并建设“一网五库”；率先完成省级应急平台建设前期工作；率先建立了完善的突发公共事件信息报告制度体系；率先公开征集广东省应急管理标志和宣传口号；率先建设首个应急管理专门网站——广东省人民政府应急管理办公室网站（中、英文版）；率先建立国际应急管理交流和合作机制、粤港澳应急管理合作联动机制，探索建立泛珠三角区域应急管理联动机制。

建立健全社会预警体系和应急救援、社会动员机制，及时协调社会群体之间的利益关系，在危机管理和预防的制度建设方面取得了非常大的成效。2008年初的冰雪灾害和5月的汶川地震，广东省的应急工作有条不紊地开展，多层级、宽领域的应急预案体系，也经受住了考验，发挥了重要作用。这反映了广东在预测预警、应急处置、恢复重建、信息发布和应急保障等方面的能力。

广东的经验是“居安思危，思则有备”，提前部署，做好各项应对准备工作，密切关注灾情，及时启动应急预案，加强预测，及时发布灾害预警信息，抗灾中做到多方联动，形成抗灾救灾整体合力。

（四）实施教育强省战略

教育是民生之基。教育公平是实现社会公平的“最伟大的工具”。教育公平，主要是教育机会平等，从教育资源分配的源头保障公平，对于实现广泛的社会公平具有基础的作用。

1．广东实践教育公平观。

维护教育公平，首先要落实科学发展观，消除教育不公。保障受教育者对基本公共教育资源的平等享有权，是实现教育公平的根本所在。

改革开放以来，广东教育事业与相关产业蓬勃发展，在许多方面取得了重要的成绩，探索出了一条创新教育体制、推动教育事业与相关产业同步发展的具有广东特色的教育发展之路。尤其是近几年来，在“三个代表”重要思想和科学发展观提出的“文化经济”时代命题和战略构想指导下，广东教育事业与相关产业更是取得了长足发展，比如，基本普及了九年义务教育，基本扫除了青壮年文盲，高等教育规模不断扩大，进入了国际公认的高等教育大众化发展阶段，1996 年在全国率先实现“两基”目标，特别是在 1998 年前后关于素质教育的大讨论中，深入反思了中小学应试教育存在的各种问题，为 21 世纪广东教育的改革创新奠定了理论的基础等等，都促进了我国社会发展更加公平和正义，对广东省经济社会及文化发展产生了积极的影响。

2．彻底实现义务教育。

教育公平是保证机会平等和实现其他社会公平的重要基础，解决教育公平问题必须从基础教育抓起，而基础教育的重点在农村。广东着力提高九年制义务教育水平，加大对农村义务教育的财政投入支持力度，城市应尽快解决农民工子弟就近入学难问题，确保城乡居民受教育的权利平等、机会平等。

至 2007 年秋，广东省率先在全国免除农村义务教育阶段学生的课本费。这真正的免费义务教育在广东农村变成了美好的现实。这意味着广东农村已经彻底实现免费义务教育，将真正解决农村孩子上学难问题，对全面提高人口素质有积极意义。义务教育令每一个学生平等拥有接受教育的权利，这种起点的公平是实现广泛社会公平的前提和基础。并且，“目前广东经济发展进入了后工业时代，正在努力进入知识经济阶段。因此，让适龄青少年都能受教育，提高农村人口素质可以将人口多这个包袱转化为优势，让城乡群众共同走进后工业时代，对于广东下一步的发展奠定了战略基础”①。这不仅是广东教育史上的里程碑，更是构建和谐广东的基础工程、民心工程。

民工子女受教育难的问题是当前实现教育公平的一个新课题。作为全国流入最早、人数最多的外来工第一大省，进入21世纪，广东外来工子女每年以10%～50%的高速增长。第五次人口普查结果显示，广东全省登记常住半年以上的流动人口达2629万人。子女随父母入粤就读、流动人口子女出生数量均呈爆发性增长。为破解流动人口子女教育难题，广东在实践中不断探索，逐渐形成了政府主导与市场化运作相结合、“公办＋民办＋民办公助或公办民助”“三条腿”走路的新思路。

首先，公立学校成为接纳民工子女入学的主渠道。东莞市政府财政拨给生均经费时，以学校总招生数为基数，不论本地外地一视同仁。2003年东莞市有9万名民工子女入读公办学校，为此，地方财政每年补贴超过1亿元。在深圳市宝安区，不管公办民办，学校每招收一个班外来工子女，区财政补贴两个半教师的工资。

其次，针对各地公办学校纷纷爆满的情况，广东各地逐渐从以公办学校为主，变为公办、民办、民办公助或公办民助“三条腿”走路，大力鼓励社会力量举办中低收费的民办学校。各地政府纷纷制订民办学校办学条件标准和收费标准，把民办学校与公办学校一并纳入统一管理。比如在广州市天河区，公办学校选派中层以上干部到民办学校担任指导员，在民办学校全职、无偿工作，为学校管理和教学出主意，促进学校上等级、创特色、出品牌，全区已有7

① 梁桂全：《关系城乡平等发展的大事》，《南方日报》2007年9月5日。

所民工子女学校被评为区一级学校。

珠江三角洲城市明确民工子弟学校存在的合法性，建立公正的标准体系和监督机制，为其留出规范化发展的空间，纷纷把民工子女入学当作改善投资环境、吸引人才的重要措施，对流动人口子女教育的投入逐渐加大。解决流动人口子女入学问题，并不是单方面的善举，它同样是广东社会发展的迫切需要。携子女入粤的人定居广东意愿较强，如果第二代“移民”教育不当，会使广东出现庞大的问题人口，严重影响经济发展和社会稳定。

3. 中等职业教育保持稳定发展态势。

“半工半读”，是广东在职业技术教育发展中探索出来的一条适应广东经济社会发展需求，独具特色的职教发展的新路。

一方面，解决了贫困家庭子女升学就业难问题，为不能接受高等教育的人营造人尽其才的环境，从根上改善民生。另一方面，广东省尤其是珠江三角洲遭遇了一场“用工荒”的寒流。说“荒”，荒的并非民工，而是技工。据不完全统计，广东未来五年至少缺口25万高级技工。而且，在广东严重的“技工荒”结构中，更存在“三多三少”的局面：文化程度低的多，高的少；技术等级中低的多，高的少；高等级技术工人年龄大的多，年轻的少。因此，广东大力发展中等职业技术教育，培养更多的高素质技能型人才，向珠江三角洲等发达地区输送。

2005年，广东中等职业学校和技工学校在校生104万人，比2000年增加24万人，增长23%。2006年8月，省委书记张德江在全省职业技术教育工作会议上发表了题为《全面贯彻落实科学发展观开创广东职业技术教育新局面》的讲话。省级财政连续五年每年安排3亿元，用于扶持高等职业技术教育发展、中等职业技术教育实训中心建设和公共实训中心建设；安排专项资金加强“双师型”教师引进和培训工作；安排助学贷款专项贴息资金，支持困难学生接受职业技术教育。各市、县增加了对职业技术教育的投入。职业技术教育驶上了发展的快车道。

为落实好中央关于我国教育事业发展的总体布局的部署，广东

教育系统在普及和巩固九年义务教育的同时，大力发展职业教育，为不能升学的学生奠定职业技能基础，从参与全球化竞争的高度来认识做好新时期维护教育公平和发展人才工作的紧迫性。这些政策和措施都得到社会各界的好评和支持。

（五）深化分配制度改革

1. 广东解决分配不公的理论探索。

分配是民生之源。加强收入分配的宏观调节，是解决社会公平问题的关键环节。

改革开放初期，邓小平一方面坚持和强调作为社会主义的根本目的和最终目标的“共同富裕”，另一方面，他又主张必须合理拉开差距，以“先富带动后富”。这是社会主义理论和实践上的一大创新，也是邓小平解决中国贫困问题的基本思路。

在我国走向市场经济的过程中，“效率优先、兼顾公平”是分配制度改革的基本原则和方针。中国的改革实际上是一个由不同的改革阶段组成的过程。社会经济发展到今天，“30年改革开放的巨大成就，不是源于政府坚持了‘效率’原则，而是在于政府放弃了直接追求效率，把效率机制交给了市场，逐步把工作重心转移到改善市场环境、促进公平竞争等方面。政府的作用就是要弥补市场的缺陷，做市场做不了或做不好的事业，向社会提供公共产品，化解社会矛盾，促进社会公平。在这个意义上可以说，市场提供效率，政府维护公平正义，应该是我国市场深化和政府转型的基本价值取向”①。中共十七大报告明确提出“提高劳动报酬在初次分配中的比重”、“初次分配和再分配都要处理好效率和公平的关系，再分配更加注重公平”，这是政府作为公共权力受托者的本质属性，是落实科学发展观、构建和谐社会的具体体现，又是经济发展现阶段的必然要求。

---

① 高尚全：《坚持解放思想　推动体制创新》，http://www.hxzs2007.gov.cn/xjNewsView.asp?id=394。

广东分配不公问题比较严重，是中国分配问题的缩影。比如，“再分配中近年政府所得增长过快，居民的可支配收入增长过低”。“广东城乡区域发展近年有了新的进展，但发展仍不够协调。1978—2006年，广东农村人均纯收入增长仅为6.8%，低于人均GDP4.5个百分点。1978年广东农村居民人均纯收入是城镇居民人均可支配收入的46.9%，2006年农村居民人均纯收入仅为城镇居民人均可支配收入的31.7%，城乡差别不断扩大”①。

因此，广东解决分配不公问题任重而道远。

广东一直在探索如何解决分配不公问题。广东理论界认为，现在应当将重点放在理顺初次分配的关系与提高再分配力度上，要提高劳动者的收入在国民财富中所占的份额，同时强化再分配的力度，包括地区之间的转移支付、阶层之间的转移支付。通过强化社会责任，借助政策引导大家参与慈善公益事业，逐步把第三次分配的水平提到一个新高度。

也就是说，在初次分配中充分体现追求效率的精神与原则，而在再分配中充分体现公平的精神与原则，第三次分配则要体现社会的文明程度与道德水准。现在将重点放在理顺初次分配的关系与提高再分配力度上，提高劳动者的收入在国民财富中所占的份额，同时强化再分配的力度，包括地区之间的转移支付、阶层之间的转移支付“输血救命”。更重要的是，积极促进民生的政策着眼于“放水养鱼”，要求政府从财政、税收、人力资源培训和改善投资环境等方面提高民众的自我“造血”能力，特别是自主就业和创业能力，以此增强民众对生活风险的免疫力。同时，借助政策引导大家参与慈善公益事业，逐步把第三次分配的水平提到一个新高度，给各地区、各社会群体平等的收入增长和发展机会。

2. 广东解决分配不公的实践经验。

实践上，21世纪以来，广东更加重视统筹城乡和区域发展，

---

① 广东省统计局国民经济核算处供稿，李华撰稿：《改革开放以来广东收入分配格局研析》，广东统计信息网 http://www.gdstats.gov.cn/tjfx/t20080311_53694.htm。

明确把调节利益分配、维护社会公平放到突出的位置上，着力解决关系城乡居民生产生活的突出的民生问题，促使全体社会成员平等地享有社会资源和发展成果。广东省财政支出的“一降一升”格外引人注目。一边是用于经济建设的比例不断减少，2006年省级财政预算安排中，经济建设支出仅占4.14%；另一边却是用于公共服务和公益事业的比例连年增长，仅2005年，广东省在“三农”、教育、卫生、社会保障等民生领域的投入高达235亿元，占省级一般预算支出的59%。集中财力实施“十项民心工程”，是近年来广东省最大的政德之一。2003—2007年，广东每年投入过百亿元用于支持全民安居、扩大再就业、农民增收减负、教育扶贫、济困助残、外来工权益维护、全民安康等“十项民心工程”建设，有效改善了民生。

可见，广东省委、省政府充分认识到，公共财政作为政府管理和服务社会的物质基础，必须服务于构建和谐社会这个宏伟目标，办好社会公共事业、公益事业，为社会提供全面的优质的公共产品，如教育文化事业等，同时，特别向社会弱势群体重点倾斜，如贫困地区、贫困阶层、贫困人口、特殊困难群体等，保障和维持其正常的基本生活，要建立健全社会保障体系和社会救助体系，同时还应加强扶贫开发，不断增强弱势群体自救自强自立的“造血功能”。

（六）建立基本医疗卫生制度

广东着眼于实现人人享有基本卫生保健的目标，着力解决群众“看病难、看病贵”问题，特别是解决农民“看病难”问题。落实好“一村一站一万元”政策，使农民小病不出村，对全省乡镇卫生院按公益性卫生事业单位进行改革，提高财政对农村合作医疗的补助标准，扩大农村合作医疗覆盖面。

1. 城乡医疗卫生服务体系基本建立。

广东卫生事业平稳发展，卫生资源总量适度增长，医疗卫生服务总量明显上升。截至2007年，全省共有医疗卫生机构17468家，

医院床位数21.8万张，卫生技术人员35万人，其中执业（助理）医师13.7万人，每千常住人口卫生技术人员3.7人，床位数2.3张。全省有村卫生站25661个。“亿万农民健康促进行动”、疾病防治知识普及不断深入。农村爱国卫生运动广泛开展，全省共创建了10个国家卫生城市，70个国家卫生镇及一批省级卫生城市和卫生镇、卫生村。农村公共卫生明显加强，县（市、区）农村初级卫生保健工作达标或基本达标，成为中国农村初级卫生保健工作试点阶段的“基本达标省”。

2. 爱婴行动全国领先。

1995年广东省、珠海市和中山市被评为全国创建爱婴医院先进省、市，受到世界卫生组织、联合国儿童基金会和卫生部的表彰。孕产妇死亡率由2002年的24.01/10万下降到2007年的17.83/10万。全省健全了三级妇幼保健网，妇幼保健机构建设迈进全国先进行列。

3. 广州未成年人告别无医保时代。

2008年六一儿童节，《广州市城镇居民医疗保险》开始实施，80多万名广州本市户籍的未成年人从此告别没有医保的时代。

广东省医疗卫生事业呈现出生机勃勃、奋发向上的良好局面，牢固树立为人民健康服务、为社会主义现代化建设服务的宗旨，坚持预防为主，以公共卫生、农村卫生和社区卫生为重点，走促进城乡、区域、医防协调发展、公平发展的道路。经过30年的发展，医疗卫生事业站在了一个新的起点上，为全面转入科学发展轨道奠定了坚实基础。

（七）建立充满志愿精神的公民社会

中国改革开放以来，在发展社会主义市场经济的同时，也推进社会服务的创新。其中，引进和借鉴外国现代志愿服务，改造和丰富“学雷锋、做好事”形式，逐渐建立当代中国的志愿事业，从广州、天津、深圳等地区率先发展志愿服务始，至今走过20年历程，展现现代公民社会的风尚。

1. 广东的志愿服务领中国志愿服务潮流之先。

文化的开放性使得广东人最早从海外和港澳认识到志愿文化，加上岭南人本身的乐善好施，这种文化最先在这片热土生根发芽。1987年，“广州市中学生心声热线”诞生，拉开我国志愿服务的序幕。1999年，《广东省青年志愿服务条例》出台，这是中国首部关于青年志愿服务的地方性法规。经历20年的发展，志愿者队伍越来越庞大，截至2007年12月，全省共有注册志愿者300多万人，累计组织动员1000多万人次参与志愿活动，为社会提供超过4.6亿小时服务。广东打造出一批具有重大影响的志愿服务品牌，建立了各区、街、社区及各级综合志愿服务队和启智、松柏、医疗、助残、外展、网络等专业志愿者服务队，志愿服务覆盖社会发展和民众生活的所有领域，甚至走出国门，承担了中国志愿服务海外援助缅甸和塞舌尔项目。广东成为我国志愿服务事业发展最快、规模最大的省份之一。

2. 志愿服务当之无愧成为建设和谐广东的重要力量。

在我国，志愿者精神概括为“奉献、友爱、互助、进步”，这符合和谐社会的根本特征，即民主法治、公平正义、诚信友爱、充满活力、安定有序、人与自然和谐发展。志愿服务的无偿性和公益性决定了它能够发挥政府及市场无法替代的社会保障功能。在某种意义上甚至可以说，和谐社会就是充满志愿者精神的公民社会。

志愿服务的发展状况是判断公民社会发育程度的一个标志性尺度。20年来的实践充分表明，广东志愿组织实践着“第三部门”的功能，有效整合社会资源，传递社会成员之间的相互关爱，践行为他人奉献、互相帮助共同发展的理念，有助于培育社会的和谐文化。同时，志愿者强调有序地参与社会生活，互相配合进行各种服务活动，也是培养公民参与社会主义民主政治实践的重要形式，可以起到“上情下达”与“下情上达”的作用。因此，志愿服务成为广东社会保障体系的一个显著优势，当之无愧成为建设和谐广东的重要力量。

3. “助人自助”和“日常化”的广东志愿服务。

没有雷锋那样崇高的觉悟，不是媒体塑造的“高大全”英雄，“助人自助”，这种“利他”和“利己”相结合的“双赢”理念，能够为更广泛的人接受。志愿活动是公众参与社会生活、参与推动社会进步的日常化方式，“参加志愿活动就像广东人喝早茶一样平常”，提供志愿服务是一件平常的事情，“乐人乐己”，随时都可以进行。

广东“助人自助”和“日常化”的现代志愿服务理念，经过20年的实践，对社会公益行动产生了最强劲的推动力。“我志愿，我快乐”，志愿文化深入人心开花结果，志愿者事业已经发展成为广东省参与面最广、参与度最高、影响力最大的公益事业。人人参与志愿活动，人人享受志愿服务。这是促进社会和谐的精神力量，是贯彻科学发展观的生动体现，是推进社会良性运行和协调发展的重要方面。

三、社会建设的重要经验

广东处于改革开放的前沿，与经济发展步伐一致，最先遭遇各种社会问题。广东积极应对，经历了大量的考察、研究、论辩、批判、设计、试点、总结……创造性地解决社会问题，为其他地区提供了重要经验与启示。

（一）高度关注民生

“高度关注民生”，不只是一种姿态和口号，而是一个以政治语言来表述的深刻的历史唯物主义命题。只有高度关注民生，坚持发展为了人民、发展依靠人民、发展成果由人民共享，切实解决人民群众最关心、最直接、最现实的利益问题，才能真正践行“立党为公、执政为民”的执政理念。

1．民生幸福：社会发展的最高价值追求。

以人为本，重视社会建设，崇尚民生幸福，反映了中国共产党对中国特色社会主义发展规律认识的深化。十一届三中全会以来，

中国共产党在深化对共产党执政规律、社会主义建设规律的过程中，越来越深切地体会到，建设中国特色社会主义，不仅要加强经济建设、政治建设和文化建设，而且要加强社会建设。十六大在论述“全面建设小康社会”的奋斗目标和历史任务时，提出“社会更加和谐”。十六届六中全会通过的《中共中央关于构建社会主义和谐社会若干重大问题的决定》，是中国共产党历史上第一个加强社会主义社会建设的纲领性文献。十七大报告提出：“努力使全体人民学有所教、劳有所得、病有所医、老有所养、住有所居，推动建设和谐社会。”2008年政府工作报告中，执政为民的理念贯穿始终，以人为本的工作是最大的亮点。“坚持以人为本，树立全面、协调、可持续的发展观，促进经济社会和人的全面发展”，这是我们党在新世纪新阶段从国家事业发展的全局出发提出的重大战略思想，符合马克思主义的基本原则，也是时代赋予中国共产党人的伟大历史使命。

广东省在构建和谐社会的理论探索上与中央保持一致。广东一直根据广东社会发展的现实，思想上不断前进，做科学发展的排头兵，引领民生改善风气之先。2000年，广东省政府工作报告提出，推进社会保障体系建设。依法在各类企业和职工中强制推行社会保险，今年实现养老、失业保险覆盖全社会的目标。全面实施城镇职工基本医疗保险制度。2003年广东省政府工作报告提出，做好就业和社会保障工作，改善人民生活，把改善创业环境和增加就业岗位作为政府重要职责。2005年广东省政府工作报告提出建设和谐广东，即把广东经济社会发展真正转到全面协调和可持续发展的新轨道上，要努力做好报告中提出的五篇大文章，即推进新型工业化、发展现代服务业、壮大县域经济、加强区域合作、建设和谐广东。《广东省国民经济和社会发展十一五规划纲要》要求：“社会和谐程度提高。基本形成文明法治、稳定和谐、宽容诚信的社会环境。”2008年，中共中央政治局委员、省委书记汪洋在省委十届二次全会上指出，要把握人的全面发展是发展根本目的，充分认识增强贯彻落实科学发展观的针对性。他在会议中多次强调，要继续坚

持执政为民、以人为本，进一步解放思想、更新观念，采取更有力措施解决民生领域存在的突出问题，力争今后几年广东民生有较大改善。可见，随着经济社会发展和认识的深入，广东越来越注重解决民生问题。

2. 改善民生：服务型政府的重要标志。

建设服务型政府，作为行政管理体制和政府职能转变的重要目标，是近年来广东省政府的核心议题之一，也是一种公开的政治承诺。首先，服务型政府把改善民生作为自己的基本职责。改革开放以来，广东行政机构改革在体制和机制上都有新突破，建立起基本适应市场经济体制的办事高效、运转协调、行为规范的行政管理体制，打造阳光政府。经历了长期的管制型政府阶段，广东意识到，以人为本，改善民生是服务型政府行政治国的基本理念；建设服务型政府是一个必然选择，既是民心所向，也是政府发展的内在要求；只有服务型政府才是可持续型政府，服务型广东才是可持续型广东。其次，服务型政府把民心所向作为自己工作的重点。保障和增进民生幸福是各国效仿的立宪标准和政府治理的价值追求，号称宪政典范的美国宪法在序言中阐释其目的时称“宪政制度包含了我们有关人和社会幸福的最深沉的信念，并赋予这些信念以巨大的权威”，美国的宪法就是要“增进全民福利并谋我们及子子孙孙，永享自由的幸福”。[①] 我们的政府是人民的政府，民生幸福是检验服务型政府行政能力的根本标准。进入 21 世纪，广东历年的政府工作报告都坚持以人为本，察民情、知民意、解民忧，为群众做好事、办实事、解难事，努力实现全体群众学有所教、劳有所得、病有所医、老有所养、住有所居。再次，服务型政府把改善民生作为衡量政绩的主要标准。过去，政府官员实绩考核突出的是 GDP 增长快、企业利税高等经济指标。随着发展，广东实现了从 GDP 崇拜到 GNH（国民幸福指数）关怀的转变，寻求 GDP 与 GNH 的最

① 转引自［美］亚历山大·米可尔约翰著，候健译：《表达自由的法律限度》，贵州人民出版社 2003 年版，第 384 页。

佳结合点。“改善民生”成为政府工作的关键词，民生问题解决得好不好，逐渐成为衡量各级政府官员执政水平高低、政绩大小的重要标准。因此，广东官员实绩考核内容，除了传统的经济指标和否决指标外，重点突出民意指标，也就是说，考察政府的政绩，主要看经济社会发展是否符合科学发展观的要求，是否符合社情民意。由此，广东政府加强自身改革和建设，以发展社会事业和解决民生问题为重点，努力建设一个人民群众满意的政府。

（二）立足省情择善而从

改善民生的步伐必须与现实的经济发展水平相适应。改革开放30年来，广东的高速发展与活力令世界瞩目。广东连续在经济总量、财政收入、进出口总量、贸易等方面排在全国前列。人均GDP突破3500美元，标志着广东经济已经步入工业化中期。人民的生活水准连续跨越了饥寒型、温饱型和小康型三个阶段，民生改善的伟绩举世公认。正是在经济持续高速发展的基础上，广东社会保障制度获得长足发展，初步形成多层次社会保障体系的框架，覆盖范围不断扩大。经济发展日新月异，广东改善民生的步伐与之协调。

广东把国际经验和我国具体情况结合起来。社会保障制度已面世120多年，其间许多经验教训是人类文明的宝贵财富。但是，我们需要明白，各国经济发展水平不同，文化历史背景不同，建立社会保障制度的时间长短不同，因而，保障方式、覆盖范围、待遇水平也必然有所差别。当今世界很难找到两个完全相同的社会保障计划，各国制度各有千秋，各有利弊，绝没有现成的“最优模式”可以照搬照抄。我国社会保障制度建设起步比较晚，广东乘着解放思想的风帆，通过扩大开放，进一步加强与港澳台和世界各国的交流合作，以更宽广的胸怀兼收并蓄，学习、借鉴和吸收一切有益的经验，研究广东实践中遇到的新问题，坚信自己的判断和选择，循序渐进地探索适合自己的和谐社会新路。

（三）政府主导与调动社会各界积极参与相结合

政府不应当是负无限责任的政府。实际上，政府的责任有限，个人的责任有限，企业的责任有限，共担责任才能把社会保障问题解决好。计划经济时代形成的国家负责、单位（集体）包办、封闭运行的传统的社会建设制度已经转换成为政府主导、责任分担、开放型的社会化体系，调动国家、集体、社会、市场和个人等多方面力量的积极性。

广东充分利用的各种社会资源至少有五个方面。一是用人单位。现代企业同时是人际关系和社会关系的生产者。二是劳动者。劳动者既是民生保障的需求方，又是供应方。国际社会保障改革的趋势，越来越摒弃福利与个人责任完全脱离的制度安排，即使是长期实行普惠制的西欧、北欧诸国，也在尝试做出更直接体现个人责任的改良。我们是发展中国家，广东有着自己的特殊省情，更要通过合理的制度、政策、机制设计，引导劳动者清晰地认识权利与义务的关联，从而成为社会保障制度的积极参与者和建设者。三是市场力量。现代社会建设要更多地引入市场机制，实现政府资源与市场力量的合理配置，凡是市场能做的尽量交由市场去做，比如通过政策引导和税收优惠，借助市场力量加快建立政府基本保障之外的补充性保险制度，形成多层次的社会建设体系，满足各类社会成员的不同需要。四是社会组织。广东较好地动员各种社会力量，发挥各类社会组织的作用，加快健全社区服务功能，开展了社区就业服务、下岗失业人员和企业退休人员管理服务等工作，加强居民自治管理，形成规范的制度，全面实现社会服务社会化的目标。五是广泛的社会参与和监督。广东不断建立并完善改善民生政策的咨询、听证、投诉、争议处理和舆论监督等制度，使更多的社会组织和公民参与到改善民生追求幸福过程中。

（四）进一步解放思想，落实科学发展观

作为改革开放的排头兵，广东不但取得了经济建设的辉煌成

就，民生建设因此也走在了全国的前列，成为全国的缩影。新时期新阶段里，广东面对日益凸显的社会矛盾的重大考验，自然界突如其来的雪灾、地震的重大考验，战胜了各种困难与风险，而且在改善民生、建设和谐社会上也闯出了一条新路。

但是，发展中的广东不断面临各种新问题、新矛盾与新挑战。一方面，当前全省总体上是和谐的，广东经济、政治、文化、社会建设取得了巨大成就，这为未来和谐广东建设的稳定、协调、持续发展奠定了坚实的基础。另一方面，广东正处于经济社会转型发展的关键时期，这既是发展黄金期，也是矛盾凸显期，广东面临着工业社会和风险社会的双重压力，各种社会矛盾往往暴露得较早，较多，较充分。这些都使和谐广东建设的任务更加复杂和更加艰巨。主观上也有某些失误，某些领域仍然在一定程度上存在过度市场化倾向、过度行政化倾向和过度功利化倾向，有些人的脑海中，往往只有金钱与利润，缺少人文关怀和社会责任。总的来看，广东正处于重化工业加快发展的工业化中期，但同时也已经迈入信息社会的门槛，正在面对风险社会的威胁。

民生的改善，并不意味着民生问题已经得到全面解决。“十五”时期或者改革开放阶段前一个时期解决的民生问题，主要是初级阶段的初级民生问题。我们从人类发展这个更高的角度来透视广东和谐社会的构建，民生建设面临着一系列挑战，比如人口老龄化挑战社会保障体系，就业问题逐步从总量上的困难转变为结构上的困难，社会保障体系有待进一步完善，分配不公现象依然严峻等等。民生问题与时代的发展同步，其内涵和外延也在不断扩展，并且由单纯的物质生活转向全面化。

因此，在改善民生、构建和谐社会上广东更具有紧迫性。居安思危，进一步解放思想，树立世界眼光，坚持以人为本和可持续发展，是广东追求自我超越、创新改革经验、转入科学发展的迫切需要，是广东继续建设和谐社会、追求民生幸福的必由之路，也是全面贯彻落实科学发展观的应有之义。

广东追求民生幸福的实践，明确回答了中国为什么发展和怎样

发展的重大问题。这是马克思主义、毛泽东思想、邓小平理论、“三个代表”重要思想和以“以人为本”为核心的科学发展观的继承和发展，这是中国共产党对改革开放30年来社会主义现代化建设实践的科学总结，这是我国的社会主义现代化赢得群众全面参与的力量源泉，这也是新世纪我们全面建设小康社会、开创中国特色社会主义事业新局面的根本要求。广东的和谐社会建设是中国和谐社会的组成部分。在经济全球化、世界多极化、文化多元化的当代，全球出现了改革社会建设、重视民生的浪潮，广东从实际出发探索的社会建设之路，已经并且继续将为中国甚至世界追求民生的历史增添光辉的篇章。

第九章
固本强基

党的建设历来是同党领导的伟大事业紧密联系在一起的。坚持党的建设与改革开放的有机结合，围绕改革开放的实践全面加强党的建设，是新时期党的建设的一个基本规律，也是中共广东省委领导社会主义现代化建设取得快速发展的基本经验。改革开放30年来，广东省委紧密结合改革开放的实践，坚持以加强党的先进性建设和执政能力建设为主线，以实施固本强基工程为重点，不断创新党建工作理论、党建工作机制、党建工作载体，在解放思想中加强党的思想建设，在巩固基础中加强党的组织建设，在改革实践中加强党的制度建设，在对外开放中加强党风廉政建设，形成了具有广东特色的、符合基层实际的党建工作经验。

一、在解放思想中加强党的思想建设

注重在思想上建党，在解放思想中统一思想，是中国共产党治党管党、治国理政的基本经验。改革开放30年来，广东一直处于中国意识形态交锋的前沿地，在各种思想激烈交锋的漩涡中，从不同实践探索中获得新认识、赢得新发展；这种意识形态交锋又使广东处于党的理论创新的发源地，党的理论创新为广东改革开放注入新的思想动力。只有思想理论的清醒，才能保证行动上的坚定。只

有在解放思想中统一思想，才能获得推进改革开放的前进动力；只有在解放思想中加强党的思想建设，才能获得谋求发展的理论支撑。广东省委始终坚信实践是检验真理的唯一标准，坚持理论联系实际的学风，注重在学习交流和党员教育中统一党员干部和群众的思想；坚持在不断发展中解决发展中存在的问题，充分发挥各级党组织的领导核心和战斗堡垒作用；按照建设学习型政党的要求，抓好领导班子的思想理论建设；坚持共产党员先进性的要求，抓好党员干部的素质和能力建设。创建广东学习论坛、开展“三有一好”教育，就是在这种理论认识基础上进行的实践创新。

（一）以思想解放谋发展

中国改革开放是以意识形态的思想解放为先导的。在某种意义上，中央赋予广东作为中国改革开放的试验田和窗口的地位，也使广东的改革开放一开始就处在意识形态交锋的前沿，在接受不同思想的洗礼和不同观点的争论中，党的思想建设面临着前所未有的压力和挑战。面对这些压力和挑战，广东坚持党的解放思想、实事求是、理论联系实际的思想路线，在解放思想中统一思想，在解放思想中谋求发展，以发展的实际成效体现思想解放的必要。实践证明，广东改革开放的实践与坚持党的思想路线是紧密联系在一起的。广东的改革开放和现代化建设并不是一帆风顺的，甚至遇到过责难。每当广东改革开放和现代化建设进入关键阶段，中共中央领导人总是亲临广东视察指导，总结经验，解决困难，重申党的思想理论，为广东探索发展注入新的、强大的动力和活力。回顾广东30年改革开放历程，我们可以发现广东的每一次大发展，都是以加强党的思想建设作为起点，作为突破口的。

1. 第一次思想解放使广东率先开放。

在第一次思想解放中，广东省委坚持解放思想，从广东毗邻港澳的实际出发，大胆向中共中央提出广东“先行一步”的要求，使广东成为全国改革开放的示范地。南粤大地吹响了改革开放的号角，迈开了探索中国特色社会主义道路的第一步。

1978年春天，广东主管经济工作的省委书记参加了由谷牧副总理率领的西欧5国考察团。出发前，邓小平叮嘱这次出访是要学习人家的先进经验，特别是好的管理方法。1978年11月，在中共中央召开的工作会议上，广东省委主要领导在工作汇报中谈到引进香港资金、技术和设备的问题，受到中共中央和邓小平的重视。①1979年2月，广东省委召开常委会，接受了吴南生提出的一个大胆的设想：解放思想，对外开放，广东向中共中央要求“先行一步”。1979年3月，在中共中央工作会议上，当时的广东省委第一书记习仲勋代表省委向中共中央提出让广东在对外开放中先行一步和建设出口加工区的要求。1979年8月26日，邓小平会见了习仲勋等同志。他说：“你们上午的那个汇报不错嘛！在你们广东划出一块地方来，也搞一个特区，怎么样?”“对，就叫特区嘛，陕甘宁就是特区。中央没有钱，你们自己去搞，杀出一条血路来!”②邓小平关于兴办特区的倡议，迅即引起了积极而强烈的反响。1979年《中共中央、国务院批转广东省委、福建省委关于对外经济活动实行特殊政策和灵活措施的两个报告》下达，批准广东的深圳、珠海、汕头设置出口特区。

20世纪80年代中前期，随着广东经济特区大发展过程中积累的问题逐渐暴露，特区“失败论”一度颇为流行，甚至影响到外商对特区投资的信心。1984年邓小平到南方视察，听取了各方面的汇报。当看到深圳的建设速度相当快，蛇口比深圳更快时，他感到非常高兴。他为深圳、珠海特区题词：“深圳的发展和经验证明，我们建立经济特区的政策是正确的”，“珠海经济特区好”。邓小平回京后对几位中共中央负责同志说：深圳的建设速度相当快，可以考虑再开放几个港口城市，他强调指出：“我们建立经济特区，实行开放政策，有个指导思想要明确，就是不是收，而是

① 参见丁晋清：《邓小平对创建广东经济特区的历史贡献》，《求是》2004年第14期。

② 参见吴南生：《换脑筋，思想再解放》，《亚太经济时报》1992年11月1日。

放。”[①] 在邓小平的支持下，广东省委主要领导认为：“改革是一项崭新的事业，无先例可循，总是在探索中前进的，有‘红头文件’规定的，要抓紧去做；暂时还没有规定的，要积极搞试点做实验，力求在实验中有所突破。没有突破就没有改革，就不能前进”，“要提倡敢于实验、积极探索、勇于开拓的精神”。[②] 正因为广东坚持解放思想，更新观念，采取一系列正确的方针政策，迎着风险和困难而上，才推动广东的改革开放进入了一个新阶段。继创办经济特区之后，经中共中央批准，又建立了包括28个市、县的珠江三角洲经济开放区，同时将粤西一些市县列入沿海经济开放区范围，广州、湛江列入14个沿海开放城市，全省形成了16个市42个县的开放地带，扩展深化了对外开放。在经济特区的带动下，广东改革开放进入了一个新阶段，发展上了一个新台阶。

2. 第二次思想解放使广东率先发展。

在第二次思想解放中，在姓“社”姓“资”的争论中，广东以改革开放前沿阵地的生动实践，为中共中央继续探索中国特色社会主义发展道路提供了现实依据，广东因得益于思想解放而率先发展。

1989年下半年以后，受海内外政治形势的影响，国内再次出现思想纷争，以为改革开放要收、阶级斗争要抓的疑问不仅在社会，在中共党内也大有存在。这时候，蛰伏多年的“左”倾思想有了抬头空间，于是抓住机会又冒了出来。在姓“社”姓“资”的争论上，“左”倾势力一度甚嚣尘上。思想上的混乱必然带来生产上的停滞和经济上的下滑，在当时，我国国民经济发展速度一直在5%上下徘徊，出现较大的滑坡势头。有人认为特区是在引进和发展资本主义，应该“收一收”。广东经济特区又一次面临严峻考验。1992年春天，邓小平再次视察了深圳、珠海等地，并发表著名的南方谈话再次肯定广东特区发展的辉煌成就。他指出：“一九

① 《邓小平文选》第3卷，人民出版社1993年版，第51页。

② 谢非：《广东改革开放探索》，中共中央党校出版社1998年版，第496页。

八四年我来过广东。当时，农村改革搞了几年，城市改革开始，经济特区才起步。八年过去了，这次来看，深圳、珠海特区和其他一些地方，发展得这么快，我没有想到。看了以后，信心增加了”。充分肯定特区姓“社”不姓“资”。邓小平认为：“对办特区，从一开始就有不同意见，担心是不是搞资本主义。深圳的建设成就，明确回答了那些有这样那样担心的人。特区姓‘社’不姓‘资’”。“有的人认为，多一分外资，就多一分资本主义，‘三资’企业多了，就是资本主义的东西多了，就是发展了资本主义。这些人连基本常识都没有”。应该把“是否有利于发展社会主义社会的生产力，是否有利于增强社会主义国家的综合国力，是否有利于提高人民的生活水平”，作为判断是非得失的标准。① 邓小平强调坚持党的基本路线一百年不动摇，要求广东改革开放胆子更大一点，步子更快一点，能发展多快就发展多快，力争用20年的时间赶上亚洲“四小龙”；在加快发展的过程中，要坚持物质文明和精神文明“两手抓，两手都要硬”。

广东各界对邓小平的南方谈话作出积极回应。在极大推动党的思想解放运动的同时，广东党的建设所取得的成绩极大地推动了广东的进一步发展。比如说，没有领导班子建设，就没有顺德模式；没有党的干部人事制度的改革，就不可能有全国的“孔雀”飞向广东的状况。这充分说明，党的建设一旦成为先导，改革开放就形成万马奔腾之势。广东按照“三个有利于”的标准，全面深刻地推进各项改革，加快率先建立社会主义市场经济体制，切实转变政府职能，大力发展以公有制为主体的多种所有制经济，建立现代企业制度，推进股份制改造，探索农村股份合作制，健全社会保障体系，进一步扩大开放，形成全方位、多层次、宽领域的对外开放格局，掀起了新一轮改革与发展的热潮，尤其是引进外资掀起高潮，基础设施和各种建设迅猛发展。

3．第三次思想解放使广东加快发展。

① 参见《邓小平文选》第3卷，人民出版社1993年版，第370～373页。

在第三次思想大解放中，广东关于所有制改革的理论与实践引起了全党关注和讨论。在正确理解中共十五大精神的基础上，广东赢得了加快发展的难得机遇。

1996 年，当时的深圳市委书记厉有为到北京参加 3 个月的中共中央党校省部级干部进修班。那时国家的改革和国有企业的改革，总是跨不过生产资料占有的问题。他认为是时候必须在这个问题上动刀子了。在总结深圳经验的基础上，他撰写了《关于所有制若干问题的思考》的理论文章，把它作为毕业论文。文章认为："为适应中国已经设定的建立社会主义市场经济体制这一目标，中国必须在所有制问题上有所突破。除了公有制与私有制以外，可以建立多数劳动者占有多数生产资料的社会所有制形式。"① 1997 年上半年，北京开始掀起批这篇毕业论文的高潮。说"这篇被广泛散发的报告，决不是一份普通的'学习'体会和'思考'，而是精心准备抛出的一份彻底改变我国社会主义改革方向的政治宣言和经济纲领"。说厉有为是"反马克思主义的修正主义浊流"。紧接着，"中国《资本论》研究学会、中国历史唯物主义研究学会、上海社科院退休的领导等 3 个负责人就联名写信给中央告状"②。之后又有五六篇文章，都是指名道姓地批判，给这篇文章加了 20 多个罪名。有篇《厉有为意欲何为？首都理论界人士批评厉有为同志所谓的一些"新认识"》的文章说"（厉有为的文章）是从根本上否定了现实社会主义制度的历史必然性和优越性，否定历史辩证法，要毁掉我国全民所有制，搞私有化"。

全国各地有不少人声援厉有为，有理论界、新闻界的，包括北京的一些部长。广东省社科院还专门开了研讨会声援厉有为，支持厉有为的观点。1997 年 4 月，当时的中共中央总书记江泽民在中南海的办公室外屋客厅里，找厉有为谈话，讨论这篇文章。1997 年 5 月 29 日，江泽民在中共中央党校省部级干部进修班毕业典礼

① 《一场惊动高层的理论风波》，《报刊文摘》2008 年 1 月 18 日。

② 《一场惊动高层的理论风波》，《报刊文摘》2008 年 1 月 18 日。

上，发表了他准备良久的讲话。江泽民说："旗帜问题至关重要。旗帜就是方向，旗帜就是形象。我们说坚持十一届三中全会以来的路线不动摇，就是高举邓小平同志建设有中国特色社会主义理论旗帜不动摇。在邓小平同志逝世之后，我们全党，特别是高级领导干部，在这个问题上尤其要有高度的自觉性和坚定性。"① 江泽民的这个讲话把厉有为解放了，批厉有为的声音消失了。

20世纪90年代后期，全国各地出现了思想解放、改革发展的新浪潮，广东的先发优势、地缘优势和政策优势逐渐弱化，一些潜在的问题显现出来。1998年，在广东视察工作的江泽民向广东提出了增创新优势，更上一层楼，率先基本实现社会主义现代化的新要求。如何在新的形势下加强党的建设，中共中央非常重视广东的态度。2000年春天，江泽民在出席了广东高州市领导干部"三讲"教育会议之后，从高州到深圳、顺德、广州，一路走、一路看、一路听、一路思索。这次视察广东，他最关心的一个问题就是建设一个什么样的党、怎样建设党。从江泽民两次视察广东，先提出改革开放问题，接下来就提出党的建设问题，可以看出两者的关联，也可以领会到中共中央对广东加强党的建设的新要求。② 新要求带来新机遇，新机遇带来新举措，新举措带来新发展。

4. 以思想大解放推动广东科学发展。

2003年以来，广东省委聚精会神搞建设，一心一意谋发展，经济增长质量和自主创新能力进一步提高，经济发展后劲进一步增强；城乡、区域协调发展取得新进展，开创了粤港澳、泛珠三角区域合作的新局面；经受住了"非典"等突发事件和台风等自然灾害的严峻考验，保持了社会大局的稳定；社会各项事业全面进步，城乡居民生活水平明显提高；党的建设进一步加强，干部队伍和基

① 《高举邓小平建设有中国特色社会主义理论伟大旗帜，抓住机遇，开拓进取，把我们事业全面推向二十一世纪》，《人民日报》1997年5月30日。

② 参见杨汉卿：《广东与新时期党的理论创新》，广东省邓小平理论和"三个代表"重要思想研究中心编：《永远的旗帜：邓小平理论与广东改革开放研讨会论文集》，广东经济出版社2004年版，第485页。

层组织建设取得新成效，各方面工作都取得突出成绩，改革开放和经济发展一直走在全国前列。①

当广东遇到突如其来的“非典”疫情时，2003 年 4 月，胡锦涛总书记来广东考察工作，对广东改革开放以来所取得的成果给予了充分肯定，同时，热切地希望广东在现代化建设的进程中，加快发展、率先发展、协调发展，增创新优势，在全面建设小康社会、加快推进社会主义现代化进程中更好地发挥排头兵作用，既为广东的进一步发展指明了前进的方向，也是对广东党的建设提出的新要求。

中共十七大指出，解放思想是发展中国特色社会主义的法宝。中共中央政治局委员、省委书记汪洋在中共广东省委十届二次全会讲话中提出，当前广东的发展已经站在了一个新的历史起点上，广东作为改革开放的先行区，科学发展观思想的提出地，要继续解放思想，坚持改革开放，以当年改革开放初期“杀出一条血路”的气魄，努力在实践科学发展观上闯出一条新路，争当实践科学发展观的排头兵。在新的历史时期，广东还能不能“特”，关键看自己。“广东的‘特’，从来都是靠广东人自己创出来的。如果现在的广东不能‘特’，缺少‘特’，那就是我们自己的思想束缚了自己。”② 广东要争当实践科学发展观的排头兵，首先必须争当解放思想的排头兵，把思想从不适应、不利于科学发展的认识中解放出来，以解放思想为“纲”，推动各项工作开展。解放思想不能一劳永逸，时代发展的步伐加快，我们不能躺在原有的成就上酣睡，我们要以“人一之，我十之，人十之，我百之”的精神，推动广东新一轮的发展。

（二）创办广东学习论坛

广东在改革开放中先行一步，特殊的地理位置和相对发达的市

① 《张德江将上调中央，汪洋接任广东省委书记》，《新快报》2007 年 12 月 1 日。

② 《汪洋激情论解放思想，推动广东新一轮发展》，《南方日报》2007 年 12 月 26 日。

场经济，使我们面对各种非马克思主义意识形态滋长，西方敌对势力意识形态渗透的情况更加复杂，形势发展对广东的理论武装工作提出了更高要求。广东肩负的历史使命和所处的历史地位，需要全省广大党员干部具有较高的理论修养，不断提高运用党的基本理论解决实际问题的能力，不断研究新情况、解决新问题、总结新经验，不断有所发现、有所创造、有所前进。1996 年 11 月，广东省委下发《中共广东省委关于建立和健全各级党委（党组）中心组学习制度的决定》，指出搞好党委（党组）中心组的理论学习，是提高领导干部思想政治素质的重要环节，要发挥中心组的表率作用，带动党员干部的理论学习。强调各市、县党委，以及省、地级市直属机关各单位和各大企事业单位的党委（党组）都必须建立和健全学习中心组。中心组要按照“学马列要精，要管用”的原则，制订学习计划，安排学习内容，尤其是要联系广东实际学习好邓小平同志建设中国特色社会主义理论。要切实抓好自学这个环节，健全集中学习研讨制度，建立和健全领导干部理论学习的检查和考核制度。从 1996 年起，全省各级党委（党组）中心组如雨后春笋般地建立起来。后来，中共广东省委又先后印发 4 个文件，强调各级党委（党组）中心组要建立健全理论学习制度，加大了制度建设的力度，逐步建立完善有关学习组织制度、个人自学制度、集中研讨制度、学习考勤制度、学习档案制度、学习通报制度、学习经验交流和学习检查考核制度，形成了比较管用的学习考核标准体系。广东省所有县级以上单位基本设立了中心组。学习制度比较健全、比较完善的有 4100 多个，各中心组每年确保有 8 ~ 12 天的学习时间。学习中心组制度的建立，为领导干部学习理论提供了一个平台，提供了制度保障，也提供了学习交流的机会。这对处于改革开放前沿的广东、对肩负着率先基本实现现代化重任的广东党组织，是非常重要的一个制度建设。它使理论学习化“虚”为实，由“软”变硬，不断得到强化。实践证明，建立起这样一个内有动力、外有压力的学习管理制度，是使领导干部理论学习得以扎实、深入、持久开展的关键。

广东学习论坛是广东省委中心组学习创造的一个品牌。省委中心组努力增强学习的紧迫性，将学习作为一种政治责任、精神追求和思想境界。自第一次学习会后，中心组的学习活动蓬勃开展起来。中心组坚持每月集中学习研讨一次，以马克思主义理论特别是“三个代表”重要思想为重点，同时注重学习经济、政治、文化、科技、法律、管理等方面的新知识，在知识系统性上不断拓展。2003 年 8 月，省委宣传部按惯例就中心组学习调研安排提出初步意见。张德江作了一个很长的批示：为提高理论学习效果，我一直想搞一个“广东学习论坛”，一个月搞一次。根据学习的总体安排，分别邀请中央、国家部委负责同志、国内专家来主讲，每次讲半天，听课范围扩大到厅局长。中心组每月定期的集中学习，由此变成“广东学习论坛”。经张德江倡导，广东省委中心组定期举行理论学习会，注重从理论上、战略上思考工作，从而与具体的工作研究分开。这种集中学习和研究，很快就对科学发展观进行最先的领悟与概括，使广东树立落实科学发展观也领先一步。①

通过研究式学习，把学习论坛作为解放思想的话语平台。2003 年 2 月 28 日，新一届省委理论学习中心组举行第一次集中学习会。刚到广东工作的张德江掷地有声：中心组要按中央要求，以身作则，带头学习，以学习促改革、促建设、促发展。他提出以后中心组集中学习每月一次，定期举行，要将理论学习与工作研究、精神贯彻、安排部署分开进行，保证理论学习时间和内容的落实。省委举行这次学习会时，南粤大地正在奋力抗击“非典”。不久，中共中央总书记胡锦涛亲临考察，要求广东加快发展、率先发展、协调发展，更好地发挥排头兵作用。为深入领会总书记讲话精神，省委中心组立刻召开学习会。大家认真讨论，互相启发，激越碰撞，深刻认识到总书记所讲的是一种新的发展观，是集约的发展观，是可持续的发展观，是全面的发展观，是系统的发展观，反映了时代要

① 段功伟：《省委建设学习型班子，“广东学习论坛”成品牌》，《南方日报》2005 年 5 月 18 日。

求，揭示了发展规律。“树立和落实科学发展观，是广东省加快发展、率先发展、协调发展，更好地发挥排头兵作用的关键所在。”①这其实是对科学发展观的最早领悟与概括。这一次理论学习的成果之大难以估量。

通过研讨式学习，把学习论坛作为调研成果的展示平台。省委中心组创新完善学习形式，每年选一两个重大问题展开大型调研，进行研讨式学习；针对班子中存在的倾向性问题，展开整风式学习，查找原因，自觉整改。如果说“广东学习论坛”是一种积累式学习，那么专题大调研就是研讨式学习。这就是根据中共中央的要求和部署，结合广东经济社会发展中的突出矛盾和问题，每年选择一个方面的内容作为研讨专题，最后形成有关决策。2003 年，研讨专题为“立党为公，执政为民”。在进行专题学习中，根据“三个代表”重要思想所包含的主要内容，结合中心组成员分管工作，省委中心组细分了 31 个方面，要求中心组成员集中开展调研，提出相应的对策建议和措施办法。同时还邀请基层模范实践“三个代表”重要思想的党员干部介绍立党为公、执政为民的经验体会，集中两天进行研讨，形成解决群众生产生活困难的思路，最后，出台了著名的“十项民心工程”。这场学习调研带来的变化是巨大的。广东的困难群众不会忘记这一串数字：2003 年，省财政安排专项资金 3. 55 亿元，改造第三批老区、山区 1184 所小学；安排专项资金 3. 85 亿元，解决农村 103 万名困难家庭子女“读书难”问题；清理兑现拖欠农民征地补偿款 19. 29 亿元……2004 年，省委在开展专题研讨式学习活动时，选取“加强党的执政能力建设”为主题，《中共广东省委关于贯彻〈中共中央关于加强党的执政能力建设的决定〉的意见》由此形成，并在 2004 年 9 月召开的省委九届五次全会上通过。

通过整风式学习，把学习论坛作为良好形象的塑造平台。根据

---

① 中共广东省委理论学习中心组：《我们是怎样学习与实践科学发展观的》，《求是》2004 年第 21 期。

中共中央和省委关于加强党的建设方面的一些重大部署和要求，针对领导班子中存在的倾向性问题，省委中心组开展主题教育，组织集中学习，开展批评和自我批评，查找问题原因，制定整改措施，把学习同改造主观世界、加强班子建设结合起来。比如，在保持共产党员先进性教育活动中，省委中心组多次召开这种闭门学习会。张德江亲自给党员上党课，省委中心组成员也都参加了党课的学习。通过这种形式的学习，大家弄清了问题，解决了矛盾，振奋了精神，促进了工作。学习，学习，再学习，中国人的传统美德，如今在中国共产党人执政的伟大实践中展现出更新的内涵与更深的意义。中共广东省委在率领全省人民全面建设小康社会、加快推进社会主义现代化建设征程中，学以立德，学以增智，学以致用，收到很好的效果。①

在“广东学习论坛”的带动下，全省领导干部学习理论蔚然成风，各市、各县和各机关都行动起来，“广州讲坛”、“东莞论坛”、“潮州学习论坛”、“工商学习论坛”相继涌现。“广东学习论坛”作为省委中心组加强理论学习的重要形式，已经成为领导干部了解世界、把握国情的窗口，成为创新观念、启迪思维的土壤，成为互相学习、交流经验的平台，成为研究问题、酝酿决策的阵地。②

（三）开展“三有一好”教育

党的思想建设的主体是党员。在改革开放过程中始终注重对党员的思想教育，是广东加强党的思想建设关注的重点。在全党保持共产党员先进性教育活动中，广东省委九届五次全会决定在全省党员中开展“理想、责任、能力、形象”（“三有一好”）教育活动，在全省党员中开展“争创三有一好，争当时代先锋”的主题实践

---

① 岳理：《先进性教育要拓宽内容，创新形式增实效》，《人民日报》2005 年 4 月 8 日。

② 段功伟：《省委建设学习型班子，“广东学习论坛”成品牌》，《南方日报》2005 年 5 月 18 日。

活动，创造了党员教育的新载体。“三有一好”教育活动得到中共中央的认同，在实际工作中取得了显著效果。实践证明，加强党的先进性建设，既要强化各级党组织及其主要负责人“不抓党建就是失职、抓不好党建就是不称职”的责任意识，又要坚持正确的方针和原则，不断提高管党水平和治党能力，把党要管党、从严治党的方针落到实处。①

开展“理想、责任、能力、形象”教育活动，教育引导党员争创“三有一好”，做到有理想、有责任、有能力、形象好，各方面素质全面发展，使党员与时代步伐和谐共进，与群众感情和谐交融，与责任义务和谐相称。教育引导党员争当时代先锋，使党员成为先进生产力发展的促进者、实践者，建设经济强省，增强和谐广东的物质基础；成为先进文化的倡导者、传播者，建设文化大省，构筑和谐广东的精神支撑；成为最广大人民群众根本利益的维护者、实现者，密切与人民群众的联系，创造和谐广东的良好氛围。②

广东省委高度重视先进性教育活动，认真贯彻落实中央的决策部署，按照胡锦涛总书记关于“关键在于取得实效”和“成为群众满意工程”的指示精神，坚持把“理想、责任、能力、形象”教育活动作为提高党员素质的载体，把固本强基工程和“十百千万”干部下基层驻农村作为加强基层组织的载体，把“十项民心工程”作为服务人民群众的载体，把“四个建设”（建设经济强省、文化大省、法治社会、和谐广东）作为促进各项工作的载体，系统谋划，整体推进，使先进性教育活动取得了扎实的实践成果、制度成果和理论成果。省委把先进性教育活动作为思想大发动、智慧大集中、力量大凝聚的过程，积极引导广大党员干部深入思考新的发展战略和发展思路，有针对性地解决思想认识问题，切实转变

---

① 《生动的实践创造丰硕成果，粤召开先进性教育活动总结大会》，《南方日报》2006年6月26日。

② 胡泽君：《争创三有一好，争当时代先锋：党员理想、责任、能力、形象教育读本》，南方日报出版社2004年版，第191～192页。

发展观念，创新发展模式，提高发展质量，增强发展动力。各级党组织通过抓教育增强广大党员谋发展、促发展的积极性和责任感，在发展的实践中体现、丰富和发展党员的先进性，并把教育活动的成果内化为加快发展、率先发展、协调发展的动力，外化为经济社会发展成果。①

这次主题鲜明、气势恢弘的先进性教育活动，是一次学习实践党章、坚定理想信念的教育活动，是一次提高党员素质、增强执政能力的教育活动，是一次加强基层组织、夯实执政基础的教育活动，是一次服务人民群众、构建和谐社会的教育活动，是一次促进各项工作、推动科学发展的教育活动，是一次建立长效机制、丰富党建理论的教育活动。通过这次教育活动，广大党员学习实践“三个代表”重要思想、贯彻落实科学发展观的自觉性明显增强，各级党组织的创造力、凝聚力和战斗力明显提高，党员干部的思想作风、工作作风明显改进，党群干群关系明显好转，聚精会神搞建设、一心一意谋发展的氛围更加浓厚。党保先进性，群众最高兴。广大党员和群众高度评价这次先进性教育活动，在进行群众满意度测评的单位中，平均满意率达98.6%。很多人感慨地说，没想到党员的积极性这么高，没想到群众这么拥护，没想到效果这么好。对于在全省党员中开展“三有一好”教育所取得的效果，《光明日报》发表的对当时广东省委书记张德江同志的专访中认为有五个方面。②

一是联系党员思想实际，坚定理想信念。广东深入开展“理想、责任、能力、形象”教育，引导党员把实现共产主义远大理想、建设中国特色社会主义中期理想与全面建设小康社会的近期理想统一起来，使广大党员受到了一次深刻的理想信念教育。省委常委带头学习理论，带头到基层讲党课、过组织生活，带头到高校作

① 《一个个全国首创的党建创新载体，成了加速广东科学发展的催化剂》，《南方日报》2007年10月11日。

② 吴春燕、张景华：《联系实际，注重实效：访中共中央政治局委员张德江同志》，《光明日报》2006年5月8日。

形势报告，深入联系点调研指导。

二是联系经济建设实际，推动科学发展。按照胡锦涛总书记视察广东提出的科学发展观的思想，统一认识，切实把经济社会建设转入科学发展轨道，不片面追求GDP。坚持自主创新，实施科教兴粤战略，建设文化大省，大力发展教育、民营经济和县域经济，推进城乡、区域协调发展，不断增强发展后劲。

三是联系群众实际困难，让发展成果惠及广大老百姓。全省投入460多亿元，实施“十项民心工程”，坚持每年为群众办几件大事、实事。近一年来，省财政投入96亿元，重点解决农村低保、住房难、行路难、饮水难、看病难、读书难等实际问题。全省组织党员服务队1.3万个，广泛开展“实践先进性，服务进农村”活动。

四是联系新形势下出现的社会矛盾，促进社会和谐稳定。广东针对提前进入矛盾凸显期的实际，制定了关于构建和谐广东的意见，以及处置群体性事件和调处社会矛盾纠纷的办法，建立信访督查专员制度和领导包案制度，明确规定征地建设项目的三条“红线”，畅通群众反映利益诉求的渠道。加大打击违法犯罪活动力度，在全社会树立法律权威。

五是联系基层实际，推进固本强基。连续3年实施固本强基工程，全面加强党的基层组织建设，组织“十百千万”干部下基层驻农村，已先后选派两批近9万名干部包村驻点，推进社会主义新农村建设。注重创新，加大在“两新组织”中建立党组织的工作力度，新建党组织1322个。

二、在巩固基础中加强党的组织建设

基层党组织是党的全部工作和战斗力的基础。高度重视基层党组织建设，把基层党组织建设成为推动改革开放的坚强堡垒，是历届广东省委抓好基层党建工作的一贯思路。广东省推进基层党组织建设的突出亮点，就是实施固本强基工程。广东省市场经济发育比

较早、比较快，经济社会转型具有非同一般的复杂性，各种利益关系相互作用，流动人口达到2300万，社会管理任务繁重，社会矛盾暴露得更早、更充分，对基层党组织服务经济建设、提高社会整合能力、化解社会矛盾、扩大党的影响力、巩固党的执政基础等都提出了新要求。省委审时度势，从2003年起实施了固本强基工程，全面加强各个领域党的基层组织建设。2003年4月胡锦涛总书记视察广东时高度评价我省的固本强基工程，认为“看得准、抓得好”。

广东省实施固本强基工程有着自己鲜明的特点。一是把党员的思想政治教育和加强党的基层组织建设有机地结合起来，不仅使党的思想建设有了载体，党的组织建设有了灵魂，而且对于发挥基层党组织的战斗力和凝聚力、巩固党的执政基础，有着直接的意义。二是把党员的思想政治教育和干部队伍建设特别是作风建设有机地结合起来，抓住了基层党组织建设的关键。三是把党员的思想政治教育和提高党员联系群众的能力有机地结合起来，能够更好地体现党员教育的目的性，发挥广大共产党员的先锋模范作用。四是把党员的思想政治教育和发展经济有机地结合起来，能够更好地把党的基本路线落实到基层，更好地为人民群众谋利益。这四个结合，“表明固本强基工程不是一般的党员教育或基层组织建设工程，而是一个以保持党的先进性为核心、以提高党的执政能力为重点的整体推进的基层党的建设工程”①。广东在加强党的基层组织建设方面的成功实践和探索，主要表现在健全农村党建运行机制，创新国企党建管理方式，社区党建搭建服务平台，拓宽“两新组织”党建领域等四个方面。

（一）健全农村党建运行机制

全面建设小康社会重点在农村，难点也在农村。广东实施固本强基工程把农村基层组织建设视为重中之重，将党建之根牢牢扎进

① 李君如：《核心是保持党的先进性》，《人民日报》2005年1月29日。

全省农村大地，采取有力措施，扎实推进。2004年底，省委决定从2005年起连续3年，每年组织10名以上省级干部、100名以上市厅级干部、1000名以上县处级干部、30000名以上科级以下干部下基层驻农村，保证全省每个村都有1名以上干部进驻。固本强基工程和“十百千万”干部下基层驻农村，这是广东首创，是加强基层组织建设的载体。农村实施固本强基工程以来，全省各级挂点单位帮助驻点村规划和落实发展村级集体经济项目6万多个，全省有1275个贫困村集体经济年纯收入超过了3万元。省直单位驻点村年集体经济纯收入平均5.3万元，增长176.6%。如阳江市平地村2007年集体经济收入预计达47万元，是2004年的8倍。全省农村居民人均纯收入达到5079.8元，比三年前增长了12.5%。农村基础设施建设较好改善。三年来，各挂点单位紧紧围绕新农村建设的总体规划，充分发挥资金、技术和资源优势，在驻点村的交通、水利、学校、办公楼等基础设施建设方面共投入资金60多亿元，建设硬底化村道8536公里，整治修建各类水利工程1.2万处，修建文化娱乐、教育卫生场所和美化村容村貌等项目2.5万个。①

1. 以“三级联创”为载体的基层组织工作机制。

开展“三级联创”活动，“联”是关键。增城市高度重视“三级联创”活动，专门成立了市委基层组织建设领导小组，组长由专职副书记担任，副组长由常务副市长、市委组织部长和市人大常委会分管农村工作的副主任担任，切实加强了领导，形成了领导小组成员单位充分发挥职能，密切配合，各负其责，联动创建的工作机制。并在深入调研、广泛讨论的基础上制定实施了《中共增城市委关于“三级联创”活动的实施意见》，明确了创建活动的工作重点和目标任务，建立了市镇（街）村“三级联创”目标管理机制，形成了层层落实责任，一级抓一级，层层抓落实的工作格局。通过上下联动，真正做到认识到位、责任到位、措施到位、工作到

① 段功伟、粤组：《广东：12.7万驻村干部出力，1.9万行政村3年变样》，《南方日报》2008年1月8日。

位，有效地调动了市镇（街）村三级党组织的积极性和主动性。使“三级联创”活动不再是组织系统单独的活动，而是全方位、多层次的整体联动，各级党组织和广大党员都成为“三级联创”活动的组织者、参与者和实践者。创新载体，实施“五大工程”。增城市在积极开展以“集群联创，活力基层”为主题的“三级联创”活动过程中，积极创新内容和载体，不断丰富内涵，大力实施“先锋工程、素质工程、示范工程、信息工程、保障工程”等五大工程，基层组织建设面貌焕然一新。①

因地制宜，调整组织设置。近几年来，茂名市委以化州为试点，打破过去以自然村（生产队）为单位设置农村党小组的传统模式，根据农村党员的特长、从业类型、专业协会、党员流向地、公益性（公共性）事业等分类创建新型农村党小组，把党在农村的政治组织优势与当地的经济组织优势有机结合起来，实现了党建工作和经济建设互补、联动和双赢，使党的基层组织结构适应了农村经济社会新的时代特点，适应了固本强基的客观要求，促进了为群众办好事、干实事、解难事的各项工作，显示出强大的生命力。这一做法已在茂名面上逐步推开，全市共创建了种植党小组、养殖党小组、营销党小组、个体工商人员党小组、外出务工人员党小组、民事调解党小组等21类508个新型农村党小组，农村基层党建工作呈现出新的生机活力。这种实践探索，就是通过创新农村基层党组织结构，优化功能作用发挥的一种有益尝试。②

2. 村党组织领导的村民自治运行机制。

实行“两推一选”和观察员制度，保证基层民主选举。为保证民主选举工作的顺利进行，各地总结以往的经验，对村党支部的选举，因地制宜地实行了“党内推荐、群众推荐、党内选举”的制度。对村委会的选举，除了严格按照《中华人民共和国村民委

① 中共增城市委组织部：《集群联创，活力基层》，中共广州市委组织部：《固本强基谱新篇》，广州出版社2007年版，第37~41页。

② 周镇宏：《创建新型农村党小组》，《南方日报》2006年3月24日。

员会组织法》的规定程序选举外，还实行选举观察员制度。全省下派了1300多名观察员，到各村进行选举观察，对村换届选举进行全过程的观察和记录，对其合法性进行公正的认定，为各级人大、政府主管部门和选举机构认定选举是否合法，以及查处违法行为提供了有效的依据。这一观察员制度，在全国尚属首创，对选举中的不良倾向和影响正常选举的姓氏宗族等活动起到了威慑作用，促进了村级依法进行换届选举工作的顺利进行。①

加速建章立制，实行依法治村。实行村民自治以来，广东已经制定下发了《广东省村务管理办法（试行）》、《广东省村民委员会选举办法》、《广东省村民委员会选举办法实施办法》、《广东省财务公开条例》等文件，使村民自治有法可依，有章可循。但由于各地区经济社会发展很不平衡，按照民主选举、民主决策、民主管理、民主监督的要求，每个环节的操作都需要有相应的法规予以细化和配套。各地结合本地区农村基层组织建设和政权建设的具体情况，加快制定和完善村党组织对村的重大问题讨论决策制度、村“两委”联席会议制度、村民代表会议制度、村务公开制度、民主理财制度、民主监督制度等，并指导各村从实际出发，制订可操作性、约束性强的村规民约，逐步实现依法治村、以制治村，用制度规范村干部和村民的行为。

3. 基层干部任职培训和经常受教育机制。

坚持“三个培养”，加强后备干部队伍建设。番禺区委领导班子系统总结了过去不断加强农村基层组织建设的成功经验，深入分析其中存在的问题，站在建设更加富裕和谐新番禺的历史起点上，提出在全区农村实施“三个培养”工程的工作要求，即在能人中培养党员、在党员中培养能人、在党员能人中培养村干部。番禺区采取区、镇街、村和培养对象四级联动的方式，切实做好实施“三个培养”工程的一系列工作。经统计，全区17个镇街共确定

---

① 参见陈学琳、汪晓红：《广东农村基层党组织建设运行机制调查》，《岭南学刊》2006年第5期。

"三个培养"工程培养对象2722人，其中：拟培养成"党员"的567人，占20.8%；拟培养成"党员能人"的645人，占23.7%；拟培养成"能人村干部"的1510人（含在职村"两委"干部1176人），占55.5%。[①]

创新机制，增强培训活力。基层党校的教学方式要多样化，可以利用农村示范服务基地进行实践性培训，也可以依托大中专院校进行提高性的培训，还可以利用党员电化教育的载体进行普及性培训。梅县程江镇在近年村"两委"换届选举后，对新上任村官的培训内容和培训方式作了很大的改革。一是请县政法委的干部讲授法律知识和案例分析课，既现实又生动；二是让学员到县信访局参加信访接待工作，学会如何化解人民内部矛盾；三是请连任的老村官现身说教。这些做法都收到了很好的效果。

记载"民情日记"，密切干群关系。从2003年3月起，韶关市深入开展以"串百家门，知百家情；解百家难，连百家心；办百家事，致百家富"为主题的"民情日记"活动，大力实施固本强基工程，加强党的先进性建设，取得了明显成效。农村基层党员干部在开展"民情日记"活动中，深入农村了解情况，认真排查、调处矛盾纠纷，建立起一套及时发现问题、妥善化解矛盾的快速反应机制，调处解决了大量的矛盾纠纷。通过开展"民情日记"活动，充分调动了农村基层党员干部的积极性、主动性和创造性，把矛盾化解在基层，解决在萌芽状态，做到"小事不出门、大事不出村、矛盾不上交"。[②]

（二）创新国企党建管理方式

国有企业是国民经济的重要支柱，是党执政的经济基础，加强国有企业党组织建设对促进企业生产经营发展，改善和巩固党在国

---

① 中共广州市番禺区委组织部：《大力实施"三个培养"工程，为新农村建设提供坚强的组织保障》，广州市党建学会2007年研讨会入选论文。

② 中共韶关市委：《"民情日记"：密切联系群众的纽带》，《南方日报》2006年3月24日。

有企业的领导有着非常重要的战略意义。随着国有企业的改革、改制，探索适应国有企业特点的党建工作，一直是广东省加强国有企业党建工作的重点。积极探索党的领导在基层单位的实现形式。从党对国有企业的政治领导权来看，主要探索出三种有效实现形式：通过“交叉兼职，双向进入”，使企业党组织的意图在决策中得到充分体现；通过管人与管资产相结合，使企业党组织在推荐企业主要干部上有主动权；通过构建“三个复合”（复合型体制、复合型管理、复合型人才），形成“相兼相容，复合多能”的党的工作模式，从组织架构上强化企业党组织对企业的政治领导权。

1．以标准化的工作机制管理党务工作。

ISO 9000 质量管理体系标准是当今世界上较为流行的一套管理标准，是组织建立科学的质量管理体系并通过认证的依据。2005年8月，广州三汽公司党群系统质量管理体系通过 ISO 9000 认证，并获得了质量管理体系认证证书。两年的实践证明，结合新时期企业特点以及党群工作实际，引入 ISO 9000 质量管理体系标准，在建立保持共产党员先进性长效机制，有效提高党群工作质量，开拓新时期党群工作新路子等方面是大有裨益的。广州三汽公司党群系统质量管理体系的建立，从2004年12月动员到2005年通过认证，历时9个月。根据 ISO 9001：2000 质量管理体系标准的要求，结合企业现状，确定了“围绕中心、促进发展、提供保障”的党群工作质量方针，并对现有各项工作制度进行归纳、整理、修订，编制了《管理手册》和9个程序文件，共修订了43个涉及党群各项管理工作的工作文件，建立起全面、规范、有层次的党群系统质量管理体系文件架构。公司组织了两次内审、两次管理评审，并接受了两次认证机构的监督审核，对内审和监督审核中的不合格项目，各部门、单位均在规定的时间内整改完毕，认证机构对整改情况也予以认可。通过内审、管理评审和监督审核机制，不断发现党群工作质量管理的不足，促进管理方式的改进及管理过程的完善。在建立党群工作管理体系后，通过坚持贯彻“以顾客为关注焦点、领导作用、全员参与、过程方法、管理的系统方法、持续改进、基于事

实的决策方法及与供方的互利关系”等八项原则，公司党群工作建立了约束力很强的文件化质量管理体系和严格的过程控制方法，使各项工作以及影响其工作质量的不同因素均处于严格的受控状态，实现对党群系统所有工作的过程控制、程序管理，并通过信息平台优化管理流程，强化对各项监控数据的开发与利用，提高管理效率，提升管理质量，有效地实现了管理体系。①

2．以创新激励机制为重点培育支部书记。

加强以党支部书记为重点的党务干部队伍建设，建设一支有能力、有创新、有作为的党务干部队伍，是抓好企业党的先进性建设的重要基础，也是充分发挥党支部战斗堡垒作用和党员先锋模范作用的关键环节。党务干部的创新能力决定着企业党的工作的创新水平。党务干部唯有创新，才能适应不断发展的形势变化；唯有创新，才能适应思想日益活跃的职工群体和党员群体；唯有创新，才能使党建和思想政治工作的优势在生产经营管理中得到充分发挥。只有建立创新激励机制，才能对党务干部进行持续有效的激励，增强党务工作创新的动力。对党务干部提出创新的要求，就是要求其必须以创新的思维方法、创新的工作方法，勤于思考，善于改进，敢于创新，使党建工作更贴近实际、贴近生产、贴近职工，不断推动企业党的先进性建设。

3．以党员素质教育为抓手培训好党员。

中国电信股份有限公司广州分公司直属机关党委在企业转型形势下创新企业党建工作，推出党员素质模型应用，并以其下属单位——荔湾分公司党总支为试点开展推广工作，将党员人才的优秀素质岗位化、形象化，积淀具有标杆作用的优秀党员行为文化，对于提升党员队伍素质，发挥党员队伍先锋模范作用，实现党员、人才双向培养起到了很好的促进作用。党员素质模型，就是把党员素质

---

① 中共广州市第三公共汽车公司委员会：《引入 ISO 9000 标准建立新时期党群工作长效机制》，中共广州市委组织部：《固本强基谱新篇》，广州出版社 2007 年版，第 287～293 页。

分为“先锋模范”和“带领群众”两大类，分别列出不同的层级，确定具体的行为指标，并有清晰的实施途径。以此为手段和工具，实现企业党建工作软硬管理的相互融合，促进企业党建工作的创新。党员素质模型的推广应用是软硬管理融合的切入，为建立先进性长效机制与党员精确化管理提供了一种新型党员管理模式，为党员队伍素质的提升提供了有力的手段。通过素质应用中的身份提醒、工作记录，从岗位效能上将党员先进性与企业营收创新融为一体，产生带动效应，带领员工共同进步；通过直线经理辅导沟通，党员对自身行为的审视，从评价考核上融入，使党建工作讲效率、讲效益，并可借鉴和运用现代企业管理的思想、方法和手段，使企业党建工作真正成为企业价值链上的重要环节。它的推广与应用不但能引导广大党员牢记历史使命，增强先进性意识，自觉实践党的先进性要求，而且能强化先锋带动效应，积极投身“党员带头创收，党员带头转型”及“企业转型先锋先行”主题活动，切实把广大党员的注意力和兴奋点凝聚到带动群众共进步，同发展上来，为企业转型与发展提供精神保障，在永葆党的先进性的同时，保持电信发展的基业长青。①

（三）社区党建搭建服务平台

加强社区党建工作，有效发挥街道社区党组织在整合社区政治资源和社会资源中的优势，充分调动各方面的积极因素，努力构建社区党建工作的有效运行机制，是新时期党的基层组织建设的需要。从广州、深圳、佛山等地推进社区党建工作的经验来看，社区党建搭建服务平台，已经成为广东社区党建工作的突出特点。

1．构建社区党建工作新格局。

社区党建的区域性特点，客观上要求建立起纵横结合、网络联动的社区党建新格局。注意调动两个积极性，寻找一个结合点。两

① 中国电信股份有限公司广州分公司党建学会：《党员素质模型推广应用的实践探讨》，广州市党建学会2007年研讨会入选论文，2007年10月。

个积极性，即街道、社区党组织和辖区单位党组织都有积极性；一个结合点，即街道、社区党组织和辖区单位党组织都密切关注的地区性、社会性、群众性、公益性工作，以及能够实现资源共享、优势互补、互惠互利的目的，将社区的所有政治资源紧密地联结、整合起来，形成推进社区党建的工作合力。

活动载体的创新，能够加强社区党建工作的向心力、凝聚力，从而使社区党建工作更加健康活泼地向前发展。广州市围绕“三年一中变”的任务，各街道党工委积极发动辖区内机关团体和企事业单位党组织和党员，开展以“共产党员奉献在社区”为主题的系列活动，参与“三年一中变”城市管理、环境整治、小区绿化美化及群防群治等活动，使居民群众感受到社区党组织的活力，增强社区意识，从而踊跃地投入到社区的管理和建设之中。越秀区大塘、北京、金花等街道着力从群众关心的热点、难点问题入手，积极搞好“再就业工程”和“送温暖工程”，开展“一帮一”的扶贫济困活动，帮助下岗职工解决实际困难；石牌、南华西、农林等街道设立“青少年网络俱乐部”、“青少年健康生活园”、“新世纪青少年书屋”和“读书亭”、“爱心亭”，为青少年学生提供健康向上的文化娱乐场所。越秀区黄花岗、东风等街道通过文明小区共建、“双拥”共建、厂街共建、校街共建等形式，组织开展社区历史文化宣传活动、社区节庆文艺表演等活动，设立“大家乐”舞台，开设社区论坛、社区党支部园地宣传栏等，充分利用各种资源创建现代文明新社区。各街道通过这些活动载体开展活动，扩大了党在社区的影响力，树立了党在群众中的良好形象，大大增强了社区党组织的凝聚力和战斗力。①

2．建立党内服务三级网络。

面对党员教育管理工作面临的新问题，广州市越秀区委提出“分三步走，全力打造‘一家一站一中心’党内服务三级网络”的战略目标。“一中心”，即区级建立集政策咨询、业务指导、组织

① 参见郭正林、尹德慈：《城乡社区党建工作》。

协调、资源整合、党务服务、扶贫解困、教育培训和管理创新等功能于一体的区级党员管理中心，不断拓宽党内服务领域，提高党员管理社会化、规范化和网络化程度，进一步扩大党的基层工作覆盖面。“一站”，即各街道党工委依托社区服务中心建立和完善党员服务站，为各社区党组织和辖内单位党组织开展党内活动提供阵地；为党员提供就业、职业培训、文化学习、信息交流服务；组织社区党员开展丰富多彩的主题实践活动；组建和管理党员义工队伍，为有需要的党员和社区群众提供服务等。“一家”，即在各社区居委会建立寓教育管理于服务之中的“党员之家”，充分利用社区党组织与党员联系密切的特点，以服务为纽带，将社区党员维系、团结在社区党组织周围；及时了解党员的需求，帮助他们解决实际困难，激发党员增强党性的原动力和对组织的归宿感；引导党员走出家门走出楼道，积极参与服务群众、建设平安和谐社区的工作。

3．实现党建工作的五个提升。

广州市越秀区的党内服务体系建立以来积极开展活动，着力开发“流动党员接纳地”、“两新组织党组织孵化器”、“党建资源整合平台”、“广大党员温馨家园”、“服务群众示范窗口”的五大功能，实现了社区党建工作五个“提升”。①

着力发挥“流动党员接纳地”功能，初步实现流动党员管理从随机型管理向分类型管理提升，为构建和谐社区积聚力量。流动党员的居住场所和谋生方式大都不稳定，对他们的管理难度很大，以往是采取被动的随机的办法，发现流入党员，就把组织关系转入暂住居委的党组织。是否过组织生活、交党费就看觉悟了。流出党员则空挂在原党支部，有的半年以上不过组织生活，变成流失党员。党内服务网络建立后，越秀区把对流动党员的服务和管理作为

① 中共广州市越秀区委：《创新党内服务体系，以党内和谐推动社会和谐》，《广州日报》2006年11月6日。戴大庆：《建设党内服务体系的实践与思考》，广州市党建学会2007年研讨会入选论文。

重要的任务来抓，采取分类管理的办法，以街道为单位组建流动党员支部，依托街道党员服务站为流动党员提供更加贴身的服务。一是加强舆论宣传，通过逐门逐户走访、发布公开信及联系函等形式积极向流动党员宣传越秀区党内服务项目，把流动党员紧紧吸引凝聚到服务站的周围。二是为每一名流动党员建档立卡，运用计算机管理，提供政策咨询、业务培训、就业介绍等服务。在街道党员服务站的帮助下，不少外来党员找到了适合自己的就业岗位。三是利用多媒体技术，依托越秀党建网站（http：//www. yxdjw. org. cn. /）积极探索开展网上组织生活，通过实名登录、信息群发、积分管理等功能，保持与流动党员的经常性联系，使他们不论身在何处，都能接受组织的教育和管理，感受到组织的关爱。目前，各街道依托党员服务站已建立流动党组织 12 个（其中流动党员党委 1 个、流动党员党支部 11 个），凝聚维系流动党员 1678 名。

健全"两新组织党组织孵化器"功能，初步实现"两新组织"党建工作从组建型向覆盖型提升，进一步扩大党对构建和谐社区领导的影响力。针对"两新组织"党组织缺场地、缺经费，缺人才，而且由于人员流动快、企业经营倒闭而导致党组织不断"开关"的客观实际，越秀区提出依托"一家一站一中心"党内服务网络，布点划片，实现"两新组织"党建工作全覆盖的工作思路。"点"即为商厦党组织、市场党组织、商业街党组织等；"片"即为一个区域，原则上一至两个社区划分为一个片，片上"两新组织"党组织由街道党员服务站和社区党建联络员提供日常的管理和服务，每个点或片就是一个责任区、一个网格。布点划片后，由于分工明确，责任到人，有效地防止了新的空白点产生，实现党建工作全覆盖。区党内服务网络成立以来，为"两新组织"提供发展党员、组建组织、培训和策划活动告示一条龙服务，深受"两新组织"党员的欢迎。

优化"党建资源整合平台"的功能，初步实现党建资源从分割型向整合型的提升，为构建和谐社区打牢物质基础。针对社区党组织工作资源缺乏的问题，越秀区切实加大对党内服务体系的投

入。一是充实社区党建力量。越秀区由财政开支，向社会公开招聘188名社区专职党建工作者，充实到党内服务三级网络中，进一步增强了党内服务的工作力量。二是建立稳定的党内服务投入机制。区财政每年划拨220万元作为社区党建专项经费，区委组织部每年从党费留成中划拨近100万元作为区党员管理中心和街道党员服务站建设的专项经费，为党内服务工作提供了经费保证。三是整合全区党建资源。区党员管理中心对全区的党建资源（包括场地资源、技术资源和经费资源）进行了摸查，登记造册，通过挖掘、整合全区党建资源，形成区域内各类党组织资源共享、服务共享的格局。现已有400多家单位愿意为党建活动无偿提供场地、设备和专业技术人员。越秀区还组建了一支由退休党务工作者组成的专业党务服务队伍，为有需要的基层党组织提供换届和党日活动策划等专业化党内服务，确保基层党组织的活动质量和工作水平。

开发“广大党员温馨家园”功能，初步实现关爱党员工作从中心工作型向长效机制型提升，充分发挥党员在构建和谐社区中的先锋模范作用。为把“一家一站一中心”打造成越秀区4万党员的共同温馨家园，越秀区采取了一系列强有力的措施。一是设立党内互助金，建立党内互助的长效机制，出台了《越秀区党内互助金管理和使用暂行办法》。目前已筹集帮扶资金60万元，帮扶困难党员273人。二是组建失业党员服务队，引导党员失业不失志。为了给失业党员搭建一个体现先进性的平台，越秀区依托党内服务网络，组建了200人的失业党员服务队，组织他们积极参与社区各项公益活动。每年从区党费留成中划拨48万元，作为失业党员服务队的工作经费，在引导失业党员参加社区建设的同时，也给失业党员必要的经济上的帮扶。三是开通24小时党内求助热线（夜间通过电话录音），为党员和群众提供全天候服务。区党员管理中心成立以来，共接待来电来文访问248人次，为党员群众排忧解难62件，做到件件有回音，事事有结果。四是建立失业党员再就业的帮扶机制。建立与区劳动和社会保障局的横向联系机制，对区内下岗失业党员登记造册，通过免费培训、优先推荐、定期召开职业推荐

会等方式，积极为失业党员创造再就业的机会。

拓展“服务群众示范窗口”功能，初步实现服务群众工作从活动型向阵地型的提升，充分发挥党组织在构建和谐社区中的战斗力。为了进一步搭建党员服务群众，展示先进性的平台，越秀区出台了《越秀区党员义工管理办法》，建立了由“大队（区）—中队（街）—分队（社区）”三级联动的党员义工队伍，为社区群众提供涉及帮困助学、敬老助残、义务家教、医疗保健、治安联防、环保绿化、法律援助、心理咨询等16个方面的义务服务，目前，这支已发展至3000多人的义工队伍，正活跃在社区的大街小巷、每一个角落，用他们的实际行动叫响了“有困难，找党员义工，有时间，做党员义工”的嘹亮口号，在群众中树立了共产党员应有的良好形象。区党员管理中心定期举办“真情关爱，健康伴你行”社区老党员健康体检活动，为社区困难老党员进行免费体检。22条街道均组织了党员义工巡逻队，为维护社区治安尽一分力。其中六榕街盘福社区33名退休党员组成的“哨子军”，年纪最大的73岁，最小的52岁。他们全天义务巡逻，让居民安全感倍增。哨子一响全民皆动，犯罪分子“闻哨丧胆”，社区的入室盗窃案锐减。

（四）拓宽“两新组织”党建领域

新经济组织和新社会组织是改革开放条件下形成的新组织。如何加强“两新组织”党建工作，是广东拓宽党建新领域进行的积极探索。在实际工作中，广东在全国率先成立了第一家私营企业党委、第一家商会党委、第一家合资企业党委、第一家流动党员管理中心，形成具有广东特色的新经济组织和新社会组织党建经验。有代表性的探索有如下几个：

1．私营企业党建的“广州模式”[①]。

---

① 参见尹德慈：《“广州模式”：浓缩五年党建精华》，《广州党的生活》2002年第10期。《私企党建的“广州模式”》，南方网，http：//www. southcn. com/news/gdnews/hotspot/ssdjgzms/。王晓玲等：《广州私营企业党建理论与实践》，红旗出版社2002年版。

在私营企业中建立党组织，已成为在社会主义市场经济中扩大党的群众基础，巩固党的执政根基，保证国家长治久安的重大问题。1994年，中共广州市委组织部就会同有关部门制定了个体私营企业和民办非企业单位开展党建工作的文件规定。广州市工商局党委就明确提出：哪里有企业，就在哪里建立党组织，哪里有党组织，就在哪里发展党员，使每一个党员都有自己的“家”。1996年4月，经广州市委批准，市私营企业协会在全国率先成立了私营企业协会党委，正式把私营企业中的党员交给各级工商行政管理部门党组织管理。通过努力，先后接转党员关系共800多名。2001年7月，全国个体私营经济党建工作研讨会在北京隆重召开，广州市私协党委的做法得到了充分肯定和好评，被称为私营企业党建的“广州模式”。

党员撒千里，组织一线牵。在私企党建工作中，组织建设是重点，组织管理是难点。广州用“双轨三级制”模式，实现了化难为易：市工商局党委—工商分局党委—工商所党支部和市私营企业协会党委—区、县级市私营企业协会党总支—基层分会党组织“双轨”式三级管理架构，形成了集中统一的组织体系。还先后制定了《私营企业党组织组建制度》等11项制度，使全市私营企业党建工作向着制度化、规范化方向发展。党建管理很有道道，支部建设也形式多样。有一个企业的独立式党支部，有几个企业的联合式党支部，有党员分布零散的区域性统建式党支部，还有挂靠式党支部……在此基础上，广州市工商局党委还采用现代科技手法，建立和完善了私营企业党建工作网站，开辟了“党建信息窗”等专栏，通过访问这个网站，可以及时了解私营企业党建工作的最新信息，提出建议，汇报思想，给私营企业中的党员营造了一个温暖的“家”。此外，广州市个协党委还制作了私营企业党员IC卡，卡上有完整翔实的党员个人简历、组织关系档案、党费缴纳记录、参加活动情况、政治表现等等，党员在广州的私营企业党组织之间流动，只需交换IC卡，就可以参加组织活动。

支部是堡垒，党员成“品牌”。广州私企党组织开展活动，始

终坚持“四不四有利”原则，即：“不干预私营企业生产经营决策，不削弱私营企业内部组织管理层，不影响私营企业正常生产经营秩序，不向私营企业收取任何费用”；“有利于提升私营企业的政治地位和社会地位，有利于形成广纳贤才的用人机制，有利于提高私营企业的信誉度，有利于促进私营企业的健康发展”。在这一原则指导下，他们不照搬行政事业单位和国有企业党组织“三会一课”的要求，除了严格规定两个月内必须过1次以上的组织生活、组织生活情况必须书面或网上汇报外，形式上则“因企制宜”，即以分散活动为主，以业余时间为主，以小型活动为主，党务工作人员以兼职为主，政治学习与业务学习相结合。这些原则和方式的实施，既使私营企业党建工作为员工所拥护，为私营企业主所支持，又使支部成为企业一个坚强的战斗堡垒，使党员成为企业最响亮的“品牌”。

2. 合资企业党建的“广本模式”。

广州本田汽车有限公司创新合资企业党建工作，重点探索党的工作工会化经验，在实际工作中取得很好的效果，被媒体誉为合资企业党建的“广本模式”。[①] 合资企业党建的“广本模式”发源于合资企业党建的“五羊—本田经验”。五羊—本田摩托（广州）公司党委在企业发展过程中，依照企业特点形成了独具特色的党建工作路子：领导体制的兼容化、党务干部的兼职化、党的活动的业余化、活动载体的具体化、党员党性的人格化。[②] 党组织充分运用工会这一合法组织进行活动，使党组织与企业获得双赢。目前，“广本模式”在全省乃至全国中日合资企业普遍推行，已经发展成为合资企业党建工作的成功典范。

合资企业党组织的任务和作用在本质上与国企是一致的，只是表现形式、工作方法有所不同。鉴于在合资企业中代表职工利益的

---

① 罗艾桦、李刚：《党建工作工会化：广州本田汽车有限公司创新合资企业党建工作纪实》，《人民日报·华南新闻》2004年6月30日。

② 参见钟瑞洪：《合资企业的思想政治工作：五羊—本田思想政治工作新探索》，中国大百科全书出版社2000年版，第5～13页。

工会地位至高无上，为便于操作，党委借助“工会办公室”这个常设机构，紧扣企业发展的每一个关键转折阶段和不同时期的经济工作重点，将党建工作更多地与工会工作相结合，“以企业的成功为最高利益”，充分发挥生产部（科）长和生产业务骨干75%以上是共产党员这个优势，确保企业顺利运作，让外方看到党组织和工会组织的积极作用。

公司党委在依法依规维护员工权益时，也指导工会始终把握住公司发展和员工素质提高的一致性，公司效益提高与员工生活水平改善的一致性和“积极为员工多办好事、办实事”的原则。“质量、价格和服务”是企业成功不可分割的要素。公司党委通过工会反复强调“没有安全就没有生产，没有质量和服务就没有销售，没有创新就没有发展”。“紧贴生产实际、找准生产难点，挖掘生产潜力”的劳动竞赛也取得了显著的经济和社会效益：广州雅阁轿车质量连年名列日本本田17家海外工厂的榜首，降低了生产成本，生产安全无重大事故，员工整体的技术素质、综合素质普遍提高，员工的积极性和创造力得到充分发挥。日方管理层一次次竖起了大拇指。中方管理层告诉他们：中国共产党领导下的工会，不仅仅维护员工的权益，更关心企业的发展！

3. 民间组织党建的“广东模式”。

作为中国改革开放的前沿阵地，广东民间组织无论在数量上还是在和影响力等方面，都在全国处于领先地位。如何加强民间组织党建工作，是广东较早遇到的工作领域。早在1990年代初期，广州市委组织部就与市教育局就社会力量办学的党建工作进行了初步规范，明确了党建工作领导体制，率先探索了民间组织党建工作。[①] 广东省委组织部与广东省党建学会召开全省民间组织党建工作研讨会，与会的北京专家把广东民间组织党建的实践探索总结为“广东模式”。“广东模式”在探索民间组织党建工作领导体制方面，形成了四种主要模式。

① 尹德慈：《加强民办非企业单位党建工作》，《人民日报》2002年6月22日。

一是“广州模式”。根据广州的实践，形成了组织部门、民政部门、业务主管单位分工负责、共同管理的党建工作格局。广州市律师协会党委、广州市注册会计师协会党委、广州市社会科学界党组在探索民间组织党建工作中取得了较为成熟的经验。[①]

二是“惠州模式”。惠州市构建了“三位一体”的民间组织党建工作格局，即各级党委书记和业务主管单位党委（党组）书记，党委组织部门、民间组织登记管理机关和业务主管机关部门党组织这“三位”，要以书记作为民间组织党建工作的“第一责任人”，统一领导，形成有责任、有管理、有监督的完整“一体化”领导和管理体系，推动民间组织党建工作的健康发展。

三是“东莞模式”。东莞市采取了“条块结合，以块为主，以条为辅”的管理体制，主要采用四种管理模式：单位管理模式，属地管理模式，行业管理模式，挂靠管理模式。这四种管理模式与流动党员管理结合起来，使民间组织流动党员真正发挥了作用。[②]

四是“深圳模式”。深圳市委成立了民营经济工作委员会，作为市委的派出机构，统一领导全市民营经济和民间组织党建工作。全市 6 个区全部成立民营工委，各街道成立民营经济党委（总支部），统一管理本辖区内的“两新组织”的党组织和党员，形成了市、区、街三级组织机构健全、管理关系顺畅的党的工作格局。2005 年，依托市行业协会服务署成立深圳市行业协会联合党委，统一领导市级行业协会党的工作和思想政治工作。

三、在对外开放中加强党风廉政建设

改革开放以来，广东省对廉政建设高度重视，一直抓得比较紧。中共广东省委在处理改革开放与反腐倡廉的关系上，头脑非常

---

① 关于广州民间组织党建工作经验的谈论，参见尹德慈：《民间组织党建工作研究：以广州为例》，《探求》2007 年第 3 期。

② 庞国梅：《破解流动党员先进性建设“四大难题”》，《南方日报》2006 年 3 月 24 日。

清醒。早在试办特区初期，就明确指出“广东三个特区是经济特区，不是政治特区，经济上要特别灵活，政治上要特别严格”，告诫各级党组织和全体党员干部，“不允许搞特殊化，不允许搞特权，不允许有不受党纪国法约束的特殊党员”。随着改革开放的深入，又先后提出“对外开放对内搞活经济坚定不移。打击经济犯罪活动坚定不移”，“反对腐败要坚定不移”，并把提高各级党组织领导经济的能力和提高党员反腐防变能力作为新时期党建工作的两大任务。[①] 在对外开放中加强党风廉政建设，初步构建具有广东特色的预防和惩治腐败体系，是广东省委加强党的建设的突出特点。

（一）探索关注民生的党群关系

坚持富民优先，民生为重，是广东省委认真贯彻中共十六届六中全会提出的“发展为了人民，发展依靠人民，成果由人民共享”的精神和落实中共中央领导集体“以解决人民群众最关心、最直接、最现实的利益问题为重点”的执政兴国新理念的具体部署。要把保持党同人民群众的血肉联系作为作风建设的核心，牢记党的宗旨，增强公仆意识，密切联系群众，落实富民强市战略和富民优先，民生为重政策，着力建立为群众办实事尤其是解决困难群众生产生活问题的责任机制，以心系群众、服务人民的良好作风和不懈努力造福于民、取信于民。把关注民生作为改善党群关系的主要工作抓手，是广东加强和改进新时期群众工作的基本经验。

1．树立三种观念[②]。

①树立“服务基层，促进和谐”的服务观。坚持富民优先，民生为重，必须树立正确的权力观。检验政策成效的好坏，关键在于执行的有效性。坚持富民优先，民生为重，要求我们切实转变工作方式，将工作的重心转移到民众的生产生活中去，面向基层，面

---

① 陈建华：《谢非与广东改革开放思想研究》，广东人民出版社2004年版，第359～360页。

② 参见尹德慈、王永平：《建设“首善之区”，关键在党》，《广州日报》2008年6月2日。

向群众，为基层服务，为群众服务，为促进基层社会和谐提供保证。②树立“利益反映、利益综合”的群众观。坚持富民优先，民生为重，必须搞清楚民想、民急、民忧、民愤，必须充分反映民众的利益诉求，完整综合民众需求，才能保证政策的贯彻落实。人民群众作为一个整体，各方面都有很多具体利益，当中也会有不同形式的人民内部矛盾。党处在执政的位置，负有重要的协调利益关系、解决社会矛盾的责任。③树立“富民优先、民生为重”的政绩观。有什么样的评判和衡量标准，就会有什么样的政绩观。评判和衡量政绩的标准不仅要有看得见摸得着的硬指标，而且还要体现以人为本的软指标。软指标是基础，硬指标是表现。脱离以人为本的软指标的政绩是“政疾”。政绩应由群众来验收。群众利益无小事。凡是涉及群众的切身利益和实际困难的事情，再小也要竭尽全力去办。要竭尽全力地为民办事，就必须使人民群众得到“最关心、最直接、最现实的利益”。真正体现“富民优先、民生为重”的政策，才是正确的政绩观。

2. 强化三种意识。

围绕“三个服务”即“服务中心工作、服务基层、服务群众”，增强服务观念，努力实现从被动服务向主动服务转变，从单纯事务型服务向事务型服务与政务型服务相结合转变，从只为领导服务向为领导和为基层、群众服务并举转变。一是牢固树立作风建设为中心工作服务的观念。围绕中心工作抓党的建设，是党的建设的基本规律。省直机关要按照省委的要求，将作风建设与党的建设结合在一起做好，要为中心工作服务，为建设广东社会主义现代化事业服务，不要就抓作风而抓作风。广东在推动经济社会发展中取得的成绩与重视三个文明建设一起抓是密不可分的。二是牢固树立作风建设为基层群众服务的观念。机关党员干部要经常到“三个地方”去，即“到最困难的地方去，到群众意见多的地方去，到工作推不开的地方去”，深入基层、深入群众，同那里的干部和群众一道，努力排忧解难，化解矛盾，打开工作局面。把群众的安危冷暖挂在心上，对群众生产生活面临的这样那样的困难和遇到的实际问题，一定要带着深厚的感情帮助解决，切实把中共中央和省委为他们脱贫解困的各项政策措施落到实处。在实际工作中切实解决“门难进、脸难看、话难听、事难办”的问题。三是牢固树立作风建设为管理创新服务的观念。加强作风建设的基本手段是推陈出新、兴利除弊。牢固树立作风建设为管理创新服务的观念，在依法行政和科学决策的自觉行为中，从我做起，从小事做起，切实改进工作作风和工作方法，为建设“诚信政府”、责任政府和服务政府增添光彩。

3．学会五种方法。

树立和落实正确的群众观，切实做好新形势下的群众工作，必须努力做到“五要五不要”，为我们提高开展群众工作的本领指明了方向。一要代表群众，不要背离群众。二要依靠群众，不要藐视群众。三要亲近群众，不要疏远群众。亲近群众，就是要对群众怀有深厚的感情，与群众打成一片。一个对群众没有感情的领导干部，绝不是好干部，也绝不能做好工作。对执政党来说，疏远群众、脱离群众，就是自断根脉。四要关心群众，不要漠视群众。关心群众，就是要关心群众疾苦，切实解决好群众的生产生活问题，使他们获得看得见、摸得着、有实惠的切身利益。这也是最实际、最普遍、最有效的群众工作。五要教育群众，不要迁就群众。群众的觉悟有高有低，群众的意见有对有错，群众的要求有合理有不合理，群众提出的问题有些能够解决，有些需要创造条件逐步解决。如果不善于教育群众、引导群众，或是无原则地迁就群众，就不可能解决问题，还可能引发新的矛盾。

（二）以机关党建带动作风建设

机关党的建设作为整个党的建设的重要组成部分，各项工作必须围绕党的中心工作来展开，服务党的工作大局，这是机关党的建设的政治方向。随着党的工作重心的转移、机关职能的转变、机关运作方式的调整，创新机关党建工作的载体，以充分体现机关党建工作在围绕中心、服务大局中的效能，这是新时期对机关党建工作

的必然要求。围绕中心，服务大局，创新载体，这是确保新时期机关党建工作取得实效的一条重要规律，是增强新时期机关党建工作活力的一条生命线。用改革创新精神全面加强机关党的建设，以机关党建促进作风建设，形成广东特色的作风建设工作思路。

用党的思想路线引领机关党建工作的改革创新。通过一年确定一个党建主题，每年开展一个党建主题活动，去承载当年党的思想建设、作风建设、组织建设的主要任务，用一个主题去覆盖机关党建的方方面面的任务，用一个主题集中工委各个职能部门的优势兵力打“歼灭战”。比如，2007 年开展的以“三个走在前面”（落实科学发展观走在前面、构建和谐社会走在前面、全面加强党的建设走在前面）为主题的排头兵实践活动，通过这样一个党建工作载体，思想建设覆盖到了，那就是要树立排头兵观念；作风建设覆盖到了，就是要树立排头兵作风；组织建设覆盖到了，就是要发挥“三个作用”，落实到当好“三个排头兵”：党员发挥先锋模范作用，争当岗位排头兵；党支部发挥战斗堡垒作用，争当部门排头兵；党组（党委）发挥领导核心作用，争当全国、全省同行排头兵。此外，通过开展排头兵实践活动，推动了机关党建和机关建设的有机结合，推动了党的建设和业务建设的有机结合，推动了党的建设和改革开放的有机结合。不仅把党建工作与其他各项工作拧成一股绳，而且联动了省市县三级工委，形成了三级工委上下联动开展排头兵实践活动的格局。[①] 实践证明，用改革创新的精神推进机关党的建设，首先就是要锲而不舍地以我们党的思想路线为指导，始终坚持解放思想、实事求是、与时俱进。

探索党的建设与改革开放相互促进的有效途径。广东是建设中国特色社会主义事业的前沿阵地，是我国改革开放的前沿地区，这种区位决定机关党建工作必须服务广东的改革开放。在加强和改进机关党建的创新实践中，始终坚持围绕中心，服务大局，创新载

---

① 罗东凯：《用改革创新精神全面加强机关党的建设》，南方网 http://news.southcn.com/gdnews/ptbWEB/ptbzd/content/2007-12/06/content_4315506.htm。

体，用排头兵的精神、排头兵的作风、排头兵的实践，努力创造争当全国党建工作排头兵的业绩。连续多年来，我们根据建设中国特色社会主义事业的时代特点，根据广东改革开放的时代特点，着眼于推动广东改革开放，通过每年一个党建主题活动，引导和组织基层党组织和广大党员，从思想上、观念上、政策上、制度上、机制上、体制上认真查找阻碍发展、影响改革开放和制约机关服务效能充分发挥的问题，紧紧抓住牵动全局的主要工作，紧紧抓住影响经济社会发展的主要矛盾，紧紧抓住体制机制和工作上的薄弱环节，紧紧抓住事关群众利益的突出问题，采取有力措施，切实加以整改，着手破除了当老大、吃老本、守老“框框”，浮夸、浮躁、浮华的思想作风，破除了片面追求发展速度和增长数量的粗放型发展观，破除了急功近利，好大喜功的错误政绩观，破除了论资排辈、求全责备的僵化人才观。强调更加注重服务大局，更加注重服务基层和群众，更加注重服务手段创新，更加注重依法办事、依法服务，坚决革除制约和阻碍发展和改革开放的政策、制度、体制、机制弊端，进一步完善工作制度，更新工作思路，创新工作举措，提高工作效能。比如，五年来，省直机关取消和调整行政审批事项1507 项；省直党政机关约有 60 多个单位创建和完善办事窗口，实行“一个窗口进出、一条龙服务”，普遍推行首问责任制、按时办结制、责任追究制，实现了公开透明办事、快捷优质服务。这些举措，对解决突出问题，扫除发展障碍，推动改革开放，推动广东继续当好排头兵，发挥了很好的作用。实践证明，坚持围绕中心，服务大局，创新载体，这就是机关党的建设与改革开放有机结合相互促进的有效途径。

用机关党建的创新实践推动科学发展。新时期全党最重要的任务是推动科学发展，促进社会和谐。用机关党建的创新实践推动科学发展，促进社会和谐，是新时期机关党建工作的根本任务。省直机关工委 2003 年开展的以“三创新一优化”（创新观念、创新体制、创新服务，优化发展环境）为主题的机关作风建设年活动，就强调要在实践中创新机制体制，创新服务，优化发展环境，紧贴

科学发展，同时，也强调以作风树形象，以服务促和谐；2004年开展的“三树立五落实”（树立科学发展观、正确政绩观、科学人才观，从思想、工作、作风、方法、创新五个方面抓落实）主题活动就是紧紧围绕落实科学发展观来开展的；2006年开展的排头兵实践活动也是重点突出推动科学发展；2006年开展的“三服务一促进”（服务基层、服务群众、服务大局，促进社会和谐）主题实践活动就是要工作重心往下移，服务基层、服务群众、服务大局，促进社会和谐。通过服务基层、服务群众，更好地服务发展大局；通过推动科学发展，促进社会和谐。2006年开展的排头兵实践活动中，各单位充分运用工委搭建的这个党建工作平台，按照活动提出的推动我省经济社会发展转入科学发展轨道、推动落实科学发展观走在前面、推动构建和谐社会走在前面的要求，在深入调研的基础上开展如何当好排头兵大讨论，明确目标，创新思路，出台举措。省直机关共有180多个单位提出在某个方面当好排头兵并出台系统的保障举措。这些举措，在推动各行各业加快发展的同时，形成了推动我省经济社会全面、协调、可持续发展的强大合力。

（三）形成广东特色的惩防体系

广东高度重视建立健全惩治和预防腐败体系的工作，抓得早抓得紧抓得实。2004年6月，根据中央纪委部署，及时启动了起草我省具体实施意见的工作。2005年5月16日，广东在全国较早制发了《广东省建立健全教育、制度、监督并重的惩治和预防腐败体系实施意见》，提出到2007年初步建成具有广东特色的惩治和预防腐败体系基本框架，确定了95个方面的任务并分解到60个省直部门。围绕这一目标，省纪委积极协调，组织召开了一系列汇报会、研讨会、座谈会，2005年底由省领导带队组织12个检查组到各地各部门检查督促、推动各项工作任务贯彻落实。并在指导思想上始终坚持：围绕中心，服务大局；以改革统揽预防腐败各项工作；教育、制度、监督“并重”，惩治和预防“并举”；结合实际，体现地方特色；坚持党委统一领导，形成贯彻落实的合力。各地各

部门狠抓落实，经过全省上下一年多的不懈努力，广东构建惩防体系工作扎实推进，不断深化，取得了明显效果。目前全省21个地级以上市、54个省直部门和事业单位、10所高等院校、27个中央驻粤单位制定了贯彻落实的具体办法。省确定的113项任务，按要求全面展开。省直相关部门新出台了60多项制度性的意见、办法、规定。① 各地进一步加强了对案件的统计分析，深化发挥查办案件的治本功能。推广"一案两报告"制度，进一步从体制、机制和管理上查漏补缺、加强预防。

1. 宣传教育广泛深入②。

教育制度化不断提升。省委每年安排一次以反腐倡廉为主题的"学习论坛"活动，把反腐倡廉理论作为党委中心组学习的重要内容，各级党政主要负责人坚持讲廉政党课，省委党校编写反腐倡廉教育教材并纳入教学计划，省人事厅规定"依法行政"、"廉政建设"作为公务员强制培训的必修课等等，这些举措都被作为制度固定下来。连续15年开展全省纪律教育月活动，连续5年开展领导干部党纪政纪法纪教育培训班。今年全省纪律教育月活动以"认真学习党章，增强拒腐防变能力"为主题，正在全省深入展开。佛山、惠州、河源、湛江、潮州等市开展学习党章知识有奖问答活动，举办文艺汇演。不少社区、街道用书法、演讲、朗诵等艺术形式演绎党章内容。2005年6月，全省已有300多万名党员进行了"红船杯"学习党章知识竞赛。

宣传教育更重实效。继续以党员领导干部为重点，省纪委编印了《2006年纪律教育读本》下发全省作为纪律教育的基本教材，运用正反两方面的典型，强化示范教育和警示教育。在全省选取了10位勤廉兼优的优秀共产党员典型，拍摄成系列电视片《超越平凡》，从2008年7月3日起在广东电视台热播，同时制作了VCD，

① 《惩防并举、整体推进：广东构建惩防腐败体系工作综述》，广东纪检监察网，2006年9月18日。

② 《搞好"规定动作"，创新"自选动作"：广东党风廉政宣传教育异彩纷呈》，广东纪检监察网，2007年3月21日。

派发各地认真组织观看。

形成大宣传教育格局。在2005年廉政文化“五进”示范点的基础上，2006年全省21个地级以上市参照省的做法，选择各类教育示范点49个，以点带面推动全省反腐倡廉教育活动。省纪委将《光荣啊，党的忠诚卫士》、《公务员之歌》等获奖歌曲向全省党员推荐，各地电视台、电台以每周一曲、“反腐倡廉歌曲大家唱”等形式播出。仅湛江一地，参加演唱活动的党员干部就达8万多人。广东省纪委与南方日报社联合推出《防腐前沿》专栏。重点介绍广东构建惩防体系，全面推进党风廉政建设和反腐败工作的经验和探索，营造反腐倡廉的良好舆论氛围。

2. 制度建设成果斐然。

制度建设是构建惩防体系工作不断深入的集中体现和保证。近10年来，广东先后制定完善反腐倡廉各项制度1000多项，并逐步从各层次、各领域单项制度建设向构建惩防体系转变，有的工作走在了全国前列。

省和部分地市建立“实时在线预算监督系统”，在省和各地各部门建立行政审批电子监察系统，统一公务员岗位津贴，清理党政机关事业单位经营性资产，建立农村征地补偿最低标准、农民征地款折资参股，探索第三方介入管理村级财务等，成效明显。2006年，广东省委、省政府起草《关于健全重大决策议事规则和程序的意见》，正在修改完善。省实施了《国有企业领导人廉洁自律实施办法》、《进一步加强农村基层党风廉政建设的意见》等。各地各单位突出围绕权力运行的监督和制约，进一步深化制度建设，着重在干部人事制度改革、行政审批制度改革、财政管理体制改革、投资管理体制改革、运用市场配置资源的机制等方面加强和完善了配套制度建设。①

3. 监督机制日趋完善。

监督得力，是构建体系的关键环节。广东各级纪检监察机关突

① 郑成桑、李洋：《广东锻造“阳光财政”》，广东纪检监察网，2006年8月3日。

出对权力运行的制约监督，发挥整体监督作用。监督职能进一步明确。省纪委对15个重点派驻纪检监察机构实行统一管理，出台了实行统一管理的实施意见和管理办法。2006年5月22日，省纪委、省委组织部联合制发了《关于对党员领导干部进行诫勉谈话和函询的实施细则》和《关于党员领导干部述职述廉的实施办法》。

监督覆盖面不断扩大。省委巡视组对地级以上市、部分高校、省属国有企业和县（市）开展了巡视。继续深化和探索政务、村务、厂务公开的有效办法。从2006年5月1日起，全省高校全部实行校务公开。省在10个单位开展党务公开试点工作。省市普遍设立了“12380”跑官要官专用举报电话。行风政风热线在各地逐步“走红”，省纪委、省监察厅与广东电台开通了“民声热线”直播节目，接听群众电话7030个，接收短信4800条，解决群众反映热点问题1150个。

监督的手段更加科学有效。省和9个地级以上市建立了“实时在线财政预算监督系统”。深圳推行的“行政监察电子监察系统”，对全市31个部门保留的239项行政许可项目加强监督，取得了明显效果。原中共中央政治局常委、中央纪委书记吴官正同志对此给予了充分肯定。2008年5月底，出台了《广东省行政审批监察电子监察系统建设工作实施方案》，推进省直机关和珠三角地级以上市行政审批电子监察系统建设。省直49个有关部门行政审批电子监察系统于2007年上半年建成。深圳、广州等市积极探索对重大投资项目、政府采购以及行政执法等试行实时在线电子监察。

监督的整体效能不断提高。省委或省纪委领导每年向省政协常委会、各民主党派人士通报当年全省的党风廉政建设和反腐败工作情况，邀请民主党派参加党风廉政建设专项检查。2003年5月16日，中共广东省纪委、省人民检察院、省监察厅、省国土资源厅、省建设厅和省农业厅联合下发了《关于开展征用农民集体土地和土地征用款专项执法监察的通知》，广东首次大动作、多部门联合进行土地方面的执法监察。《通知》要求，要通过此次执法监察，纠正违规征用农民集体土地、土地补偿款不能按时足额支付给农

民，以及集体所有的各种补偿费管理混乱的问题；切实加强城镇化进程中对农村集体土地以及征地补偿金使用的管理，防止腐败和职务犯罪行为的发生。

四、在改革实践中加强党的制度建设

以改革精神建设党，在探索改革中加强党的制度建设，是广东省委在1980年代就确定的党建思路。改革开放以来，随着社会主义市场经济体制的逐步建立，人民民主和法制建设的逐步推进，党内民主和党内制度建设的实践也随之进行。应当说，在改革实践中加强党的制度建设，始终贯穿于广东改革开放30年党的建设实践，是对广东党的建设实践创新和理论创新的归纳总结，更是用广东的经验对坚持以改革创新精神加强党的建设的最好诠释。

（一）创新干部选拔任用机制

在20世纪80年代前期，广州、深圳等市就开始探索公开选拔领导干部。但就全省而言，当时还没有认识到需要从制度建设的层面进行探索实践和总结创新。1998年，广东省召开第八次党代会之后，在省委主要领导和省党政班子成员的带动下，组织了十大调研，其中人才调研的结果表明：广东省干部人事制度改革严重滞后于经济体制改革和其他各项改革。广东的用人优势已经落在上海、江苏等省市的后头，面对的是人才资源和用人机制的危机感。[①] 正是在这种情况下，广东正式启动了干部选拔任用制度的创新实践。

第一阶段，1998年7月，中组部、人事部召开党政机关推行竞争上岗工作会议，对在全国党政机关推进竞争上岗工作进行部署。中共中央政治局常委、时任广东省委书记李长春在听取省委组

① 罗东凯：《与时俱进，创新干部选拔制度》，广东省公开选拔领导干部工作办公室、广东省竞争上岗办公室：《与时俱进，创新干部选拔制度》，广东人民出版社2002年版，第33页。

织部向省委常委汇报的贯彻意见后，明确指示：广东省的竞争上岗工作要扩大试点范围，规范做法，取得经验，作为选人用人的一项制度。以此为起点，广东开始从选人制度创新和制度建设的层面来考虑和推行竞争上岗的试点工作，翻开了创新干部选拔制度新的一页。省委组织部提出的竞争上岗试点方案，范围从党政机关扩大到企业、事业单位和高等院校，职位从中层职位顺延到省财政厅等单位的5个副厅级职位。省委组织部作为试点单位，拿出了10个处级职位进行竞争上岗。试点工作取得成功后，中组部干部调配局1999年7月在广东召开带有现场会性质的研讨会。广东干部制度改革是向兄弟省市学习的结果，也是中组部、人事部鼓励、支持的结果。这是广东省创新干部选拔制度的第一阶段。

第二阶段，抓住省政府、省委工作部门机构改革的有利时机，大力推进干部选拔制度的创新。除公安和安全等个别部门因工作的特殊性外，省委、省政府机关中层干部实行全员竞争上岗，现任的正副处长“全体起立，竞争上岗”。此后，省委又作出决策，结合机构改革拿出了省委办公厅、省委宣传部等14个重要部门的副职，面向全省进行公开选拔。这次公开选拔，主要是探索公开选拔的科学化、民主化和制度化的路子。探索用公选一批去带动、发现一大批，考察一批，储备一批，培养使用一批优秀中青年干部的新路子。时任省委副书记刘凤仪代表省委先后在省政府和省委机构改革大会上作动员部署。李长春、黄丽满、刘凤仪等省委领导多次听取干部制度改革工作的有关汇报，提出明确的工作要求，充分体现了省委对推进干部选拔制度创新的决心。在这一阶段，经省委同意，还专门成立了省公选办和省竞岗办，负责两项改革的日常工作。通过竞争上岗，妥善解决了机构改革当中干部分流的问题，改善了中层干部队伍结构，正副处长平均年龄下降4.5岁，本科以上学历人数提高了9.5个百分点，原有的正副处长中有191人通过竞争上岗平稳地下来了。更重要的是，在机关形成了讲学习、讲政治、讲正气的风气，去跑领导的门，托领导出来讲话等现象大为减少。省直机关两项改革取得了实质性的成效，中组部先后三次安排广东在全

国性的会议上介绍竞争上岗等推进干部人事制度改革的做法。

第三阶段，2001 年 4 月，经省委同意，省委组织部在深圳召开了市、县机构改革竞争上岗和公开选拔座谈会，时任省委常委、组织部长刘玉浦对市、县、镇机构改革中全面推进竞争上岗和公开选拔进行动员部署，省公选办、竞岗办的工作重点也从种好省直机关自身的“试验田”，转向具体组织指导和协调服务好全省全面推开的两项改革。7 月，省委组织部在南海市召开了干部制度改革综合试点工作座谈会，刘玉浦到会讲话，针对基层在改革实践中遇到的新情况、新问题，对全省的干部制度改革，尤其是竞争上岗和公开选拔这两项改革，作了进一步的部署。除深圳市作为全国干部制度改革试点单位另有安排外，其余 20 个地级以上市的机关中层干部全部实行了竞争上岗，加上乡镇的竞争上岗，一年多的时间内，全省各市实行竞争上岗的职位就达 3 万多个。各市在机构改革中，共拿出 250 多个处级职位进行公开选拔。各地在推行这两项改革中，结合实际进一步探索创新。广州除公选部分局级领导干部外，还将市直单位 70 多个中层职位拿出来公选；佛山市采取竞争上岗与公开选拔相结合的办法，分别选拔市直单位领导班子的缺额人选；江门市在市直机关开展跨部门的竞争上岗。

第四阶段，2008 年 6 月，广东又面向全国进行省市联合公开选拔 100 名厅处级领导干部。这次公选资格初审合格的 4337 名报考人员中，全部具有本科以上学历，其中，硕士研究生 1738 人，占 40.1%；博士研究生 699 人，占 16.1%；博士后 171 人，占 3.9%。平均年龄 34.8 岁，其中报考省管职位的人员平均年龄 37.7 岁，最年轻的 26 岁。报考人员中，女性 624 人，非中共党员 382 人；来自省内的 2360 人，省外的 1960 人，国（境）外的 17 人；来自中央国家机关的 149 人，地方党政机关的 2694 人，国有企业的 453 人，高校、科研院所等事业单位的 842 人，“两新组织”的

199人。[①] 这次公选把履行领导职位应具备的基本素质和能力作为测试重点，体现三个特点。一是注重考察作为领导干部应该具备的基本素质，把领导工作内容独立设考，深入考察报考人员的实际领导工作能力。有5000多名评委参与公选工作，创造了全国之最。"这5000多名评委中，省、市'两代表一委员'评委占近50%，由电脑随机抽签确定，提前一天由专人通知到位，每人在同一职位组中只能参加其中一个环节的评委工作。"[②] 二是分层次、分类别设考。试题分省管、广州深圳市管和地级市管职位两个层次，按党政、高校、企业三个类别分别命题。三是外语列为考试科目，不计入笔试成绩，但须达到合格分数线。这一条符合领导干部的工作实际，体现了省委的用人导向，有利于行政干部加强对外交流合作，吸纳高素质人才。这次联合公选在境内外引起了强烈反响，对于继续深化干部人事制度改革起到了积极的推动作用。

通过四个阶段的改革，竞争上岗和公开选拔在我省已经形成气候，有了深厚的实践基础，作为新的干部选拔制度，虽仍有不甚完善之处，但从总体的实践结果看，已具备基本的制度架构和体系。集中体现在建立了五个机制[③]：

一是公正的平等进入机制。凡是符合条件的，都可以平等地报名参加公开选拔和竞争上岗，都有同等的选拔机会，并按照同样的选拔程序，用同一把尺子进行检验、衡量和挑选，从而打破了"在少数人中选人"的旧格局，体现了公平、公正、公开选人用人的原则。

二是有序的竞争比较机制。由于引入了竞争机制，变"伯乐相马"为"赛场选马"，由"领导点将"走向"制度选人"，完全

① 《广东公选百名干部昨日京穗同时开考，硕士博士占六成》，南方网，2008年9月18日。

② 《"给未来的领导当考官"》，《人民日报》2008年9月26日。

③ 罗东凯：《与时俱进，创新干部选拔制度》，广东省公开选拔领导干部工作办公室、广东省竞争上岗办公室：《与时俱进，创新干部选拔制度》，广东人民出版社2002年版，第36~37页。

凭真才实学和工作实绩决定干部的升降去留，破了靠年头“熬官”者的梦，断了用感情“跑官”者的路，封了用金钱“买官”者的门，在机关形成了比工作、比学习的好风气，使竞争上岗和公开选拔这个阶段性的赛场向工作岗位这个经常性的赛场延伸，体现了竞争激励的原则。

三是科学的择优任用机制。在选拔的各个程序中，只看卷面，不看情面。比如，考试的客观题，有标准答案，由电脑阅卷；主观题和面试时，都是由几个评委评分或阅卷，去掉一个最高分和一个最低分，计算平均分。尽管这种科学还是相对的，但毕竟避免了个人说了算，体现了民主集中制的原则。

四是公开的民主监督机制。在整个工作过程中都坚持了公开的原则，使群众的知情权、参与权、选择权、监督权得到比较充分的体现，从而打破了“由少数人去选人”的旧格局，体现了群众公认的原则。

五是良性的“能上能下”机制。上来要靠真本事，靠德才条件；实行任期制，5 年任期满后经考核合格，才能继续任职。所有参与竞争上岗和公选的入围者，虽然最后上去的毕竟是少数，但下来的心理上也能承受。因为在多数情况下，竞争者之间的总成绩相差并不远，竞争的结果是强强相争强者下，而不是弱弱相争弱者下。上者社会公认，是“相对的优胜者”；下者也不丢脸，是“光荣的失败者”。从而为干部的能上能下拓展了新的思维空间和上下渠道。

（二）探索党代会常任制试点

党代表大会常任制，是中国共产党为把党的民主生活提高到更高水平，多年来不断进行研究和探索的一项重要制度。经中组部同意，广东省委决定从 2003 年 2 月开始在惠州市、阳东县和深圳市宝安区开展党代表大会常任制试点工作。党代会常任制试点工作，为加强党内民主建设，推动制度建党积累了初步经验。惠州市作为全省试行党代表大会常任制的唯一地级市，在 2003 年 6 月 6 日市第八次党代会上通过了《中国共产党惠州市第八次代表大会关于试行党代表大会常任制的决议》和《中国共产党惠州市代表大会常任制制度（试行）》，从此拉开了惠州市开展党代表大会常任制试点工作的序幕。这是惠州市委为贯彻落实党的十六大精神，进一步健全党内民主制度，充分发挥党代表大会的作用，推进政治文明建设，强化党内监督、扩大党内民主的一项新的重大举措①。惠州市党代表大会常任制试点工作进行了五个方面的探索与实践：

扩大党代表的覆盖面，保证了党代表具有较强的代表性与广泛性。为有利于发扬党内民主，确保党代表具有较高的综合素质和较强的代表性与广泛性，在惠州市第八次党代表大会代表选举中，惠州市既严格遵循党代表选举的基本原则，又注意在执行文件规定与实际结合上下功夫，力求有所创新。全部代表均达到了中学（含中专）以上文化程度，其中具有大专以上文化程度的383名，占90.6%，比上次党代会提高了12.5个百分点。50岁以下的代表327名，占78%，比上次党代会提高了4.5个百分点。

成立党代表联络办公室，具体负责党代会常任制试点的日常工作。市委在2003年3月底成立了以市委书记为组长，市委副书记为副组长，市委常委为成员的惠州市党代表大会常任制试点工作领导小组。2003年8月正式成立试点工作的常设办事机构——中共惠州市委党代表联络办公室，具体负责市党代会常任制试点的日常工作。不仅为惠州市党代会常任制试点工作提供了有力的组织保证，而且为全市418名党代表找到了“自己的家”。市委党代表联络办公室在2003年10月创办了《党代表通讯》内部刊物。该刊主要是传递市委、市政府的工作信息，反映党代表心声，展示党代表风采，交流工作经验，追踪党代表关注的社会热点，探索新时期党建工作新路子，使之成为推进党内民主和党代表议党议政、交流工作经验的重要平台和园地，成为市委联络党代表的有效载体。

出台了一整套工作制度，使代表团和代表的活动有章可循。惠

① 《走近党代表大会常任制》，《惠州日报》2004年3月23日。

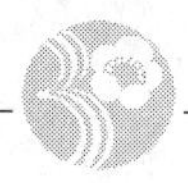

州市建立了7项与常任制工作相配套的制度：一是《中国共产党惠州市代表大会常任制制度（试行）》。二是《中国共产党惠州市代表大会闭会期间代表活动制度（试行）》。三是《惠州市党代表意见、建议征集处理制度（试行）》。四是《关于惠州市党代表资格的暂停、消失和代表增补的规定（试行）》。五是《关于市委委员、代表、党员、群众四级联系的制度（试行）》。六是《关于代表大会、全委会、常委会的职责和工作制度（试行）》。七是《中共惠州市委党代表联络办公室职责及工作制度》。

编辑《党代表手册》，引导党代表履行职责义务。惠州市委依照有关政策法规，结合惠州市的实际，及时编辑了《党代表手册》一书，并于8月19日举行了隆重的首发式，向党代表发放，供党代表在学习工作中参考使用。该《手册》主要包括工作指引、党建问答、政策法规等上、中、下3篇内容，有32万字，收集了十六大报告、党章、宪法、党代会常任制工作制度、外地经验和常用的党内文件等，内容比较丰富，指导性和可操作性强，属全国首创。《手册》发放后，深受党代表和党务工作者的欢迎。

探索党代表发挥作用的多种实现形式。2003年，在市委、市政府组织的“万众评公务”活动和市委召开党政领导班子民主生活会前，市委党代表联络办公室向市党代表发放了征求意见表，充分听取党代表对市直窗口单位作风建设和市委、市政府领导班子及其成员在工作作风、执行纪律等方面的意见。下半年，由市委牵头组织了两次党代表视察活动：一是组织市直机关、企业部分党代表参加“万众评公务”整改情况的视察活动，督促在“万众评公务”活动中干部群众意见较多的单位搞好整改工作；二是组织全市10个示范镇党委书记、各县（区）委组织部长和市规划、国土、农业部门领导等党代表，参加以“互动学习、共促发展”为主题的示范镇党委建设情况视察活动。另外，市直企业代表团还自行组织了本团部分市党代表到市肉联厂开展视察调研活动，就企业如何让市民吃上“放心肉”问题提出意见。

（三）积极推进党内民主建设

得改革开放风气之先的广州、深圳等珠三角地区，近年来积极探索机制、完善制度，在积极稳妥推进党内民主建设方面做了有积极成效的探索和实践。这些探索主要表现为“七个着眼”：一是着眼于激发广大党员的创造活力，丰富党员了解和参与党内事务的内容与形式，党员的民主权利得到有效保障。二是着眼于提高重大决策的科学性，推进民主讨论、集体决策、责任约束的制度化规范化程序化，民主决策机制更加健全。三是着眼于提高选人用人的准确性，把“群众公认”原则贯穿于干部选拔任用的全过程，干部工作中的民主进一步扩大。四是着眼于真实反映选举人意志，改进提名方式、扩大差额选举的范围和比例，健全党内选举制度取得新进展。五是着眼于加强集体领导，合理划分党委常委会与全委会的职责权限，党的全体委员会的作用得到更好发挥。六是着眼于发挥党代表的作用，扩大党代表大会常任制试点，党的代表大会的权威得到更好保障。七是着眼于促进领导干部廉洁用权、依法用权、公正用权，加大上级对下级、下级对上级和同级相互之间的监督力度，党内民主监督的有效性不断增强。① 这些探索实践为进一步开展党内民主创新奠定了坚实基础，也为正确把握推进党内民主建设的原则要求创造了良好经验。这些经验表明：

1．坚持实行民主与集中相统一。

开展党内民主建设创新，必须坚持民主与集中相统一，既充分发扬党内民主，使各级党组织和广大党员的意愿得到充分表达，又要加强在民主基础上的集中，统一思想认识，防止和反对极端民主化。如近年来，广州各级党委认真贯彻落实《党政领导干部选拔任用工作条例》，着力提高选人用人公信度，在全面履行六项基本程序过程中，重点把好“五个环节”：在推荐环节中，充分尊重民

① 广州市委党校第三十期局级干部进修班：《处理好四大关系，推进党内民主》，《广州日报》2008年4月28日。

意，推荐人选不是所在单位多数群众拥护的不列为考察对象；在考察环节中，扩大群众参与面，延伸考察范围，听取各方意见；在公示环节中，丰富公示方式，除书面在各单位公示外还进行网上公示；在讨论决定环节中，严格执行民主集中制原则，其中各区（县级市）在讨论干部任免时都实行了常委会票决制；在试用环节中，对试用期满后的干部坚持按照干部管理权限由组织进行考察，对考核胜任的才办理正式任职手续。通过把好这“五个环节”，在推进选人用人民主过程中很好地实行了民主与集中相统一。

2. 坚持以完善党内民主制度为重点。

发展党内民主，必须大力推进党内民主制度创新，坚持和完善民主集中制，逐步建立起内容完备、结构合理、功能健全、科学管用的党内民主制度体系，使各项制度相互协调、相互衔接，不断提高制度的系统性、协调性、可操作性，最大限度地发挥制度体系的整体合力和综合效用，确保党内民主建设沿着正确的轨道前进。广东在推进党内民主建设中，注重从制度层面下工夫，确保了各项党内民主建设改革成果的稳定性和延续性。如在开展市、县区党的代表大会常任制试点工作中，惠州市、深圳市宝安区、阳东县 3 个试点单位都坚持以制度作保证，把工作的着力点放在制度建设上，制定出台了相关配套制度，构筑起党代会常任制的基本框架。如惠州市制定了《党代表提案和建议办理规定试行》等 15 项制度，宝安区出台了《代表大会会议制度》等“1 + 7”制度体系，阳东县出台了《关于加快推进党代表大会常任制试点工作的若干意见》等 8 项相关配套制度。在完善民主决策制度中，广州的做法是，凡涉及人民群众切身利益的重大事项，广泛实行听证、公示等制度，集思广益，集中民智，使决策既符合客观实际，又有坚实的群众基础。对专业性和技术性较强的重大事项，实行专家论证、技术咨询、决策评估，使决策更加科学化。其中《关于切实解决涉及人民群众切身利益若干问题的决定》（惠民 66 条）的出台就是听民意、顺民心，完善民主决策制度而产生的对改善民生具有重大意义的决策成果。

3. 坚持从实际出发循序渐进。

加强党内民主建设，既要积极推进，又要循序渐进。广东推进党内民主建设决心大，步子稳，既不等不慢，又不偏不冒，按照中央确定的目标和规划，有组织、有计划、有步骤地扎实推进，保证党内民主健康有序地发展。如在推进党务公开的工作中，广东省委按照“先行试点、分类实施、循序渐进，务求实效”的总体思路，选择了肇庆市委、省财政厅党组、华南师范大学党委、梅州金雁集团公司党委等4种类型10个单位开展试点，为在全省推行党务公开探索经验。在试点取得成功的基础上，才开始在全省各级党组织全面推行党务公开工作。其他如推进选人用人民主、党代会常任制等党内民主建设中，都始终坚持积极稳妥的方法，试点先行、逐步扩大推进，保证了党内民主建设有领导、有步骤、有秩序地推进。

江泽民说，越是改革开放，越是要加强党的建设。在广东全面贯彻落实科学发展观，建设更加宽裕的小康社会的实践中，党的建设将面临前所未有的新情况新问题，只有坚持改革创新精神，全面推进党的建设新的伟大工程，全省各级党组织才能担当起领导重任，才能充分发挥领导核心和战斗堡垒作用。

参考文献

1.《马克思恩格斯选集》，人民出版社 1995 年版。
2.《孙中山选集》，人民出版社 1981 年版。
3.《邓小平文选》第 2 卷，人民出版社 1994 年版；第 3 卷，人民出版社 1993 年版。
4. 胡锦涛：《高举中国特色社会主义伟大旗帜　为夺取全面小康社会新胜利而奋斗——在中国共产党第十七次全国人民代表大会上的报告》，人民出版社 2007 年版。
5. 广东百科全书编撰委员会、中国大百科全书出版编辑部：《广东百科全书》，中国大百科全书出版社 2008 年版。
6. 梁桂全主编：《改革开放二十年的理论与实践·广东卷》，中国大百科全书出版社 1998 年版。
7. 中共广东省委宣传部编：《总结二十年　迈向新世纪》，广东经济出版社 1999 年版。
8. 中共广东省委宣传部：《在科学发展的道路上阔步前进——十六大以来广东经济社会发展成就》，广东人民出版社 2007 年版。
9. 谢非：《广东改革开放探索》，中共中央党校出版社 1998 年版。
10. 中共广东省委宣传部：《改革开放三十年历史回顾与经验启示》，广东人民出版社 2008 年版。
11. 张岳琦、李次岩：《冲破禁锢：拨乱反正篇》，广东人民出版社 2000 年版。

12. 张岳琦、李次岩：《先行一步：改革开放篇》，广东人民出版社2000年版。
13. 张岳琦、李次岩：《是是非非：政治文化篇》，广东人民出版社2000年版。
14. 李次岩、高伟梧：《怀念任仲夷》，广东人民出版社2007年版。
15. 曾牧野等：《广东二十年经济发展的理论思考》，广东人民出版社1998年版。
16. 曾牧野等：《市场经济与科学发展观》，中国经济出版社2005年版。
17. 曾牧野等：《广东改革的经济学思考》，广东人民出版社1993年版。
18. 傅高义著：《先行一步：改革中的广东》，广东人民出版社2008年版。
19. 许卓云：《先行一步的变革——广东市场经济发展的理论与实践》，广东人民出版社2004年版。
20. 梁桂全等：《起飞的轨迹——广东经济发展实证分析》，广东人民出版社1992年版。
21. 广东经济学会：《广东经济体制改革研究》，中山大学出版社1990年版。
22. 张思平：《体制转轨——广东九十年代的改革》，广东人民出版社2003年版。
23. 蓝红：《邓小平精神文明建设理论在广东的实践》，广东人民出版社1995年版。
24. 陈建华：《谢非与广东改革开放思想研究》，广东人民出版社2004年版。
25. 中共广东省委宣传部编：《邓小平理论在广东》，广东人民出版社1997年版。
26. 顾作义：《广东精神文明创建之路》，广州出版社2002年版。
27. 广东省公开选拔领导干部工作办公室、广东省竞争上岗办公室：《与时俱进，创新干部选拔制度》，广东人民出版社2002

年版。
28. 胡泽君：《争创三有一好，争当时代先锋：党员理想、责任、能力、形象教育读本》，南方日报出版社 2004 年版。
29. 胡泽君：《社会主义新农村与农村基层党组织建设》，南方日报出版社 2008 年版。
30. 中共广州市委保持共产党员先进性教育活动领导小组办公室：《党的先进性建设实践与探索：广州市加强党的先进性建设理论研讨会论文集》，广州出版社 2006 年版。
31. 中共广州市委组织部：《固本强基谱新篇》，广州出版社 2007 年版。
32. 广东省邓小平理论和“三个代表”重要思想研究中心：《永远的旗帜：邓小平理论与广东改革开放研讨会论文集》，广东经济出版社 2004 年版。
33. 广东省邓小平理论和“三个代表”重要思想研究中心：《与时俱进的理论探索：广东省邓小平理论和“三个代表”重要思想研究中心重点理论文章汇编（2001—2004）》，广东人民出版社 2005 年版。
34. 曹子镳等：《用改革精神建设党》，广东人民出版社 1995 年版。
35. 曹子镳等：《面向新世纪，把党建设好》，广东人民出版社 1998 年版。
36. 王晓玲等：《广州私营企业党建理论与实践》，红旗出版社 2002 年版。
37. 卢迪：《广东改革开放的三个发展阶段及主要成就》，《特区经济》2001 年第 7 期。
38. 鲁开垠：《全面建设小康社会：广东实现现代化的目标测量与发展路径》，《中央社会主义学院学报》2003 年第 4 期。
39. 张俊领：《构建和谐社会重在解决民生问题》，《社会主义研究》2005 年第 4 期。
40. 李抒望：《关注民生：构建和谐社会的基础》，《中国党政干部论坛》2007 年第 4 期。

41. 韩锐、刘锡桓、凌传茂:《按照“三个代表”的要求加强和改进广东党的建设》,《岭南学刊》2002 年第 2 期。
42. 陈学琳、汪晓红:《广东农村基层党组织建设运行机制调查》,《岭南学刊》2006 年第 5 期。
43. 广东支部生活编辑部:《广东,又一个春天来了》,《广东支部生活》2000 年第 4 期。

后　　记

以党的十一届三中全会为起点，中国改革开放至今已走过了光辉的30年。广东，作为中国改革开放的前沿地，是30年历史壮丽画卷的精彩缩影。

广东改革开放的30年，是解放思想、先行一步的30年，是快速发展、与时俱进的30年，是人民奔向富裕安康、社会全面进步的30年。30年来，在党中央的正确领导下，广东历届省委、省政府带领广大干部群众高举中国特色社会主义伟大旗帜，以一往无前的进取精神和波澜壮阔的创新实践，在对外开放和发展社会主义市场经济上“杀出一条血路”，率先探索和回答什么是社会主义、怎样建设社会主义，建设怎么样的党、怎样建设党，实现什么样的发展、怎样发展等重大理论和实践问题，朝着率先基本实现社会主义现代化的宏伟目标奋勇前进，岭南大地所取得的发展令国人振奋、世人瞩目。广东改革开放的历程和成就充分说明：改革开放是决定当代中国命运的关键抉择，是发展中国特色社会主义、实现中华民族伟大复兴的必由之路。

为了全面总结改革开放30年的成就和经验，激励广东的广大干部群众坚定不移地走中国特色社会主义道路，以新一轮思想大解放推动新一轮改革开放和创新发展，争当实践科学发展观的排头兵，广东省邓小平理论和“三个代表”重要思想研究中心组织广东省社会科学院和中山大学、广州市委党校的专家学者，撰写了

《敢为人先——广东改革开放30年研究总论》（以下简称《总论》）。

《总论》内容包括：先行一步、率先开放、深化改革、依法治省、人文广东、绿色广东、科学发展、和谐广东、固本强基等九章。比较全面系统地印记了广东在改革发轫之初的历史轨迹，记录了在党中央的正确领导下，广东省委、省政府与广大干部群众一起，顺应历史潮流，不断开拓进取，冲破旧体制的束缚，解放生产力、发展生产力的伟大历程。全书将广东30年改革开放实践的发展历程进行梳理、回顾，改革开放过程中曲折和前进的轨迹也将随之更加清晰。既有鲜活的改革实践，又有系统的改革理论，反映了广东人注重综合改革、全面改革的理念和把“敢为人先”的胆识、“杀出一条血路”的气魄，充分运用于改革开放的实践尝试，有助于我们在中国特色社会主义道路上走得更好、更快。

《总论》由蒋斌（中共广东省委宣传部副部长、广东省邓小平理论和“三个代表”重要思想研究中心常务副主任）和梁桂全（广东省社会科学院院长、广东省邓小平理论和“三个代表”重要思想研究中心副主任、研究员）任主编。广东省邓小平理论和“三个代表”重要思想研究中心负责组织协调和编撰方面的具体工作。田丰（广东省社会科学界联合会主席、党组书记、研究员）、温宪元（广东省邓小平理论和“三个代表”重要思想研究中心副秘书长、研究员）起草了《总论》提纲。参与撰写的作者有：温宪元、廖胜华（导言），陈建（第一章），游霭琼（第二章），罗福群（第三章），李继霞（第四章），周薇（第五章），肖海鹏、刘佳宁（第六章），向晓梅（第七章），揭英丽、刘小敏（第八章），尹德慈（第九章）。全书由温宪元负责统稿，最后，由蒋斌、梁桂全定稿。

本书的编撰出版是一项宏大的工程，感谢广东省委宣传部、广东省社会科学院，以及广东省的有关部门在资料寻找和编撰出版过程中给予的大力支持、帮助，感谢广东人民出版社的辛勤劳动。由

于编撰人员的水平及时间所限，难免存在这样那样的问题和缺陷，恳望阅读者提出宝贵意见。

编 者

2008 年 11 月